Les thermes d'Eski Kaplica de Bursa, au pied de la colline de Çerkige, sont les plus anciens bains construits par les sultans ottomans dans leur première capitale.

L'église orthodoxe regroupait les jeunes enfants bulgares dans les séminaires d'Andrinople (Edirne) ou d'Istanbul.

Ces trois photographies sont l'œuvre de célèbres photographes d'Istanbul, Sebah et Joaillier. Ces compositions posées en studio reflètent beaucoup plus la vision européenne de l'Orient que la réalité. Musiciens tziganes, Bachibouzouks et femme au narguilé reprennent les grands thèmes de la peinture et de la littérature orientaliste.

Le petit palais de Küçüksu, construit en 1856-1857 par l'architecte Nikogos Balyan pour le sultan Abdül Mecit. Les palais baroques du Bosphore sont noyés dans l'ombre des collines et entourés de jardins aux bosquets de jasmin et de roses.

De nombreuses personnalités universitaires ou locales ont collaboré à ce guide. Toutes les informations contenues dans cet ouvrage ont été soumises à leur approbation.
Nous remercions plus particulièrement Monsieur Demir Onger, président du Centre culturel d'Anatolie.

Des clefs pour comprendre
Nature :
Marc-Henri Lebrun, W. D. Nesteroff
Histoire :
John Freely, Stéphane Yérasimos
Langue :
Altan Gokalp
Art de vivre : Gérard Georges Lemaire (palais et jardins, hammams, costumes, cafés), Ersu Pekin (musique), Mme Onger (théâtre d'ombres, gastronomie), Henri Daumas (tapis et kilims), Altan Gokalp (religion, Byzance), Arthur Thévenart (fontaines)
Architecture : Augusto Romano Burelli, Ugur Tanyelli, Stéphane Yérasimos..
Istanbul vue par les peintres : Abidine.
Istanbul vue par les écrivains :
Guzine Dino.
Informations pratiques : Nathalie Phan, Christophe Bardèche, Catherine Laussucq, Meltem Savçi.

Itinéraires
John Freely, Murat Belge, Zeynep Avçi

Illustrations
Nature : Sophie Lavaux, Jean-François Péneau
Architecture : François Brosse
Cartographie : Pierre-Xavier Grézaud, Jean-François Binet, Philippe Pradel, Samuel Tranlé
Itinéraires : Norbert Boussot

Photographes
Ara Güler, (Istanbul)
Guido Rossi, Gérard Degeorges
Arthur Thévenart, Edouard de Pazzis, Hâluk Özözlü

Réalisation
Éditions Didier Millet
23 avenue Villemain
75014 Paris

Nous remercions Monsieur Pierre de Gigord qui a mis aimablement à notre disposition ses connaissances et ses collections.

Guides Gallimard

Direction : Pierre Marchand
Assisté de :
Hedwige Pasquet
Christian Moire
Rédaction en chef :
Marie-Noëlle Fustec
Assistée de :
Nicole Jusserand,
Catherine Bourrabier
Coordination :
Graphisme : Elisabeth Cohat
Photographie : Eric Guillemot
Cartographie : Vincent Brunot
Architecture : Bruno Lenormand, Dominique Fernandez, Jean-Philippe Chabot
Planches Nature : Frédéric Bony
Istanbul :
Edition : Anne Nesteroff,
assistée de Catherine Bray.
Traduction : Jacqueline Gheerbrant, Anne Derouet-Delmont, Edouard de Pazzis.
Maquette : Philippe Marchand
Mise en page : Jean-Michel Belmer
Iconographie : Anne Nesteroff

Dépôt légal : mars 1993 Numéro d'édition :52022 ISBN 2-7424-0161-X
Imprimé en Italie par la Editoriale Libraria
Avril 1993

TURQUIE

ISTANBUL
ET LA TURQUIE DU NORD-OUEST

GUIDES GALLIMARD

Sommaire
Des clefs pour comprendre

Nature, *15*

Géologie de la Turquie, *16*
Le Bosphore et les oiseaux migrateurs, *18*
Le lac de Manyas, *20*
La mer Noire, *22*
Le parc national d'Ulu Dağ, *24*
Les jardins d'Istanbul, *26*

Histoire et langue, *27*

Chronologie, *28*
La prise de Constantinople, *34*
De l'Émirat à l'Empire ottoman, *36*
La bataille de Lépante, *38*
Apogée et déclin de l'Empire, *40*
La république de Turquie, *42*
La langue turque, *46*

Arts et traditions, *49*

Palais et jardins du Bosphore, *50*
Costumes ottomans, *52*
Musique, *54*
Le théâtre d'ombres, *56*
Hammams, *58*
Tapis et kilims, *60*
La religion en Turquie, *62*
L'art byzantin, *64*
Fontaines, *66*
Produits typiques, *68*
Gastronomie, *70*
Les cafés, *72*

Architecture, *73*

Architecture byzantine, *74*
Architecture de l'eau, *76*
Architecture ottomane, *78*
La Selimiye d'Edirne, mosquée impériale, *80*
Le palais de Topkapı, *82*
L'architecture baroque du XIXe siècle, *84*
Maisons traditionnelles, *86*
Les yalı, *88*

Istanbul vue par les peintres, *89*

Istanbul vue par les écrivains, *97*

Sommaire
Itinéraires

De la pointe du Sérail à la première colline, *128*

La Yeni Valide Camii, *130*
Le bazar aux épices, *132*
La Rüstem Paşa Camii, *132*

Sainte-Sophie, *138*

Topkapi Sarayi, *150*

Le harem, *160*
Les musées, *164*
Les miniatures ottomanes, *166*

La mosquée Bleue, *174*

L'At Meydanı, *177*
Le musée des Arts turcs et islamiques, *179*

Le Grand Bazar, *186*

Les citernes byzantines, *187*

La Beyazidiye et la Süleymaniye, *200*

La calligraphie, *206*

Fethiye Camii, *220*

La Theotokos Pammakaristos, 223

Les murailles terrestres, *224*

Le Yedikule, *227*
Saint-Jean-de-Stoudion, *229*
Saint-Sauveur-in-Chora, *232*
Les palais byzantins, *236*

La Corne d'Or, *238*

L'église du Christ-Pantocrator, *240*
Les cimetières, 250

Galata et Beyoğlu, *254*

Üsküdar et les îles des Princes, *264*

Le Bosphore, *274*

Le palais de Dolmabahçe, *276*
Le parc de Yıldız, *280*
Le palais de Beylerbey, 289

Iznik, *292*

Bursa, *298*

Edirne, *308*

Sinan, architecte impérial *314*

Les Dardanelles, *322*

Troie, *334*

Informations pratiques, 359

Annexes, *381*

Glossaire et lexique bilingue, *393*
Index, *397*

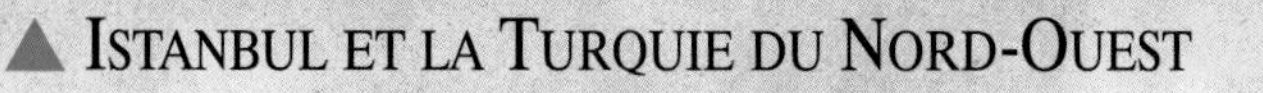

▲ Istanbul et la Turquie du Nord-Ouest

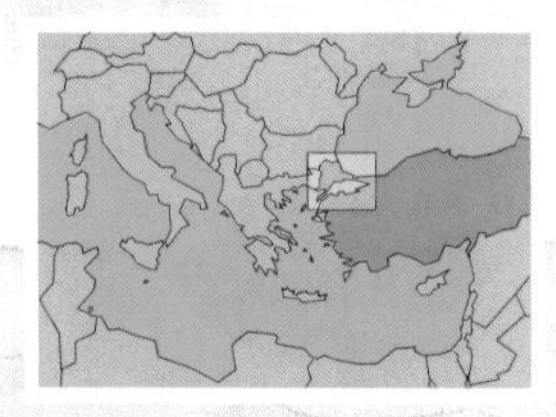

Edirne

Gelibolu

Çannakale

Détroit des Dardanelles

Mer Égée

Izmir

	Istanbul	Edirne	Iznik	Bursa
Istanbul				
Edirne	231			
Iznik	189	420		
Bursa	232	463	71	
Çannakale	341	228	346	275

COMMENT UTILISER UN GUIDE GALLIMARD

(Page extraite du guide «Venise»)

En haut de page, les symboles annoncent les différentes parties du guide.

■ NATURE

● DES CLEFS POUR COMPRENDRE

▲ ITINÉRAIRES

◆ INFORMATIONS PRATIQUES

La carte itinéraire présente les principaux points d'intérêt du parcours et permet de se reporter à un plan.

La minicarte situe l'itinéraire à l'intérieur de la zone couverte par le guide.

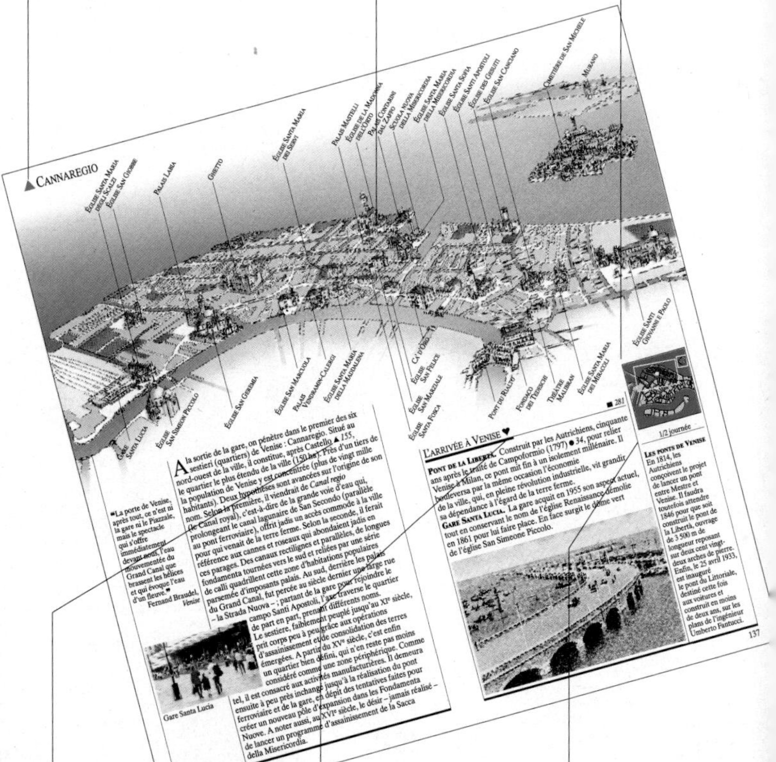

●▲■◆ Les symboles, en titre ou à l'intérieur du texte, renvoient à un lieu ou à un thème traité ailleurs dans le guide.

♥ Le coup de cœur de l'éditeur pour un site dont la beauté, l'atmosphère ou l'intérêt culturel séduiront particulièrement le visiteur.

Au début de chaque itinéraire, les modes de déplacement possible et la durée sont signalés sous les cartes :

- En voiture
- A pied
- En bateau
- A bicyclette
- Durée

L'ARRIVÉE À VENISE ♥ ■ *281*

PONT DE LA LIBERTÀ. Construit par les Autrichiens, cinquante ans après le traité de Campoformio (1797) ● *34*, pour relier Venise à Milan, ce pont mit fin à un isolement millénaire. Il bouleversa par la même occasion l'économie de la ville, qui, en pleine révolution industrielle, vit grandir

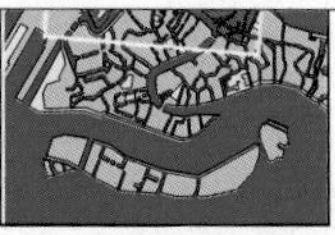

1/2 journée

Nature

Géologie de la Turquie, *16*
Le Bosphore
et les oiseaux migrateurs, *18*
Le lac de Manyas, *20*
La Mer Noire, *22*
Le parc national d'Ulu Dağ, *24*
Les jardins d'Istanbul, *26*

Institut Turc
de Recherche
et d'Exploitation
Minière

L'Anatolie ou Turquie d'Asie se présente comme un haut plateau central d'une altitude moyenne de 900 m, bordé par les chaînes montagneuses des Pontides et du Taurus qui culminent vers 3000 m. Ce plateau s'incline progressivement de l'est et les monts d'Arménie vers l'ouest et la mer Égée. Comment s'est-il formé ? Il y a 300 millions d'années la zone où se trouve la Turquie était occupée par la marge d'un grand continent, le Gondwana, bordé au nord par une mer, la paléo-Téthys, qui le sépare du continent eurasiatique. Au cours des ères qui suivent cette marge connaît une suite de bouleversements tectoniques majeurs. Une mer, la néo-Téthys s'ouvre, se remplit de sédiments puis, écrasée entre les blocs continentaux, se referme en éjectant toutes ses formations en surface : sédiments, croûte océanique, ophio. Dès le Miocène inférieur (23 millions d'années), l'Anatolie est un bloc continental compact, situé entre la mer Noire et la Méditerranée orientale, soumis à la pression des plaques environnantes.

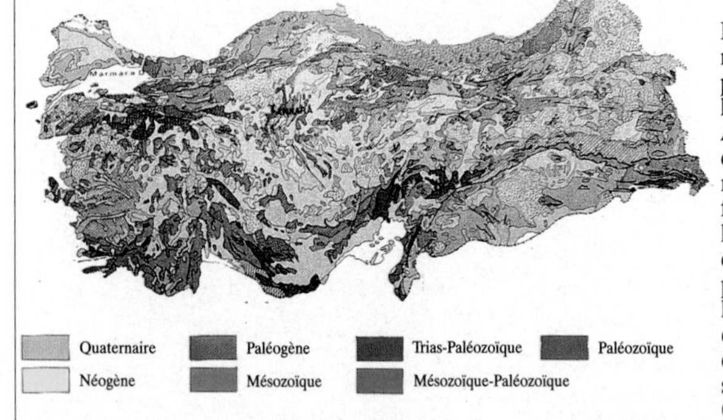

L'Anatolie et la mer Egée sont prises en étau entre la plaque Afrique-Arabie qui se déplace vers le nord et la plaque fixe de l'Eurasie. À l'ouest la collision est absorbée par le plongement de la bordure nord du promontoire de l'Afrique sous un arc égéen Crète-Chypre, transformant ainsi la mer Egée en zone d'extension.

Faille nord-anatolienne
Faille est-anatolienne
Plaque Arabie
Plaque Afrique

Les roches calcaires et les schistes
Ils prédominent sur les rives du Bosphore, ainsi que des calcaires en plaquettes (**6**) (**7**) d'âge dévonien (410 à 360 millions d'années). Les granites(**9**) dont les fractures révèlent parfois des dendrites (**10**) forment des massifs comme celui du massif de l'Ulu Dağ près de Bursa. Les roches plus récentes : argiles, marnes, grès, sables et tufs volcaniques, représentent le remplissage des anciens bassins sédimentaires.

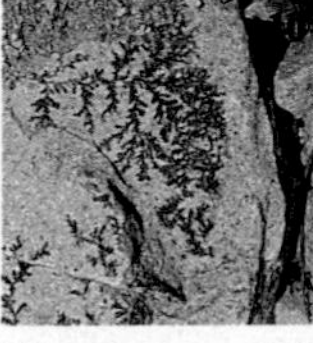

Pétrographie
Des roches de pétrographies très variées affleurent. Les séries ophiolithiques sont constituées de fragments d'anciennes croûtes océaniques (ophiolithes), actuellement surélevées, de la paléo-Téthys et de la néo-Téthys. Ces séries forment les chaînes montagneuses bordières du plateau anatolien : le Taurus au sud et les Pontides au nord. On peut ainsi observer des coupes de croûte océanique de la base vers la surface : des gabbros (**3**), des péridotites (**5**), des basaltes (**4**), des laves en coussins (**8**) et enfin des jaspes (**1**).

Par contre à l'est l'Arabie continuant sa remontée s'écrase sur l'Anatolie. Pris en tenaille le bloc anatolien s'échappe (11 millions d'années) vers l'ouest et la mer Egée, le long d'anciennes sutures : les failles est anatolienne et nord anatolienne. Ce mouvement de fuite se continue et c'est le long de la faille nord anatolienne que l'on enregistre, de nos jours, les séismes les plus importants.

Marbres, panneauxs et pilastres
Des plaques de marbre provenant des carrières d'Anatolie recouvrent des murs entiers de la basilique de Sainte-Sophie. Les architectes de l'époque hellénistique avaient recours au marbre pour les éléments porteurs d'ornements. Dans les mosquées, de délicates sculptures apparaissent sur les colonnettes de marbre et sur les piliers des encadrements de portes et de fenêtres.

Les oiseaux migrateurs sont des milliers à survoler deux fois par an le détroit du Bosphore, situé entre les quartiers de reproduction d'Europe et d'Asie occidentale et ceux d'hivernage d'Afrique de l'Est. La plupart parcourt ainsi des milliers de kilomètres. Les rapaces et les autres grands planeurs (grues, cigognes) répugnent à survoler les mers et choisissent plutôt de passer par les isthmes ou les détroits. Ils utilisent alors les ascendances thermiques pour prendre de l'altitude et planer ainsi sur de longues distances.

Grue cendrée
C'est surtout en octobre que passent les troupes de grues.

Milan noir
On le voit souvent le long de la Corne d'Or, cherchant des cadavres de poissons.

Cigogne blanche
315 000 oiseaux environ survolent le Bosphore chaque année.

Hypolais pâle
Cette fauvette niche en nombre sur les collines de Çamlica.

Pie-grièche écorcheur
En route vers l'est de l'Afrique, elle s'arrête dans les buissons des collines d'Istanbul.

Hirondelles
Milans noirs
Bondrées apivores
Cigognes
Aigles pomarins
Éperviers à pieds courts

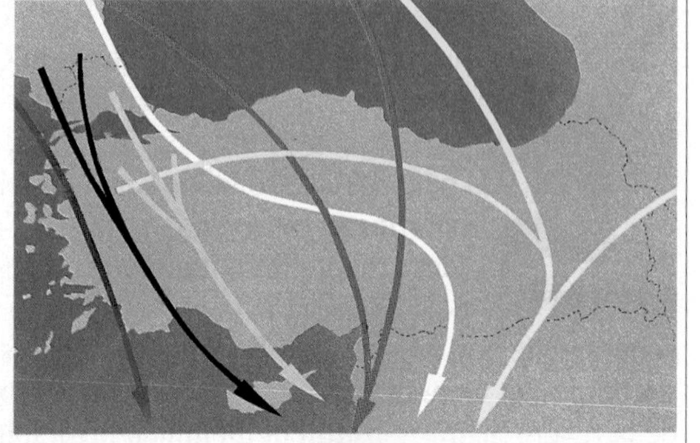

Vautour percnoptère
Guère plus de 300 à 500 individus survolent le Bosphore, principalement en août-septembre.

Aigle pomarin
Près de 18 000 de ces aigles migrent par le Bosphore en automne.

Bondrée apivore
25 000 oiseaux, originaires d'Europe centrale et orientale, passent en automne.

Le Bosphore
Ce détroit est comme un fleuve aux sinuosités brusques, coulant entre des rives assez élevées, bordées de collines cultivées ou boisées. La vitesse du courant dans le Bosphore varie selon la saison. La migration d'automne est plus spectaculaire que celle du printemps puisqu'elle concerne également les jeunes oiseaux nés quelques mois auparavant.

GUIFETTE MOUSTAC

Le lac Manyas - appelé aussi Kuş Gölü, le «lac des oiseaux» - est situé entre Bursa et Çannakale, à 15 m en-dessous du niveau de la mer de Marmara. Sa surface couvre environ 16 800 ha, à la limite du petit parc national de Kuş Cenneti. Ses eaux renferment, outre une multitude d'amphibiens (des grenouilles notamment), 20 espèces de poissons dont la pêche représente un apport économique non négligeable. De vastes roselières bordant ses berges, et un petit bois de saules près de l'embouchure de la rivière Sigirci constituent un milieu favorable aux hérons, pélicans et cormorans qui viennent nicher là chaque année. Mais cette avifaune exceptionnelle est menacée par le drainage, le braconnage et la pollution industrielle qui ont déjà provoqué la désertion des oiseaux du lac d'Iznik, autrefois riche de nombreuses espèces.

GUIFETTE NOIRE

IBIS FALCINELLE
Son bec recourbé le fait ressembler à un courlis.

Pélicans frisés
Le lac Manyas est l'un des rares endroits de Turquie où niche cette espèce très menacée.

Grand Cormoran
600 couples de cet oiseau piscivore nichent autour du lac. Au printemps les oiseaux paradent dans les saules où ils nichent.

Aigrette garzette
Au printemps, son cou et ses ailes s'ornent de grandes plumes blanches.

Busard des roseaux
Il niche dans les grandes roselières.

Héron cendré
C'est le plus commun des hérons. Il pêche dans les eaux peu profondes du lac. Ses effectifs varient entre 300 et 600 couples.

Tête de héron cendré
L'oiseau se tient immobile, le cou tendu ou replié.

Aigle criard
Quelques rares oiseaux peuvent séjourner en automne.

Bihoreau gris
La tête de ce petit héron aux mœurs nocturnes, s'orne au printemps d'une longue huppe blanche.

Grèbe huppé
C'est surtout en hiver que cet oiseau piscivore s'observe sur les eaux du lac.

Les falaises calcaires de la mer Noire ne tombent pas brutalement à pic. Les roches se délitent par fractures verticales et les blocs qui tombent forment un talus à leur pied. De la terre s'amasse sur ce talus et sur les ressauts des parois verticales, permettant l'installation d'une végétation buissonnante pionnière. Au niveau de l'eau, on observe une longue encoche creusant la roche calcaire, soulignée par une couleur sombre gris-noire. Cette encoche n'est pas due à l'érosion par les vagues mais le résultat de l'attaque de la roche par des algues perforantes bleu-vert. Ces algues prospèrent dans cette zone perpétuellement humide et détruisent peu à peu le calcaire.

LA VÉGÉTATION AU BORD DE LA MER Au sommet de la falaise, s'installe un maquis très bas de végétation épineuse, composéede cistes et de cytises qui fleurissent précocement au printemps et parfois en automne (1). Les gazons maritimes sont roussis par les embruns qui les imprègnent de sel. Sur les rochers, au printemps, fleurissent les minuscules romulées et les narcisses très parfumés vivent dans les anfractuosités. Au bord des plages et sur les roches, les mésembryanthèmes couvrent de larges étendues (3). Sur les côtes rocheuses, les plantes et les animaux qui vivent à la limite des mers de vive-eau et de morte-eau sont répartis selon plusieurs zones : l'étage supra-littoral, rarement recouvert par l'eau et à l'air libre est situé au-dessus de la zone où s'installe les balanes et les patelles (4). Dans la zone de balancement des marées et la zone infralittorale, riche, croissent les laminaires (5). Dans le sable, vivent de nombreuses espèces de crustacés, d'anémones, et de vers.

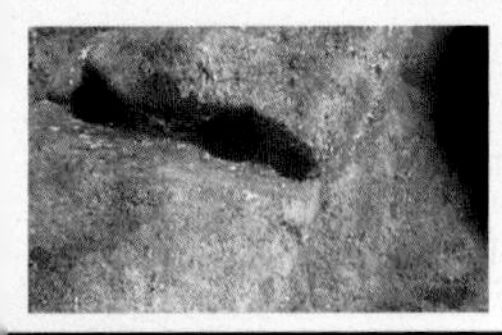

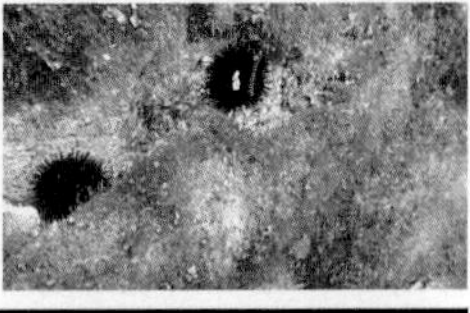

Fonds sous-marins
Les fonds rocheux sont aisés à explorer en plongée. La variété des milieux est grande dans les dix premiers mètres sous la surface de l'eau : sur les fonds, parmi les algues, l'on trouve de nombreux coquillages et des invertébrés et, dans le sable et la vase, quelques poissons plats.

1

5

3

4

2

1. Oursin
Son test est de couleur verte. Il s'accroche aux rochers, pierres et algues, depuis le bord de la falaise jusqu'à une profondeur de 30 mètres.

2. Nucule nacrée
Ce bivalve vit enfoncé dans le sable, de 0 à 150 m environ.

3. Ormeau
Il vit parmi les blocs rocheux. Sa face interne est garnie d'une couche de nacre.

4. Perceur
Ce mollusque vit sur les fonds de vase et de sable.

5. Balanes
La carapace de ce crustacé qui s'attache aux rochers, est formée de six plaques lisses.

Mendole
Ce poisson vit dans les eaux côtières et à l'embouchure des rivières.

Maquereau commun
Il se déplace en banc près des côtes.

Maigre

Sprat Il vit près des côtes et dans les eaux saumâtres.

Chinchard Rare en mer Noire, il vit en pleine mer.

Le Parc national d'Ulu Dağ

La création d'un important domaine skiable représente un certain danger pour le parc national et ses richesses.

La route à l'intérieur du parc traverse un maquis de lavandes et de genévriers puis les étages successifs de la forêt et longe ruisseaux et torrents.

Dans les pins nichent pics syriaques, fauvettes, et rapaces.

Le site préservé du parc national couvre les pentes méridionales du massif de l'Ulu Dağ. La végétation s'étage en 4 zones de 500 m à 2 500 m d'altitude. Il y a d'abord, de 0 à 600 m, l'étage méditerranéen où fleurissent lavandes, arbousiers et chênes verts (1), et, de 600 à 1200 m, l'étage méditerranéen supérieur, caractérisé par des noisetiers de Byzance, des tilleuls, des hêtres d'Orient et des chênes (2). De 900 à 1800 m, l'étage montagnard est composé de sapins et de pins (3). Au-delà, de 1800 m, dans les prés de l'étage subalpin, on découvre le domaine skiable du parc.

Au printemps, le maquis s'orne de petites orchidées et de jacinthes parfumées.

Cette forêt épaisse de conifères et d'arbres caduques abrite une faune très dense.On y trouve des cervidés - le cerf élaphe (4) et le daim (5) -, des sangliers et parfois des ours ou des loups.

C'est pour protéger ce site naturel et pour sauvegarder la population animale, souvent en voie de disparition, qu'a été créé le parc national de l'Ulu Dağ.

Mouflon
C'est la race d'Asie Mineure du mouflon que l'on rencontre sur les plus hauts sommets de l'Ulu Dağ

Le maquis se compose de cistes, de bruyères arborescentes, de pistachiers lentisques et de chèvrefeuilles.

Sauterelles et abeilles
De nombreux insectes peuplent le parc national. Beaucoup d'espèces ne se rencontrent que dans cette partie de la Turquie et sont totalement inconnues en Europe. Elles sont facilement observables surtout en été.

Cyclamens étalés
Dans le maquis et plus haut dans la forêt, ils se mêlent aux violettes et aux renoncules.

Apollon
Ce papillon remarquable est intimement lié aux zones montagneuses, et ne descend guère au-dessous de 700 m.

Au XVIIIe et au XIXe siècle les jardiniers paysagistes sont chargés de créer les parcs des palais des sultans, des ambassades ou des *yalı* du Bosphore, jardins pour lesquels ils se procuraient des arbres forestiers, fruitiers ou d'ornement. Ces paysagistes ont fait de ces parcs une création esthétique qui correspondait à leur vision et à leur rang. Mais ils allaient alors à l'encontre des traditions qui s'étaient établies dans les jardins modestes. Sur les places de la ville ou des villages du Bosphore, on utilise, pour créer une tonnelle, les ressources de la nature, prélevées par cueillette ou bouturage.

ARBRE DE JUDÉE

RAMEAUX D'ARBRE DE JUDÉE AVEC GOUSSES

FLEURS DE L'ARBRE DE JUDÉE
Elles apparaissent en mai, avant les feuilles.

FLEUR DE ROSIER BUISSON
Les rosiers à grandes fleurs sont utilisés en arbustes ornementaux, ils sont remarquables par le port, la grosseur et le parfum de leurs fleurs.

CHÊNE VERT
Ce chêne à feuillage persistant est planté dans les parcs.

EUCALYPTUS
Cet arbre importé a tendance à stériliser les sols.

OLIVIER DE BOHÊME
à feuillage argenté, et aux fleurs très parfumées.

PIN DES BALKANS (OU DE BOSNIE)
Il est cultivé ici et là dans les jardins du Bosphore.

Histoire et langue

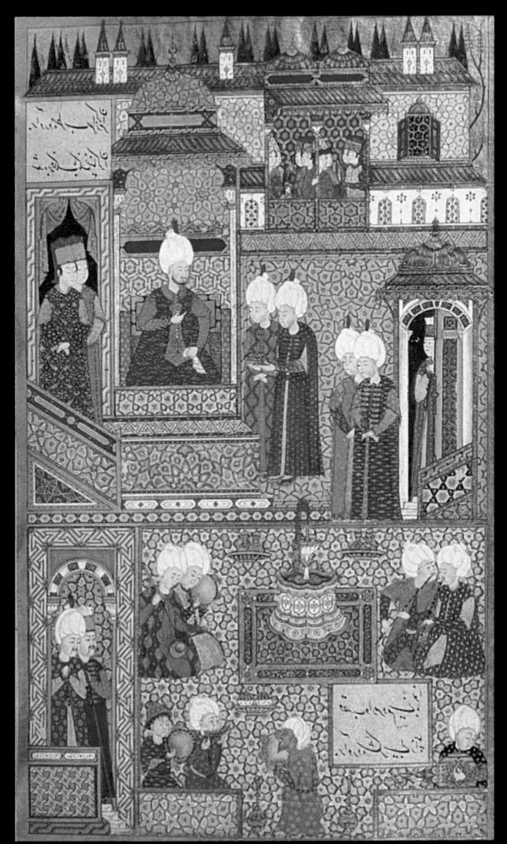

Chronologie, *28*
La prise de Constantinople, *34*
De l'Émirat à l'Empire ottoman, *36*
La bataille de Lépante, *38*
Apogée et déclin de l'Empire ottoman, *40*
La langue turque, *46*

LES ORIGINES. La Turquie, berceau de civilisations et carrefour de l'histoire, est un trait d'union entre l'Orient et l'Occident. Les premières civilisations sédentaires de l'humanité remontent à 10 000 ans av. J.-C. Les découvertes archéologiques attestent la présence de populations, dès cette époque, dans deux cités d'Anatolie Centrale, Hacilar et Catalhüyük. Au début du IIIe millénaire av. J.-C., des peuples traversèrent les détroits pour aller s'installer le long des côtes de la mer Égée et sur le site de Troie. Au IIe millénaire avant notre ère, les Hittites s'établissent en Asie Mineure. Les nombreuses migrations, dont celles des «peuples de la mer», se renouvelèrent à partir de la fin du IIe millénaire.

PÉRIODE NÉOLITHIQUE

8000-1200 av. J.-C.
Peuplement de l'Anatolie.

LA FONDATION DES PREMIÈRES CITÉS. Les cités les plus anciennes sont Hacilar et Catalhüyük qui remontent au néolithique (8000-4500 av. J.-C.). Elles ont connu une implantation humaine continue jusqu'à l'âge du bronze (3000-1200 av. J.- C.). L'agriculture, la métallurgie et des techniques nées en Anatolie se sont répandues à travers l'Europe et l'Asie, gagnant l'Afrique du Nord.

L'ÂGE DU BRONZE

4000 av. J.-C.
Arrivée des populations néolithiques.

3000 av. J.-C.
Fondation de Troie I.

2600 av. J.-C.
Migrations anatoliennes en Crète.

2100 av. J.-C.
Troie II : invasion et destruction de la deuxième cité.

2000 av. J.-C.
Invasion des Ioniens en Grèce.

LE SITE DE TROIE. Les fouilles archéologiques en Anatolie débutèrent en 1870 avec les travaux de Schliemann sur le site de Troie, situé sur la côte asiatique des détroits que les Grecs nommaient Hellespont. La fondation de la cité fortifiée se situe entre 3000 et 2500 av. J.-C., époque charnière entre le Chalcolithique tardif et le début de l'âge du bronze. Tout au long de ce dernier, la cité est habitée et entretient des relations avec les peuples égéens et cycladiques. La ville de Troie II est détruite vers 2100-2000 av. J.-C. par une population dont aucun vestige culturel ne subsiste. Une nouvelle civilisation apparaît vers 1800 av. J.-C.

LES HATTI. L'écriture est introduite en Anatolie au milieu de l'âge du bronze (2000-1500 av. J.-C.) par des marchands assyriens venus des cités des Hatti, un peuple autochtone de l'Asie Mineure dont la civilisation a laissé de très belles œuvres d'art, tel un pot à bec en or, mis au jour à Alaca Hüyük. Les Hatti ont dominé pendant plus de mille ans,

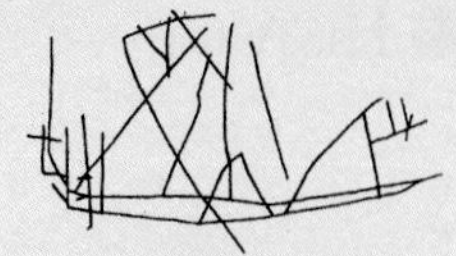

jusqu'à ce qu'ils soient supplantés, au début du IIe millénaire, par les Hittites, peuple guerrier venu, semble-t-il, du sud de la Russie. Les Hittites (2000-1180 av. J.-C.) conquièrent l'Anatolie et fondent leur capitale à Hattusa, l'actuelle Boğazkale. Ils furent les premiers grands bâtisseurs de forteresses : la ville d'Hattusa était entourée par des murs d'enceinte pourvues de tours ; cinq grands temples et des complexes avec magasins ont été dégagés.

Le Royaume hittite. Hattusa, capitale du Royaume hittite (1700-1450 av. J.-C.), conserve son rang durant l'Empire (1450-1200 av. J.-C.). À la fin de l'âge du bronze, les souverains hittites se posent en rivaux des Égyptiens, et, en 1286 av. J.-C., l'Empire hittite affronte l'Empire égyptien de Ramsès II lors de la célèbre bataille de Kadesh en Syrie. Le conflit se conclut par le plus ancien traité de paix connu, signé en 1269 par Hattousil et Ramsès II. La tablette d'argile de ce traité est conservée au musée de l'Ancien Orient, à Istanbul.

Les «peuples de la mer». Aux environs de 1200 av. J.-C., toutes les grandes cités de la fin de l'âge du bronze, notamment Troie, Mycènes et Hattusa, sont détruites, probablement par les guerriers que les Égyptiens appellent «les peuplades maritimes et insulaires». Suit alors une période obscure de l'histoire de l'Anatolie qui dure plusieurs siècles (1180-750) pendant lesquels on ne décèle pratiquement plus aucune trace de civilisations dans ces régions qui avaient connu un grand rayonnement.

Les États néo-hittites. Une partie de l'héritage de la culture hittite s'est transmise aux États néo-hittites qui émergent au sud-est de l'Anatolie et en Syrie entre 1000 et 700 av. J.-C. Mais à l'ouest et au centre de l'Anatolie, les Phrygiens imposent leur domination aux Hittites de 900 à 600 av. J.-C. Dans le même temps, les Ourartriens affirment leur pouvoir sur la partie orientale du sous-continent.

La civilisation gréco-anatolienne. À partir du XIVe siècle, les Grecs s'installent le long de la côte anatolienne et fondent les grandes villes grecques comme Milet et Éphèse qui colonisent au VIIe siècle le Bosphore et la Mer Noire.

L'Anatolie sous les Perses. Cyrus conquiert l'Empire lydien qui restera sous domination perse de 546 à 334 av. J.-C., époque où Alexandre le Grand franchit les Dardanelles.

1400 av. J.-C.-1200 av. J.-C.
Invasion des Doriens en Grèce.

1230-1225 av. J.-C.
Prise de Troie, destruction de Mycènes et Hattusa.

753 av. J.-C.
Fondation de Rome.

600 av. J.-C.
Fondation de Marseille.

490 av. J.-C.
Bataille de Marathon.

448-430 av. J.-C.
Apogée du pouvoir de Périclès à Athènes.

Fondation de Byzance

On attribue traditionellement la fondation de Byzance à Byzas de Mégare qui mena, en 660 av. J.-C., une expédition de colons venus d'Athènes et de Mégare pour établir une nouvelle cité sur le Bosphore. Byzas choisit la colline escarpée qui s'élève à la pointe, face à la Corne d'Or et au Bosphore. À cette confluence, le chef mégarien fonde l'acropole ceinte d'un mur de défense. Cette ville haute forme ainsi, avec son anse en contre-bas abritant un port, l'embryon d'une cité qui subsista jusqu'au début du IVe siècle après J.-C.

D'ALEXANDRE LE GRAND À L'EMPIRE ROMAIN

Un âge nouveau dans l'histoire de l'Anatolie commence en 334 av. J.-C., quand Alexandre envahit l'Asie. Il remporte sa première victoire à la bataille du Granique, puis libère du joug perse les cités grecques d'Asie Mineure, avant de s'engager au cœur de l'Asie, jusqu'à Babylone où il meurt en 323 av. J.-C. Après sa mort, ses successeurs, les Diadoques, combattent la dynastie de Ptolémée, les Séleucides en Syrie. La période hellénistique (323-129 av. J.-C.) voit l'émergence de royaumes indépendants. Le plus puissant est celui de Pergame, fondé lorsque Philetærus prend le pouvoir en 281 av. J.-C. à la mort de Lysimaque et qui deviendra province romaine en 133 av. J.-C. Les cités grecques d'Asie Mineure prospèrent au cours des deux premiers siècles de l'ère impériale. Cette prospérité connait son apogée avec l'empereur Hadrien (117-138) sous le règne duquel temples, théâtres et monuments sont édifiés.

88-63 av. J.-C.
Reconquête de l'Asie Mineure par les Romains.

27 av. J.-C.
Octave reçoit le titre d'Imperator.

LES GRANDES INVASIONS. À partir de l'an 263, les Goths commencent à envahir la région occidentale de l'Asie Mineure. Ils déferlent en vagues successives, perpétrant massacres et destructions. Ils ouvrent ainsi une brèche dans laquelle s'engouffrent d'autres envahisseurs qui achèvent de détruire toutes les cités grecques d'Asie Mineure.

CONSTANTINOPLE, LA SECONDE ROME

70 apr. J.-C.
Destruction de Jérusalem par les Romains.

CONSTANTIN LE GRAND. Alors que les grandes cités du monde gréco-romain ont été détruites, un nouvel empire naît à Constantinople, dont Constantin le Grand fait, en 330, la capitale de l'Empire byzantin. Son histoire toute entière tourne autour de Constantinople, qui fut la Byzance des Grecs.

BYZANCE ET LES PUISSANCES RIVALES. Pendant les dix siècles de son existence, Byzance a souvent dû abandonner ses prérogatives au profit de celles d'états plus puissants : la Perse tout d'abord, Athènes et Sparte ensuite, lors de la guerre du Péloponnèse. Alexandre et ses successeurs, puis Rome, feront valoir le droit du plus fort. Au cours de son histoire, Byzance sera détruite et reconstruite plusieurs fois, notamment en 196, lorsque l'empereur romain Septime Sévère s'en empare à l'issue d'un siège de deux ans. Elle est alors agrandie et les murailles protégeant l'acropole renforcées et étendues à un territoire compris entre la Corne d'Or et la mer de Marmara. En 324, Constantin le Grand s'empare de Byzance après sa victoire sur Licinius, devenant ainsi l'unique dirigeant de l'Empire romain.

253-260
Invasions des Francs et des Alamns en Gaule.

260
Les Perses Sassanides en Anatolie centrale.

324-337
Règne de Constantin le Grand.

« QUELLE VILLE SPLENDIDE, QUE DE MONASTÈRES D'UNE MAJESTUEUSE BEAUTÉ ! QUE DE PALAIS DRESSÉS DANS SES RUES ET SES AVENUES, AU PRIX D'UN LABEUR INCROYABLE...»

FOUCHER DE CHARTRES

LA VILLE DE CONSTANTIN. Constantin transfère la capitale de l'Empire de Rome à Byzance, reconstruisant la vieille cité grecque pour lui conférer une taille et une splendeur à la mesure de son nouveau rang. Le 11 mai 330, la *Nova Roma* est consacrée mais l'histoire et le peuple la retiendront sous le nom de Constantinople, la Cité de Constantin. La nouvelle capitale, cinq fois plus grande que l'ancienne Byzance, comprend à cette époque une enceinte fortifiée qui s'étend sur plus de trois kilomètres, de la Corne d'Or à la mer de Marmara. Au premier siècle de son histoire, la capitale s'agrandit rapidement et déborde bientôt les limites définies par son fondateur. Au Ve siècle, Théodose II démolit les murailles de Constantin et fait édifier une nouvelle enceinte constituée d'une double rangée de murs et renforcée par 96 tours. Ces murailles marqueront dès lors les limites de la vieille ville qui gagnera encore de l'autre côté de la Corne d'Or et le long des côtes de la mer de Marmara et du Bosphore. Constantinople s'étendra ainsi sur sept collines, telle la Rome antique, l'acropole de l'ancienne Byzance étant sise sur la première colline.

DE L'EMPIRE ROMAIN À L'EMPIRE BYZANTIN. De grands changements interviennent dans l'Empire romain au cours des deux siècles qui suivent le règne de Constantin le Grand (324-337). Après la mort de Théodose Ier en 395, l'Empire est scindé en deux, un des fils de l'empereur, Arcadius, dirigeant la partie orientale depuis Constantinople, l'autre, Honorius, gouvernant la région occidentale depuis Rome. Cette dernière subit, au cours du siècle suivant, des invasions barbares et, en 476, le dernier empereur d'Occident est déposé, laissant l'empereur d'Orient seul maître de ce qui reste de l'Empire romain. Les traditions classiques gréco-romaines s'estompent à mesure que l'Empire renforce son caractère chrétien et grec. Ceci amène un profond changement dans le caractère d'un Empire centré désormais autour de territoires peuplés en majorité de chrétiens parlant le grec, bien que le latin demeure la langue de la cour jusqu'au VIe siècle. En choisissant comme nom générique de l'Empire celui de la cité primitive de Constantinople, Byzance, l'Empereur exprime sa volonté d'affranchir l'État grec chrétien de ses liens avec la Rome antique impériale et païenne. Dès lors le christianisme exerce une influence religieuse mais aussi politique et économique.

325
Concile de Nicée.

340-363
Perses et Romains se disputent la Haute Mésopotamie.

361
Règne de Julien l'Apostat et restauration du paganisme.

379
Théodose Ier devient empereur à 16 ans.

391
Le christianisme devient religion d'Etat.

395
Mort de Théodose Ier. Partage définitif entre Empire d'Orient et Empire d'Occident.

410
Pillage de Rome par Alaric.

429
Invasion de l'Afrique par les Vandales.

431
Concile d'Ephèse.

441-451.
Attila et les Huns déferlent sur l'Empire d'Orient.

622
Mahomet se réfugie à Médine : c'est l'hégire.

963-969
Règne de Nicéphore Phocas.

LE RÈGNE DE L'EMPEREUR JUSTINIEN. L'Empire byzantin atteint l'apogée de sa gloire sous le règne de Justinien (527-565) qui impose à nouveau sa domination à la plupart des régions qui avaient échappé à l'influence de Rome. À la fin du règne de Justinien, l'Empire s'étend sur une grande partie du monde méditerranéen. Il est limité à l'ouest par l'Espagne, à l'est par la Perse, au nord par le Danube et au sud par l'Égypte ; il est pratiquement aussi vaste que l'Empire romain sous Auguste. Justinien profite de l'opulence de son vaste empire pour bâtir de magnifiques églises, palais, édifices publics avec une prodigalité telle que nulle autre cité au monde à l'époque n'égale en splendeur Constantinople. On lui doit la basilique Haghia Sophia, dédiée à la Sagesse Divine, achevée en 537, symbole du rayonnement universel de l'Empire byzantin.

LE DÉCLIN DE L'EMPIRE. Justinien laisse à sa mort un empire qui survivra près de mille ans, mais dont le déclin s'amorce. Au cours du Moyen Âge, ses possessions se réduisent à l'Asie Mineure et au sud des Balkans, incluant le territoire de la Grèce actuelle. Les Turcs seldjoukides lui portent un coup très rude en infligeant une sévère défaite aux armées byzantines à la bataille de Mantzikert en 1071. La même année, les Normands s'emparent de Bari, la dernière possession italienne de l'Empire.

LE ROYAUME LATIN

1067
Les Turcs seldjoukides occupent Césarée.

1204-1261
L'Empire grec de Nicée.

1209-1212
Conquête de la Crète par les Vénitiens.

1256-1258.
Dynastie mongole en Perse.

LA QUATRIÈME CROISADE. En 1204, l'Empire byzantin est au bord de l'effondrement quand les Vénitiens s'associent aux chevaliers de la Quatrième Croisade, organisée par le pape Innocent III pour «secourir» la Terre Sainte. Les chevaliers français, sous la direction du comte Thibaud de Champagne, et le Doge de Venise s'engagèrent à participer à la Croisade et à la financer ; les Vénitiens proposèrent aux croisés de conquérir Constantinople. Parvenus à Constantinople, malgré l'interdiction et l'excommunication du pape Innocent III, les croisés placèrent sur le trône Alexis IV Ange. Celui-ci ne put payer la dette que lui réclamaient les croisés. En mars 1204, ceux-ci décidèrent de l'éliminer et de fonder un royaume latin. Au 13 avril, les croisés s'étaient emparés de tous les quartiers de la ville, après y avoir mis le feu. Constantinople fut mise à sac, des milliers de Grecs massacrés, les sanctuaires furent pillés et les reliques volées, envoyées en Occident. Après le partage du butin, le 9 mai 1204, Baudoin de Flandre fut choisi comme empereur et Tomaso Morosini comme patriarche. Les vainqueurs partagèrent les terres et purent, selon les lettres de Baudoin de Flandre, «mettre la main sur les véritables et immenses richesses tant temporelles qu'éternelles».
Ce royaume durera plus de cinquante ans. Certaines provinces de l'Empire conservent néanmoins leur indépendance pendant cette période, notamment Nicée, au nord-ouest

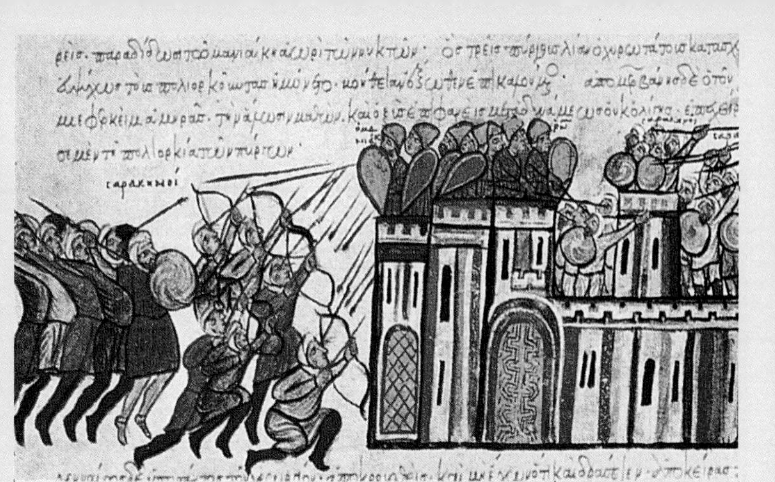

de l'Asie Mineure, capitale d'un empire mené de main de maître par la dynastie lascaride. Cette dernière amorce une renaissance culturelle qui s'étendra à Constantinople lorsque les Grecs reprendront la ville en 1261. Avant sa chute définitive, l'Empire byzantin se désagrège petit à petit pendant deux siècles, subissant les attaques répétées des Turcs *osmanli*, que l'Occident appelle les Ottomans.

1261
Fondation de la dynastie des Paléologues.

1331
Prise de Nicée par les Turcs.

LES PREMIÈRES CONQUÊTES OTTOMANES. En 1326, les Osmanli s'emparent de Prusa, aujourd'hui Bursa, où le sultan Orhan Gazi fonde la capitale de l'empire naissant. Leur avancée est désormais irrésistible et, au milieu du XIVe siècle, ils franchissent les Dardanelles et prennent Andrinople, l'actuelle Edirne, où le sultan Murat Ier établit, en 1371, la nouvelle capitale de l'Empire ottoman. En 1422, Murat II envahit la Grèce et le Péloponnèse. Thessalonique sera conquise en mars 1430. Dès 1438, est institué le système du *devşirme,* recrutement de jeunes chrétiens slaves ou grecs livrés par leur famille en paiement du tribut dû au sultan. Éduqués dans les casernes du palais, ils formeront la base d'une armée turque forte, et constitueront plus tard le célèbre corps d'élite des janissaires. En 1440, Belgrade ville puissante et bien fortifiée, résiste à un siège de six mois et le sultan et ses troupes doivent se retirer. Face à l'avance ottomane, Venise prend la tête des opérations militaires.

L'EMPIRE BYZANTIN SE LIMITE DÉSORMAIS À CONSTANTINOPLE. Au milieu du XVe siècle, les Ottomans ont conquis la plus grande partie de l'Asie Mineure et atteint le sud de l'Europe, malgré les armées chrétiennes levées par les papes pour enrayer leur progression. L'Empire byzantin est réduit à un territoire qui dépasse à peine l'enceinte de Constantinople qui devient à elle seule tout l'Empire byzantin ; devant ses murailles, les sièges succèdent aux sièges. Le pape Nicolas V avait subordonné son secours à l'union des Grecs à l'Église catholique. L'empereur Jean VIII dut accepter cette condition et le cardinal Isidore, envoyé du pape, célébra le 12 décembre 1452 la messe à Sainte Sophie selon le rite catholique romain. Mais le secours des puissances chrétiennes d'Europe se fera vainement attendre.

1328
Victoire d'Orhan Gazi sur Andronic III.

1369-1403
Incursions mongoles en Asie Mineure.

1402
Beyazıt Ier est battu à Ankara par Tamerlan.

1422
Premier siège de Constantinople par les Ottomans.

1423
Venise assure la défense de la ville de Thessalonique jusqu'à sa prise en 1430.

1453
Fin de la guerre de Cent Ans.

1456
Les Ottomans s'emparent d'Athènes.

LA PRISE DE CONSTANTINOPLE

3 février 1451 : Mehmet II, né le 30 mars 1432, succède à son père sur le trône ottoman.
14 février 1452 : Le sénat vénitien informe l'ambassadeur byzantin des préparatifs militaires sans précédent des Turcs en vue du siège de Constantinople. L'empereur Constantin envoie une ambassade pour demander de l'aide.
26 mars : Mehmet II arrive sur les bords du Bosphore afin d'édifier sur la rive d'Europe la forteresse de Rumeli Hisarı qui contrôlera le passage maritime. Il choisit un emplacement en face de la forteresse d'Anadolu Hisarı, bâtie par son aïeul Beyazıt Ier en 1396.

3 septembre : La construction de la forteresse est terminée. Après avoir inspecté ses troupes, fortes de 50 000 hommes, et les fortifications de Constantinople, le souverain rejoint Edirne, nouvelle capitale de l'empire, où il installe ses quartiers d'hiver et prépare minutieusement le siège.
10 septembre : Mehmet renouvelle la paix avec Venise.
26 octobre : Le cardinal Isidore de Kiev, envoyé du pape, arrive à Constantinople pour sceller l'union entre les Eglises orthodoxe et catholique. Il est accompagné d'une troupe de 200 hommes. La ville se divise alors en deux camps, favorables ou hostiles à l'union.
12 décembre : L'union des Eglises est solennellement proclamée dans la basilique de Sainte-Sophie par l'empereur Constantin XI et le cardinal Isidore.
26 janvier 1453 : 700 mercenaires gênois arrivent à Constantinople sous le commandement de Giovanni Giustiniani. On lui confie la défense des murailles. Ce sera les seuls renforts occidentaux.
26 février 1453 : 7 navires vénitiens avec 700 hommes à bord s'enfuient secrètement de Constantinople malgré le serment prêté à l'empereur de ne pas quitter la ville.
1er au 15 mars : Les forces de l'armée turque se réunissent devant la ville.
2 avril : Précédé des canons et machines de siège, Mehmet arrive devant la ville.

4 avril : Le siège commence. Les assiégés postés aux remparts de la ville sont au nombre de 17 000 environ. L'armée turque est estimée à 250 000 hommes et possède la plus puissante artillerie jamais réunie jusqu'alors.
18 avril : Le premier assaut est repoussé.
20 avril : 3 navires marchands gênois et un navire byzantin amenant des renforts réussissent à briser le blocus de la flotte ottomane, entrouvent la chaîne qui ferme l'entrée de la Corne d'Or et rejoignent les assiégés.
22 avril : Pour entrer dans le port et faire sauter le verrou de la Corne d'Or, Mehmet II fait passer une cinquantaine de navires par voie de terre, du Bosphore à la Corne d'Or, en les faisant glisser sur des rondins de bois. Sa flotte contourne ainsi la ville gênoise fortifiée de Galata (Péra) et rejoint la Corne d'Or, venant renforcer les troupes qui assiègent déjà Constantinople. Il fait construire un pont.
7 mai : Le deuxième assaut commence

«Byzance se meurt en un moment où le monde est en crise. Mais la crise est mortelle parce qu'elle s'accompagne de l'inexorable conquête turque, dont la chute de Constantinople n'est qu'une étape.» A. Ducellier

à quatre heures du matin.
Les 30 000 attaquants sont repoussés, ils subissent de fortes pertes.
11 mai : Les murailles de Constantinople, sous le feu continu des bombardes, sont gravement endommagées.

12 mai : Un troisième assaut de 50 000 hommes est lancé à minuit. Les pertes sont importantes des deux côtés.
16 mai : Des galeries creusées sous les murailles par des mineurs serbes au service du sultan sont neutralisées par un système de contre-galeries conçues par un ingénieur militaire allemand au service des Byzantins.
19 mai : Mehmet II fait construire un pont

sur la Corne d'Or pour pouvoir attaquer les murailles maritimes.
22 mai : Deux autres galeries turques sont neutralisées. Une éclipse partielle de la lune terrorise les assiégés.
23 mai : Un brigantin envoyé à la rencontre de la flotte vénitienne attendue revient pour annoncer qu'aucun renfort n'est en vue.
26 mai : Avant la prise de la ville, le sultan Mehmet II ordonne trois jours de jeûne solennel et de prières.
28 mai : L'assaut final est annoncé pour le lendemain.
29 mai : Trois heures avant le lever du jour, Mehmet II donne l'ordre de livrer l'assaut final. À l'aube, la porte de Saint-Romain,

aujourd'hui Top Kapı, détruite, est prise par les janissaires qui entrent dans la ville.

Les défenseurs occidentaux refluent vers leurs navires. L'empereur Cosntantin meurt dans la bataille. La ville est envahie par les Turcs, malgré la résistance des assiégés épuisés après sept semaines de siège.
La prise de Constantinople, le 29 mai 1453, met fin à l'Empire Byzantin. La cité est rebaptisée Istanbul .

De l'Émirat à l'Empire ottoman

Süleyman offrait, par son apparence physique et son comportement empreint de majesté, une image digne d'un monarque aussi puissant.

Le royaume seldjoukide d'Anatolie, instauré suite à la conquête de cette contrée par les Turcs deux siècles plus tôt, éclate à la fin du XIIIe siècle, sous l'effet de la pression mongole. Parmi la quinzaine de principautés tribales installées face à Byzance, c'est la plus petite qui domine, fondée par un chef obscur, Osman, qui ne cessa de guerroyer contre ses voisins. En 1326, Osman consolide ses conquêtes avec la prise de Bursa. Son fils Orhan y transfère la capitale du royaume et s'empare, en 1354, de Nicée (Iznik) et de Gallipoli (Gelibolu). Les premiers Ottomans, ne se contentant pas d'absorber les autres principautés, constitueront le dernier grand empire du proche-orient, dignes successeurs des Romains, des Byzantins et des Arabes. L'émirat ottoman n'est plus enclavé par des puissances rivales et se trouve face au monde byzantin en crise et, au-delà, face aux Balkans.

Les sultans ottomans
Osman Ier (1288-1326)
Orhan Gazi (1326-1362)
Murat Ier (1326-1389)
Beyazıt Ier (1389-1403)
Mehmet Ier (1413-1421)
Murat II (1421-1451)
Mehmet II (1451-1481)
Beyazıt II (1481-1512)
Selim I (1512-1520)
Süleyman Ier (1520-1566)
Selim II (1566-1574)
Murat III (1574-1595)
Mehmet III (1595-1603)
Ahmet Ier (1603-1617)
Mustafa Ier (1617-1618)

«LE SULTAN DES SULTANS DE L'EST ET DE L'OUEST, LA PREUVE DES SOUVERAINS, CELUI QUI PRODIGUE DES COURONNES AUX MONARQUES SUR LA SURFACE DE LA TERRE, L'OMBRE DE DIEU SUR LES TERRES...»

LES SULTANS OTTOMANS
Osman II (1618-1622)
Mustafa Ier (1622-1623)
Murat IV (1623-1640)
Ibrahim (1640-1648)
Mehmet IV (1648-1687)
Süleyman II (1687-16991)
Ahmet II (1691-1695)
Mustafa II (1695-1703)
Ahmet III (1703-1730)
Mahmut Ier (1730-1754)
Osman III (1754-1757)
Mustafa III (1757-1774)
Abdül Hamit Ier (1774-1789)
Selim III (1789-1807)
Mustafa IV (1807-1808)
Mahmut II (1808-1839)
Abdül Mecit Ier (1839-1861)
Abdül Aziz (1861-1876)
Murat V (1876, déposé)
Abdül Hamit II (1876-1909)
Mehmet V (1908-1918)
Mehmet VI (1918-1922)
Abdül Mecit II (1922, calife, abdique en 1924)

La lutte séculaire des Turcs avec Venise donnera lieu à sept guerres, totalisant soixante et onze années de conflit en deux siècles et demi, guerres qui épuiseront les deux Etats.
À la même époque, l'abandon des routes commerciales méditerranéennes et la découverte des nouveaux mondes entraînent la montée des puissances atlantiques.

L'émirat, fondé en 1299, prend pied cinquante ans plus tard dans les Balkans et atteint, avant la prise de Constantinople en 1453, aussi bien l'Adriatique que le Danube. La conquête de la capitale byzantine lui assure une stature impériale et sa position le contraint à s'opposer directement aux grandes puissances de l'époque.

La bataille de Lépante

Sous le règne du sultan Selim II, fils de Süleyman, l'Empire connut une série de revers, mais, entre la victoire de Préveza (1538) et la défaite de Lépante (1571), les Ottomans dominent sur mer. Cette suprématie navale en Méditerranée réduit les chrétiens à la défensive. Le pape Pie V appelle à la guerre sainte et prend la tête de la Sainte Ligue (Espagne de Philippe II, Naples, Gênes, et Venise). La flotte chrétienne se rassemble à Messine sous le commandement de Don Juan d'Autriche. L'armada ottomane, grossie des flottes corsaires d'Alger et de Tripoli, est composée de galères ; ses marins grecs sont sous le commandement d'Ali Paşa. Après cette défaite navale, le grand vizir Sokollu prendra des mesures pour reconstruire sa flotte qui, dès 1574, prendra Tunis.

Le rôle de l'infanterie
La flotte barre le golfe de Corinthe, à la hauteur de la ville de Lépante. Juste avant le contact, les quatre galéasses vénitiennes, à l'artillerie formidable, ouvrent le feu et provoquent des pertes considérables dans les rangs turcs. Suivent les manœuvres d'abordage et le corps à corps des armées. Durant tout l'après-midi, fantassins italiens et espagnols affrontent les janissaires turcs, sur toute la ligne des deux flottes. À la fin de l'après-midi, le commandant turc, Ali Paşa, se donne la mort.

La bataille.
À l'aube du 7 octobre 1571, les deux flottes se trouvent face à face. La flotte chrétienne est composée de 208 galères. La flotte ottomane compte 260 vaisseaux. Au centre, les deux galères amirales : la galère d'Ali Paşa et la réale de Don Juan s'abordent de front. En trois heures, la flotte est détruite et seuls trente vaisseaux pourront regagner leur port d'attache.

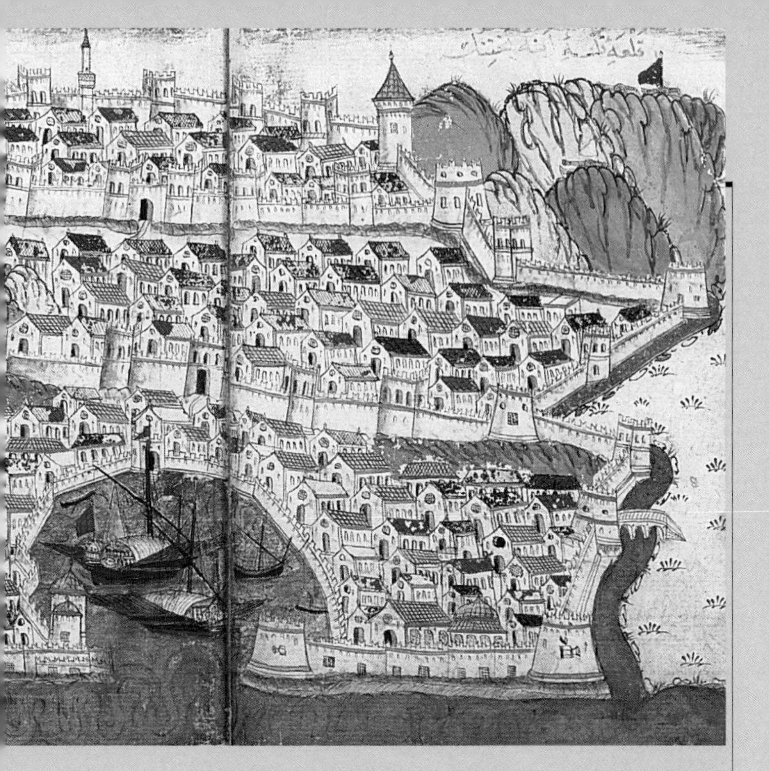

Miniature de la ville de Lépante
C'est un véritable relevé topographique de la cité vers 1540. La ville et son port furent conquis par le sultan Beyazıt II en 1499. Kasim Bey, vizir de Süleyman, puis gouverneur de la Morée, fit construire des fortifications. La ville-citadelle, entourées de douves, était gardée par des janissaires. Lépante, par sa position, contrôlait l'entrée du golfe de Corinthe.

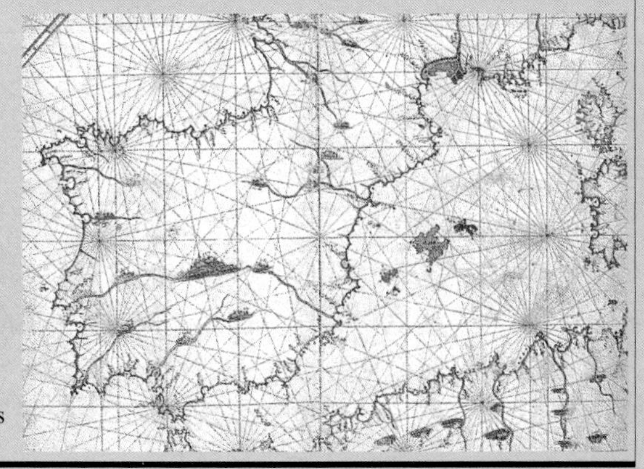

Atlas d'Ali Macar Re'is
Les marins ottomans disposaient de cartes précises, tel cet atlas de la Méditerranée comprenant 9 cartes sur parchemin. Cette carte de la Méditerranée de l'Ouest date de 1567. Les côtes sont en bleu, les îles et les villes importantes entourées de verdure. Les noms des ports sont inscrits en turc.

APOGÉE ET DÉCLIN DE L'EMPIRE OTTOMAN

Au XVIe siècle, les Ottomans négocient, dès 1536, les premières «Capitulations», alliance politique et militaire, entre Süleyman et François Ier puis, avec les Anglais (1580) et les Hollandais (1612). L'empire, à son apogée, comprend la Mésopotamie, la Syrie, la plus grande partie des côtes de la péninsule arabique, l'Égypte et les côtes de l'Afrique du Nord. Il engage une lutte sans merci contre les Habsbourg qui règnent sur l'Empire germanique et celui d'Espagne et bientôt (1580-1640) sur le Portugal. La lutte se déroule sur deux fronts : en Europe Centrale, avec la conquête de la Hongrie (1526) et le siège de Vienne, et en Méditerranée, où, de la victoire de Prévéza (1538) jusqu'à la défaite de Lépante (1571), les Ottomans conservent leur suprématie.

À la fin du XVIe siècle, les Ottomans s'essoufflent face à l'armée de l'Empire des Habsbourg qui a profité des nombreuses innovations techniques financées par l'or de l'Amérique récemment découverte.

Les guerres de religion européennes et notamment la guerre de Trente Ans (1618-1648) marquent un répit dans cette lutte. Lorsqu'elle reprend, dans la seconde moitié du XVIIe siècle, L'Empire ottoman, qui traverse une période de fragilité économique, se trouve en position de faiblesse face à ses adversaires.

«LES ÂMES TROP JOYEUSES AU PAYS D'ICI-BAS RESSEMBLENT AUX ENFANTS RÉGALÉS DE HALVA»

SÜLEYMAN LE MAGNIFIQUE

Après la défaite des Turcs devant Vienne en 1683, les Habsbourg s'engagent dans la reconquête de l'Europe Centrale. Parallèlement, l'Empire russe commence à manifester une volonté d'expansion qui suscitera un conflit séculaire : il y aura neuf guerres russo-turques entre 1683 et 1918.

En 1699, les Ottomans signent le traité de Karlowitz, le premier qui leur soit défavorable et perdent d'importants territoires.
Au XIXe siècle, le traité de San Stefano (1878) démembre la Turquie d'Europe.
L'indépendance est accordée à la Serbie, à la Roumanie et à la Bulgarie. La Bosnie et l'Herzégovine sont occupées par les Autrichiens et l'Anatolie orientale par les Russes.

La Russie obtient, en 1891, le libre passage des Détroits pour ses navires de commerce.

CARTE DE L'EMPIRE OTTOMAN
La Turquie et l'ensemble des pays sous la suzeraineté ottomane, en 1626 en Europe (Grèce, Albanie, Bulgarie, Bosnie, Hongrie, Roumanie, Bessarabie), en Asie et en Afrique (Algérie, Tunisie Libye, Égypte). L'Empire subit, à cette époque, des revers face aux Iraniens en Géorgie et en Azerbaïdjan.

À partir du début du XXe siècle, les mouvements nationaux conduisent au morcellement de l'Empire. Aux révolutions des Balkans, s'ajoute le mouvement nationaliste arabe qui entraîne, à la fin de la Première Guerre mondiale, la chute de l'Empire.

De nouveaux états sont fondés sur ses dépouilles. Le traité de Lausanne, signé le 24 juillet 1923, reconnaîtra à la Turquie des frontières stables englobant la Thrace et les territoires en litige : Smyrne, Cilicie et provinces de l'Est.

LA TURQUIE ET LES TANZÎMÂT (1839-1878)
C'est un grand mouvement de modernisation dont l'impulsion vient souvent des ministres ou du sultan. Ces réformes concernent l'administration et l'appareil de l'état, l'armée, le droit et l'enseignement. La Turquie, influencée dans ses actions novatrices par les grandes puissances (Angleterre, Allemagne, France), promulgue la première constitution ottomane en 1876. L'occidentalisation de la société est aussi sensible dans les arts : littérature, peinture, théâtre s'inspirent des modèles de l'Occident. Les journaux jouent un rôle important. Mais les sultans du XIXe siècle restent califes et prennent part, comme leurs prédécesseurs, aux cérémonies traditionnelles.

La mort de l'Empire

2 août1914
Pacte secret avec l'Allemagne.

Les Jeunes Turcs. Enver Paşa favorise l'alliance germano-turque au début de la Première Guerre mondiale. La Constitution rétablie et un nouveau parlement élu, le pouvoir reste désormais aux mains des Jeunes Turcs et du *Comité Union et Progrès* dirigé par les généraux Cemal et Enver Paşa, et le futur ministre de l'Intérieur Talât Paşa. Ce triumvirat décide le sultan à combattre aux côtés de l'Allemagne pendant la Première Guerre mondiale.

Les Dardanelles. Cette alliance est à l'origine de l'expédition des Dardanelles lancée par les Alliés en 1915, pour forcer le passage du détroit bloqué par des navires allemands. La résistance de l'armée turque, organisée par Mustafa Kemal, Enver Paşa et le général allemand Liman von Sanders, ajoutée aux erreurs stratégiques du commandement allié, fera échouer cette expédition. Ce sera le premier et dernier succès retentissant que connaîtront les troupes turques durant ce conflit car leur forces se dilapideront en vain dans de sanglantes campagnes menées sur le front russe et en Palestine. La défaite de l'Allemagne et des autres forces de l'Axe en novembre 1918, précipitera l'effondrement de l'Empire ottoman.
Les Ottomans perdent toutes leurs possessions européennes sauf la partie occidentale d'Istanbul.

Enver Paşa

13 novembre 1918
La flotte alliée entre dans Istanbul.

28 juin 1919
Traité de Versailles.

10 août 1919
Traité de Sèvres.

1920
Première Grande Assemblée nationale, à Ankara.
Début de la guerre d'indépendance.

1922
Reprise de Smyrne.

L'Occupation d'Istanbul. Au début de 1919, les troupes franco-britanniques occupent Istanbul et prennent le contrôle des détroits et de tous les points stratégiques de la côte turque. Dans le même temps les Grecs débarquent à Smyrne (Izmir) et commencent leur progression à l'intérieur de l'Asie Mineure. Le 10 août 1919, Mehmet II, réduit à l'impuissance, signe le Traité de Sèvres consacrant l'amputation de l'Empire de la quasi totalité de sa partie européenne. En Asie, seuls lui sont concédés les territoires d'Anatolie non revendiqués par les Grecs, les Italiens et les Français.

Le nationalisme turc et Mustafa Kemal. Les Turcs, dans leur grande majorité, refusent le diktat des grandes puissances occidentales. C'est d'Anatolie que va venir la réaction nationaliste. Un officier, Mutafa Kemal, qui s'est illustré lors de la campagne des Dardanelles, mobilise la population anatolienne

composée en grande partie de paysans, et engage une guerre de libération nationale. Le 23 avril 1920, Mustafa Kemal, que la nation couronnera du titre d'Atatürk, préside la nouvelle Assemblée nationale à Ankara ; elle s'impose d'emblée comme un contre-poids politique au régime d'Istanbul, dirigé par un sultan prisonnier des puissances victorieuses de la guerre.

1922-1924
Court règne du dernier calife ottoman, Abdül Mecit.

1922-23
Echanges de population entre la Grèce et la Turquie.

24 juillet1923
Traité de Lausanne

La république de Turquie

Les nationalistes turcs emportent plusieurs victoires en Anatolie contre les troupes grecques qu'ils parviennent à refouler jusqu'aux frontières en septembre 1922. L'année suivante, plus d'un million de Grecs sont contraints de quitter l'Asie Mineure pour regagner la Grèce et cinq cent mille Turcs quittent la Crète et la Grèce. Cet échange de population est l'une des conséquences du Traité de Versailles, signé en juillet 1923, confirmant les frontières de la Turquie.

29 octobre 1923
Ankara est choisie comme capitale.

Mustafa Kemal Atatürk, premier président de la république de Turquie.

L'Assemblée nationale turque abolit le sultanat le 1er novembre 1922 et Mehmet VI s'enfuit d'Istanbul à bord d'un navire de guerre. Son frère cadet, Abdül Mecit II, lui succède comme calife. Le 3 mars 1924, l'Assemblée nationale abolit le califat et le calife, accompagné de tous les membres de sa famille, est conduit à la frontière. Le 29 octobre 1923, l'Assemblée nationale institue la république de Turquie. Mustafa Kemal sera le premier président de la République et Ankara est choisie comme nouvelle capitale.

1928
Adoption de l'alphabet latin

La Turquie entre les deux guerres.

La politique de Kemal Atatürk est à l'origine de profonds changements dans la politique de la Turquie. La nouvelle république repose sur la Constitution du 30 avril 1924, Atatürk poursuit une politique

de laïcisation : le code juridique remplace la loi coranique. L'enseignement religieux est supprimé à l'école. L'un des changements les plus significatifs est l'abandon de l'écriture arabe au profit de l'alphabet latin. En 1923, Istanbul, après avoir été une cité impériale pendant près de mille six cents ans, devient la capitale culturelle. Les habitudes vestimentaires de l'Europe font des adeptes. Au fez des fonctionnaires ottomans, Mustafa Kemal préfère la casquette du paysan anatolien. Dès le XIXe siècle, les sultans ottomans avaient eu pour objectif de rattraper l'Occident ; cette même ambition conduit la Turquie républicaine des années 1930 à s'industrialiser. En 1938, à la mort de Mustafa Kemal, Ismet Inönü devient président de la République. La Turquie reste neutre pendant la IIe guerre mondiale.

Octobre 1939
Pacte d'assistance Turquie-France-Grande-Bretagne.

LA TURQUIE AUJOURD'HUI

1938-1950
Présidence d'Ismet Inönü.

1950-1960
Gouvernement Menderes.

1960
Coup d'Etat du Général Gürsel.

1961-1965
Gouvernement de coalition Inönü.

1965-1971
Gouvernement de coalition Demirel.

1974
Débarquement des troupes turques à Chypre.

1974 et 1977-1979
Gouvernements de coalition Ecevit.

Dès 1947 la Turquie bénéficie de l'aide du plan Marshall. Dans les années 1950, le gouvernement de Menderes développe l'agriculture, en la mécanisant. La Turquie devient membre du pacte atlantique en 1952.

L'INDUSTRIALISATION. La politique industrielle se fonde sur des plans quinquennaux et doit, jusqu'à la fin des années 1970, financer les importations de produits de consommation. Elle s'oriente par la suite, à travers des mesures de libéralisation prises en 1980, vers l'exportation. Ainsi, la Turquie, après s'être dotée, dans un premier temps, d'aciéries, de raffineries et d'unités d'industrie lourde, évolue depuis vers l'implantation d'unités de production de biens de consommation.

L'AGRICULTURE. La Turquie est un des rares pays en expansion démographique continue capable de nourrir sa population. La mécanisation agricole, entreprise à partir des années 50, a été suivie par de grands projets d'irrigation et d'assainissement, dont l'ambitieux projet d'Anatolie du Sud-Est (GAP) dont le but est de détourner l'Euphrate pour augmenter le potentiel agricole et énergétique de la région. L'agriculture se modifie, la production de tabac et de fruits secs est en baisse relative, elle est remplacée par des plantes industrielles (oléagineux, coton) et des produits de serre (fruits et légumes) qui sont destinés à l'exportation.

> «ISTANBUL N'EST PAS UNE VILLE, MAIS UNE AGGLOMÉRATION, UN MONSTRE URBAIN. SON SITE LA DIVISE CONTRE ELLE-MÊME ET CRÉE À LA FOIS SA GRANDEUR ET SES DIFFICULTÉS. SA GRANDEUR ASSURÉMENT.» FERNAND BRAUDEL

L'EXPLOSION DÉMOGRAPHIQUE D'ISTANBUL.
La Turquie compte aujourd'hui 52 millions d'habitants ; elle est cinq fois plus nombreuse qu'en 1920. Celle d'Istanbul s'est accrue dans des proportions considérables. En 1920 on dénombrait environ 500 000 istanbuliotes, la moitié étant d'origine non-turque. En 1990, un recensement a fait état de plus de 7 500 000 habitants, dont seulement 20 à 30 000 appartiennent à des minorités, Grecs, Arméniens ou Juifs. L'explosion démographique que connaît Istanbul est due à l'afflux constant de populations venues des campagnes qui abandonnent l'agriculture dans l'espoir d'améliorer leurs conditions de vie. Ils s'installent dans des quartiers édifiés à la hâte, occupant des habitations souvent précaires que l'on appellent les *gecekondu*.

PONT MEHMET FATIH

L'OUVERTURE VERS L'EUROPE

L'ouverture à l'Europe doit conduire vers l'intégration de l'économie turque dans l'économie mondiale. Celle-ci se fait à travers la libéralisation des investissements étrangers qui s'est accélérée depuis 1980, attirant un grand nombre de capitaux privés. L'ouverture se fait aussi à travers l'accroissement et la diversification du commerce extérieur. Son volume est passé dans la dernière décennie de 9 à 18 pour cent du produit intérieur brut. La part des produits manufacturés dans les exportations a fait un bon prodigieux, passant de 10 pour cent en 1970 à 67 pour cent en 1990. La clientèle, exclusivement occidentale des années 60, et l'orientation en direction du Moyen-Orient pendant la guerre Iran-Irak se modifient dans le sens d'une meilleure répartition, où la Communauté Economique Européenne se taille la part du lion avec quelques 40 pour cent des exportations, le Moyen-Orient plafonne à 20 pour cent, les États-Unis atteignent 10 pour cent. Depuis plus de trente ans les Turcs vivant en Europe Occidentale et dans les pays arabes envoient les devises indispensables pour équilibrer la balance des paiements. L'ouverture enfin se réalise aussi à travers des investissements à l'étranger. Les pionniers dans ce secteur ont été les entreprises des travaux publics, qui exportent capitaux, main-d'œuvre et technologie, d'abord dans les pays arabes, puis en Russie et en Asie Centrale qui constituent d'importants nouveaux marchés.

L'ÉCLATEMENT DE L'UNION SOVIÉTIQUE.
Les terribles bouleversements que connaissent les pays des Balkans et surtout le Caucase depuis quelques années sont tout autant de sources d'inquiétude que d'espoir pour la Turquie qui compte ainsi accroître son influence culturelle et son poids politique dans cette immense région.

12 septembre 1980
Coup d'État militaire. Le général Evren devient chef de l'Etat.

1983
Elections générales Turgut Ozal Premier ministre.

24 novembre 1987
Elections générales.

14 mai1987
La Turquie, membre associé à la Communauté depuis l'accord d'Ankara (1963), demande officiellement dans le cadre de l'article 237 du traité de Rome, son adhésion à la Communauté Economique Européenne.

La langue turque

Un petit peu

Langage des signes
Vous serez sans doute surpris en arrivant en Turquie par le langage des signes utilisé par tous.
Si vous voyez deux Turcs parler entre eux, voici ci-dessus quelques dessins des signes couramment utilisés.

Les origines

Les langues dites turques de la famille ouralo-altaïque (turcs et mongols) constituent un grand ensemble linguistique de quelque cent vingt millions de locuteurs (Sibérie, Asie Centrale, Altaï, etc), dont la moitié vit en Turquie. Le fait que cette jeune république soit associée au souvenir de l'Empire ottoman confère au turc de Turquie un prestige et un statut de langue de référence auprès d'autres communautés turcophones. Il convient toutefois de distinguer le turc actuel du «turc ottoman» historique, qui n'est plus guère parlé.

La plus ancienne carte turque est extraite du *Divan-ü Lügat-it turc*.
Ce dictionnaire, publié au XIe siècle par Kâşgartlı Mahmut, est une somme des langues et des coutumes des tribus turques, rédigée à l'intention des califes de Bagdad pour leur présenter leurs nouveaux alliés.
Cette carte montre, à droite, la mer Caspienne.

La réforme linguistique

Aujourd'hui, le turc parlé en Turquie est une langue standardisée, le produit d'importants aménagements et planifications linguistiques entrepris lors des réformes d'Atatürk, à partir de 1928. La réforme a pris en compte

De vous à moi

Venez vers moi

Allez-vous en

les recommandations de nombreux linguistes et philologues de l'époque, qui eurent à travailler ensemble pour définir le *yeni türkçe*, turc nouveau, ou *öz türkçe,* turc purifié.
La politique de rénovation adoptée par Atatürk visait deux buts : consommer la rupture avec le système ottoman, avec notamment l'abandon de l'alphabet arabe remplacé par le latin, et donner ses lettres de noblesse au turc des parlers populaires, héritier direct des langues turques du passé centre-asiatique pré-islamique.

Retour aux origines pré-ottomanes. Les résultats de la réforme linguistique sont impressionnants : en juillet 1932, 35 pour cent du vocabulaire du turc est d'origine turque ; ce taux passe à 50 pour cent en 1946 ; il est de 80 pour cent actuellement. Les mille mots les plus fréquent du turc actuel sont «nés» depuis la réforme de 1932.

Littérature turque d'aujourd'hui
Une nouvelle littérature d'audience nationale et internationale, comme les poémes de Nazim Hikmet et les romans de Yachar Kemal, ont assuré au turc moderne ses lettres de noblesse.

Structure de la langue

Le turc est une langue agglutinante. La base est constituée de racines verbales ou nominales de deux ou trois syllabes, auxquelles s'agrègent quelque deux cent suffixes de fonctions grammaticales, allant des suffixes de déclinaison à ceux de pluriel, de conjugaison, d'adverbe, etc. Tous ces suffixes s'agglutinent selon une règle de concaténation qui fait appel à l'harmonie vocalique. Les voyelles sont réparties en deux groupes, celles prononcées dans la partie antérieure du palais, e, i, ö, ü, et celles de la série postérieure : a, ı, o, u. D'autres critères interviennent comme les oppositions ouverte/fermée, haute/basse. Cette phonologie régit également les consonnes avec des critères précis.

Conséquences de la réforme

La brutale rupture linguistique, accompagnée de l'interdiction d'utiliser l'alphabet arabe, a eu une conséquence désastreuse. L'enseignement de la langue et de la littérature ottomane dans la graphie arabe aurait pu constituer, comme le latin et le grec ancien, une initiation aux fondements d'une grande culture. Alors qu'ils baignent dans un environnement architectural et historique riche d'inscriptions - les archives ottomanes, en comptent plus de 55 millions - les enfants de la République ne peuvent même plus déchiffer l'inscription sur la pierre tombale de leur grand père !

Les runes des stèles funéraires
Ces stèles funéraires d'Asie Centrale gravées au VIe siècle relatent les hauts faits des chefs de tribus turques de cette région ; elles résument des conseils de gouvernement et de politique que le défunt faisait graver de son vivant. Ces stèles funéraires constituent l'histoire écrite d'un peuple de pasteurs nomades. Cette langue est très proche du turc anatolien par son vocabulaire, et sa syntaxe : l'*öz türkçe*, par un retour aux sources archaïques, s'est inspiré de la langue de ces inscriptions runiques.

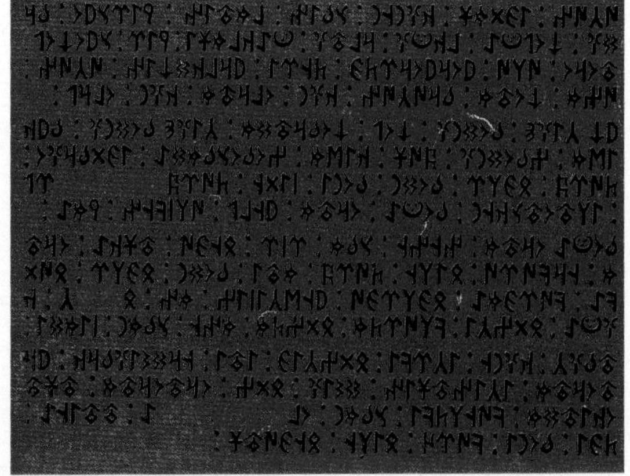

TRANSCRIPTION DES PHONÈMES

Le turc ne comporte aucun son difficile à rendre pour un Français ; il se prononce comme il s'écrit, sans aucune exception. L'alphabet turc comprend 29 lettres. Nous ne signalons que les lettres supplémentaires et celles dont la prononciation est différente du français. Les lettres Q,W et X n'existent pas : leurs équivalents sont K,V et KS.

CONSONNES	PRONONCIATION
c	«dj»
ç	«tch»
g	«gu»
ğ	muet
s	«ss»
ş	«ch»

VOYELLES	PRONONCIATION
e	«é»
ı	proche du «e» français
ö	«eu»
u	«ou»
ü	«u»

Tête inclinée en arrière : non

Mouvement de tête de haut en bas : oui

Mouvement de tête de gauche à droite : exprime le doute

La main sur le cœur : merci

Pour se protéger du mauvais sort : le personnage pince le lobe de son oreille droite avec la main droite, en émettant un sifflement ; puis il frappe trois fois sur une surface en bois.

Arts et Traditions

Palais et jardins
du Bosphore, *50*
Costumes ottomans, *52*
Musique, *54*
Le théâtre d'ombres, *56*
Hammams, *58*
Tapis et kilims, *60*
La religion en Turquie, *62*
L'art byzantin, *64*
Fontaines, *66*
Produits typiques, *68*
Gastronomie, *70*
Les cafés, *72*

Kiosque et paysage sur le Bosphore
Le détroit, site de nombreux yalı et pavillons d'été, devient au XIXe siècle celui des nouveaux palais des sultans.

Entre 1842 et 1856, le sultan Abdül Mecit se fait construire le Dolmabaçe Sarayı. Conçu par l'architecte arménien Balyan, il est environné d'un vaste parc arboré, ponctué de massifs et de plantes odorantes, et se reflète dans une pièce d'eau où s'élève une fontaine. Abdül Aziz qui succède à son frère, se fait construire un palais par Balyan à Beylerbey, sur la rive opposée. Là encore, un soin tout particulier est accordé au parc planté d'essences rares qui s'étage sur le flanc de la colline. Son successeur, Abdül Hamit II s'installe au palais de Yıldız : il fait édifier plusieurs pavillons et aménager ruisseaux et lacs bordés d'arbres et de buissons

Palais en bord de mer et maisons le long d'une rivière. Deux miniatures en médaillon peintes par Abdullah Buhari vers 1729.

Les îles des Princes.
Ces îles montagneuses restèrent relativement isolées jusqu'à l'apparition des vapeurs à la fin du XIXe siècle. Dès lors les Istanbuliotes s'y firent construire des yalı au milieu des pinèdes embaumées ou en bord de mer.Gravure de Thomas Allom.

Kiosque aux Faïences
Tableau de Gedikpaşalı, 1889.

Jardin et palais de Yıldız
Tableau de Şevki, 1891.

Mosquée de Kağıthane
Tableau de Mustafa, XIXe siècle.

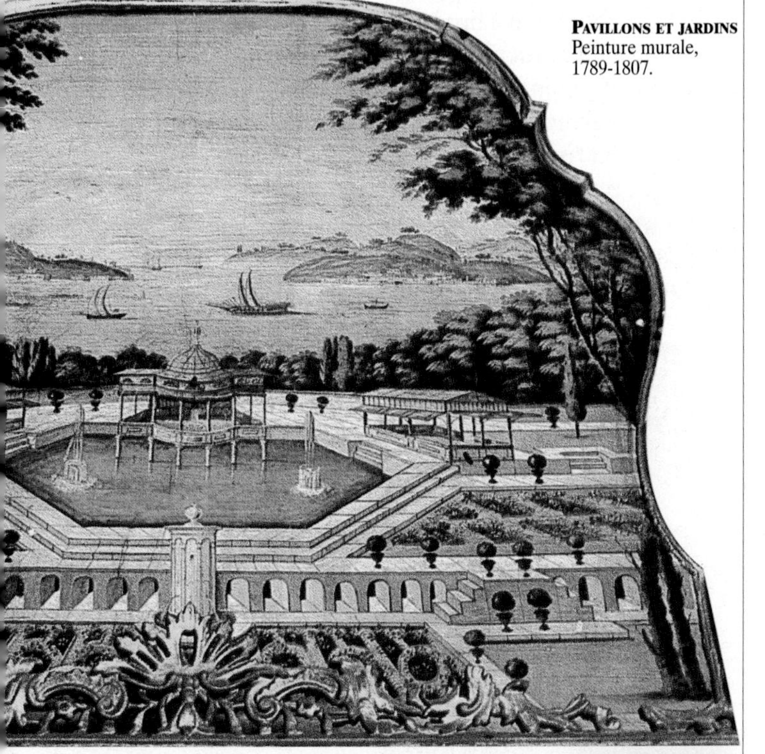

Pavillons et jardins
Peinture murale, 1789-1807.

Le style de peinture murale inauguré dans le Topkapı Sarayı à la fin du XVIIIe siècle sera imité dans de nombreux yalı et konak : que ces peintures représentent des pavillons entourés de jardins ou des paysages verdoyants, l'eau y est toujours présente.

Le salon jaune du pavillon des Cérémonies du palais de Yıldız est célèbre pour les paysages peints sur son plafond.

La conception turque de la maison idéale n'a guère changé depuis que Mehmet II choisit un promontoire baigné de part et d'autre par la Corne d'Or et la mer de Marmara pour y construire son palais qu'il entoura de jardins. Les kiosques élevés au milieu des parcs et les yalı bâtis au bord de l'eau répondent au mêmes principes : construits en bois, ils s'ouvrent largement sur l'extérieur où l'eau et la verdure créent un cadre de fraîcheur et de beauté.

Les plus splendides costumes ottomans utilisent des tissus précieux, brocarts, velours de soie, organdi marbré... Les ateliers de Bursa filaient la soie grège, d'abord importée d'Iran, doublée, moulinée et teinte dans des bains de végétaux avant d'être tissée ou utilisée comme fil à broder. Les motifs, tissés, imprimés ou brodés sont particulièrement nombreux sur les costumes féminins : ce sont essentiellement des fleurs (églantine, jacinthe, œillet, rose, tulipe et fleurs de cerisiers ou de grenadiers) et des feuillages, rendus de manière précise, quasi naturaliste,
ou bien stylisés en arabesques, palmettes ou rinceaux. Les plus belles collections de parures et

KISLAR AĞASI
Le chef des eunuques noirs, premier fonctionnaire du Sérail, peint par J.B. Van Mour (1671-1737), est vêtu d'un *ferace* de soie vert et blanc, d'une robe de soie rouge maintenue par une ceinture ornée. Il est coiffé d'un turban rouge à tortil de mousseline.

FONCTIONNAIRES ET JANISSAIRES
Leur chef est couvert «d'un bonnet de velours cramoisi, de la forme d'une toque sans bords, cotonné par-dedans, et à l'entour, ils y entortillent un tulban. Ce tulban est une écharpe de toile ou d'étoffe de soie qui a plusieurs aunes de long, et toute la largeur de l'étoffe ; ils en font plusieurs tours [...] ; ils l'entortillent en plusieurs façons, et on reconnaît la condition et qualité d'un homme à la façon dont il porte le tulban.»
J. Thévenot, *Voyage au Levant*

Au XVIIe siècle, les Turcs portent une sorte de dolman de toile, de taffetas, de satin ou de coton passé au-dessous de la chemise. Ce dolman est noué à la taille par une ceinture de tissu ou de cuir large dont la boucle peut être d'or ou d'argent. Un ou deux poignards sont passés dans cette ceinture, ainsi que des mouchoirs et une blague à tabac. Ils passent un large manteau tombant jusqu'au sol, le *ferace*, aux manches très longues. Au XIXe siècle, avec l'avènement de l'ère des Réformes, les Turcs adoptent un costume de style occidental, caractérisé par une longue redingote de couleur sombre appelée stambouline. Le turban est abandonné au profit du fez, bonnet conique de couleur rouge. Au XXe siècle, avec la fin de l'Empire ottoman, le port du fez est aboli par Atatürk.

«Les voiles posent avec une grâce idéale sur les nattes lustrées, tandis que les petites mains finement gantées de blanc en renouent les plis d'un mouvement lest et prompt.»

Comtesse de Gasparin

Costume des femmes au XVIIIe siècle Elles portent un long manteau, *ferace*, de satin ou de taffetas, en général de couleur verte et qui tombe jusqu'aux chevilles ; les manches en sont si longues qu'on ne voit pas leurs doigts. La robe de brocart brodé est ouverte et recouvre des pantalons larges, *şalvar*, noués aux chevilles. Les blouses en soie aux longues manches, *bürümcek*, sont brodées avec art. Une large ceinture de velours, de satin, de cuir ou de cachemire brodé entoure la taille. L'hiver, le *ferace* est doublé de fourrure. Les bas de drap sont cousus à des chaussons de cuir jaune ou rouge, les *mest*, sur lesquels sont enfilés des souliers appelés babouches.

Costume féminin au XIXe siècle Ces femmes ont adopté la mode occidentale, mais leur tête est recouverte d'un voile, *mahrem*, qui comprend deux pièces de mousseline : la première recouvre le visage jusqu'au nez, la seconde

Commerçant bourgeois d'Istanbul et sa femme Il porte le costume traditionnel. Sa femme est habillée d'une longue veste, *entari*, pourvue d'une traîne et d'un large pantalon.

Jeune marié, paysan de Brousse Le marié est revêtu d'une veste, *yelek*, d'une riche étoffe à rayures bleues et noires rebrodées de laine et de soie.

Femme musulmane La robe de la femme est maintenue par une ceinture en argent ornée de plaques or et argent.

La musique turque classique puise ses sources dans diverses cultures islamiques et s'enrichit à l'ère ottomane d'apports des pays conquis. Au VIIIe siècle, on connaît une forme traditionnelle de chant ou récitation de poèmes accompagnée d'instruments comme de *def* (tambour), le *tanbûr* (luth) et le *ney* (flûte). Le répertoire ainsi que la variété des instruments s'accroissent jusqu'au XIIIe siècle, période où sont rédigés d'importants traités musicaux et où le grand poète Mevlâna compose de nombreuses œuvres. L'apogée de la musique ottomane coïncidera avec le règne brillant de Süleyman le Magnifique (1520-1566). Parallèlement à la musique vocale (*fasıl*), se développe une musique instrumentale, notamment celle jouée par les janissaires (*mehter*).

PERCUSSIONS DANS LA FANFARE DES JANISSAIRES Les *kös*, grandes timbales de cuivre, sont prépondérants dans le *mehter* où leur son rappelle celui du tonnerre. Le *davul* que le joueur porte suspendu à son cou et frappe d'une mailloche est le tambour le plus répandu.

TANBUR luth.

ÇENG harpe.

KEMENÇE Luth à manche long et son archet.

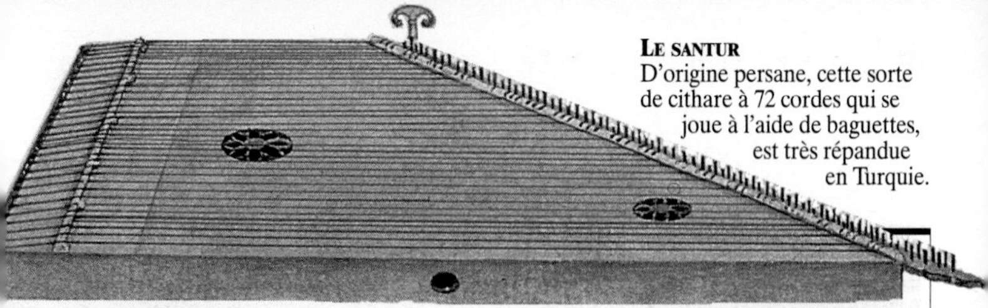

Le santur
D'origine persane, cette sorte de cithare à 72 cordes qui se joue à l'aide de baguettes, est très répandue en Turquie.

Le saz
Cet instrument dont l'existence est attestée depuis le XIIe siècle, est toujours utilisé dans la musique populaire turque. Cette variété de luth est reconnaissable à son manche long se terminant par un coude vers l'arrière et à sa caisse de résonance en forme de poire.

Au XVIIIe siècle, Glück intègre les timbales turques dans son *Iphigénie en Tauride* et Mozart s'inspire de la musique des janissaires pour *L'Enlèvement au Sérail*.

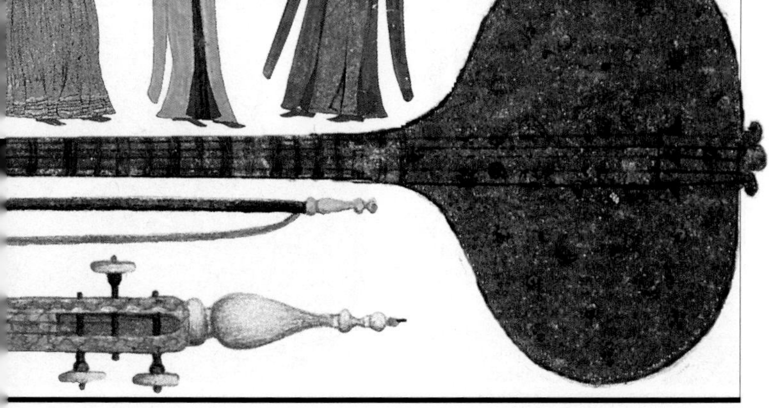

Les origines du théâtre d'ombres turc font l'objet de plus de suppositions que de certitudes. On présume qu'importé de Java par les Arabes, il se serait tout d'abord développé en Égypte où Selim Ier le découvrit quand il annexa ce pays en 1517.

Du XVIe au XVIIe siècle, le théâtre d'ombres importé évolue vers une forme typiquement turque baptisée d'après son principal personnage, Karagöz, littéralement «yeux noirs». Ces pièces comiques furent pendant trois siècles le seul lieu d'expression d'une critique politique et sociale.

Les personnages féminins du théâtre du *Karagöz* peuvent être nombreux et variés mais ne jouent le plus souvent que des rôles mineurs. Paraissent en scène épouses, jeunes filles à marier, servantes, vieilles femmes, mais aussi danseuses et sorcières.

Le montreur déplace les figurines contre un écran de toile fortement éclairé par derrière. Les marionnettes articulées sont en peau de chameau peinte de couleurs vives. Elles sont animées à l'aide d'une baguette passant dans un trou de la figurine.

Certaines pièces sont inspirées de mythes antiques ou de contes folkloriques. Ils mettent parfois en scène des personnages fantastiques, démons du monde souterrain ou animaux fabuleux.

Karagöz et son compère Hacıvat sont au centre de toutes les intrigues. L'élément comique est renforcé par des figures appelées *Taklits* qui sont des caricatures de commerçants, de bourgeois, de provinciaux ou d'étrangers.

Les bains turcs, ou hammams, ressemblent beaucoup aux thermes romains. Ce sont de grands édifices en pierre dont les murs sont revêtus à l'intérieur de marbre ou de stuc. Les voûtes sont percées de trous recouverts de cloches de verre qui laissent pénétrer le jour. Les salles sont fermées par des portes doublées de cuir pour conserver la chaleur. Les bains turc surprirent autant qu'ils séduisirent les voyageurs occidentaux. Au XVIIIe siècle, Jean Thévenot décrivit les hammams avec minutie dans son *Voyage au Levant* : «Je décrirai celui de Tophane, proche d'une superbe mosquée, car c'est l'un des plus beaux que je vis. On entre par une vaste salle carrée, d'à peu près 20 pieds de long, au plafond très haut. Le long des murs de cette salle s'alignent des bancs de bois. Ils sont aussi larges que le mur, haut de moitié et recouverts de nattes.»

SALLE TIÈDE DU YENI KAPLICA HAMAMI
Elle donne accès aux salles de bains privées réservées, à l'origine, aux grands personnages.

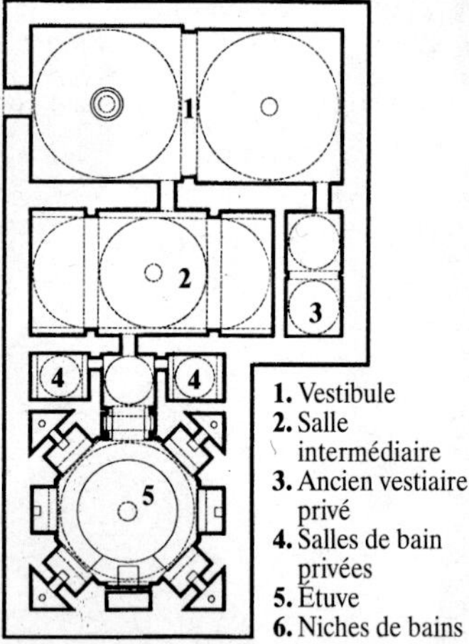

PLAN DU YENI KAPLICA HAMAMI, À BURSA
Ces bains publics ont été fondés par le grand vizir Rüstem Paşa en 1550. Le plan de ce hammam comprend : le vestibule, souvent orné d'une fontaine et qui sert de vestiaire ; la salle à température intermédiaire où l'on s'habitue à la chaleur ; et l'étuve, octogonale, avec un vaste bassin circulaire au centre et des niches de bains sur les côtés. Des lavabos fournissent l'eau chaude et l'eau froide.

Quelques rares hammams possèdent, au centre de l'étuve, un bassin où le client peut se baigner après s'être lavé.

Le Bain turc
La lecture des lettres de Lady Montague, qui visita les bains d'Edirne et d'Istanbul, nourrit l'inspiration du peintre Ingres qui réalisa, en 1862, un tableau sur ce sujet, *Le Bain Turc*
L'imagination occidentale a fait du hammam et du harem les deux pôles d'inspiration d'une vision exotique et érotique de l'Orient. Les descriptions qu'en donnèrent les peintres français et italiens qui visitèrent Istanbul, renforcèrent cette fascination. Lady Montague remarqua la valeur sociale et parfois ambiguë des hammams pour les femmes ; les bains sont pour elles l'équivalent des cafés pour les hommes.

«Les femmes turques, par une ordinaire coutume et ancienne observation qui leur est restée de l'antique mode d'Asie et de Grèce, se délectent en tout temps d'aller aux bains, tant pour leur santé que pour l'entretien de leur santé que pour l'embellissement de leurs personnes. L'autre raison, et principale, est pour avoir excusable occasion de sortir hors de leurs maisons.»
Nicolas de Nicolay

Jusqu'au début de ce siècle, les petits garçons vivaient avec les femmes jusqu'à leur puberté. Ils fréquentaient avec elles la section réservée aux femmes dans les hammams.

Tapis et Kilims

Les origines des décors des kilims remontent à la préhistoire, tels ces motifs dits «de la déesse mère».

L'importance du tapis dans la vie des Turcs est liée aux origines de ce peuple. Les tapis ou kilims étaient une composante essentielle de l'habitat, recouvrant le sol et doublant les toiles des tentes, afin de protéger des rigueurs du climat. Avec la conversion des tribus nomades d'Anatolie à l'islam, ils acquirent une nouvelle fonction liée à la prière. On distingue les tapis à points noués, épais et veloutés, des kilims, tissés, d'aspect plat ou à effets de relief, qui sont secs au toucher.

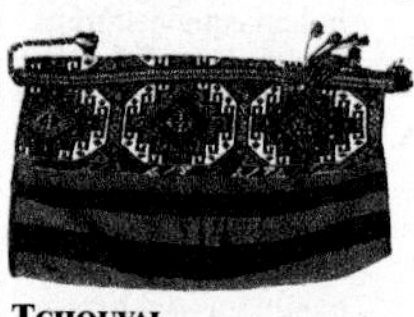

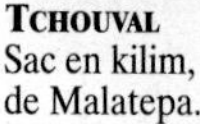

Tchouval
Sac en kilim, de Malatepa.

Kilims
Chez les tribus nomades et dans les villages, les kilims étaient réservés à un usage domestique. Les techniques et les motifs propres à chaque région ou tribu se transmettaient d'une génération de femmes à l'autre. Les kilims se caractérisent donc par la permanence des styles qu'aucune commercialisation n'avait altérés jusqu'en 1950.

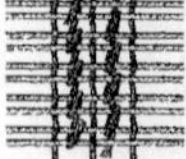

Les points des kilims
La diversité des kilims est due à la spécificité des techniques développées d'une tribu à l'autre.

Les manufactures de tapis
Les tapis qui décoraient les palais des sultans et de leurs dignitaires provenaient de grandes manufactures, où, dès le XVIe siècle, se fournirent toutes les grandes cours européennes. Uşak et Kumkapı étaient parmi les manufactures les plus célèbres. Pour répondre aux goûts du public, les tapis intégraient des styles étrangers, notamment le style perse.

Tapis de prière Boteh, originaire d'Erzerun
Le motif central représente la niche qui, dans une mosquée, indique la direction de la Mecque, appelée en turc *mirhab*.

Tapis d'Uşak (XVIe siècle)
Schémas géométriques turkmènes influencés par le style perse safavide.

Tapis de cour de style Hereke (fin XVIe siècle) Il représente une niche découpée en arcature, occupée par un arbre de vie - ici un amandier où perchent des oiseaux - et entourée par une bordure à motifs floraux.

Les techniques du tapis
Les femmes exécutent les nœuds sur des fils tendus sur le métier à tisser placé à la verticale. Les nœuds sont réalisés dans le sens de la hauteur et de la largeur pour former le motif.

La technique du noeud diffère selon les lieux. Le système du double nœud dit «nœud de Ghiordès» assure la solidité du tapis. Le nœud perse dit «nœud de Senneh» rend le travail plus beau et les motifs plus précis.

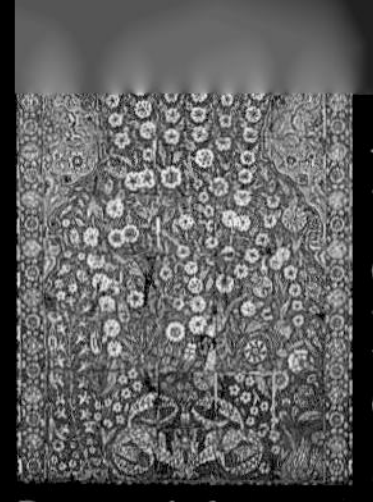

Panneau de faïences d'une mosquée

Au milieu du XIe siècle, les khans des chefferies turco-oghouz optent pour l'islam afin de contrôler la route de la soie, en alliance avec les Arabes qu'ils avaient combattus. C'est une conversion massive, politique, mais superficielle : jusqu'au milieu du XVIe siècle, les épopées ne cessent d'invoquer et de célébrer les anciennes divinités de la religion des turcs, tout en affirmant la vigueur de leur foi musulmane face aux chrétiens. L'islam turc dans sa version ottomane se définit d'abord dans la sphère du politique : le sultan est l'épée de l'islam et l'ombre d'Allah sur la terre. Avec l'avènement de la république en 1923, Mustafa Kemal Atatürk aura à cœur de laïciser le pays où la religion était devenu synonyme de passéisme.

Avec le regain de la religion musulmane ces dernières années, les écoles coraniques et les lieux de culte prolifèrent. Les nouveaux imams sont parfois très jeunes comme celui-ci, lisant le Coran dans l'Ulu Cami de Bursa.

L'art ottoman s'est notablement illustré dans la décoration des mosquées et l'ornementation des objets religieux : telles les copies du Coran, somptueusement enluminées dont les couvertures en maroquin sont inscrustées d'or, d'argent et parfois de pierres précieuses ; tels les supports de Coran en ébène marquetés de nacre et d'ivoire. Ce manuscrit religieux et son riche tabernacle sont remarquables par la finesse de l'écriture calligraphiée ainsi que par leur décor floral aux tons pastels.

La femme et l'islam

L'état turc, sécularisé en profondeur depuis les réformes kémalistes de laïcisation forcée, a multiplié les mesures en faveur de l'égalité des sexes. Le code civil de 1926 définit les droits de la femme en matière de mariage, de divorce, de patrimoine et d'éducation. Le droit de vote est accordé en 1935,avant bien des pays européens.

Le nom d'Allah
Magnifié par les déliés élégants des lettres arabes calligraphiées, il est peint sur les murs des mosquées. Calligraphie.

Scène de mariage à Eyüp. L'assistance d'un imam est encore souvent requise pour bénir un mariage civil. Dans certaines familles, on sacrifie encore au rite du henné dont on teinte les mains et les pieds d[e] l'épousée. Néanmoins beaucoup de jeunes mariées ne portent plu[s] la robe rouge brodée d'autrefois, qu'elles on[t] troquée pour une robe blanche à l'occidental.

Les écoles coraniques
Après 1923, elles sont interdites par l'état laïque. Depuis un vingtaine d'années, elles sont de nouveau autorisées.

Un style caractéristique se forme dès le VIe siècle, fusion du naturalisme classique et des figurations symboliques de l'art romain. La majorité des œuvres connues sont postérieures à la période iconoclaste (726-843). La technique de la fresque se développe vers le Xe siècle, mais elle n'est considérée que comme une alternative aux mosaïques plus coûteuses. Ces dernières constituent les chefs-d'œuvre de l'art byzantin et sont le fruit de techniques raffinées : le modelé des visages est rendu par des dégradés de pierres de couleurs ; l'aspect lumineux est obtenu en variant la disposition des petits carreaux, qui captent la lumière avec des intensités différentes.

MOSAÏQUE DU CHRIST EN MAJESTÉ, FIN IXE-DÉBUT X^{E} SIÈCLE
Cette mosaïque orne le tympan de la porte dite Impériale, à l'entrée de la nef de la basilique Sainte-Sophie.

À partir du IXe siècle, la disposition des scènes et la hiérarchie des personnages représentés dans les églises byzantines doivent suivre un schéma officiel, sans doute édicté par Michel III. Ainsi au centre de la coupole principale, doit figurer le Christ «Pantocrator», c'est-à-dire «Maître de l'Univers».

FRESQUE DU XIVE SIÈCLE
Un des anges entourant la Vierge à l'enfant ; chapelle funéraire de l'ancienne église Saint-Sauveur-in-Chora (Kariye Camii).

Les ivoires byzantins On reconnaît au centre de cet ivoire du VIe siècle l'empereur Justinien (527-565) et les figures symboliques de la Victoire et de la Terre. Dans la partie basse, le peuple de l'Inde conquise offre à l'empereur des offrandes parmi lesquelles une défense d'éléphant, dont l'ivoire rare et précieux est le matériau même de ce dyptique. Les œuvres de ce genre étaient réalisées dans les ateliers impériaux, spécialisés dans la réalisation des portraits d'empereurs et d'impératrices.

Icône de sainte Eudoxie Cette icône du XIe siècle représente l'impératrice Eudoxie, épouse de Théodose II (408-450). Sa robe et sa couronne sont incrustées de pierres précieuses. La dignité impériale était synonyme d'élection divine et les monarques byzantins ainsi que leurs épouses sont souvent représentés nimbés d'une auréole.

Fresque de l'Anastasis, XIVe siècle Cette fresque orne la chapelle funéraire de l'ancienne église Saint-Sauveur-in-Chora. Elle représente le Christ entouré de saint Jean-Baptiste, David, Salomon et Abel, tirant Adam et Eve de leurs tombeaux. À ses pieds, Satan enchaîné.

Mosaïque de la généalogie du Christ, XIVe siècle Le Christ, au centre, est entouré de ses ancêtres, d'Adam à Ersom Japhet et des onzes fils de Jacob. Cette mosaïque de la coupole sud du narthex de Saint-Sauveur-in-Chora fait pendant à celle de la coupole nord où est figurée la Vierge entourée des patriarches.

Istanbul possède de nombreuses fontaines. Leur emplacement fut choisi en fonction du besoin des citadins ou des voyageurs ; il devait également être propice à la mise en valeur esthétique de ces monuments qui pouvaient constituer d'agréables buts de promenade. Les fontaines publiques, *çeşme*, peuvent être de modestes fontaines adossées aux murs des maisons des vieux quartiers, ou des œuvres monumentales au centre des places. Les *sebil* (chemins de Dieu) et les *şardivan* (fontaines aux ablutions des mosquées) sont proches du domaine du sacré : à la mosquée d'Eyüp, les fidèles laissent ouverts les robinets de la fontaine afin que l'eau, symbole de leur destinée, coule librement. D'autres fontaines, plus secrètes, ornent les jardins des *yalı*, au bord du Bosphore.

SAINTES FONTAINES
Faire construire une fontaine est une bonne action, un acte philantropique selon l'enseignement de l'Islam ; aussi les sultans, les princes, les dames du sérail et les dignitaires en firent édifier en cinq siècles près d'un millier dans tout l'Empire ottoman.

«Quiconque vient près de moi parmi mes hommes, je l'aspergerai et le rafraîchirai avec l'eau du paradis»

Le Coran

La fontaine d'Ahmet III
Cette fontaine de style baroque, construite en 1728, est la plus célèbre de toutes. Un bassin flanqué de niches en forme de *mihrab* occupe le centre de chacune de ses quatre faces ; les *sebil* des angles sont fermées par des grilles en bronze.

Marbres précieux
Sur maints frontons et façades de formes multiples et d'un esthétisme souvent plein de fantaisie, le style baroque s'épanouit avec grâce : drapés légers, faisceaux rayonnants de marbre sculpté qui jaillissent à l'instar de l'eau.

Frontons gravés
Des calligraphies anciennes, élégantes et légères, gravées sur les frontons, reproduisent des versets du Coran.

Çeşme, fontaines des rues
Les Istanbuliotes venaient chercher de l'eau dans des cruches de terre. Les marchands d'eau portaient des outres de peau qui maintenaient l'eau agréablement fraîche.

Fontaine monumentale
L'ordre traditionnel des personnages qui prennent part au cortège et le char de la mariée sont montrés en grand détail, mais le peintre a pris soin de regrouper autour de la fontaine la foule des personnages vêtus de costumes et de turbans de toutes couleurs.
Antoine-Ignace Melling (1763-1831), *Procession en l'honneur d'un mariage turc.*

Une visite au Grand Bazar suffit à convaincre de la variété et du dynamisme de l'artisanat turc : au premier rang sont bien sûrs les tapis (*halı*) et kilims, mais on peut aussi se laisser tenter par les vêtements en cuir ou daim ; sont également célèbres les bijoux en or ornés de pierres précieuse, et ceux de formes traditionnelles en argent ; outre les objets en cuivre et les bibelots en onyx, on trouvera des poteries (celles d'Avanos sont réputées) et des céramiques d'Iznik ou Izmir ; les fumeurs seront séduits par les pipes en écume de mer ou les narguilés ; les gourmands préfèreront les conserves de légumes farcis ou les épices et fruits secs que l'on achète en vrac au Mısır Çarşısı.

Les pistaches que l'on grignote à toute heure sont également un ingrédient fréquent de la cuisine turque, tout comme les abricots secs et les raisins de Smyrne (Izmir).

Pastirma Viande séchée au fenugrec et épicée.

Quelques épices
Pul biber, piment en paillettes (1), anis (2), fenugrec (3) et sumak (4). La tisane à la menthe et au citron (5) est une boisson digestive très appréciée.

Zeytinyağlı Dolmalar
Légumes farcis aux oignons, au riz et à l'huile d'olive : poivrons farcis (Biber Dolması), feuilles de vignes farcies (Yaprak Dolması) et aubergines farcies (Patlican Dolması).

Baklava
Feuilletés fourrés aux noix ou aux pistaches.

Les pâtisseries sont le plus souvent très sucrées et riches en beurre. Elles incorporent des amandes, des noisettes, des graines de sésame ou, comme ici, des pistaches.

Les fameux «Bebek», petits cubes de pâte d'amande parfumée à la pistache.

Kilim Exemple de la production actuelle d'Uşak, kilim utilisant plusieurs tons de bleu, de rouge et d'écru.

Les bijoux turcs
La joaillerie s'inspire de nombreuses sources : motifs traditionnels, réinterprétation des modèles ottomans ou byzantins (boucle d'oreille ci-contre), variations sur le style romantique, comme (ci-dessous) cet ornement de coiffure en filigrane d'argent.

Articles pour fumeurs
Cette pipe est représentative de l'artisanat turc en ce domaine avec son fourneau en écume sculpté en forme de tête.

Presse quotidienne turque
Les quotidiens à grands tirages sont le Cumhuriyet (*La République*), le Milliyet (*La Nation*), le Tercüman (*L'Interprète*) et l'Hürriyet (*L'Indépendance*).

4

5

Douceurs
Confiture de roses (*Gül Reçeli*), confiture de figues (*Incir Reçeli*) et pétales de rose séchés utilisés pour parfumer le thé, les desserts ou l'eau du narguilé.

Boissons alcoolisées
Buzbağ, vin rouge de Turquie produit dans les vignobles d'Elaziğ ;
Rakı, spécialité apéritive à base de raisins et d'anis.

POULET AUX ABRICOTS ET AUX AMANDES

Au XVIe siècle, l'Empire ottoman domine la Méditerranée, réunissant des territoires de cultures très diverses. La cuisine turque y fonde sa variété et son influence qui s'étend aujourd'hui encore à la Grèce, l'Afrique du nord et le Moyen-Orient. À Istanbul où se construisent palais et somptueux *konak*, une cuisine de cour raffinée s'élabore.

INGRÉDIENTS POUR 4 À 6 PERSONNES
1 poulet fermier de 1,5 kg, 1 gros oignon, 1 cuiller à soupe de miel, 150 g d'abricots secs, 100 g d'amandes, 3 cuillers à soupe de raisins de Smyrne, 70 g de beurre, 1/2 l d'eau, 400 g de riz long, sel, poivre.

1. Découper le poulet en 8 morceaux et hacher finement l'oignon.

2. Dans une cocotte à fond épais, faire fondre 40 g de beurre et y dorer les morceaux de poulet sur tous les côtés.

3. Ajouter l'oignon haché et laisser rissoler quelques minutes.

«CE SONT DES RAPPROCHEMENTS DE SUBSTANCES TOUT À FAIT INSOLITES POUR DES PALAIS PARISIENS, MAIS QUI POURTANT NE MANQUENT PAS DE RECHERCHE ET NE SE FONT PAS AU HASARD.»

THÉOPHILE GAUTIER

4. Pendant ce temps, mélanger les abricots, les raisins, le miel, le sel et le poivre.

5. Ajouter ce mélange dans la cocotte puis mouiller avec 1/2 verre d'eau.

6. Couvrir et laisser mijoter à feux doux pendant 30 mn.

7. Mettre le riz à tremper dans de l'eau chaude salée.

8. Au bout de 30 mn, rincer et égoutter le riz.Verser le riz sur le poulet et ajouter 1/2 l d'eau.

9. Couvrir et laisser cuire 10 à 15 mn supplémentaires, toujours à feu doux.

10. Pendant ce temps, faire fondre le reste du beurre dans une poêle et y faire dorer les amandes.

11. Dresser le poulet dans un plat et parsemer des amandes grillées. Servir chaud.

LES CAFÉS

Le café, déjà connu au IXe siècle, resta longtemps une boisson rare et coûteuse que seuls pouvaient goûter les grands personnages d'Arabie. Au début du XVIe siècle on le sert encore en grande pompe à la cour de Süleyman. La démocratisation de ce breuvage s'amorce en 1555, quand deux négociants syriens, Hakim et Shams, ouvrent la première maison de café à Istanbul. Le succès est immense et les établissements se multiplient rapidement. Le café, surnommé «lait des joueurs d'échecs et des penseurs», devient la boisson de prédilection des grands esprits. Les maisons de café, lieux de discussion et d'oisiveté où l'on vient fumer le chibouk ou le narghilé, proposent bientôt des divertissements à leurs clients : musiciens et danseurs s'y produisent ; on vient y écouter les conteurs ou *meddah*, ou assister à des spectacles du théâtre d'ombres, le *Karagöz.*

Pierre Loti aima tout particulièrement un petit café d'Eyüp surplombant la Corne d'Or qui aujourd'hui porte son nom, baptême qui lui permit d'échapper à une destruction inéluctable.

Au XIXe siècle, certains cafés se spécialisent. Les *kiraathâne* sont de véritables salons de lecture proposant journaux, magazines et parfois les dernières nouveautés littéraires. Les *algili kavheleri*, «cafés instrumentaux» sont réservés à la musique. Dans les *asik kahveleri*, «cafés de l'amour», se produisent des récitants de poésie, pouvant être accompagnés d'un soliste ou d'un petit orchestre.

CAFÉ TURC AU XVIIIe SIÈCLE
Gravure d'A. I. Melling

ARCHITECTURE

ARCHITECTURE BYZANTINE, *74*
ARCHITECTURE DE L'EAU, *76*
ARCHITECTURE OTTOMANE, *78*
LA SELIMIYE, MOSQUÉE IMPÉRIALE, *80*
LE PALAIS DE TOPKAPI, *82*
L'ARCHITECTURE BAROQUE
DU XIXe SIÈCLE, *84*
MAISONS TRADITIONNELLES, *86*
LES YALIS, *88*

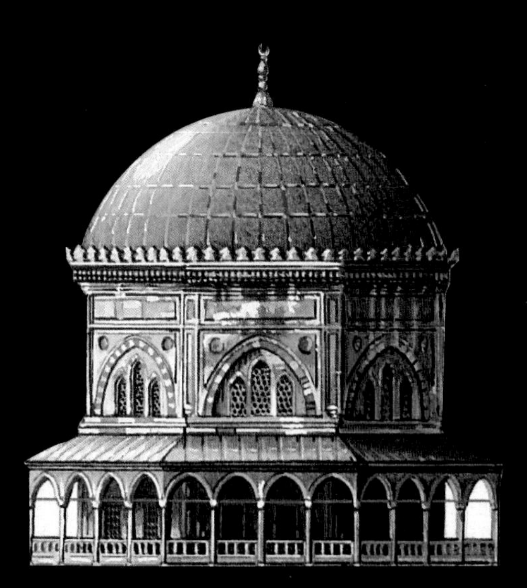

FAÇADE ARRIÈRE DE SAINT-JEAN DE STUDION
De type basilical, édifiée vers 450, elle avait 3 semi-absides.

À Byzance, centre de l'Empire romain d'Orient, furent édifiées de nombreuses églises et des résidences impériales. La basilique Sainte-Sophie, une trentaine d'églises, les murailles maritimes et terrestres ainsi que des vestiges d'architecture civile sont encore visibles. Des études récentes ont révélé les techniques de construction des Byzantins et leur évolution pendant les dix siècles de l'Empire byzantin.

SAINTE-SOPHIE
Édifiée en cinq ans (532-537), elle est, par sa conception et par sa taille, un bâtiment unique, sans rival avant l'édification des mosquées ottomanes. Sa coupole est élevée sur un plan carré, contrebutée par deux demi-coupoles, chacune d'elles épaulée par deux petites conques (*exedrœ*). Cette superposition donne une impression de légèreté. D'un diamètre supérieur à 30 m et d'une hauteur de plus de 55 m, jamais égalée, la coupole relève, d'après les techniques de l'époque, du miracle.

CHAPITEAUX BYZANTINS
Trois exemples de chapiteaux provenant de la Pammakaristos (Fethiye Camii)(**1**), de Sainte-Sophie (**2**) et de Sainte-Irène (**3**).

L'ÉGLISE SAINT-SERGE-ET-SAINT-BACCHUS
Édifiée par Justinien entre 527 et 536, elle a la forme d'un octogone surmonté d'un dôme ; elle est la préfiguration de Sainte-Sophie, d'où son nom turc actuel de Küçük Ayasofya (la petite Sainte-Sophie). Elle fut transformée en mosquée à la fin du XVe siècle. Son extrême élégance et son parfait état de conservation en font un des meilleurs exemples de l'architecture byzantine de cette période.

Les Turcs, après 1453, transforment Sainte-Sophie en mosquée, l'entourant de quatre minarets et la consolidant de contreforts. Ces ajouts modifient l'aspect original de la basilique chrétienne.

Tekfur Sarayi
Ce palais impérial, représentant de l'architecture civile, serait le «haut palais», érigé au XIIe siècle. Les arcades jumelées du rez-de-chaussée de la façade principale et les fenêtres des deux étages supérieurs sont encadrées de somptueux motifs de pierres et de briques.

Kalenderhane Camii
Cette église en croix grecque, d'une architecture un peu massive, a été transformée en mosquée par Mehmet II. Il s'agit peut-être de l'église de Christ Acataleptos, édifiée, à la fin du XIIIe siècle, sur les fondations de bâtiments plus anciens. C'est un exemple de l'architecture de la renaissance de l'époque des Paléologues.

Yerebatan Sarayı, citerne-basilique, est longue de 140 m et large de 70 m. Elle possède 12 rangs de 28 colonnes de 8 m de haut.

Byzance, exposée au danger de nombreux sièges, bâtie sur une péninsule aride, avait un besoin constant d'eau douce. Les empereurs byzantins avaient créé un système d'adduction d'eau des sources, établi des aqueducs, édifié un vaste ensemble de citernes couvertes ou de réservoirs à ciel ouvert. Les sultans ottomans développèrent un réseau d'aqueducs et de barrages (*bent*), aboutissant aux nombreuses fontaines construites sur l'ensemble de l'agglomération. Istanbul reçoit encore les eaux de la forêt de Belgrade et capte les sources des collines de la Corne d'Or et de la mer de Marmara.

Chapiteau corinthien du Ve siècle
Des chapiteaux surmontés d'une imposte couronnent les 336 colonnes de la citerne. Quelques-uns portent des monogrammes. La perspective intérieure est remarquable.

Le hammam
La première salle carrée se prolonge par le vestiaire : le pourtour de cette pièce est occupé par des estrades en bois et des vasques. On entre ensuite dans la salle tiède, garnie de lits et, enfin, dans l'étuve munie en son centre d'une table de marbre pour les massages.

Les salles sont surmontées de coupoles percées de trous recouverts de cloches de verre.

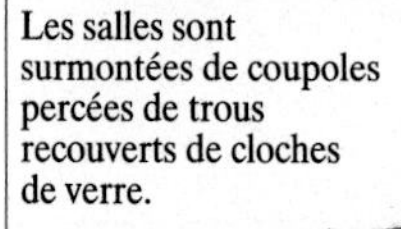

Aqueduc de Mağlova
Il fut construit par Sinan en 1563. Long de 265 m et d'une hauteur de 35 m, l'aqueduc est composé de 2 étages de 4 grandes arcades. Les 5 piles, soutenues par des contreforts, sont percées de 3 arcades superposées.

FONTAINE D'UN YALI
Au XVIIIe siècle, devant l'extension de la ville, des réseaux d'adduction d'eau sont établis pour les quartiers situés au-delà de la Corne d'Or et sur la rive asiatique. Les maisons des propriétaires fortunés en profitent.

FONTAINE DE LA BIBLIOTHÈQUE DE MURAT III (1574-1595)
Elle est décorée de faïences d'Iznik à motifs floraux. Elle fut édifiée, en 1578, par l'architecte Sinan devant la bibliothèque située dans la troisième cour du palais de Topkapı.

FONTAINE PUBLIQUE D'AHMET III
Édifiée à l'extérieur de Topkapı, elle est de forme carrée avec un bassin sur chaque face, et, aux angles, de petites fontaines (*sebil*) semi-circulaires. Les façades sont décorées de sculptures et de fines calligraphies en lettres d'or.

BÜYÜK ÇEKMECE
Ce pont de 28 arches fut édifié, par Sinan en 1565-1567, à l'endroit où le lac de Büyük Çekmece rejoint la mer, à une quarantaine de kilomètres d'Istanbul, sur la route d'Edirne.

MOSQUÉE VERTE d'Iznik, 1378. La salle de prière est un cube à coupole unique. Le minaret vernissé est intégré dans le bâtiment.

L'architecture religieuse et funéraire ottomane classique hérita des types fondamentaux de l'architecture arabe et persane, implantés en Anatolie par les Seldjoukides. Dès la fin du XIIIe siècle, la composition architecturale fut plus élaborée, les ottomans profitant dans ce domaine de l'expérience byzantine. À cette époque, des ouvrages religieux furent construits : mosquées, écoles (*medrese*) ou mausolées (*türbe*). Le XIVe siècle, utilisant les techniques et les matériaux locaux, fut la période formative de l'architecture ottomane.

PORCHE DE LA MOSQUÉE DE BEYAZIT Ier (1379-1402), à Bursa. Un des premiers exemples de portique monumental, caractéristique des mosquées.

MOSQUÉE VERTE, bâtie par Mehmet Ier (1413-1422), œuvre majeure de Bursa, par son ampleur et la beauté de son décor. Pour la première fois, mosquée et *medrese* sont réunies, des espaces importants sont couverts par plusieurs coupoles. Ici deux coupoles se succèdent sur un plan rectangulaire (*barlong*), la première munie d'un lanterneau.

PLAN DE LA MOSQUÉE VERTE
Le plan en forme de T renversé des premières mosquées de Bursa a deux coupoles et un portique. Dans la mosquée de Mehmet II (**1**), la coupole centrale est flanquée d'une demi-coupole. Le plan évolue vers la coupole unique, dans la mosquée d'Atik Ali Paşa (**2**).

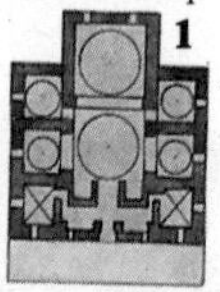

Chapiteaux ottomans en stalactite : en bois de la première période inspirée d'un modèle seldjoukide (**1**); en pierre de la mosquée Verte d'Iznik du XIVe siècle (**2**) et de la Süleymaniye d'Istanbul du XVIe siècle (**3**).

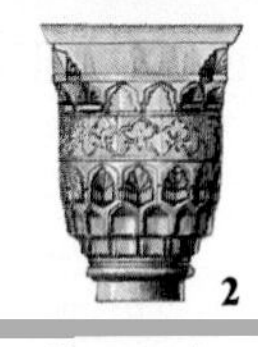

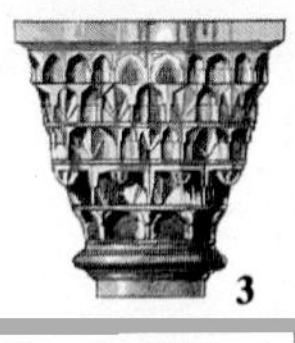

Les türbe
L'architecture des monuments funéraires ottomans rappelle celle des tombeaux en Iran et en Asie centrale et l'architecture arménienne et géorgienne. Contenant à l'origine les tombeaux des membres de la famille régnante, leur usage s'élargit à partir du XVe siècle à ceux des grands dignitaires de l'état. À gauche, le mausolée seldjoukide, de structure octogonale, de la princesse Hüdavend Hatun à Niğde, en Anatolie centrale. Au centre, le mausolée Vert de Mehmet Ier à Bursa, décoré de céramiques couleur turquoise. À droite, le mausolée de Süleyman Ier, construit par Sinan en 1557 dans le *külliye* de la Süleymaniye, un des mausolées les plus élaborés : la galerie entoure un bâtiment octogonal, recouvert d'une coupole décorée de faïences d'Iznik.

Complexe (külliye) de Beyazit II
Il fut édifié à Edirne en 1484-1488. Un des monuments les plus importants de l'architecture ottomane, il est composé d'une mosquée à cour, d'une cuisine populaire (*imaret*) à gauche, d'un collège de médecine à l'extrême-droite et d'un hôpital pour aliénés, doté d'une magnifique salle octogonale.

Mosquée Beyazit II à Istanbul
Coupe de la mosquée et de la cour (1500-1505). Mosquée à coupole unique, appuyée sur deux demi-coupoles, inspirée du plan de Sainte-Sophie. La cour (*avlu*) est l'apanage des mosquées impériales.

2

Plan d'Atik Ali Paşa édifiée en 1496

LA SELIMIYE, MOSQUÉE IMPÉRIALE

Cette mosquée d'Edirne a été édifiée, pour le sultan Selim II, par Sinan entre 1568 et 1574. L'innovation s'applique à la structure de l'édifice et à sa coupole qui égale presque celle de Sainte-Sophie. La salle de prières comporte une coupole, de 31,5 m de diamètre et d'une hauteur de 54 m au-dessus du sol. Sinan la considérait comme son chef-d'œuvre ; pour la postérité, elle représente l'architecture ottomane classique à son apogée.

STRUCTURE
Sinan fonde son bâtiment sur une structure originale. La coupole, posée sur un tambour octogonal, portée par un système de trompes et de demi-coupoles, repose sur 8 piliers. L'absence de murs porteurs permet un percement de centaines de fenêtres à tous les niveaux, inondant la mosquée de lumière.

PLAN GÉNÉRAL
L'absence de contreforts est compensée par une profusion d'ailes et de galeries latérales, qui créent, à l'intérieur, une multitude d'espaces réservés à la prière ou à la récitation du Coran. Le sultan est isolé dans la loge impériale décorée des plus belles faïences ottomanes.

L'ensemble de ces espaces trouve un écho dans le jeu complexe des façades d'une grande richesse. l'édifice est encadré par les quatre minarets qui ponctuent les quatre angles du bâtiment.

La fontaine d'ablutions se trouve au milieu de la grande cour d'apparat réservée aux processions.

Mihrab
Niche de prière indiquant la direction de La Mecque.

Minaret
Coupe d'un des minarets côté cour, montrant l'étonnant escalier hélicoïdal à trois vis, prouesse technique de l'architecte. Il permet d'accéder séparément à chacun des balcons (*şerefe*). L'exemple est unique dans l'architecture ottomane.

Minbar
Chaire en pierre, couronnée d'un cône en céramique et surmontée d'une demi-sphère en cuivre doré.

De droite à gauche :
la deuxième cour où se réunit
le conseil, la troisième
réservée au souverain
et la quatrième aux pavillons
de plaisance.

À partir de 1463, Mehmet II entoura de murailles la partie de la ville située entre Sainte-Sophie et la pointe faisant face au Bosphore. Il définit les principes d'un palais, où les fonctions sont distribuées en une succession de pavillons disposés autour de cours intérieures et dispersés dans la verdure. Les quatre cours mènent progressivement du public au privé. Aux services officiels installés face à la mer, correspondent les appartements privés dans les pavillons des jardins.

LE PAVILLON DE FATIH
Dans la troisième cour du palais, Mehmet II édifie, en pierre de taille, une première résidence d'été construite sur des fondations massives. Elle comprend un petit belvédère en son centre et, côté mer de Marmara, une loggia qui abrite depuis le XVIe siècle le trésor impérial.

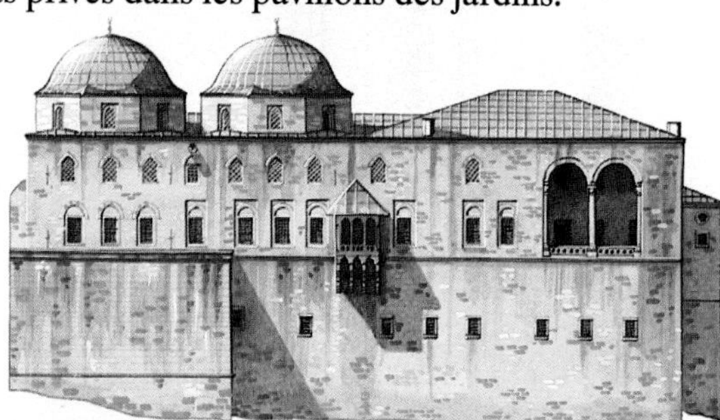

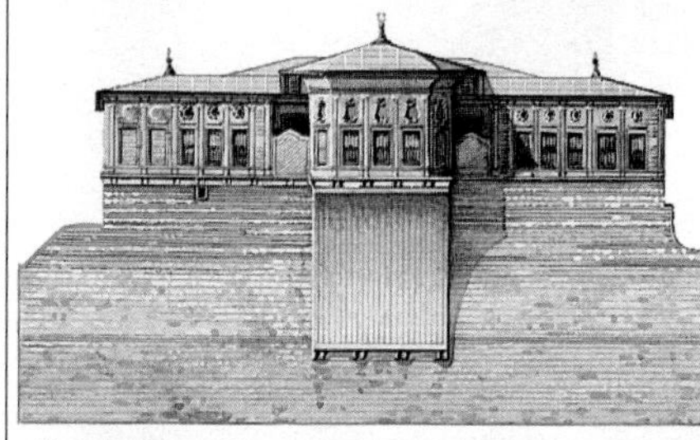

LE PAVILLON D'OSMAN III (1754-1757)
Construit en bois et surplombant le jardin du palais, l'architecture s'inspire de celle des *yalı* du Bosphore. Les consoles en bois recourbées et les parois peintes assurent la transition avec le mur. Au XVIIIe siècle, le bois remplace progressivement la pierre dans l'architecture civile ottomane.

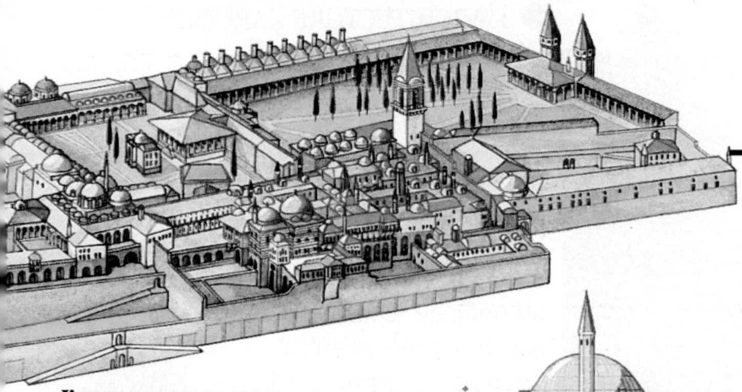

L'appartement des princes (à gauche) construit en 1666, et le salon d'Ahmet Ier, datant de 1608 (à droite), ont été conçus pour prolonger la chambre de Murat III, bâtie en 1578. La façade ornée de faïences bleues de l'appartement des princes contraste avec l'appareillage rouge et blanc de la chambre. Les fenêtres en plein ceintre à l'étage sont de formes identiques. Les pavillons donnent sur une grande terrasse bordée d'une balustrade de marbre ouvragé.

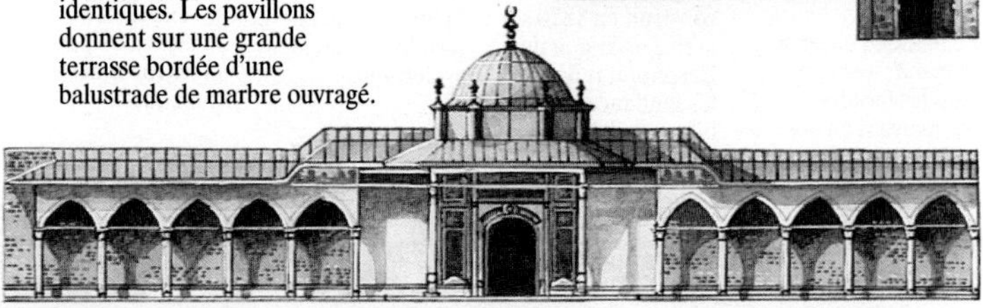

Porte de la Félicité ou des eunuques blancs
Passage entre la deuxième cour et la troisième cour menant à la salle d'audiences ou Divan, cette porte à arcades, surmontées de coupoles, n'était franchie que par les dignitaires et les ambassadeurs.

Kiosque de Bagdad
Il fut édifié par Murat IV en 1635 à l'occasion de la prise de Bagdad, sur la terrasse surplombant la Corne d'Or. Son plan en croix s'inscrit dans un octogone recouvert d'une coupole. Les murs sont revêtus de faïences bleues d'Iznik. La décoration intérieure de la coupole est peinte. Le kiosque reçoit la lumière par des vitraux et est entouré d'une galerie extérieure.

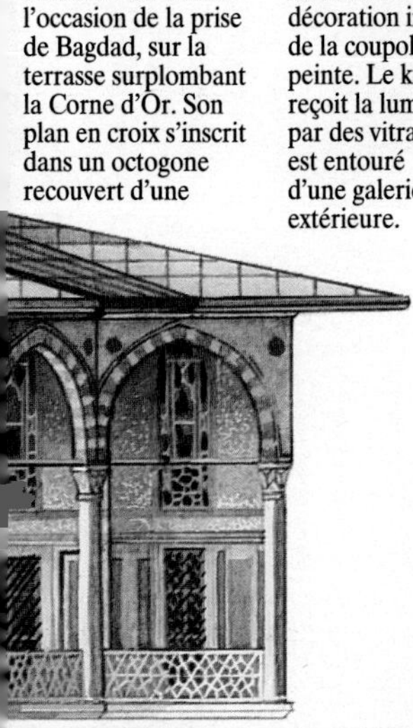

Chambre de Murat III
C'est un espace réservé à la vie privée du sultan. La disposition est savante : symétrie des cabinets et étagères, des alcôves aux divans bas. La cheminée marque le centre. Les murs sont décorés de panneaux de faïence.

L'ARCHITECTURE BAROQUE AU XIXe SIÈCLE

À la fin du XVIIIe siècle, l'influence de l'architecture occidentale bouleverse les règles de l'architecture civile et religieuse ottomane donnant ainsi naissance au baroque ottoman où se mêlent rocaille, néoclacissisme et effets orientalistes, associant des éléments arabes ou indiens, réimportés de l'Occident. Cette synthèse originale se manifeste dans les palais édifiés par les sultans le long du Bosphore.

BAS-RELIEFS DU PAVILLON DE KÜÇÜKSU
Les sculpteurs de pierre ornaient de motifs rococo les fenêtres, les portes, les éléments de la façade du palais et les fontaines publiques.

MAISON À ARVAVUTKÖY
Le baroque ottoman se manifeste aussi dans les façades des maisons en bois.

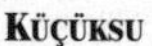

KÜÇÜKSU
Ce petit palais, construit en 1870 sur la rive asiatique du Bosphore, reflète les tendances de l'art baroque de cette époque. Deux avancées courbes adoucissent la linéarité de la façade parfaitement symétrique.

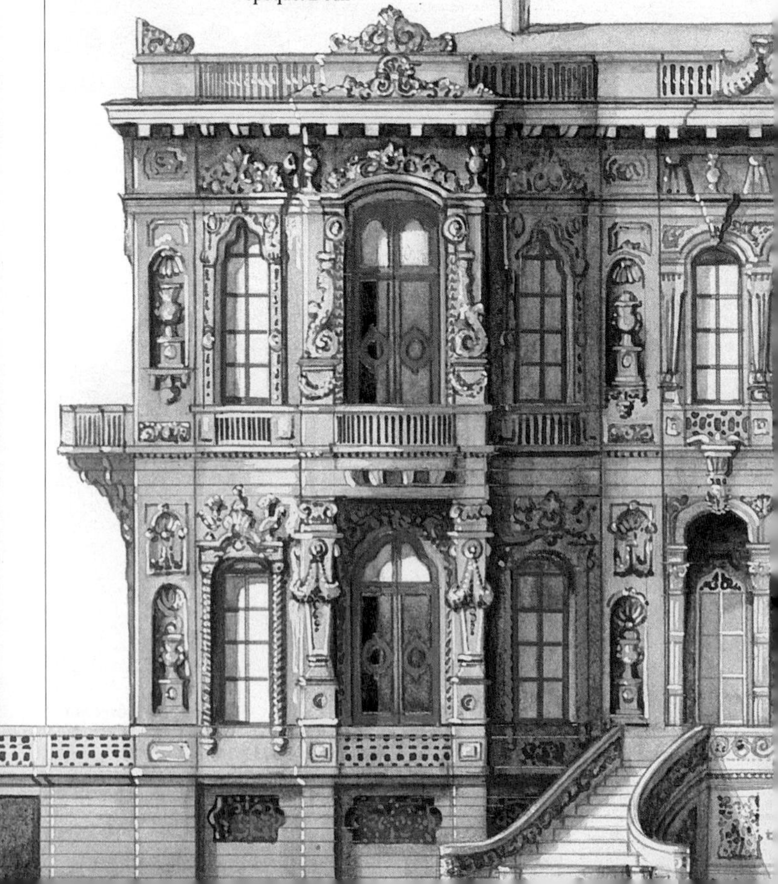

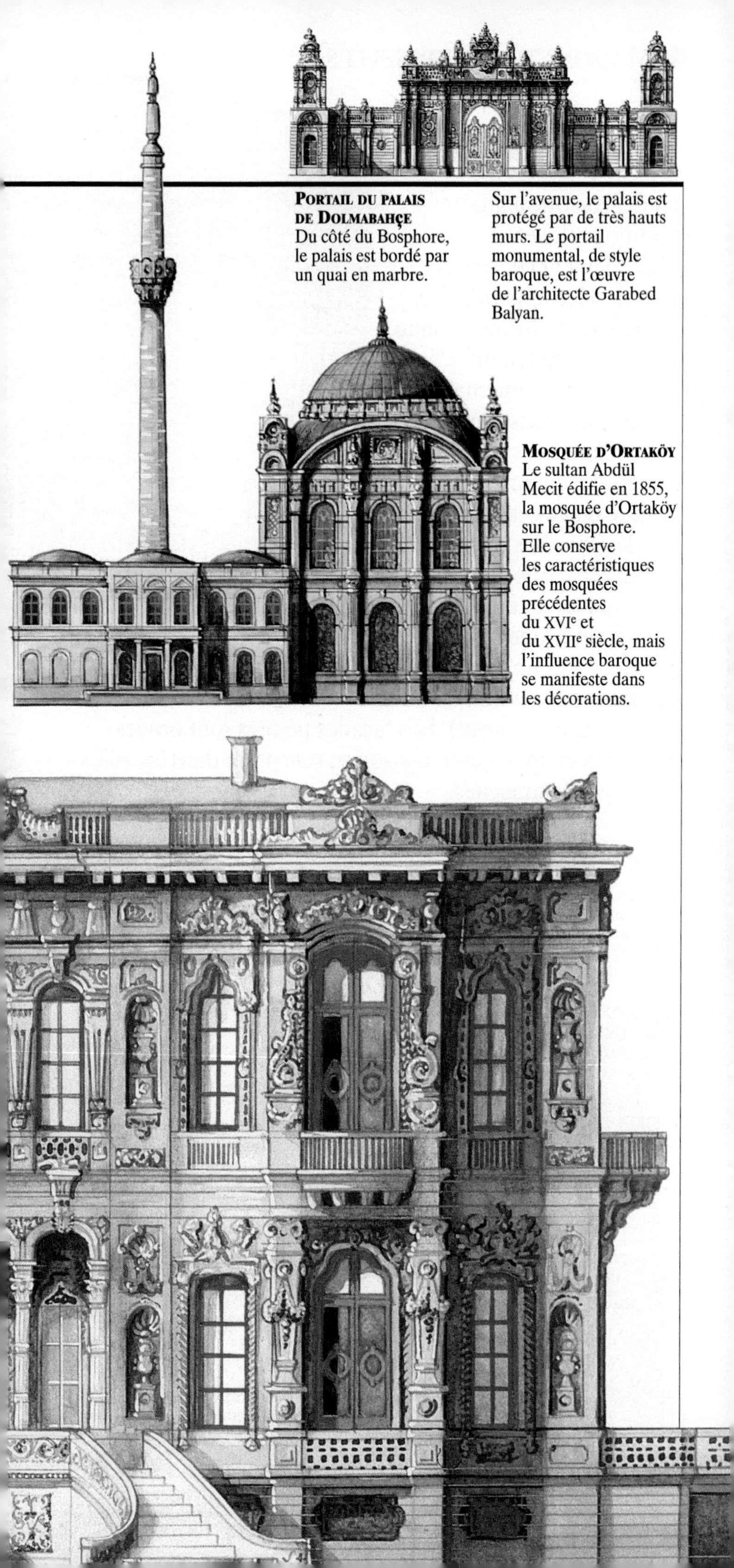

Portail du palais de Dolmabahçe
Du côté du Bosphore, le palais est bordé par un quai en marbre.

Sur l'avenue, le palais est protégé par de très hauts murs. Le portail monumental, de style baroque, est l'œuvre de l'architecte Garabed Balyan.

Mosquée d'Ortaköy
Le sultan Abdül Mecit édifie en 1855, la mosquée d'Ortaköy sur le Bosphore. Elle conserve les caractéristiques des mosquées précédentes du XVIe et du XVIIe siècle, mais l'influence baroque se manifeste dans les décorations.

La maison ottomane traditionnelle était généralement construite en bois. Elle apparaît sans doute sous sa forme connue à partir du milieu du XVIIe siècle. Cette maison a pour caractéristique une architecture à encorbellement : chaque étage est soutenu par des consoles de bois recourbées. Elle a de nombreuses fenêtres pour assurer une bonne ventilation et un escalier extérieur qui conduit à une galerie ouverte (*hayat*). Les façades peintes sont ornées de bois découpés. Cette maison se rencontre dans les villes et dans les campagnes.

ENCORBELLEMENTS
Surmontant un mur en pierre ou en pisé, l'étage en bois surplombe largement la façade de la maison ottomane.

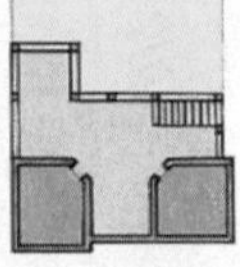

Plan illustrant l'évolution de la galerie ouverte, ou *hayat,* en *sofa*.

MAISON TRADITIONNELLE À BURSA
Le plan de la maison ottomane doit tenir compte de la forme irrégulière des parcelles, de l'irrégularité du réseau de voirie et obtenir des espaces orthogonaux, par le jeu des encorbellements à l'étage supérieur, l'étage principal.

Hayat

Le modèle le plus ancien de la maison ottomane comporte une galerie à l'étage nommée *hayat*. On y accède par des escaliers extérieurs sur la cour d'où s'ouvre l'ensemble des pièces. Celles-ci sont à l'origine éclairées du côté cour, la façade sur rue restant pratiquement aveugle. Des parties surélevées du *hayat* forment les salles de séjour d'été. Ce modèle n'est pas forcément d'origine rurale, mais il se conserva plus longtemps dans les campagnes.

Pièce principale
avec cabinets et niches.

Plan d'une maison
L'espace central (*sofa*) est entouré de quatre chambres (*oda*) d'angle.

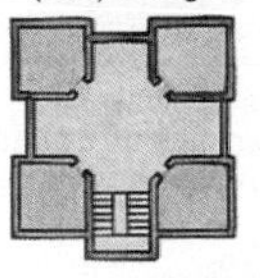

Maison ottomane en colombage
Elle est formée d'une armature en bois remplie de briques, crues ou cuites, ou de matériaux de récupération, recouverte d'un crépi de couleur ocre, brique ou indigo et, à Istanbul, à partir du milieu du XIXe siècle, de lattes horizontales de bois.

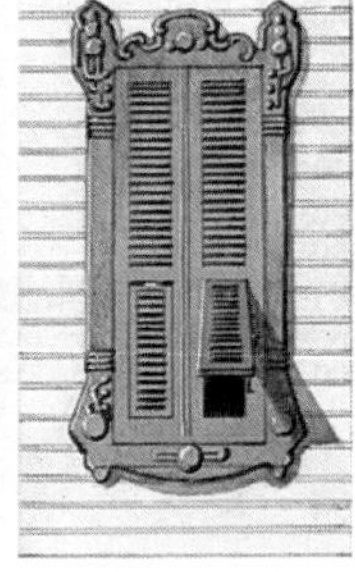

La maison à sofa
Au cours du XIXe siècle et surtout dans les villes, où le confort s'accommode mal de la circulation externe de la maison à galerie ouverte (*hayat*), la galerie sera fermée par des parois vitrées ou par des pièces construites de part et d'autre. Côté cour, la pièce devient une antichambre intérieure, ou *sofa*. La maison à *sofa* est composée d'un espace central et de quatre pièces d'angle, construites en encorbellement.

Les *yalı* sont des résidences d'été en bois bâties sur les rives du Bosphore (le mot *yalı* signifie aussi rivage). Leur plan, déterminé par la façade maritime, est symétrique avec une double entrée, côté mer et côté terre. Les pièces principales du pavillon sont situées en avant-corps et ouvrent par de larges baies sur la mer.

INTÉRIEUR D'UN YALI montrant le mobilier et le *sedir* bas (divan) courant le long des parois en bois peint.

YALI CLASSIQUE À SOFA INTÉRIEUR Le *sofa,* ou pièce centrale, est encadré par quatre pièces d'angles ou *oda,* prolongées par des avant-corps.

LE YALI D'AMCAZADE HÜSEYIN PAŞA de la célèbre famille des Köprülü, date de la fin du XVIIe siècle. C'est le plus ancien témoignage conservé d'une maison ottomane. On peut y voir, comme sur les gravures de Melling, le système d'ouverture protégée par des volets ouvrants horizontaux, typique des *yalı* en front de mer.

Les *yalı* sont des maisons somptueuses, qui appartenaient aux grands dignitaires de l'Empire, mais on trouve le long du Bosphore, des maisons de bois plus modestes, à Arnavutköy et à Yeniköy, sur la rive européenne du Bosphore.

Le rez-de-chaussée des *yalı* comporte parfois un abri pour les caïques.

Istanbul
vue par les peintres

Abidine Dino

«C'EST LE SITE LE PLUS MAJESTUEUX, LE PLUS VARIÉ, LE PLUS MAGNIFIQUE ET LE PLUS SAUVAGE À LA FOIS QUE LE REGARD D'UN PEINTRE PUISSE CHERCHER.»

LAMARTINE

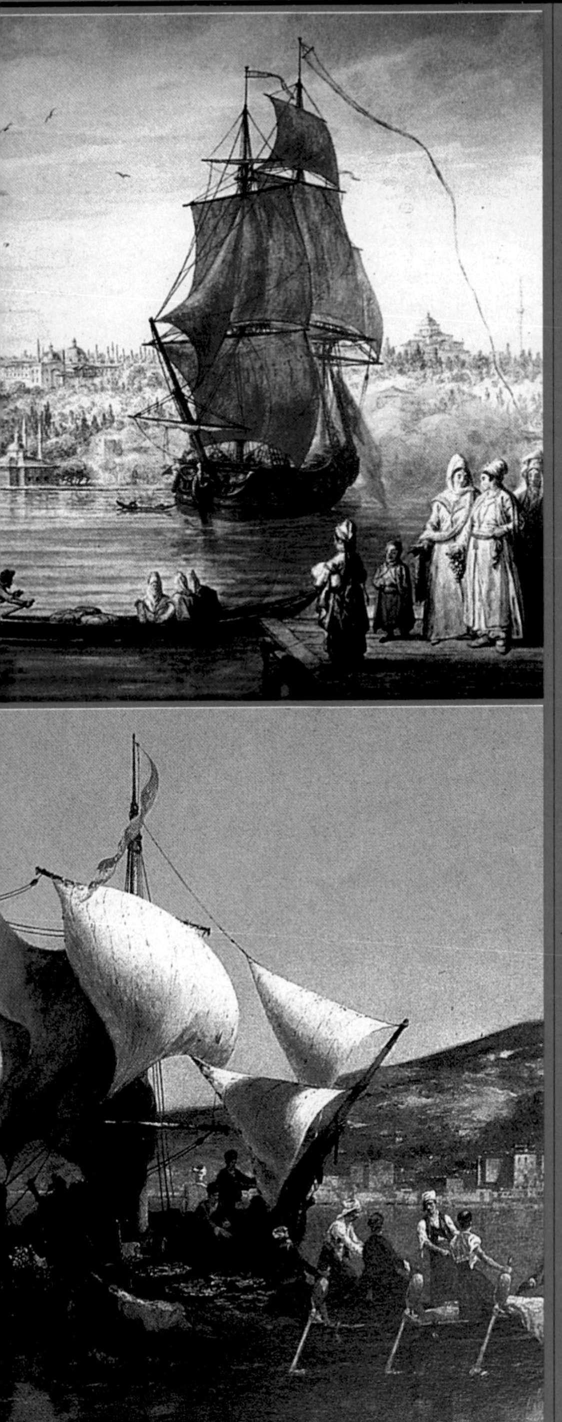

A partir du XVIIIe siècle, pour tenter de sauver l'empire des défaites successives, l'élite ottomane allait adopter les méthodes militaires et civiles occidentales jugées plus efficaces. Grâce à cette ouverture vers l'Europe, de nombreux peintres orientalistes s'installèrent à Constantinople, leurs peintures admises au Sérail, furent vues et admirées, modifiant ainsi peu à peu le goût des spectateurs éclairés et leur conception de l'image. J.-E. Liotard dit «le peintre turc» (1702-1789) réalise le *Portrait de Richard Pocoke* (1), archéologue et voyageur anglais. Le fond du portrait représente une vue de la pointe du Sérail, et le Bosphore dont le bleu s'harmonise avec le bleu du ciel et le bleu turquoise du costume oriental. Jean-Baptiste Hilair exécute vers 1798 dans des tons bleutés cette *Pointe du Sérail prise de Galata* (2) vue à la hauteur des personnages du premier plan. À gauche, le Sepetçiler Köşkü, à droite Sainte-Sophie, Sainte-Irène et les cheminées du Sérail de Topkapı. Au second plan un navire aux voiles déployées. Fabius Brest qui a peint cette vue du Bosphore (3) séjourna à Istanbul au XIXe siècle.

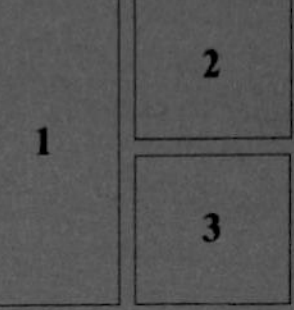

Devrim Erbil,
Vue générale d'Istanbul,
1986.

Cihat Burak est né en 1915 à Istanbul. Architecte, écrivain d'un grande originalité, son goût du réel n'exclut ni l'insolite ni l'humour. Cette *Vue intérieure de la Süleymaniye* (1) peinte en 1975 donne une idée du faste déployé lors des cérémonies d'investiture des sultans de la dynastie ottomane. L'histoire ottomane a la verve malicieuse de Cihat Burak.
Fikret Muallâ (1904-1969), né en Turquie, et mort en France a des admirateurs dans ces deux pays. Ce portrait de son ami Avni Arbaş a été peint en 1948 (4). Malgré une vie marquée par la misère et le drame, son œuvre est une exaltation pleine de charme et de couleur de la vie quotidienne citadine comme ce *Paysage* (3) peint en 1945. Istanbul et Paris ont été ses deux grandes passions. Namık Ismail (1890-1935) a excellé dans de nombreux genres et tout particulièrement dans celui des portraits féminins. Il a peint en 1925, avec lyrisme, ce *Pleine lune sur Istanbul* (5).

2

3

1

4

5

Bedri Rahmi (1913-1975) a été fortement imprégné par l'art populaire turc à ses débuts. Bedhri Rahmi s'est forgé un langage vif et coloré pour célébrer l'Anatolie natale, mais sans négliger le charme et les couleurs d'Istanbul, comme la façade de cette *Kahriye camii* (1). Hüseyin Avni Lifij (1889-1927) est un

élève du grand peintre Osman Hamdi. Avni fit ses études à l'École Nationale des Beaux-Arts de Paris. Empreintes d'une ferveur nostalgique, les toiles d'Avni Lifij exaltent la lumière d'Istanbul comme aucun peintre avant lui. Ses paysages sont doués d'une vie intérieure intense. Il aborde des thèmes allégoriques d'un goût ottoman, comme dans ce paysage de Zeyrek, *Zeyrekten Görünü* (2). Les aquarelles (3) de Mustafa Pilevneli, peintre contemporain, s'inspirent des miniaturistes ottomans du XVIIIe siècle. Pilevneli représente des scènes de la vie quotidienne.

3

1 2

Abidine Dino est né en 1913. La ville d'Istanbul a marqué la peinture d'Abidine : il y a trouvé réalité et mystère. Il est le fondateur du premier groupe d'avant-garde turc, le groupe D (1933) et du groupe «Port» (1939). Tour à tour l'abstraction, la figuration, la sculpture, l'écriture, le cinéma ont influencé ses différentes périodes, sous le sceau d'une quête de pureté plastique sans concession. *Pointe du Sérail*, 1980, (1) *J'ai rêvé d'Istanbul*, (2) et *Portrait de Nazim Hikmet* (3). Abidine

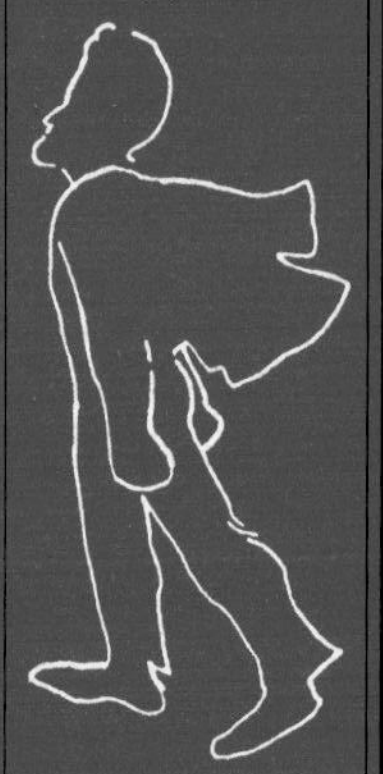

expose régulièrement à Paris et dans diverses capitales européennes ainsi que dans son pays.

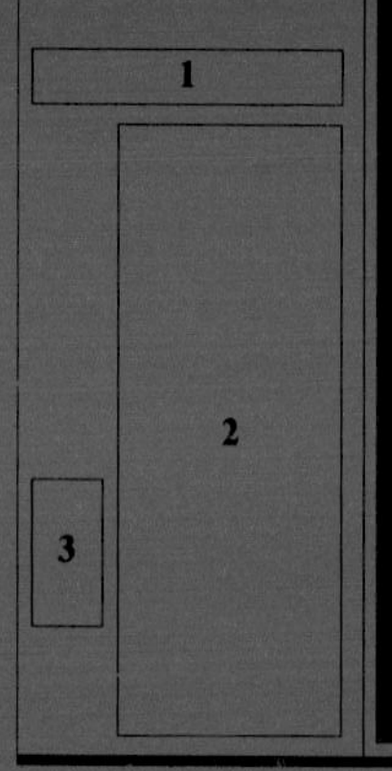

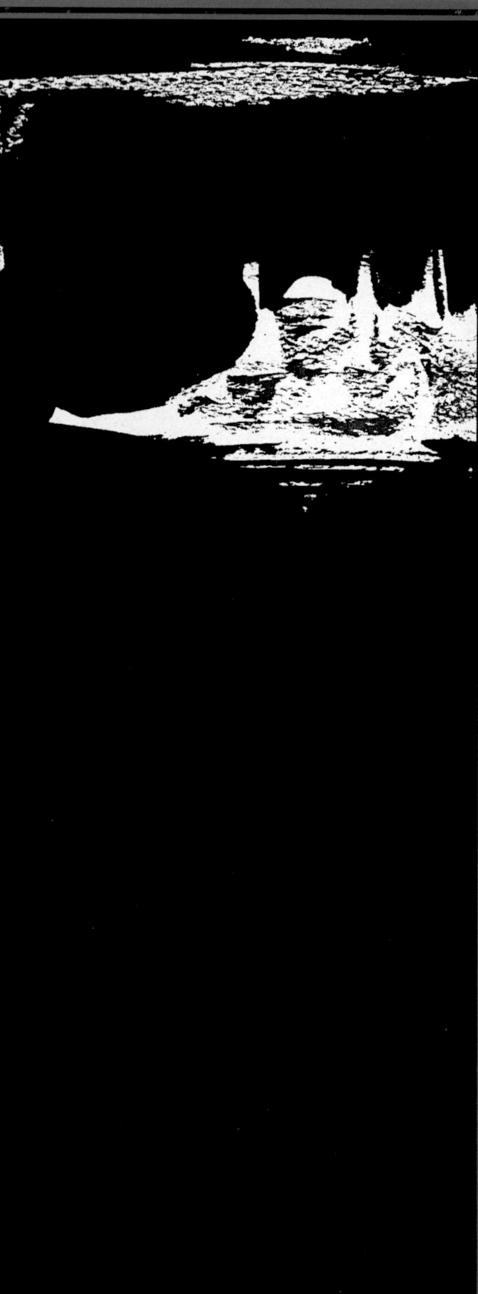

ISTANBUL
VUE PAR
LES ÉCRIVAINS

ÉCRIVAINS VOYAGEURS

Le pouvoir de fascination d'Istanbul-Contantinople est un phénomène singulier. À cela plusieurs raisons dont l'étonnante topographie du site n'est pas la moindre : entre deux mers, à la croisée des continents européen et asiatique, et des cultures orientale et occidentale... Les événements historiques dont elle fut le théâtre devaient également marquer l'humanité durablement. Aussi écrivains et peintres de toutes nations se sont succédé à Istanbul, pour tenter de voir, décrire et raconter cette ville.

LA VIE QUOTIDIENNE À CONSTANTINOPLE AU XIXe SIÈCLE

D'un voyage en Orient qui devait durer deux années, Gérard de Nerval (1808-1855) ramena des souvenirs colorés et vivants, qu'il publia en 1851. Les contrastes de l'antique Constantinople, ses monuments, sa population et ses mœurs devaient le passionner.

« Ville étrange que Constantinople ! Splendeur et misères ; larmes et joies ; l'arbitraire plus qu'ailleurs, et aussi plus de liberté ; - quatre peuples différents qui vivent ensemble sans trop se haïr : Turcs, Arméniens, Grecs et Juifs, enfants du même sol et se supportant beaucoup mieux les uns les autres que ne le font, chez nous, les gens de diverses provinces ou de divers partis. Nous étions partis de Péra, la ville franque, pour nous rendre aux bazars de Stamboul, la ville turque.
Nous avons parcouru les bazars splendides qui forment le centre de Stamboul. C'est tout un labyrinthe solidement construit en pierre dans le goût byzantin et où l'on trouve un abri vaste contre la chaleur du jour. D'immenses galeries, les unes cintrées, les autres construites en ogives, avec des piliers sculptés et des colonnades sont consacrées chacune à un genre particulier de marchandises. On admire surtout les vêtements et les babouches des femmes, les étoffes brodées et lamées, les cachemires, les tapis, les meubles incrustés d'or, d'argent et de nacre, l'orfèvrerie et les armes brillantes réunies dans cette partie du bazar qu'on appelle le besestain. Une des extrémités de cette ville, pour ainsi dire souterraine, conduit à une place fort gaie entourée d'édifices et de mosquées, qu'on appelle la place du Sérasquier. C'est le lieu de promenade, pour l'intérieur de la ville, le plus fréquenté par les femmes et les enfants. Les femmes sont plus sévèrement voilées dans Stamboul que dans Péra ; vêtues du *féredjé* vert ou violet, et le visage couvert d'une gaze épaisse, il est rare qu'elles laissent voir autre chose que les yeux et la naissance du nez. Les Arméniennes enveloppent leurs traits d'une étoffe beaucoup plus légère.
On ne donnerait qu'une faible idée des plaisirs de Constantinople pendant le Ramadan et des principaux charmes de ses nuits, si l'on passait sous silence les contes merveilleux récités ou déclamés par des conteurs de profession attachés aux principaux cafés de Stamboul. Traduire une de ces légendes, c'est en même temps compléter les idées que l'on doit se faire d'une littérature à la fois savante et populaire qui encadre spirituellement les traditions et les légendes religieuses considérées au point de vue de l'islamisme.
Je passais aux yeux des Persans, qui m'avaient pris sous leur protection, pour un *taleb* (savant) de sorte qu'ils me conduisirent à des cafés situés derrière la mosquée de Bayezid, et où se réunissaient autrefois les fumeurs d'opium. Aujourd'hui cette consommation est défendue ; mais les négociants étrangers à la Turquie fréquentent par habitude ce point éloigné du tumulte des quartiers du centre. On s'assied, on se fait apporter un narghilé ou un chibouk, et l'on écoute des récits qui, comme nos feuilletons actuels, se prolongent le plus possible. C'est l'intérêt du cafetier et celui du narrateur. »

GÉRARD DE NERVAL, *VOYAGE EN ORIENT*, PARIS, CHARPENTIER, 1851

Galata, Constantinople et Scutari

Après un long séjour à Rome, François-René de Chateaubriand (1768-1848) entreprit un voyage en Orient en 1806. Le grand écrivain romantique manifestera peu de sympathie pour les habitants de Constantinople, mais il rendra justice à la beauté de la ville dans son ouvrage L'Itinéraire de Paris à Jérusalem, *qui inaugurait la vogue des récits de voyage en Méditerranée Orientale.*

« À huit heures, un caïque vint à notre bord : comme nous étions presque arrêtés par le calme, je quittai la felouque, et je m'embarquai avec mes gens dans le petit bateau. Nous rasâmes la pointe d'Europe, où s'élève le château des Sept-Tours, vieille fortification gothique qui tombe en ruine. Constantinople, et surtout la côte d'Asie étaient noyées dans le brouillard : les cyprès et les minarets que j'apercevais à travers cette vapeur, présentaient l'aspect d'une forêt dépouillée. Comme nous approchions de la pointe du sérail, le vent du nord se leva, et balaya, en moins de quelques minutes, la brume répandue sur le tableau ; je me trouvai tout à coup au milieu du palais du Commandeur des Croyants : ce fut le coup de baguette d'un Génie. Devant moi le canal de la mer Noire serpentait entre des collines riantes, ainsi qu'un fleuve superbe : j'avais à droite la terre d'Asie et la ville de Scutari ; la terre d'Europe était à ma gauche ; elle formait, en se creusant, une large baie, pleine de grands navires à l'ancre, et traversée par d'innombrables petits bateaux. Cette baie, renfermée entre deux coteaux, présentait en regard et en amphithéâtre, Constantinople et Galata. L'immensité de ces trois villes étagées, Galata, Constantinople et Scutari ; les cyprès, les minarets, les mâts des vaisseaux qui s'élevaient et se confondaient de toutes parts ; la verdure des arbres, les couleurs des maisons blanches et rouges ; la mer qui étendait sous ces objets sa nappe bleue, et le ciel qui déroulait au-dessus un autre champ d'azur : voilà ce que j'admirais. On n'exagère point, quand on dit que Constantinople offre le plus beau point de vue de l'univers.

Nous abordâmes à Galata : je remarquai sur-le-champ le mouvement des quais, et la foule des porteurs, des marchands et des mariniers ; ceux-ci annonçaient par la couleur diverse de leurs visages, par la différence de leurs langages, de leurs habits, de leurs robes, de leurs chapeaux, de leurs bonnets, de leurs turbans, qu'ils étaient venus de toutes les parties de l'Europe et de l'Asie habiter cette frontière entre deux mondes. L'absence presque totale des femmes, le manque de voitures à roues, et les meutes de chiens sans maîtres, furent les trois caractères distinctifs qui me frappent d'abord dans l'intérieur de cette ville extraordinaire »

François-René de Chateaubriand,
L'Itinéraire de Paris à Jérusalem, 1811

LETTRES DE VOYAGE

À vingt-neuf ans Gustave Flaubert (1821-1880) décide de confronter sa connaissance livresque du Moyen-Orient avec la réalité. Il livrera ses impressions de voyage dans la correspondance qu'il entretient avec ses intimes. Flaubert devait prendre le contre-pied du lyrisme de ses illustres prédécesseurs, non sans donner libre cours à son talent d'observateur dans la description de la ville d'Istanbul et dans l'appréhension de la réalité turque.

À Louis Bouilhet [1850]

« D'abord de Constantinople, où je suis arrivé hier matin, je ne te dirai rien aujourd'hui, à savoir seulement que j'ai été frappé de cette idée de Fourier : qu'elle serait plus tard la capitale de la terre. - C'est réellement énorme comme humanité. Ce sentiment d'écrasement que tu as éprouvé à ton entrée dans Paris, c'est ici qu'il vous pénètre, en coudoyant tant d'hommes inconnus, depuis le Persan et l'Indien jusqu'à l'Américain et l'Anglais, tant d'individualités séparées dont l'addition formidable aplatit la vôtre. Et puis c'est immense, on est perdu dans les rues, on ne voit ni le commencement ni la fin. Les cimetières sont des forêts au milieu de la ville. Du haut de la tour de Galata à voir toutes les maison et toutes les mosquées (à côté et parmi le Bosphore et la Corne d'Or pleins de vaisseaux), les maisons peuvent être comparées aussi à des navires, ce qui fait une flotte immobile dont les minarets seraient les mâts des vaisseaux de haut bord (phrase un peu entortillée : passons). [...]

Vendredi 29.- Vu le Sultan à son entrée dans la mosquée de Fondoukli ; la place devant la mosquée encombrée de chevaux et d'officiers étranglés dans des redingotes. Il faut encore plusieurs générations pour qu'ils s'y habituent. Nous étions au bord de l'eau, à côté d'un mur en ruines.- Femmes ; on a voulu nous faire déloger pour que nous ne restions pas avec elles, elles sont venues de notre côté trouvant que la place était plus commode pour voir, les cawas n'ont pu les faire s'en aller de là. Le canon des forts a annoncé le Sultan.- Premier caïque, portant deux pachas à genoux, tournés vers le second où était sa Hautesse ; caïques blancs bordés d'un ruban d'or, tendelet à l'arrière, rampe d'argent à celui du Sultan.- Il a l'air profondément ennuyé, petit jeune homme pâle, à barbe noire, nous a regardés fixement, tournant la tête à droite. [...]

Mercredi 4.- Sorti seul avec Stéphany, par les hauteurs de Péra et passé devant le grand champ. Froid, vent. Nous tournons à gauche et nous descendons à travers champs, nous remontons et redescendons, landes, rien. Au fond, à gauche, Constantinople. Dans les gorges, à l'abri du vent, il fait chaud. Tout à coup nous nous trouvons aux Eaux douces d'Europe ; un berger bulgare faisait paître ses moutons sur la pelouse où viennent l'été les harabas chargés de femmes, il n'y avait personne, les feuilles jaunies des platanes tombaient à terre. Douceur des jours d'hiver, quand le froid se repose.- Nous longeons quelque temps le bord de la petite rivière, puis Eyub, mosquée au milieu d'un cimetière planté comme un jardin, plusieurs tombes dorées.- Quartier du coin jaune, Sari-eivah ; interminable Balata, sale, noir honteux. Aussitôt qu'on entre dans le Phanar, la rue devient plus propre, maisons à mâchicoulis, aspect boutonné et sévère. Nous passons le pont de Mahmoud et rentrons par le petit champ.

Vendredi.- Avec Stéphany, aux Eaux douces d'Asie. Le Sultan passe devant nous pour se rendre à Scutari. Le vent vient de la mer Noire, beaucoup de navires, les voiles blanches toutes déployées. À Orta-Keuil ou Arnaüt-Keuil, il y a un cimetières au bord de l'eau ; des pêcheurs étaient là avec leurs barques ; grands filets qui séchaient accrochés aux cyprès, tendus en long ; cela faisait draperie avec de grands plis, occasionnés par les câbles du filet ; le soleil derrière, ce qui faisait que les tombes et les arbres vus à travers les mailles, étaient comme à travers une

«CONSTANTINOPLE SEMBLE AVOIR ÉTÉ BÂTIE POUR LE PLAISIR DES YEUX : CRAIGNANT QUE L'ILLUSION NE CESSE, ON SE HÂTE DE GRAVER DANS SA MÉMOIRE CE QUI PARAÎT FANTASTIQUE»
FORBIN

gaze brune. Plus loin, d'autres filets étaient couchés sur les tombes ; les stèles, çà et là, se levaient en vagues.-Abordés aux Eaux douces : ancien kiosque du Sultan, pourri et qui tombe dans l'eau ; jolie petite fontaine carrée, soldat à un corps de garde. Que de corps de garde et de casernes à Constantinople !

GUSTAVE FLAUBERT,
CORRESPONDANCE, TOME 1, 1830-1852,
«LA PLÉIADE»,GALLIMARD

LA PLUS MERVEILLEUSE VUE DE CONSTANTINOPLE

Officier dans l'armée italienne, Edmondo De Amicis (1846-1908) publia en 1868 la Vita militare. *Devenu écrivain, journaliste, chroniqueur, et romancier social, il connut rapidement la célébrité et entreprit de nombreux voyages. Passionné par l'Orient,il fut un admirateur inconditionnel d'Istanbul et publia un texte sur cette cité au XIXᵉ siècle.*

« Nous étions encore immobiles en deçà de la pointe du Sérail, qu'il faut dépasser pour voir la Corne d'Or, et la plus merveilleuse vue de Constantinople est à la Corne-d'Or. «Attention, messieurs ! s'écria le capitaine avant de donner l'ordre de marcher ; voici le moment critique. Dans trois minutes nous serons en face de Constantinople !»
Il me passa un froid dans le dos. On attendit encore un peu. «Ah ! comme le cœur me battait ! Avec quelle fièvre j'attendais cette bienheureuse parole» : «En avant ! En avant !» cria le capitaine. Le bateau s'ébranla. Rois, princes, Crésus, puissants et riches de la terre, à ce moment j'eus pitié de vous ; ma place sur le bâtiment valait tous vos trésors, et je n'aurais pas vendu un de mes regards pour un empire.Une minute...une autre minute...on passe la pointe du Sérail...j'entrevois un immense espace plein de lumière et une immensité de choses et de couleurs...la pointe est dépassée...Voilà Constantinople ! Constantinople superbe, démesurée, sublime ! Gloire au Créateur et à l'homme ! Je n'avais pas rêvé une pareille beauté ! Et maintenant, décris, misérable ! Profane par ta parole cette vision divine ! Qui ose décrire Constantinople ? Chateaubriand, Lamartine, Gautier, qu'avez-vous balbutié ? Les images et les expressions s'offrent en foule à l'esprit, et s'enfuient de la plume. Je vois, je parle, j'écris en même temps, sans espérance, mais avec une volupté qui m'enivre. Voyons donc ! La Corne-d'Or, droit devant nous, comme un large fleuve ; et sur ses deux rives, deux chaînes de hauteurs sur lesquelles s'élèvent et s'allongent deux chaînes parallèles de villes qui embrassent huit milles de collines, de vallées, de golfes, de promontoires ; cent amphi-

PIERRE LOTI, DE L'ACADÉMIE FRANÇAISE,
LE NOBLE ET FIDÈLE AMI DES TURCS, DANS LEURS JOURS DE PROSPÉRITÉ
OU DE MALHEUR, A HABITÉ CETTE MAISON EN 1910

théâtres de monuments et de jardins ; un double et immense escalier de maisons, de mosquées, de sérails, de bains, de kiosques, de couleurs variées, du milieu desquels un millier de minarets à la pointe brillante s'élèvent au ciel comme de hautes colonnes d'ivoire. Des bosquets de cyprès descendent en lignes sombres des hauteurs de la mer, entourant comme des guirlandes les faubourgs et les ports ; une végétation, partout répandue, s'élance de partout, empanache les hauteurs, serpente entre les toits et se penche sur les plages. À droite, Galata, derrière un forêt de mâts, de vergues et de pavillons ; au-dessus de Galata, Péra qui détache sur le ciel les lignes puissantes de ses palais européens ; devant, un pont qui unit les deux rives, parcouru par deux foules opposées, bariolées de toutes couleurs. À gauche, Stamboul, étendue sur ses vastes collines, de chacune desquelles s'élève une mosquée gigantesque, à la coupole de plomb et aux obélisques d'or. Sainte-Sophie, blanche et rosée ; la mosquée d'Ahmed, flanquée de sept minarets ; celle de Soliman, couronnée de dix coupoles ; celle de la Sultane Validé, qui se mire dans les eaux ; sur la quatrième colline, la mosquée de Mahomet II ; sur la cinquième, la mosquée de Sélim ; sur la sixième, le sérail; et, au-dessus de toutes les hauteurs, la tour blanche du Séraskier, qui domine les rivages des deux continents, des Dardanelles à la mer Noire. Au delà de Galata et de la septième colline de Stamboul, on ne voit plus que de profils vagues, des apparences de cités et de faubourgs, des ombres de ports, de flottes et de forêts perdus dans un horizon bleuâtre, et qui ne paraissent plus des objets réels, mais plutôt des mirages.”

EDMONDO DE AMICIS, *L'ENNEMI*, BOURGOIS, 1991

«Ces vieilles demeures du bord asiatique, il semble qu'elles ne se trouvent jamais assez près de la mer ; elles s'avancent le plus possible, sur pilotis.»

Pierre Loti

Les villages le long du Bosphore

Lorsque Pierre Loti (1850-1923) découvre Istanbul, au début du siècle, c'est pour se laisser ravir par le dépaysement oriental. Charme puissant puisqu'il revient en Turquie, s'attachant davantage à la réalité du pays en pleine mutation politique et sociale. Istanbul devait rester, pour cet écrivain, une source d'inspiration inépuisable.

“Le soleil est déjà bas et sa lumière un peu jaunie, quand Stamboul commence de dessiner au loin ses flèches aiguës et ses dômes.

Et à sept heures le «Vieux Sérail» passe enfin là devant nous, apparition grandiose dans beaucoup de silence ; sur une colline, amas de bastions crénelés, de kiosques mystérieux parmi des cyprès sombres, de mosquées et de presque trop grands minarets qui se profilent contre le couchant couleur de soufre. C'est la pointe extrême de Stamboul et c'était la demeure des vieux Sultans magnifiques devant qui tremblait le monde ; vu de la mer, en promontoire avancé vers l'Asie voisine, cela reste solennellement dominateur. Mais, ce soir, il n'en sort aucun bruit ; pas de navires, pas de barques alentour, on ne voit pas de quai pour y aborder, au pied des si farouches remparts. Cela émerge de la Marmara pour se dresser sur le ciel avec des airs de ville-momie ; on croirait quelque image fantasmagorique de jadis, que le crépuscule aurait fait surgir. Et nous continuons sans nous arrêter, comme devant des choses fermées et mortes dont l'accès demeurerait interdit.

Le bruit, le mouvement, les foules et les musiques orientales, tout cela nous guette un peu plus loin, dans une pénombre déjà piquée de mille petites lumières, dès que nous avons dépassé le golfe étroit de la Corne d'Or, pour nous approcher de Galata où des paquebots sont amarrés en longues files.

De ces maisonnettes de la rive, toutes ouvertes, toutes éclairées, une chaude clameur nous arrive en crescendo : des milliers de voix, qui plaisantent ou s'invectivent dans toutes les langues d'Orient ; des orchestres de cordes ou des orgues de Barbarie qui jouent très vite des airs d'une étrangeté presque gaie, tandis que des chansons turques ou grecques, hurlées à tue-tête, sonnent triste, au contraire, avec leurs vocalises éperdues en mode mineur ; tapage caractéristique des «échelles du Levant» qui, dès le premier contact, est là pour vous saisir.[...]

Le long du Bosphore, la série des villages riverains ne s'interrompt jamais, et c'est comme une même rue qui, de la Marmara, s'en irait à la mer Noire, une rue infiniment diverse où de vieux quartiers rustiques alternent avec de grands jardins murés, des fontaines, des palais tout près du bord, des mosquées presque dans l'eau. Ce soir, comme il fait un adorable beau temps, la flânerie orientale en plein air se prolongera tard, devant les petits cafés et sur les portes. D'innombrables lampes à la mode ancienne nous montrent au passage des groupes de paysans d'Europe ou d'Asie, en longues moustaches, bonnet rouge et veste de toute couleur, qui sont attablés dehors devant des narguilhés et des verres d'eau pure. Des petites boutiques de fruits regorgent de raisins, de figues et de pastèques. Et, à l'entrée des grandes demeures princières jalousement closes, des eunuques noirs prennent le frais en compagnie de gardes tout chamarrés d'or.[...]

Lentement sans bruit, les bateliers turcs ont fini par arriver, leurs avirons sur l'épaule. Mes malles sont dans les barques ; il faut se diriger vers les petites lumières de la rive d'en face. Et le glissement commence, au rythme des avirons, sur la grande nappe unie où notre passage laisse

comme des plissures de soie. Il fait plus froid, et la buée habituelle des nuits du Bosphore augmente la pâleur des choses.
Il est minuit, dans un rayonnement blême, quand nous abordons à la rive d'Asie, à un vieux petit quai de marbre qui est celui de la maison de mes hôtes. Et la chambre qu'ils me donnent s'avance sur pilotis, presque à effleurer la surface de ces eaux sans marée, dont le niveau jamais ne change. »

PIERRE LOTI, *SUPRÊME VISION D'ORIENT*,
CALMANN-LÉVY, 1921

ENTRE PERA ET STAMBOUL

Séjournant à Istanbul en 1911, Charles-Edouard Jeanneret, dit Le Corbusier (1887-1965) allait découvrir parmi les trainées de brume une cité encore plus radieuse que la ville dont il avait rêvée. Il tient son carnet de route, il note ses impressions et réalise une masse de dessins qui lui apprennent à regarder et à voir. De ces notes qu'il complètera, il tirera un livre Le voyage d'Orient *qu'il ne publiera qu'en 1965. La pureté et la rigueur de l'architecture turque l'impressionneront durablement.*

« Il fait doux et un calme turc. C'est le dernier bateau et, face à la sauvage déchirure de Péra noire criblée de lumières, il y a des colliers autour de graciles cous d'albâtre, sur tout le mont de Stamboul. Ils luisent comme luisent les veilleuses des mosquées sous les dômes, le soir, en théories circulaires. Ils sont d'or et ils ont quatre rangs de feux, et, pendant que nous marchons, la nuit se fait noire et pure.[…] Mes yeux ont compris. Il y a tout à droite six séries de trois colliers superposés, parce que c'est la grande mosquée d'Achmed. Ce majestueux quadri-latère, Pégase descendu du ciel, ces quatre unités à une immense distance, c'est Sainte-Sophie. Nouri Osmanié embrouille Bajazid. Puis ils révèlent le sphinx qu'elle est, ceux sur les quatre minarets de Süleymaniye. Alors, c'est la confusion, à cause de l'éloignement perspectif ; j'épelle à tout hasard Chah Zadé, Sultan Mehmed, Sultan Selim. Et droit devant, en tête du pont, les minarets de Validé Djami étincelants aussi.
Quatre heures du matin, sur le Pont Neuf, entre Péra et Stamboul. Des plaques de brouillard échevelées, obliques, déchirées, blanches dans le haut, sur du gris très opaque. Il y a peut-être de l'eau dans la Corne d'Or ; on ne la voit pas. Des gazes épaisses s'agitent, pâlissent, se lacèrent, deviennent de neige. Puis il tombe de gros duvets lourds, sombres, ronds, massifs. Ils s'écrasent, ils noient tout, ils cachent tout ; à quatre heures du matin, des brumes épaisses sont plus sombres que la nuit. L'échevèlement reprend, l'oblique s'accuse, le déploiement se fait dans le haut en éventails étirés clairs et sombres. Ce sont des vapeurs puissantes qui se soulèvent et vivent. Je suis au bord, à pic et sans barrière, des pontons entrouverts ; c'est presque vertigineux. J'entends des cris en bas, puis je vois passer des agrès, des mâts

obliques, des grandes toiles agitées et sombres. Dans les déchirures de brume, je vois les deux flottilles de droite et de gauche tendre leur toile et se hâter vers ce chenal, entre les pontons écartés. Il y a des heurts, des manœuvres avortées, des cris superbes et des gestes étonnants.
Et tout le temps ces mâts, ces cordages, ces toiles passent et s'enfoncent dans l'opaque qu'éclaire maintenant le soleil. Il les éclaire, il rend donc les brumes plus opaques. Il déchire davantage ces nuées échevelées, il fait des trouées profondes, remportant des victoires ; mais elles reviennent impétueuses comme des hordes, du fond de la Corne d'Or où il doit y en avoir de cramponnées aux cyprès des cimetières.”

LE CORBUSIER, *LE VOYAGE EN ORIENT*, PARENTHÈSES, 1965

LE GÉNIE DU LIEU

Né en 1926, professeur de philosophie en Angleterre, en Grèce, en Égypte et aux États-Unis, Michel Butor publia en 1957 son premier roman, La Modification *(Prix Renaudot, 1957) et des essais dont* Répertoires I *en 1960 et* Répertoire II *en 1964. Grand voyageur, il déclara :«Pour moi, voyager c'est écrire et écrire c'est voyager».*

“Ce sont trois villes qui se superposent, et que l'on démêle en errant, trois villes de structure profondément différente, trois villes nées de trois invasions.[...] où les enfants courent en tirant d'interminables ficelles pour faire monter encore plus haut leurs cerfs-volants, jusqu'à cette région de l'air où les milans tournoient pour fondre tout d'un coup sur quelque déchet. C'est un campement qui s'est fixé, mais sans se solidifier complètement, ce sont des huttes et des cabanes, qui se sont agrandies et perfectionnées, qui sont devenues confortables, mais sans jamais perdre leur caractère provisoire.
Dans ces époques de grandeur et d'audace au lendemain de la victoire, celle de Mahomet le Conquérant, celle de Soliman le Magnifique et de son architecte Sinan, à la fin du XVᵉ et au XVIᵉ siècle, dans la volonté d'égaler celle dans les ruines de laquelle elle s'installait, quelle ville se reconstruisait, en avance sur tout ce que l'on faisait alors en Europe, comme le montrent les deux splendides ensembles qui portent le nom de ces sultans, celui du conquérant ayant été reconstruit au XVIIᵉ siècle, mais à peu près sur l'ancien plan ! Puis, tout d'un coup, le souffle est devenu court. La tradition s'est bien prolongée au début du XVIIᵉ siècle avec la mosquée bleue d'Ahmet, on a bien essayé de la rajeunir au XVIIIᵉ avec la Nuruosmanyé, et la mosquée des Tulipes, mais ce ne furent que des efforts isolés de plus en plus rares, de moins en moins sûrs, et les deux grands îlots d'ordre ne se sont jamais rejoints. Tandis que les ruines de Constantinople continuaient de s'effriter, de s'enfoncer, les tremblements de terre endommageaient déjà les nouveaux édifices [...]
On devinait seulement la côte d'Asie. Trempé, harassé, car j'avais beaucoup marché, je m'étais assis pour boire un verre de thé, à une des petites tables carrées peintes en vert.”

MICHEL BUTOR, *LE GÉNIE DU LIEU : BOOMERANG*, GALLIMARD, *1978*

ÉCRIVAINS TURCS

L'écrivain turc vivant dans Constantinople-Istanbul est acteur du prodigieux théâtre qu'est sa propre ville. C'est un regard porté sur lui-même,la ville prend la parole et se voit non plus en tant qu'objet, mais sujet actif mêlant ses fantasmes à la réalité.

LES EAUX DOUCES

Né à Istanbul, Evliya Çelebi (1611-1682) fut un infatigable voyageur sillonnant l'immense Empire ottoman d'un bout à l'autre, détaillant, racontant, énumérant avec art tout ce qui s'offrait à ses yeux, en une prose pleine de verve.Son Seyâhut-Nâme *décrit presque toutes les contrées de l'Empire ottoman.*

“Au temps où notre seigneur Melek Ahmet Paşa résidait dans le palais Topçular, (quartier des artilleurs à Istanbul), votre humble serviteur voyait s'élever au ciel des multitudes de feux d'artifice et entendait le bruit des coups de fusil et de canon.
Un jour que je demandai la cause de tout ceci à un de ces bons viveurs qui ne pensent qu'à cueillir les plaisirs de la vie, celui-ci me répondit en ces termes : «Malheureux, qui ne sait que meurtrir ton pauvre cœur dans la mélancolie et les chagrins. Pauvre fou ! Tâche de rassembler tes esprits. Perdu comme tu l'es dans de sombres pensées, n'as-tu jamais songé à découvrir le monde enchanté qu'est le Kâğithane ? Depuis le jour où cet empire a été fondé, aucun lieu de plaisance n'a vu les réjouissance qui se sont déroulées dans cet Eden qu'on appelle Kâğithane et celui qui n'a pas goûté à ces plaisirs n'a rien vu dans sa vie». Bref, il a dit tant de belles choses sur Kâğithane qu'une envie irrésistible me prit d'aller voir ce lieu qu'on ne pouvait comparer à nul autre et ces vers me vinrent à l'esprit :

«Les joies de la vie divertissent le cœur
Prends vite ton plaisir car la vie est traîtresse
On se sent si bien quand le sort vous sourit
Hâte-toi donc de jouir, chasse la tristesse.»

À l'instant même, j'allai chez le Pacha demander la permission de me rendre à Kâğithane. Je dépensai quarante pièces d'or pour acheter de quoi boire et de quoi manger et invitai cinq ou six aghas, dont je jugeai la compagnie agréable et prenant nos tentes nous allâmes les poser au bord de la rivière Kâğithane à l'ombre des formes séculaires, entretenant jour et nuit de ces conversations pleines de saveur et d'esprit à tel point qu'il nous semblait prendre le plaisir de Hüseyin Baykara. Depuis le début du mois de Recep (Rédjeb, septième mois de l'année lunaire arabe) jusqu'au jour où le fin croissant du mois sacré de Ramazan (Ramadan, neuvième mois de l'année lunaire arabe) apparut, pendant les deux mois que dura notre séjour, ni la plume, ni les paroles ne pourraient vous décrire les réjouissances auxquelles nous avons assistées sur cette verte prairie. Les plus grandes familles, les dignitaires les

plus hauts placés, la jeunesse dorée la plus folâtre garnissaient d'un millier de tentes la vallée du district de Kâğithane. Chaque nuit les tentes s'illuminaient de la lueur de milliers de chandelles, de cierges et de lanternes.
Des tentes des notables de la ville s'élevait la voix des chanteurs qu'accompagnaient les musiciens jouant toutes sortes d'instruments de musique orientale. Des feux d'artifice de formes et de couleurs les plus variées fusaient vers le ciel. C'était des éclairs, des papillons, des étoiles, des faucons, des coqs, des tours et maintes autres fusées et coups de canon qui noyaient tout Kâğithane dans une couleur pourpre et faisaient retentir jusqu'à l'aube les alentours de leur bruit de tonnerre.
Outre ces tentes, sur les deux rives du ruisseau de Kâğithane, il y avait environ deux mille boutiques où l'on vendait toutes sortes de nourriture, de boissons et d'objets précieux. Sur les places, on pouvait voir chaque jour des jongleurs, des magiciens, des prestidigitateurs, des acrobates, des montreurs d'ours, de singes, des lutteurs en grand nombre qui présentaient leurs plus beaux tours, réalisant ainsi des gains prodigieux. Les janissaires assuraient la garde de cette grande assemblée et leur agha venait de temps en temps leur faire des recommandations ou marquer son approbation et puis s'en allait.
Il y en avait aussi qui nageaient dans le ruisseau de Kâğithane.
Cette assemblée d'élite ne se réunira plus jamais dans aucune autre période de l'histoire.»

EVLIYA ÇELEBI (FRAGMENTS DE TEXTES TRADUITS
PAR LE MINISTÈRE DU TOURISME ET DE L'INFORMATION TURQUE)

LE PORTRAIT DU CONQUÉRANT

Oktay Rifat (1914-1988) fut l'un des fondateurs du groupe de «L'étrange». Dans son imaginaire, le passé se mêle au présent et l'invisible surgit entre les mailles du visible. La ville d'Istanbul et son histoire font partie des thèmes de son inspiration. Il a pratiqué la peinture et traduit les poètes Paul Éluard et Jacques Prévert.

Sur le dôme de Sainte-Sophie un nuage blanc ;
Je regarde, il a filé. Mon chapelet couleur de miel,
Jours d'ambre, les feuilles sont tombées, et l'espoir,
La pluie d'automne nœud à nœud sur la vitre
descend.

À moi furent les caftans qui flottaient, à moi
L'encolure des chevaux, il n'en reste que
du vent !
J'ai touché de la main les pierres des remparts,
À moi était Istanbul, les bastions pareils à moi.

Dans des plats d'or j'ai pris mes repas, j'ai bu
l'eau
Dans des coupes d'or, j'ai franchi le Danube
fougueux,
Moi, Sultan Mehmet, Avnî, grand
par mes aigrettes.

Dans un portrait je suis un nain, ce n'est
pas moi,
Mon turban, ma pelisse froide, ma rose
sans parfum,
Je cherche, je me cherche par terre,
follement.

OKTAY RIFAT,
ENTRE LES MURAILLES ET LA MER,
FRANÇOIS MASPÉRO, 1982

Nul poète n'aura célébré Istanbul, la beauté de ses sites, les fastes de sa vie quotidienne avec autant d'art et d'élégante mélancolie que Nedîm (?-1730). Ses amours et la perfection de ses vers se confondent avec les splendeurs d'une ville à son apogée impériale.

Ô toi, ville d'Istanbul, sans pareille et sans prix !
La Perse, pour une de tes pierres, je la sacrifie !

Tu es un joyau unique sur deux mers enchâssé,
À l'Astre chauffant le monde il faut te comparer.

Tu es un parterre de l'Eden dont tes roses font le renom,
Une mine de félicité dont tes parures sont le don.

Est-il vaincu, le Septième Ciel, est-il vainqueur ?
Dieu ! Quel site admirable, quel climat enchanteur !

Parterres de Grâces sont tous tes jardins,
Où dans chaque recoin déborde l'entrain.

Vouloir t'échanger contre la terre entière, quelle iniquité !
Et au Paradis comparer tes roseraies, quelle inanité ![...]

Le brocart de la connaissance se vend dans tes bazars,
Ton marché du talent abrite les doctes et le savoir.

Tes mosquées sont les montagnes de l'Émanation
Où le sourcil de l'ange est l'abside de l'oraison.

Océans de lumière sont tes lieux de prière
Dont les cierges diffusent un rayonnement lunaire.

Puisque grâce à tes sources les hommes sont revivifiés,
Tes thermes donnent aux âmes la paix et aux corps la santé.

Quoique ton peuple ait des mœurs aimables et raffinées,
Tes belles feraient montre de froideur et d'infidélité.

Si de tes nouvelles fêtes on faisait la description,
Combien un tel livre mériterait l'approbation !

Istanbul, heureuse et prospère tu fus nommée,
S'enorgueillir de toi est donc bien justifié !

On dirait que tes palais, tes collines et tes vergers,
Tous répandent la joie, le plaisir et la volupté.

Istanbul, pourra-t-on jamais te décrire ? Non !
Je ne veux que louer le Grand Vizir si bon. [...]

En résumé, ton esclave Nedîm s'est noyé, ô seigneur de Mondes,
Dans un abysse où grâces et largesses, faveurs et bienfaits abondent.

NEDÎM, *PANÉGÉRIQUE D'IBRAHIM PACHA,*
À TRAVERS LA DESCRIPTION D'ISTANBUL,
TRADUIT DE L'OTTOMAN PAR ANNE-MARIE TOSCAN DU PLANTIER,
ANKA N° 7-8, 1969

ISTANBUL DE JADIS

À la fois poète, romancier, essayiste et féru d'histoire, Ahmet Hamdi Tanpinar (1901-1962) a su saisir les causes du déclin de la société ottomane ; il en dépeint les différents aspects dans un portrait de la ville d'Istanbul en pleine mutation.

« La vieille Istanbul était un alliage. Un alliage composé d'une foule d'éléments, petits et grands, pleins ou dépourvus de sens, anciens ou nouveaux, d'origine locale ou étrangère, beaux ou laids, voire vulgaires pour aujourd'hui. Derrière cet alliage, il y avait l'Islam et l'institution impériale et un ensemble de conditions économiques faisant pivoter ces deux axes dans la roue de fortune de leurs propres nécessités. Cet alliage appartenait à une formation sociale qui, depuis des siècles, avait perdu, *lato sensu* et presque dans tout domaine, son indépendance... En ce sens, bien que pauvre en réalité, il était cependant pur et différent pour être vécu avec sincérité si ce n'est avec bon goût ; somptueux d'apparence pour subsister en dilapidant les restes de l'héritage d'un grand passé et riche pour faire partie de toute un chaîne de tradition. Un mode de vie particulier, une chape religieuse donnant son orientation à toute la vie et comme une touche de sainte miséricorde à tout ce qu'elle recouvrait, accomplissait le miracle de cet alliage. Tout ce qui franchissait les douanes devenait musulman. Ainsi étaient-ils tous musulmans ; l'étoffe de laine anglaise sur le dos du juge coranique, le tchador de tissu lyonnais de sa femme et, grâce au tableau de calligraphie de Yesarizade suspendu au-dessus, la console de style français avec la lampe de chevet fabriquée en Bohême. L'horloge rococo importée la veille d'Angleterre, aussitôt introduite dans une pièce à l'ameublement métis ; miroir, vase et coussins Louis XV en ottoman, marquisette ou batiste à l'appui, s'islamisait illico sous prétexte de compter un temps très musulman et devenait semblable à l'un de ces convertis obtenant en peu de temps le droit de porter la robe de docteur ès-religion pour bénéficier d'une forte éducation théologique ou sinon à Hançerli Bey qui, au salon de Keçecizade Izzet Molla, laissait cois les vrais musulmans grâce à ces connaissances sur le Coran et les Hadith. De toute manière, on avait bien commencé à produire à l'étranger nombre d'éléments de cette authenticité locale. [...]

Il était impossible de se promener dans les quartiers de la vieille Istanbul et de n'y point percevoir ce temps, de ne point chuter dans son puits énigmatique. C'était un temps intense au point de vous paraître tangible, paré des couleurs de l'esprit, transportant tout ce qui venait à sa rencontre jusqu'aux frontières de la miséricorde sainte, prétextant des choses les plus simples un air de profond soupir ou d'absolution, un temps chargé de prière et d'acceptation de son destin, un temps étrange interposé entre ici-bas et au-delà telle une porte entrebâillée. Dans ce miroir du temps, l'Istanbouliote de jadis se regardait comme si son visage était une ombre encensée d'un parfum d'au-delà lui parvenant des lointains voire de l'inaccessible. Vivant en symbiose avec leurs morts reposant dans les cimetières des petites mosquées et medrese attenantes, partageant avec eux leurs joies et chagrins, les quartiers de la vieille Istanbul poursuivaient leur

existence au cœur de ce temps en respirant péniblement tel un arbre suranné au tronc enserré de spirales de lierre noueuses. Dans ces quartiers, le jour, avançant par-dessous les voûtes des cinq appels quotidiens à la prière, ressemblait à un cortège tantôt bigarré, tantôt imposant, tantôt joyeux. Il disposait de tout un cérémonial ainsi que de rites qu'aucune coutume n'avait enregistrés mais qui n'en restaient pas moins immuables.
Les cris des vendeurs en faisaient partie dans les quartiers de la vieille Istanbul, ces cris administraient le déroulement de toute une journée et donnaient leurs couleurs aux heures. À l'instar d'une belle femme se coiffant face à un miroir de pacotille, les quartiers se penchaient vers ces voix et s'apprêtaient, selon les variations de leur amplitude, à accueillir les relais immuables de la journée.
Ainsi derrière les grillages de bois qui ne laissaient suinter la canicule qu'au compte-gouttes, un arbre sonore faisait irruption avec toute sa ramification et puis des fruits de mélodie, qui n'avait rien à voir avec l'article vendu à la criée, s'accrochaient par grappes aux miroirs recouverts de tulle brodé, aux tableaux de calligraphie religieuse dont les jaspures bigarrées se mêlaient aux dorures sous le verre poussiéreux, tout comme aux étagères de la cusine où étaient rangées les casseroles de cuivre impeccablement étamées de même que sur les lampes attendant toutes prêtes la nuit à l'affût sur les rampes d'escalier et tout cela finissait par se disperser effeuillé dans des rues lointaines. Des fois, lorsque venaient à se croiser deux ou trois vendeurs, c'est une forêt sonore qui en poussait sur le champ.
Tant de souvenirs, tant de personnes... Pourquoi, en parlant du Bosphore et d'Istanbul, mentionner tout ce qu'il n'est plus possible de faire ressusciter ? Pourquoi le passé nous attire-t-il tel le vertige du gouffre ? Je sais bien que ce que je recherche n'est ni ces personnes elles-mêmes, ni la nostalgie de leur temps. Dans quelle mesure pouvait-il me satisfaire de voir le caïque impérial de Mehmed IV fendre les eaux indigo, tel un oiseau de légende scintillant d'or et de joyaux, et accoster près de la berge de Kandilli ; ou bien de me promener dans la ville d'Istanbul des années de ma naissance, dans un marché de Ramadan parmi un concert de senteurs d'huile de rose et de cannelle et de toutes sortes d'épices, portant fez sur le chef, un pardessus sur le dos, un énorme chapelet dans une main et une canne au pommeau d'or dans l'autre, et enfin une barbe taillée au cordeau d'une illustre postérité depuis les portraits d'Ahmet Riza Bey ? Je ne pense même pas pouvoir survivre plus de dix minutes dans Istanbul au temps de Soliman le Magnifique et de son grand vizir Sokullu. [...] Non, ce que je cherche n'est ni eux ni leur temps.
Le passé du Bosphore nous attire peut-être encore plus parce qu'il ne nous est guère possible de retrouver à leur emplacement ce que nous recherchons. «Kiosque aux Joies», «Kiosque Régalien»,«Kiosque des Allégresses», les Palais de Kandilli ; tous ces kiosques marins que nous imaginons en train de scintiller depuis le dix-septième siècle sur les deux rives du Bosphore, tels des joyaux rangés dans un coffret resté ouvert, et dont il ne nous reste aujourd'hui que de pâles reflets tels les ultimes rayons du soleil couchant ; s'ils étaient tous encore présents aujourd'hui, nous nous en considérerions autrement plus riches ; mais jamais, au grand jamais, nous ne pourrions éprouver cette singulière sensation qu'éveille en nous leur absence. Nous nous contenterions tout simplement de les visiter de temps à autre comme nous faisons avec ces vieux parents que nous consentons à voir seulement lors des fêtes tant

nous est abyssale la différence de génération et de mentalité qui nous sépare d'eux. Hélas l'on se fatigue si vite des plafonds dorés, des argenteries de famille et des souvenirs d'antan. Non, nul doute que nous n'aimons tout cela que pour ce que cela est en soi. Ce qui nous attire vers eux, c'est le vide même qu'ils laissèrent derrière eux. Qu'il y en ait une trace apparente ou non, nous recherchons en eux un côté qui semble nous faire défaut, qui nous paraît perdu, dans ce conflit qui se mène en nous. Au temps où Merkez Efendi était en vie, je n'aurais pu être qu'un quelconque de ses derviches. Ou bien je l'aurais quitté, lui et les siens, voire je les aurais combattus ou tout simplement l'indifférence m'aurait gagné à leur égard. Or maintenant, je vois d'un autre œil, lui et ses semblables. Je recherche un monde perdu dans la sagesse de ces hommes qui tous finirent par se taire sur les marches du finistère de l'idéal. Et comme mon désir ne peut aboutir, j'en retourne à la poésie, à l'écriture tout court.»

Ahmet Hamdi Tanpinar, Cinq villes, traduction de Tuğrul Akurgal, Anka, 1989

Les chalands

Sait Faik (1906-1954) a passionnément aimé Istanbul. Dans ses écrits, d'une savante simplicité, il s'attache aux aspects les plus humbles de la vie quotidienne. Ses personnages font corps avec la ville, dont la réalité se colore des rêves de chacun.

«Il n'y avait plus personne sur le pont. Un pauvre diable, qu'on aurait pu prendre pour un manœuvre à cause de son accoutrement, et un autre type du même âge, qui sentait le marin à dix lieues, regardaient vers Üsküdar, tout en fumant silencieusement. Üsküdar dormait depuis longtemps, comme un beau village, étrange aux lumières électriques rares et rougeâtres, assez éloigné pour être vu du pont, mais trop loin pour être atteint. Le marin dit à l'autre :
– J'ai une tante à Üsküdar, allons la voir un de ces jours.
– D'accord.
Ils se mirent à regarder, silencieusement encore, un petit bateau à moteur qui passait sous le pont, traînant un chapelet de chalands chargés et recouverts de toiles. On voyait qu'il y avait quelque chose de mou là-dessous ; quelque chose qui ressemblerait au blé, au maïs ou bien à l'orge.
Le manœuvre pensa un instant se jeter sur le dernier chaland, dans cette matière tendre et mouvante qu'il croyait être du blé. Il ne voulait pas confier cette idée à son compagnon, mais il ne put résister :
– Si je me jetais là-dedans.
– Comme au cinéma, hein ?
Le manœuvre ne répondit pas, mais sourit.
C'était une nuit de ramadan tombée en plein hiver.
Ils se retournèrent vers Istanbul pour contempler les illuminations des mosquées.
– Que c'est joli, dit le marin, toutes ces lumières !
– C'est vrai, mon vieux.
Tous les dimanches, l'un allait à Galata, l'autre à Şehzadebası. Il leur arrivait aussi, parfois, de se rendre ensemble sur le pont pour regarder la nuit. Ce qu'ils voyaient là, c'étaient toujours les lumières

d'Üsküdar, les grands paquebots de Galata, les petits bateaux des embarcadères du pont, et les steamers qui traînaient des chalands vides ou chargés. Ils se rendaient mieux compte, ces soirs-là, qu'ils étaient de bons copains, qu'ils pouvaient avoir confiance en leur amitié réciproque sans éprouver le besoin de prononcer plus de quatre ou cinq phrases.
Chaque fois qu'ils venaient là, le manœuvre avait l'idée de monter sur le parapet en fer et de se jeter, les pieds joints, sur l'un de ces chalands chargés de blé juste au moment où ils passaient sous le pont. Parfois, il en faisait part à son copain. Et le marin répondait toujours :
– Comme au cinéma, hein ?
Ensuite, ils rentraient se coucher, ou bien, inspirés par cette conversation, ils s'en allaient, s'il n'était pas tard, s'installer dans les fauteuils des premiers rangs d'un cinéma de Yüksekkaldırım.
Ils étaient toujours contents et souriants devant n'importe quel film. En regagnant la maison, ils ne se parlaient pas non plus. L'un se demandait comment il embrasserait, la prochaine fois, sa bonne amie de Galata, avec la même fougue que ces types du cinéma, et l'autre, comment il humerait de ses lèvres la paume de sa femme, à Sehzadebasi, dans une ruelle obscure. Cela les empêchait de dormir, les plongeant dans une drôle de lassitude.
Alors l'un demandait à l'autre :
– Tu dors ?
– Oui, je dors.
Si l'un riait, l'autre dormait tout de suite. S'il ne riait pas, c'est que lui-même était déjà endormi.
C'était une nuit claire, avec une grosse lune. Devant le quai qui donnait l'envie de partir au loin, les cheminées des navires fumaient au ralenti. De temps à autre, un bâteau, traînant dans la mer la silhouette illuminée d'un bâtiment fantôme, accostait, et quelques voyageurs, montant rapidement les escaliers du pont, disparaissaient dans la nuit.»

SAIT FAIK, *UN POINT SUR LA CARTE*,
TRADUCTION DE S. ESAT SIYAVUŞGIL,
SOUFFLES, 1988

«SELON LE TEMPS QU'IL FAIT, ISTANBUL DEVIENT PARFOIS UNE PEINTURE À L'HUILE, PARFOIS UNE AQUARELLE, PARFOIS UN PASTEL, PARFOIS UN FUSAIN.»

NAZIM HIKMET

LES NOUVEAUX DÉRACINÉS

Latife Tekin s'attache à décrire deux mondes particuliers qu'elle connaît bien : celui de la campagne dont elle est originaire, et celui des bidonvilles où s'agglutine la multitude des nouveaux déracinés, attirés par la grande ville. Son écriture réinvente un langage imagé et vivant, mêlant les mythes à la réalité.

“Par une nuit d'hiver, sur une colline où étaient déversées les ordures de la ville, transportées dans d'énormes bidons, huit baraques furent construites à la lueur des lanternes, un peu à l'écart des tas de détritus. Au matin, la première neige de l'année se mit à tomber. Ce furent d'abord les gens qui venaient farfouiller dans les ordures qui virent ces baraques bricolées avec du papier goudronné acheté à crédit, des planches piquées sur les chantiers et des briquettes convoyées en char à foin tiré par des chevaux. Sans déposer la hotte ou le sac qu'ils portaient sur le dos, ils coururent tous vers le petit bidonville. Ils bavardèrent avec ceux qui faisaient le guet devant les masures. Un vent violent, puissant, coupait sans cesse les voix. À un certain moment, il faillit même tout emporter. Les fouineurs affirmèrent que ces murs inclinés, ces toitures mal ajustées n'allaient pas pouvoir tenir le coup. Les constructeurs décidèrent donc d'arrimer les toits avec des cordes et d'étayer les murs avec des poutres. Les camions d'ordures ayant fait une première navette, les vendeurs de brioches qui se trouvaient au pied de la route menant aux détritus apprirent eux aussi que huit baraques avaient été bâties là-haut. Grâce à eux, la nouvelle se répandit dans les cafés, les ateliers de réparation.

Avant midi, les gens commençaient déjà à couvrir la colline comme des flocons de neige. Les garçons de bureau, les vendeurs ambulants, les marchands de brioches arrivèrent, chacun muni d'une pioche. Ceux venus du village et qui s'étaient installés chez des parents, et à leur suite ceux qui rôdaient sur les collines avoisinant la ville, s'y précipitèrent dans l'espoir de se fabriquer un gîte. Femmes, hommes et enfants se dispersèrent dans tous les coins. Ils prirent des mesures avec leurs pieds et leurs bras, se baissant et se relevant sans arrêt. Ensuite, grattant la terre de leurs bêches, ils tracèrent des plans tortueux. Jusqu'au soir, le chemin des ordures devint celui des briquettes, des papiers enduits de poix. Et cette nuit-là, sous la neige, à la lueur des lanternes, cent baraques de plus furent érigées. Au point du jour, tout un quartier était né, avec ses toits couverts de cuvettes en plastique, ses portes en vieux tapis paysan, ses fenêtres en toile cirée, ses murs de briquettes trempées ; un quartier planté à proximité des tas d'ordures, sur

le bas-côté de l'usine d'ampoules et de produits pharmaceutiques, dans les déchets médicamenteux et la boue.
Ce même jour, on apporta ce qui servirait de meubles et, sacs sur le dos et bébés dans les bras, les femmes et les enfants vinrent s'installer. Les matelas furent déballés, les kilims étalés sur la terre battue. Des perles bleues, avec des amulettes en paille pour conjurer le mauvais œil, et des photographies jaunies furent accrochées aux murs. Les berceaux se retrouvèrent suspendus aux poutres des toitures. Un tuyau de poêle émergea sur le côté de chaque logement.
Les plaisanteries, les sifflements, les querelles ne cessèrent pas de la journée. Le soir, une immense fatigue s'abattit sur le bidonville. Entre les murs trempés, sous les toits qui grinçaient à chaque coup de vent, les gens s'assoupirent. Le travail de nuit des usines n'était pas terminé que les déménageurs s'étaient endormis.»

LATIFE TEKIN, *LES CONTES D'ORDURES DE LA BERGÈRE KRISTIN*, TRAD. INÉDITE DE GUZINE DINO ET RIPAULT

SÉLIME LE PÊCHEUR

La prose épique de Yachar Kemal (né en 1922), qui fut inspirée par la nature et les habitants des campagnes anatoliennes, pouvait-elle survivre dans le tohu-bohu maritime d'une métropole telle qu'Istanbul ? La réponse est oui, superbement. Le poète s'est fait loup de mer, de la mer de Marmara.

«La mer n'avait pas encore pâli quand Sélime le Pêcheur prit le large. La brise du matin qui soufflait, légère, vous emplissait d'une joie qui vous donnait des ailes. Le cœur de Sélime frémit dans la pénombre de l'aube. Ses mouettes familières s'étaient aussitôt lancées à sa poursuite, à présent, elles planaient juste au-dessus du bateau, les ailes tendues. La mer se balançait doucement avec un bruissement très léger, presque imperceptible, et, pris par le bruit du moteur, Sélime ne l'entendait pas.
À l'instant même ou il atteindrait la pointe de l'Ile Maudite, le jour se lèverait, la mer pâlirait, deviendrait d'un blanc laiteux comme s'il y pleuvait de la lumière. Il n'en était pas de même tous les jours, mais c'était ce qui allait arriver ce matin-là, l'expérience l'avait appris à Sélime, il le devinait à l'aspect des montagnes sur la côte en face, aux nuages, à la brume qui recouvrait Istanbul, au balancement des eaux, à leur couleur, au ciel et aux étoiles qui se reflétaient dans la mer.
Et très bientôt, Istanbul se réveillerait dans son tumulte habituel. Assis à la barre, Sélime comtemplait la ville. Elle surgissait de temps en temps de la pénombre, derrière la brume grisâtre, elle se balançait avec ses collines, ses côtes, les dômes de ses mosquées, ses immeubles, ses enseignes lumineuses ; pour disparaître aussitôt. Les minarets semblaient proches, à portée de la main, ils s'éloignaient brusquement pour se perdre derrière la brume. Les lumières de la ville s'éteignaient et se rallumaient sans cesse.
Devant l'Île Maudite, la mer pâlit, blanchit, parfaitement plane, sans une ride, sans

un frémissement, une blancheur de neige mate s'étala à l'infini. À ces moments-là, Sélime le Pêcheur évitait le moindre mouvement pour mieux se plonger dans le spectacle de la mer et des montagnes, du ciel et de la nuit ; il avait l'impression qu'il se confondait avec tout ce qu'il voyait, il n'en détachait pas les yeux jusqu'à l'instant où les premiers rayons du soleil surgissaient derrière Üsküdar et la caserne de Sélimiyé et où la mer se teintait de bleu...

Les premiers rayons touchaient tout d'abord les croissants de bronze étincelant, au-dessus des minarets dont les sommets s'éclairaient peu à peu. Au levant, le ciel devenait pourpre, virait ensuite au rose, puis s'illuminait entièrement et, aussitôt après, le soleil resplendissait en une brusque explosion, embrasant les dômes de plomb, les fenêtres des immeubles et des maisons, Istanbul baignait dans la lumière. Adossé à la barre, Sélime le Pêcheur fixait sans sourciller la mer qui balançait légèrement son bateau. Il avait l'habitude de surveiller au large les lueurs du Levant, le réveil d'Istanbul, ses cris, ses bruits, ses ombres et ses lumières, et alors que la ville et ses longs minarets surgissaient du sommeil en s'étirant avec lenteur, lui préparait ses appâts et ses lignes. À l'instant même où la mer passait du blanc au pourpre, puis à un bleu lumineux, il lançait sa ligne et se mettait à attendre la première créature vivante qui viendrait se ferrer l'hameçon crochu, acéré, impitoyable.

Une lueur d'un mauve très pâle balaya la mer en l'effleurant à peine, légère comme la brise, et s'éloigna. Ce matin-là, les lumières n'explosèrent pas au-dessus de la ville comme à l'accoutumée, elles arrivèrent du Bosphore, de la Tour de Léandre, du cap de Moda, de Fénerbatché, elles se rapprochèrent en s'étalant comme une nappe liquide sur la surface de la mer, puis soudain, avec la rapidité de l'éclair, elles passèrent au-dessous du bateau de Sélime, en le heurtant violemment et en lui imprimant un léger roulis, et elles s'éloignèrent vers Silivri et Tékirdag.

Sélime se mit alors à réciter dans une très vieille langue du Caucase, une prière que sa grand-mère lui avait apprise, il n'en connaissait pas trop le sens, mais il savait qu'il y était question d'aigles et de rochers, de chevaux et de lumière.

La mer se balançait doucement, son souffle profond montait des profondeurs, elle changeait graduellement de couleur, en passant du bleu à un vert très pur qui miroitait jusqu'à l'horizon, jusqu'aux limites qu'atteignait la lumière, en ondulant avec l'éclat d'un champ de blé sous la brise du printemps. Depuis toutes les années que je suis pêcheur, se dit Sélime, j'ai vu rarement une mer comme celle-là. Un champ de blé qui ondule sous le vent au printemps, une mer de cristal illuminée par le soleil, du cristal qui se brise en mille fragments, en mille éclats, et dont les scintillements se reflètent jusque sur le ciel... Les rochers de l'Île maudite, en face de lui, étaient couverts de miroitements verts. Le visage de Sélime, ses mains, l'hameçon où il fixait un appât, la ligne, les minarets d'Istanbul, ses mosquées, ses lumières, tout était vert, et la ville n'était qu'un rêve, à moitié cachée derrière la brume qui glissait en s'effilochant peu à peu. »

YACHAR KEMAL, *ET LA MER SE FÂCHA*,
TRADUCTION DE MME ANDAÇ, GALLIMARD, 1985

De l'amour

Istanbul et Paris, le Bosphore et la Seine constituent la double appartenance biograhique et culturelle de Nedim Gürsel, né en 1951. Les souvenirs nostalgiques de sa ville Istanbul avec ses grandeurs et ses misères, hantent les écrits de ce jeune auteur.

« À leur réveil, il faisait nuit. La rumeur s'engouffrait par la fenêtre ouverte. Les coups de klaxon, les crissements de freins, les voix humaines, les vociférations des marchands ambulants, les battements d'ailes des pigeons, tout, tout se confondait, un brouhaha indistinct peu à peu s'intensifiait, les assiégeant tel un lointain tumulte.

La femme réfléchit à leur aventure. Elle voulut se remémorer les jours passés avec l'homme qu'elle avait rencontré dans cette ville bruyante, à nulle autre pareille, cernée par trois mers entre l'Orient et l'Occident, et qui s'était étendue sur un site accidenté avec ses habitants, ses bidonvilles, ses lacis de ruelles tortueuses, toujours plus obstinée et frondeuse ; cette cité du Proche-Orient qu'elle appelait «Constantinople», comme dans ses livres de classe, et où se mêlaient l'ancien et le moderne, le passé et le présent. Hormis quelques images à demi estompées, elle ne put se rappeler grand-chose. Pourtant elle avait rêvé depuis des années de faire ce voyage. Dans son imagination, elle avait fait vivre Istanbul, séjour de ses ancêtres pendant plus d'un millénaire, et s'était forgé un mythe entre le rêve et la réalité à partir de ce qu'elle avait vu et entendu.

D'abord elle sentit un nuage qui changeait sans cesse de formes et de couleurs se glisser au plus profond d'elle-même, et un étrange liquide en floculation se répandre dans sa mémoire. Puis le nuage, se fragmentant en courbes et en perpendiculaires, devint plus net. La silhouette de la ville se profila, avec ses longs minarets graciles, ses coupoles volumineuses, ses donjons, ses murailles, ses tours, ses gratte-ciel. Elle se souvint des murs lépreux, des pigeons, de la fraîcheur du café près de la cour de la mosquée, où ils avaient pris le thé. Elle revit un chat crevé flottant sur la Corne d'Or, les remous fangeux, épais comme du goudron. Ses traits grimacèrent de dégoût. Elle se réconforta en évoquant la mer et la lumière du jour sur les navires ancrés au large. Une délicieuse fraîcheur submergea son corps, comme si les flots du Bosphore entre la mer Noire et la Marmara roulaient dans ses veines. Ils étaient dans un taxi. L'eau profonde, bleu foncé, s'écoulait tout près d'eux. Les arbres se multipliaient à mesure que la route rétrécissait. Des paquebots grands comme des villes passaient à toute allure, poursuivis par des mouettes. Ils laissaient dans leur sillage des tourbillons d'écume. Fendant la mousse étincelante de blancheur, caïques et cormorans se balançaient sur l'eau. Les maisons de bois à moucharabiehs et les bâtisses en béton semblaient encastrées les unes dans les autres. De temps en temps, les fenêtres enténébrées d'un vieux yali décrépi défilaient derrière la vitre. Ensuite, de hauts murs de jardins, d'étroites venelles dégringolaient vers la mer, des arbres et encore des arbres. Passaient des filets à poissons qui séchaient au soleil, de petits bacs tout blancs, des barques de pêcheurs. Au moment le plus imprévu, à un tournant ou à un carrefour, des tombes surgissaient devant eux. Les caractères arabes déroulaient leurs fines volutes sous les turbans majestueux. Alors, ils s'arrêtaient à un embarcadère et s'asseyaient sous un grand platane, tandis que l'ombre des nuages empourprés se projetait sur l'eau. »

Nedim Gürsel, *Le dernier tramway*,
Trad. Anne-Marie Toscan du Plantier, Le Seuil, 1991

UNE VILLA AU PIED DU PONT

Guzine Dino est née à Istanbul. Enseignante à l'Institut National des Langues et Civilisations Orientales, elle a traduit de nombreux poètes et romanciers turcs ; elle est l'auteur de nombreux essais sur la littérature turque comme La Genèse du roman turc *publié en 1973.*

« Le lendemain on alla visiter à Pacha Kapusu une maison toute proche de la célèbre prison du même nom. Cette maison avait constitué une aile d'une grande demeure désormais brûlée. De cet incendie restaient encore des pans de mur calcinés, en ruine. La dame qui ouvrit la porte commença par demander à tous d'enlever leurs chaussures : «J'aime la propreté, dit-elle d'un air important.»
Et là, devant la porte, elle fit enfiler des pantoufles plates à chacun des visiteurs. On grimpa au premier par un escalier, qui se trouvait soudain face à la porte d'entrée, sans doute improvisé après l'incendie pour donner au logement un air indépendant. Au premier étage après le vestibule, ils entrèrent par une porte à double battant dans la chambre de séjour de la dame.
De vieux canapés et fauteuils fatigués, le long des fenêtres des sofas étroits recouverts de tapis usés meublaient cette chambre disproportionnée dans sa longueur rectangulaire. Par-ci, par-là, des napperons en dentelle tricotée et des rideaux en tulle ocre… La première chose que fit la dame, ce fut de leur demander leur métier. Quand il fut question du métier du visiteur, celui de peintre, un vif intérêt anima la dame; son grand-père en savait quelque chose…De fil en aiguille la dame annonça qu'elle possédait un tableau d'un ancien pacha-peintre. De quel pacha s'agissait-il ?
« Je l'apporte et vous verrez. Moi, j'en sais rien », dit la dame.
Le tableau se trouvait au fond d'une malle et le temps de dire : «Ne vous donnez pas la peine…», le tableau arriva…
Miracle, ne voilà-t-il pas qu'il s'agissait d'une peinture parmi les plus belles de Cheker-Ahmet pacha, l'un des premiers peintres ottomans de la fin du XIXe siècle ! Ce fut la surprise générale et devant cette situation inattendue, la dame se crut obligée d'offrir le café : « Jadis la maison avait une vue sur la mer, elle était assez proche de la prison, mais ne craignez rien ni personne, impossible de s'en évader. » À la fin on en arriva à parler du prix, de la vente, et la dame demanda trente-cinq mille livres. Prix qui, à cette époque était fort élevé. Le marchand de biens se mit du côté de la dame. Pour souligner l'importance de la maison, la dame se leva, écarta le rideau et montrant un peu plus loin une placette où s'élevaient trois superbes cyprès : « Le pied du pont qui va être construit d'une rive à l'autre du Bosphore se posera juste devant nous », dit-elle avec importance. Un de ses parents qui travaillait à la mairie le lui avait affirmé, on pouvait d'ailleurs aller enquêter sur place…
Les pieds du futur pont qui se dresserait juste devant, ou juste derrière les maisons à vendre que l'on devait visiter par la suite (là-haut, ou juste à côté, et même sur l'emplacement des maisons) étaient devenus légendaires, à l'avance un élément de prestige pour faire monter les prix. Les marchands de biens désormais ne vendaient pas des maisons mais simplement, déjà dans les années cinquante, « les pieds de pont». Car c'est ce pont prestigieux qui allait enfin relier l'Europe à l'Asie. Quand la dame comprit que ces clients n'étaient pas financièrement capables d'acheter la maison et le «pied du pont», elle fut très contrariée, bien qu'on lui offrît d'acheter le tableau de Cheker-Ahmet pacha pour un prix fort élevé ; elle n'accepta point, «c'est un souvenir de mon père», elle préféra le garder dans sa malle. Bien lui en prit, car il allait coûter plus cher que la maison par la suite. »

GUZINE DINO, *KONAKS À VENDRE,* CAN, ISTANBUL, 1991

Le jour où se retireront les eaux du Bosphore.

Dans son roman Le Livre obscur, *le jeune écrivain Orhan Pamuk (1952) nous fait découvrir Istanbul, dévoilant successivement ses aspects historiques, mythiques ou contemporains. À travers les personnages et les paysages, la ville révèle toute sa puissance de fascination, entre imaginaire et réalité.*

« Avez-vous remarqué que les eaux du Bosphore sont en train de se retirer ? Je ne le pense pas. En ces temps où nous nous entre-tuons avec la bonne humeur et l'enthousiasme des enfants que l'on mène à la fête foraine, lequel d'entre nous parvient-il à se tenir au courant de ce qui se passe dans le monde ? Jusqu'aux chroniques de nos journalistes que nous n'arrivons qu'à les parcourir, pressés au coude à coude dans les embarcadères, entassés sur les plates-formes des autobus où nous roulons dans les bras de nos voisins, ou encore sur les sièges des taxis collectifs, où les lettres tremblent sous nos yeux. La nouvelle dont je vous parle, je l'ai découverte dans un magazine français de géologie.

La mer Noire se réchauffe, paraît-il, et la Méditerranée se refroidit. Voilà pourquoi les eaux se sont mises à se déverser dans des fosses gigantesques, au pied du plateau continental qui s'affaissent et s'étalent ; et, conséquence de ces mêmes mouvements tectoniques, le fond des détroits des Dardanelles et du Bosphore commence à faire surface. L'un des derniers pêcheurs des rives du Bosphore m'a d'ailleurs raconté que sa barque touchait le fond dans des endroits où, autrefois, pour jeter l'ancre, il devait utiliser une chaîne de la taille d'un minaret. Et il m'a posé la question : le Premier ministre ne s'intéresse-t-il donc pas à ce problème ?
Je n'en sais rien. Ce que je n'ignore pas, par contre, ce sont les conséquences à venir de cette évolution qui semble de plus en plus rapide. Il est évident que ce paradis terrestre que l'on appelait le Bosphore va se transformer très bientôt en un sombre cloaque où les carcasses des galions, couvertes de boue noire, luiront comme des dents de fantôme. Il n'est pas difficile d'imaginer que le fond de ce marécage finira par s'assécher par endroits, comme le lit d'une petite rivière qui, à l'issue d'un été trop chaud, ne traverse plus sa modeste bourgade ; et que, sur les talus, arrosés par les cascades des milliers d'égouts qui s'y déversent, les herbes pousseront et même des pâquerettes. Ce sera le début d'une vie nouvelle dans cette vallée sauvage et profonde, dominée par la Tour de Léandre qui, telle une forteresse, se dressera, impressionnante, au sommet d'une colline.
Je veux parler des nouveaux quartiers qui commenceront à s'édifier dans la boue de cette fosse que l'on appelait autrefois le Bosphore, sous les yeux des contrôleurs de la municipalité, courant çà et là, leurs carnets de contraventions à la main. Je veux parler des bidonvilles, des baraquements, des bars, boîtes de nuit et autres

«JE CONTEMPLAIS ÜSKÜDAR, LA TERRE A TREMBLÉ
DE MA FENÊTRE ELLE S'EST ÉCROULÉE EN SANG.»

OKTAY RIFAT

lieux de plaisir, construits de bric et de broc, des lunaparks avec leurs manèges de chevaux de bois, des tripots, des mosquées, des couvents de derviches, des nids de fractions marxistes, des ateliers de vaisselle en plastique ou de bas nylon...
Dans ce chaos apocalyptique surnageront les carcasses des bateaux de la Compagnie des Lignes Municipales, couchés sur le flanc, et des champs de méduses et de capsules de bouteilles de limonade. On y découvrira les transatlantiques américains échoués là le dernier jour, celui où les eaux disparurent brusquement ; et entre les colonnes ioniennes, verdies par la mousse, on verra les squelettes des Celtes et des Lyciens, suppliant, la bouche ouverte, des divinités préhistoriques inconnues. Je peux également imaginer que la civilisation qui apparaîtra au milieu des trésors byzantins tapissés de moules, des couteaux et des fourchettes en argent ou en fer-blanc, des tonneaux de vin millénaires, des bouteilles d'eau gazeuse et des ossements des galères au nez pointu, pourra se procurer l'énergie dont elle aura besoin pour allumer ses foyers et ses lampes antiques, grâce à un vieux tanker roumain, à l'hélice coincée dans le bourbier. Mais ce que nous devons prévoir au premier chef, ce sont des épidémies toutes nouvelles, provoquées par les gaz toxiques qui s'échapperont à gros bouillons du sol préhistorique et des marécages à moitié désséchés, des charognes de dauphins, de turbots et d'espadons, répandues par les hordes de rats qui auront trouvé dans cette fosse maudite, arrosée par les cascades vert foncé des égoûts d'Istanbul, un paradis nouveau. Je le sais et je vous mets en garde : les calamités qui se succèderont dans cette zone bientôt déclarée insalubre, entourée de fil de fer barbelé et mise en quarantaine, nous frapperont tous.
Et dorénavant, du haut des balcons d'où nous contemplions autrefois le clair de lune qui teintait d'argent les eaux soyeuses du Bosphore, nous observerons les fumées bleuâtres s'élevant des cadavres qu'il faudra brûler en toute hâte, faute de pouvoir les enterrer. Là où nous buvions du raki en respirant les parfums capiteux, mais rafraîchissants des arbres de Judée et du chèvrefeuille des rives du Bosphore, l'odeur âcre des cadavres en décomposition, mêlée à celle de la moisissure, nous brûlera la gorge. Sur ces quais, où s'alignaient les pêcheurs à la ligne, ce ne sera plus le murmure des eaux, ni au printemps le chant des oiseaux, qui assure à l'âme la sérénité, que nous entendrons, mais les hurlements des individus qui, pour sauver leur peau, se battront entre eux avec les armes qu'ils se procureront : épées, poignards, sabres rouillés, pistolets, fusils de toutes sortes, jetés à l'eau depuis plus de mille ans par crainte des perquisitions ou des fouilles.

En rentrant chez eux le soir, les habitants des villages du bord de mer ne pourront plus ouvrir toutes grandes les vitres des autobus pour oublier leur fatigue en aspirant le parfum des algues. Au contraire. Pour que n'y pénètre pas l'odeur de la vase et des cadavres en putréfaction, ils devront calfeutrer avec des journaux ou des chiffons les fenêtres des autobus municipaux., d'où ils pourront voir le spectacle des ténèbres, tout en bas, illuminées par des flammes.»

ORHAN PAMUK, *LE LIVRE OBSCUR*.
TRADUCTION INÉDITE DE M. ANDAÇ, 1992

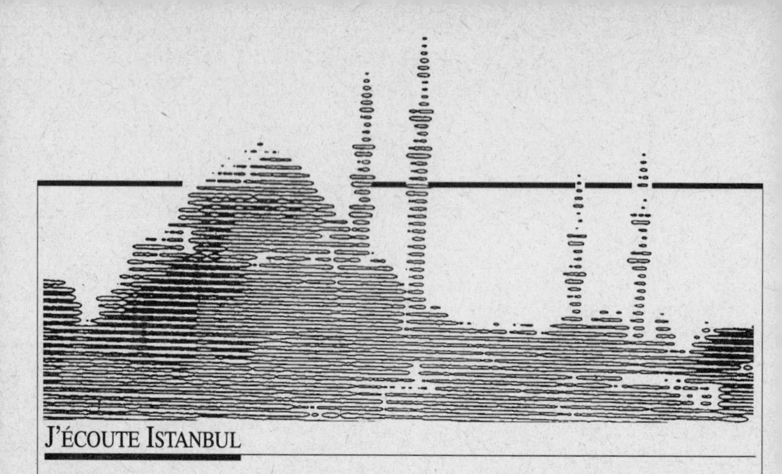

J'ÉCOUTE ISTANBUL

Orhan Veli (1914-1950) a fait sienne la poésie du langage parlé d'Istanbul, rejetant les exagérations du lyrisme et toute emphase artificielle. Le groupe de L'Étrange, *qu'il crée en 1941 avec ses deux compagnons d'écriture Oktay Rifat et Melih Cevdet Anday, a marqué l'évolution de la poésie turque.*

J'écoute Istanbul, les yeux fermés
D'abord une brise légère doucement,
tout doucement se balancent
les feuilles sur les arbres dans le lointain,
tout au loin les cloches obstinées des porteurs d'eau
J'écoute Istanbul, les yeux fermés

J'écoute Istanbul, les yeux fermés
tandis que passent les oiseaux
tout là-haut, par longues bandes criardes
Dans les pêcheries on tire les filets
les pieds d'une femme baignent dans l'eau
J'écoute Istanbul, les yeux fermés

J'écoute Istanbul, les yeux fermés
les voûtes du bazar sont fraîches, si fraîches
Mahmout Pacha est tout grouillant de monde
les cours sont pleines de pigeons.
Des bruits de marteaux montent des docks
dans le vent doux du printemps flottent des odeurs de sueur
J'écoute Istanbul, les yeux fermés

J'écoute Istanbul, les yeux fermés
Une yali aux sombres embarcadères
dans sa tête, l'ivresse des plaisirs d'autrefois
Dans le ronflement des vents du sud apaisés
J'écoute Istanbul, les yeux fermés

J'écoute Istanbul, les yeux fermés
Une beauté marche sur le trottoir
quolibets, chansons, ballades, moqueries
Quelque chose tombe de sa main ce doit être une rose
j'écoute Istanbul, les yeux fermés

J'écoute Istanbul, les yeux fermés
Un oiseau bat des ailes autour de ta robe
je sais si ton front est tiède ou frais
si tes lèvres sont humides ou sèches, je sais
Une lune blanche se lève derrière les pins
je perçois tout du battement de ton cœur
J'écoute Istanbul.

ORHAN VELI, *J'ÉCOUTE ISTANBUL*, ARFUYEN, PARIS, 1990

Itinéraires

Istanbul, *128*
Turquie du nord-ouest, *292*

▲ Le quartier de Beyoğlu.

Istanbul de Saray Burnu au quartier de Beyazıt.▼

▲ La Süleymaniye

▲ Palais de Topkapı

Yedikule ▼

▲ La Mosquée Bleue et Sainte-Sophie

Le Grand Bazar ▼

Istanbul

De la pointe du Sérail
à la première colline, *128*
Sainte-Sophie, *138*
Topkapi Sarayi, *150*
Les miniatures ottomanes, *166*
La mosquée Bleue, *174*
Le Grand Bazar, *186*
La Beyazidiye
et la Süleymaniye, *200*
Calligraphie, *206*
Fethiye Camii, *220*
Les murailles terrestres, *224*
La Corne d'Or, *238*
Cimetières, *250*
Galata et Beyoğlu, *252*
Üsküdar et les îles des Princes, *264*
Le Bosphore, *274*
Le palais de Dolmabahçe, *276*

CARTE DE LA CITÉ
Miniature rouge et argent de Seyyid Loqman représentant Stamboul, Galata et Péra en 1584, extraite du *Manuscrit d'Hunarmana*, exposé au *Topkapı Müzesi*. En couleur claire, le miniaturiste a représenté l'ensemble des murailles qui protégeaient d'une enceinte continue la capitale ottomane ; en vert sont figurés les jardins du *Topkapı Sarayı*.

LE BERCEAU D'ISTANBUL

● 46

C'est à la pointe du Sérail, en turc *Saray Burnu*, qu'aurait débarqué, selon la légende, Byzas le Mégarien, fondateur vers 660 av. J.-C. de la cité de Byzantion. Les deux illustres capitales qui lui succédèrent, la Constantinople byzantine puis la Stamboul turque, constituent le cœur de la ville actuelle. Ici se rejoignent les eaux du Bosphore et de la Corne d'Or avant de se jeter dans la mer de Marmara ; ici se mêlent les grands souvenirs historiques et se côtoient les plus fastueux monuments : la basilique Sainte-Sophie ● *74*, ▲ *138,* temple de la Nouvelle Rome, le palais de Topkapı ● *82,* ▲ *150*, centre du pouvoir ottoman. À la croisée de l'Europe et de l'Asie, Galata, Üsküdar et Stamboul se font toujours face : les anciennes cités sont aujourd'hui les quartiers principaux de la ville qui étend ses banlieues sur les rives du détroit et de la mer.

À l'extrémité du promontoire, un parc tranquille a remplacé les jardins des sultans ; le palais et ses kiosques ont ouvert leurs portes au public qui vient contempler les trésors des temps révolus. Il en est de même pour Sainte-Sophie : basilique pendant neuf siècles et mosquée durant près de 500 ans, ce sanctuaire n'est plus dédié qu'à la seule beauté. Elle fut transformée

«NULLE CITÉ N'A AUTANT QU'ISTANBUL SAVOURÉ LES RICHES FRUITS DU JARDIN DE L'ART, MÈRE ET NOURRICIÈRE DE GRANDS HOMMES, BERCEAU DE MAINTES NATIONS.» LA CITÉ, NABI (1642-1712)

en musée par Mustafa Kemal Atatürk, fondateur de la République turque ● *42* en 1923, dont on peut voir une statue en bronze, dressée à l'extrémité de la pointe du Sérail. Cinquante ans plus tard, l'inauguration du pont sur le Bosphore, le BOĞAZIÇI KÖPRÜSÜ, commémorait la naissance de la Turquie nouvelle.

LA POINTE DU SÉRAIL

LE PARC DE GÜLHANE. Il occupe la partie ouest des anciens jardins du palais de Topkapı. Autrefois s'élevaient parmi les bosquets de cyprès des pavillons de bois où la Cour s'installait au plus chaud des mois d'été. Ils ont tous disparu dans un incendie en 1863.

LA COLONNE DES GOTHS. Sur le versant est de la colline boisée, se cache dans le parc, près d'un petit café, l'un des plus vieux monuments d'Istanbul, la Gotlar Sütunu, colonne des Goths. Ce bloc de granit de 15 m de haut surmonté d'un chapiteau corinthien, doit son nom à la laconique inscription latine gravée sur sa base : *Fortunae reduci ob devictos Gothos* (À la prospérité revenue avec la défaite des Goths). On l'attribue à Claudius II le Gothique (268-270), ou à Constantin le Grand (324-337) qui remportèrent tous deux de notables victoires sur les Goths. Selon l'historien byzantin Nicéphore Grégoras, la colonne était autrefois surmontée d'une statue de Byzas le Mégarien ● *30*.

LE KIOSQUE DES VANNIERS. De la pointe du Sérail, on se dirige vers le pont de Galata au sud duquel s'étend le quartier d'Eminönü. Les voies ferrées courent le long du rivage, bordées par des docks. En chemin, on longe le kiosque des Vanniers, en turc Sepetçiler Köşkü, construit en 1643 et offert au sultan Ibrahim le Fou (1640-1648) par la corporation des vanniers. Il est occupé aujourd'hui par le Centre de la Presse internationale.

LA GARE DE SIRKECI. Après le *Sepetçiler Köşkü*, apparaît la gare ferroviaire de Sirkeci, en turc Sirkeci Istasyon, construite en 1889 pour le premier des grands trains de luxe, l'ORIENT-EXPRESS. Bien qu'il ait perdu son lustre d'antan, ce train célèbre, créé en 1883, existe toujours et relie Paris à Istanbul en quelque 50 heures. Plus loin, c'est le principal quai (*iskele*) des ferries qui desservent le Bosphore, la Corne d'Or, les banlieues d'Üsküdar et de Kadıköy, ainsi que les îles des Princes ▲ *264*.

LE PONT DE GALATA
Tableau du XIXe siècle représentant la troisième colline vue de la Corne d'Or, avec au fond la mosquée de Süleyman le Magnifique. On remarque à droite, l'ancien pont en bois qui reliait Stamboul aux quartiers francs de Galata et Péra. Construit en 1845, sur ordre de la mère du sultan Abdül Mecit, il fut remplacé au début de ce siècle par une structure métallique. Gravement endommagé par un incendie en avril 1992, ce dernier a récemment été déplacé. Un nouveau pont, inauguré le 18 juin 1992, enjambe maintenant la Corne d'Or, légèrement en amont du précédent.

LES JARDINS DU SÉRAIL
Les anciens jardins privés des sultans, représentés par cette gravure de Sir Thomas Allom, sont aujourd'hui un parc public. C'est l'un des lieux favoris des Istanbouliotes qui, aux beaux jours, viennent y pique-niquer en famille. Un petit café est installé aujourd'hui aux abords de la colonne des Goths, et au large, les ferries blancs ont remplacé les caïques à voiles d'autrefois.

RÜSTEM PAŞA CAMII
BAZAR AUX ÉPICES
YENI CAMI
PAVILLON DES REVUES

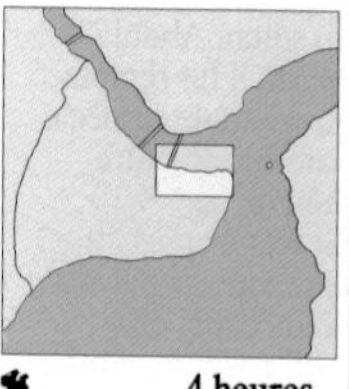

4 heures

UN QUARTIER JUIF
Le site où se dresse aujourd'hui la Yeni Cami fut pendant des siècles une enclave juive coincée entre les territoires concédés aux Vénitiens et aux Génois. Il semblerait que ces juifs non orthodoxes, de la secte des Karaïtes, s'y soient établis dès le XIe siècle. Expulsés en 1660 lors de la remise en chantier de la mosquée, certains sont aujourd'hui encore installés à Hasköy, à trois kilomètres en amont de la Corne d'Or.

LE QUARTIER D'EMINÖNÜ

LE PONT DE GALATA. Ce pont, qui relie les quartiers d'Eminönü et de Galata, de part et d'autre de la Corne d'Or, est la plaque tournante de la ville. Des milliers d'Istanbouliotes l'empruntent chaque jour ou passent sous ses arches dans les innombrables ferries qui sillonnent les parages. Devant l'entrée du pont s'étend une vaste place, l'EMINÖNÜ MEYDANI, en bordure de laquelle s'élève la Yeni Cami, la Nouvelle Mosquée.

LA YENI CAMI

● *78*

La Yeni Valide Sultan Camii est plus communément appelée Yeni Cami. Les premiers travaux furent lancés vers 1600 par la sultane mère Safiye, épouse de Murat III (1574-1595) et mère de Mehmet III (1595-1603). La mort de Mehmet en 1603 remit le projet en question, Safiye n'ayant plus désormais d'influence au sein du harem. L'édifice inachevé se dressait comme un fantôme sur la pointe du Sérail depuis plus d'un demi-siècle lorsqu'en 1660 Turhan Hadice, mère de Mehmet IV (1648-1687), demanda à l'architecte Mustafa Ağa de le remettre en chantier. La mosquée et son complexe furent consacrés le 6 novembre 1663.

STRUCTURE DE LA MOSQUÉE. Comme toutes les mosquées ottomanes, la Yeni Cami s'ouvre à l'ouest sur une vaste cour fermée et à portique, appelée *avlu* ; l'ancienne entrée de cérémonie se trouve à l'ouest de la cour où un escalier mène au portail d'entrée richement orné. La cour est bordée d'un portique à six colonnes de chaque côté. Au centre, trône un joli *şadırvan* octogonal, une fontaine aux ablutions qui, comme c'est souvent le cas aujourd'hui, n'a plus qu'une fonction décorative car les fidèles utilisent maintenant l'eau des robinets du mur sud. Aux angles s'élèvent deux minarets dont les parapets

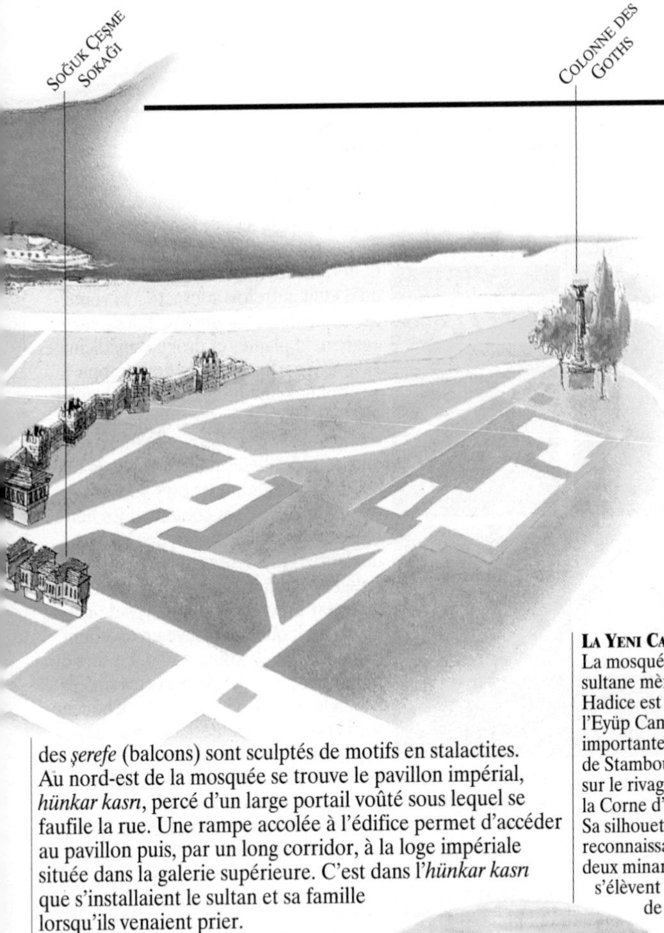

La Yeni Cami
La mosqueée de la sultane mère Turhan Hadice est avec l'Eyüp Camii, la plus importante mosquée de Stamboul édifiée sur le rivage de la Corne d'Or. Sa silhouette est reconnaissable à ses deux minarets qui s'élèvent aux angles de l'*avlu*.

des *şerefe* (balcons) sont sculptés de motifs en stalactites. Au nord-est de la mosquée se trouve le pavillon impérial, *hünkar kasrı*, percé d'un large portail voûté sous lequel se faufile la rue. Une rampe accolée à l'édifice permet d'accéder au pavillon puis, par un long corridor, à la loge impériale située dans la galerie supérieure. C'est dans l'*hünkar kasrı* que s'installaient le sultan et sa famille lorsqu'ils venaient prier. Les appartements comprenaient salon, chambres à coucher, toilettes et cuisines.

L'intérieur de la mosquée. La salle de prière au centre, bordée par quatre piliers qui soutiennent la coupole, forme un carré de quarante et un mètres de côté. La transition du carré au cercle est assurée par des pendentifs. Dans le mur s'encastre le *mihrab*, niche qui indique la direction de La Mecque, avec à droite le *minbar*, chaire où l'imam fait son prêche. La loge impériale, protégée par une grille dorée, occupe l'angle nord-est de la galerie.

Le complexe de la mosquée ● *80*. À l'origine, la mosquée faisait partie d'un *külliye* (complexe socio-religieux), qui comprenait école coranique (*medrese*), hôpital (*darü'ş-şifa*), école élémentaire (*mektep*), mausolée (*türbe*), fontaines (*çeşme* et *sebil*). Un hammam et un bazar (*çarşı*) dont les profits finançaient l'ensemble, s'y ajoutaient. L'hôpital, le hammam et l'école n'existent plus ; les autres éléments subsistent, mais seuls la mosquée et le bazar sont ouverts au public.

Proche du pont de Galata et jouxtant l'un des plus importants débarcadères de la ville, la Yeni Cami est le jour durant environnée par la cohue continuelle provoquée par une circulation très dense : automobiles, autobus et ferries se croisent au pied de l'édifice.

LE BAZAR AUX ÉPICES ♥

Ce marché couvert est une belle structure en L, accolée aux façades ouest et sud de la mosquée. Le bazar aux épices (*Misir Çarşısı*) est également appelé BAZAR ÉGYPTIEN pour avoir été autrefois doté grâce aux tributs versés par l'Egypte. Son nom français, bazar aux épices, rappelle qu'il était autrefois consacré à la vente des aromates, condiments, épices, mais également plantes et drogues médicinales. Le lourd parfum d'Orient qui frappa Théophile Gautier et Gérard de Nerval ● *97* à leur visite s'est estompé. Seules six boutiques des quatre-vingt-huit sont encore spécialisées dans la vente de ces produits traditionnels : on y voit de gros sacs de toile ventrus contenant les herbes et les épices multicolores, des bocaux de denrées précieuses ou volatiles s'alignant sur les étagères. L'entrée du bazar est un imposant corps-de-garde, à l'étage duquel, se trouve un excellent restaurant, le PANDELI ◆ *364*. La sortie se fait par l'une des deux portes situées à l'angle du L. Celle de droite débouche sur l'Hasırcılar Caddesi, l'avenue des Tapissiers, parallèle à la route de la Corne d'Or. L'une des entrées de la Rüstem Paşa Camii est à 200 m environ. Un escalier sous voûte conduit à la cour à portique de la mosquée, construite sur une terrasse dominant échoppes et entrepôts.

RÜSTEM PAŞA CAMII ♥

La mosquée de Rüstem Paşa est l'une des plus belles mosquées viziriales conçues par le grand Sinan ▲ *314*, chef architecte de Süleyman le Magnifique (1520-1566) et de ses deux successeurs, Selim Ier (1566-1574) et Murat III (1574-1596). Elle fut érigée en 1561 pour Rüstem Paşa, grand vizir de Süleyman et époux de la princesse Mihrimah, fille unique du sultan. On y pénètre par un portail double. Le portique intérieur, à cinq travées coiffées de quatre demi-coupoles et une coupole au centre, se prolonge en un large auvent bas reposant sur une rangée de colonnes. Le plan est un octogone inscrit dans un rectangle. Les quatre demi-coupoles s'inscrivent

LE BAZAR ÉGYPTIEN

"Si vous suivez les rues tortueuses qui mènent de l'échelle de Yeni Djami à la mosquée du sultan Bayezid, vous arrivez au Bazar d'Egypte ou bazar des Drogues, une grande halle que traverse d'une porte à l'autre une ruelle destinée à la circulation des marchandises et des acheteurs. Une odeur pénétrante, composée des arômes de tous ces produits exotiques, vous monte aux narines et vous enivre. Là sont exposés par tas ou dans des sacs ouverts, le henné, le santal, l'antimoine, les poudres colorantes, les dattes, la cannelle, le benjoin, les pistaches, l'ambre gris, le mastic, le gingembre, la noix de muscade, l'opium, le hachisch, sous la garde de marchands aux jambes croisées, à l'attitude nonchalante, et qui semblent comme engourdis par la lourdeur de cette atmosphère saturée de parfums."

Théophile Gautier, *Constantinople*, 1851

dans les diagonales du plan. Les arcs portants de la coupole centrale reposent sur quatre colonnes octogonales, deux au nord et deux au sud, et sur quatre piliers saillant des murs est et ouest. De part et d'autre, les galeries sont soutenues par une alternance de piliers et de colonnettes de marbre.

LA DÉCORATION INTÉRIEURE. La Rüstem Paşa Camii est célèbre pour les magnifiques faïences qui couvrent une grande partie de ses murs, non seulement à l'intérieur, mais aussi sur la façade du porche d'entrée. Il est à remarquer que les faïences des galeries sont d'un autre style. Comme toutes les belles faïences turques, celles de cette mosquée viennent d'Iznik ▲ *292*, l'ancienne Nicée, où l'art de la céramique atteignit son apogée vers 1555-1620, âge d'or de l'architecture ottomane. Ici, elles sont partout présentes et composent sur les murs, les colonnes, le *mihrab* et le *minbar*, une magnifique symphonie de motifs floraux et géométriques. La décoration de cette mosquée est l'une des plus spectaculaires d'Istanbul.

LE MAUSOLÉE D'ABDÜL HAMIT

Repartant vers l'est, en direction de la Yeni Cami, on passe entre la mosquée et le bazar aux épices et l'on emprunte l'Hamidiye Caddesi. Le *türbe* d'Abdül Hamit Ier (1774-1789) se trouve à la première intersection, à droite. C'est le seul élément subsistant d'un petit *külliye* ● *80* qui comprenait également une *sebil* et une *medrese*. La *medrese* est toujours là, mais la *sebil* a été déplacée. Aux côtés d'Abdül Hamit repose son fils Mustafa IV, sultan atteint de démence, déposé le 28 juillet 1808 et exécuté trois mois plus tard. À l'extrémité de l'Hamidiye Caddesi, commence, à droite, l'Ankara Caddesi, une avenue animée grimpant entre la première et la deuxième colline. En chemin, on aperçoit à gauche le VILAYET, le siège du gouvernement de la province d'Istanbul.

LE HAMMAM DE CAĞALOĞLU

Après avoir pris la première rue à gauche après le Vilayet et parcouru une centaine de mètres, on découvre une des entrées du magnifique hammam de Cağaloğlu offert par Mahmut Ier. C'est un hammam double, une partie étant

RÜSTEM PAŞA, UN RICHISSIME GRAND VIZIR

"Rüstem Paşa, qui avait accumulé des milliers de faïences d'Iznik, les mit à la disposition de l'architecte Sinan qu'il avait engagé pour la réalisation de sa mosquée. Ce grand vizir semble avoir été surtout sensible à la valeur matérielle des faïences qui recouvrent les murs de cet édifice. Cette décoration aussi splendide qu'elle soit évoque davantage l'accumulation ostentatoire qu'un souci de cohérence esthétique. Rüstem Paşa se réservait en effet, systématiquement le meilleur de la production des ateliers d'Iznik. Tel faïencier était-il célèbre pour ses décors floraux ? Le vizir lui achetait assez de pièces pour aligner sur la moitié d'un mur des tulipes rouges s'inclinant sur leurs tiges vertes… Seuls l'encadrement du *mihrab* et les tympans de la galerie témoignent de l'infaillible sens esthétique du grand Sinan."

John Stratton
Sinan

COUPE SELON L'AXE CENTRAL DE LA MOSQUÉE DE RÜSTEM PAŞA
L'axe passant par le *mirhab* polychrome et la porte monumentale de l'entrée indique la direction de La Mecque.

HARARET D'UN HAMMAM
Loin du brouhaha de la ville, il est agréable de suivre les rites du bain turc : après les frictions, massages et bains, on se délasse en prenant le thé. (Gravure de Thomas Allom, 1834).

L'AFFAIRE DU SOFA
Un jour de 1677, le marquis de Nointel, entrant dans la salle d'audiences, vit que son tabouret n'était pas placé sur l'estrade nommée *sofa*, mais à même le sol. Furieux, l'ambassadeur de France transporta son siège sur l'estrade et y prit place. Ainsi naquit la célèbre «affaire du sofa».

réservée aux hommes, l'autre aux femmes. L'établissement, qui fut inauguré en 1741, est toujours en usage. Dans la ville, il y a plus de cent hammams ottomans ● *58* dont la plupart sont encore fréquentés par les Istanbouliotes qui ne possèdent pas de salles de bains ; nul musulman ne peut se présenter à la prière du vendredi sans s'être lavé de la tête aux pieds.

À Cağaloğlu, la salle la plus intéressante est le *hararet*, l'étuve humide. Ce bel espace cruciforme est coiffé d'une coupole portée par un cercle de colonnes. Aux bras de la croix correspondent des pièces latérales, à coupoles elles aussi. Le *hararet* du hammam de Cağaloğlu, est resté inchangé depuis l'époque ottomane.

LE COMPLEXE DE BEŞIR AĞA

Au premier croisement après le hamman s'ouvre à gauche l'Alay Köşkü Caddesi. Dans la première rue à gauche, on découvre une petite mosquée surélevée. Cette mosquée et son *külliye* furent construits en 1745 pour Beşir Ağa, chef des eunuques noirs du harem de Topkapı durant le règne de Mahmut Ier. Jadis, ce *külliye* ● *80* comprenait aussi une *medrese*, un *tekke*, monastère de derviches, et des échoppes installées sous les voûtes du rez-de-chaussée. Les ordres de derviches ayant été interdits à l'avènement de la République, le monastère ferma ses portes. *Tekke* et *medrese* abritent aujourd'hui le Centre culturel des Turcs de la Thrace occidentale, devenue territoire grec.

LA SUBLIME PORTE

À l'intersection suivante, l'Alay Köşkü Caddesi rencontre l'Alemdar Caddesi, l'avenue qui longe l'enceinte du palais de Topkapı et conduit au sommet de la première colline. À gauche, se dresse un portail monumental surmonté d'une vaste marquise de style rococo. C'est la célèbre Sublime Porte, en turc Bab-i-Ali.

Au XVIe siècle, l'Empire des Osmanlis a été le premier état territorial à établir sa force, sa capitale qui compte déjà à cette époque près d'un million d'habitants inquiète les Européens, la Sublime Porte symbolise ce pouvoir, et devient dès lors synonyme de gouvernement ottoman. Le portail actuel, qui date de 1843, est l'entrée du Vilayet d'Istanbul.

Alay Köşkü

En face de la Sublime Porte, on aperçoit, dans un angle du mur d'enceinte du Topkapı Sarayı, un pavillon polygonal de style baroque turc : l'Alay Köşkü, ou pavillon des Revues.

Une première construction, datant environ de 1565, fut remplacée en 1819 par la structure actuelle sur ordre de Mahmut II (1808-1839). C'est là que le sultan venait regarder vivre sa ville, surveiller les allées et venues des personnages importants chez son grand vizir, assister aux parades militaires et aux revues populaires. Plusieurs processions des corporations furent organisées au cours de l'époque ottomane. La dernière eut lieu en 1769, sous le règne de Mustafa III (1757-1789). Les prétextes étaient divers : circoncision d'un jeune prince, victoire de l'armée ottomane, voire recensement. C'est ainsi que le défilé de 1638 permit au sultan Murat IV (1623-1640), à la veille de sa campagne d'Irak, d'évaluer les forces vives de l'économie de la capitale. Un témoin de l'époque, Evliya Çelebi, a décrit l'événement dans son *Seyâhat-Nâmé*, *Livre des Voyages*. Cette procession comportait 57 sections regroupant 1 001 corporations ; le chroniqueur n'en décrit que 735. Les commerçants et artisans, vêtus du costume propre à leur métier, défilaient autour de chars, montrant leur savoir-faire. Fermaient la procession les cheiks, suivis de leurs pages jouant de la musique. Chacun s'évertuait à amuser ou à impressionner le sultan qui, entouré des membres de la Cour, regardait la scène depuis le balcon du pavillon. Le pavillon, restauré et converti en musée, présente la collection de broderies et de tapis turcs constituée par Kenan Özbel. L'édifice comporte plusieurs pièces auxquelles on accède par une rampe située derrière l'entrée du parc de Gülhane, un peu plus haut dans l'Alemdar Caddesi.

La procession des guildes

“Dans un grand tintamarre, tous ces hommes défilent avec leurs outils, à pied ou sur des chars. Les charpentiers élèvent des maisons, les maçons montent des murs ; les bûcherons passent chargés de troncs d'arbres, suivis par ceux qui portent les scies. Les chaufourniers se barbouillent le visage de craie en faisant mille singeries. On voit aussi de grandes maquettes de navires entièrement décorées avec des noyaux de fruits. Chaque navire tiré par un millier d'hommes passe devant le kiosque, pris d'assaut par une foule de marchands armés de paniers qui feignent de se ravitailler, à grands renforts de vociférations et de bousculades, reconstituant ainsi la scène qui anime habituellement le port à l'arrivée des vrais bateaux de fruits. Toutes ces guildes défilent en faisant des tours et des contorsions impossibles à décrire.”

E. Çelebi, *Seyâhat-Nâmé*

Süleyman le Magnifique
Gravure sur bois, Venise, vers 1550.

Le premier train à Istanbul à la fin du XIXe siècle.

Zeynep Sultan Camii

À la hauteur où elle s'écarte des murs d'enceinte du palais de Topkapı, l'Alemdar Caddesi oblique à droite. Juste après ce virage, s'élèvent une petite mosquée baroque, la mosquée de la sultane Zeynep, et son *külliye*, construits en 1749 par l'architecte Mehmet Tahir Ağa. Le complexe comprenait une école élémentaire, que l'on voit encore à l'angle de la rue, en contrebas de la mosquée, un petit cimetière où sont enterrés la princesse Zeynep, fondatrice du complexe, les membres de sa famille et de sa maison. Une fontaine rococo ● *66*, de Mehmet Tahir Ağa également, est installée devant la porte du cimetière. Construite en 1778, elle faisait partie du *külliye* d'Abdül Hamit et fut déplacée à cet endroit en 1950.

Octroi du pont de Galata, au début du siècle

Les marchés aux poissons
La cuisine Istanbouliote est réputée pour ses poissons, *kefal*, *lüfer*, *barbunya*, etc, qui fournissent marchés et restaurants. Sur les quais de la Corne d'Or, près du pont de Galata, nombreux sont les marchands ambulants qui proposent des poissons grillés, fraîchement pêchés. Le marché aux poissons de Galatasaray est l'un des plus célèbres d'Istanbul.
Ci-contre, un tableau du peintre turc contemporain Nedim Günsür, consacré à ce thème. Cet artiste a fait partie du Groupe des Dix, qui exposa pour la première fois en 1947.

Soğuk Çeşme Sokaği

Le bel édifice, situé un peu plus loin sur l'autre trottoir de l'Alemdar Caddesi, est la Soğuk Çeşme Medresesi, récemment restaurée. Elle porte le nom de la rue où se situe son entrée, la Soğuk Çeşme Sokağı, rue de la Source-Froide, qui gravit la première colline, depuis l'entrée du parc de Gülhane jusqu'aux murs d'enceinte du Topkapı Sarayı.

Les maisons ottomanes. Les élégantes demeures ottomanes qui bordent la Soğuk Çeşme Sokağı, longtemps restées à l'abandon, étaient dans un tel état de délabrement qu'elles furent menacées de démolition. C'est en 1986 que le Touring et Automobile Club de Turquie (TTOK), dirigé par Çelik Gülersoy, entreprit un ambitieux programme de réhabilitation qui dura près de deux ans. La plupart des maisons restaurées ont été intégrées à l'hôtel de luxe Ayasofya Pansiyonlari ◆ *364* : leurs façades fraîchement peintes de couleurs pastel ou vives redonnent tout son charme à cette rue pavée qui descend doucement vers la mer. Les fouilles entreprises dans la partie basse de la rue lors de la rénovation ont permis de dégager une citerne sous voûte en brique, reposant sur six blocs de marbre. Ce vestige de l'architecture romaine tardive est maintenant devenu un luxueux restaurant, le Sarnıç Lokantası, également géré par le TTOK.

La bibliothèque d'Istanbul. La plus grande des vieilles demeures de la Soğuk Çeşme Sokağı est une grande demeure en bois (*konak*) datant du début du XIXe siècle ● *86*. Elle abrite aujourd'hui une section de la fondation Çelik Gülersoy : la bibliothèque d'Istanbul et sa riche collection de livres et d'estampes illustrant l'histoire de la ville.

La Soğuk Çeşme Sokağı
Dans un écrin de maisons rénovées, à gauche, une maison avant restauration, à droite l'*Ayasofya Pansyonları*, la «rue de la Source Froide» accueille les visiteurs curieux de découvrir l'architecture ottomane traditionnelle.

La Medrese de la Soğuk Çeşme

En continuant dans la Soğuk Çeşme Sokağı jusqu'à la Caferiye Sokağı, où l'on tourne à droite, on parvient à la hauteur d'une impasse au fond de laquelle se trouve le portail d'entrée de la medrese de la Soğuk Çeşme , construite par Sinan ▲ *314* sur ordre de Cafer Ağa, chef des eunuques blancs de Süleyman le Magnifique. Cafer Ağa mourut en 1557, avant la fin des travaux, mais l'édifice fut achevé en 1559-1560. Comme le terrain était très en pente, Sinan dut prévoir un soubassement voûté sous la face ouest du complexe, le long de la future Alemdar Caddesi. Quatre spacieuses boutiques y ont été aménagées. Côté sud, la cour à portique est dominée par une vaste *dershane*, salle de cours à coupole, les cellules des élèves, ou *hücre*, occupent le périmètre du cloître.

Le bazar des Artisanats ottomans ♥. La *medrese* est aujourd'hui un bazar d'artisanat turc, chaque métier d'art, brodeur, relieur, fabricant de papier marbré, occupant une des pièces qui s'ouvrent sur la cour. Les deux salles ont été transformées en un agréable café. On peut s'y reposer un moment avant de repartir par la Caferiye Sokağı, au bout de laquelle, tournant à gauche, on arrive sur le parvis de Sainte-Sophie ● *74*, l'Aya Sofya Meydanı, et au sommet de la première colline.

La Corne d'Or
Image des années soixante, le vieux tramway passant sur le pont de Galata.
À l'arrière plan, se profile la Yeni Cami.

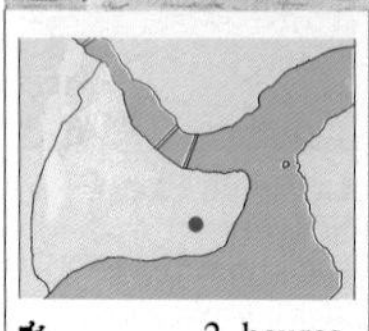

2 heures

VUE DE LA BASILIQUE SAINTE-SOPHIE
Depuis la rive asiatique de la Corne d'Or. Détail du panorama du peintre danois Melchior Lorichs, en 1557.

HISTOIRE

L'actuelle Sainte-Sophie, érigée entre 532 et 537, durant le règne de Justinien, est la troisième basilique bâtie à cet emplacement.

LA PREMIÈRE ÉGLISE. Elle fut inaugurée le 15 février 360 par l'empereur Constantin (337-361), fils et successeur de Constantin le Grand, qui la dédia à Haghia Sophia, la Sagesse Divine, attribut du Christ. Elle fut incendiée le 9 juin 404 lors d'une révolte des partisans de Jean Chrysostome, patriarche de Constantinople, déchu par l'impératrice Eudoxia, femme de l'empereur Arcadius (395-408).

L'ÉGLISE THÉODOSIENNE. Théodose II (408-450), fils et successeur de ce dernier, érigea au même endroit une nouvelle église qu'il consacra le 10 octobre 415. Celle que les archéologues retiendront sous le nom d'église théodosienne fut à son tour détruite par les flammes pendant la révolte de Nika, en 532, au cours de laquelle le peuple s'allia à une partie du clergé et à la faction des «Verts» contre certains hommes d'État. Justinien régnait alors

Sainte-Sophie et les vieilles maisons ottomanes après sa restauration par les Fossati en 1852.

depuis cinq ans. Les insurgés furent à deux doigts de le renverser. Il ne dut son maintien au pouvoir qu'à la fermeté de l'impératrice Théodora.

La basilique Sainte-Sophie. L'insurrection écrasée, Justinien entreprit de rebâtir Sainte-Sophie, en lui conférant une majesté inégalée. Il dépêcha des émissaires dans tout l'Empire pour rassembler ses meilleurs ouvriers et artisans. Les gouverneurs des provinces furent tenus d'envoyer à Constantinople les plus belles parties des monuments antiques, destinées à être intégrées dans la construction. L'empereur récupéra colonnes et ornements, notamment dans les temples de Diane à Éphèse, d'Athènes, de Delphes, de Délos, d'Osiris en Égypte. Il fit venir de partout les matériaux les plus nobles. Il nomma architecte en chef le grand mathématicien et physicien Anthémius de Tralles, qui devait mourir quelques mois après la pose des premières pierres. Son assistant, le géomètre de renom Isidore de Milet, qui dirigea en son temps l'Académie platonicienne d'Athènes, assuma donc seul la conduite du chantier. Il le mena à bien en cinq ans. Justinien et l'impératrice Théodora inaugurèrent la nouvelle église en grande pompe le 26 décembre 537. L'empereur avait atteint son but : construire un édifice surpassant en splendeur le temple de Salomon à Jérusalem.

La restauration de Justinien. Au cours des deux décennies qui suivirent, une série de tremblements de terre endommagèrent gravement le bâtiment. La partie orientale de la coupole centrale, plus large et plus basse que l'actuelle, dont certains points d'appui étaient un peu trop fragiles en regard de la poussée considérable, s'effondra, entraînant dans sa chute un arc de soutènement et une des demi-coupoles. Isidore de Milet étant mort, Justinien confia la restauration à son neveu Isidore le Jeune. Ce dernier y consacra cinq ans. L'empereur avait 81 ans quand il inaugura pour la seconde fois la basilique, à la veille de Noël, en l'an 563. Sainte-Sophie, qui a subi depuis quelques avatars, lui survit comme une des gloires de son règne et un modèle d'architecture religieuse qui inspira les plus grands architectes, dont Sinan.

Plan
1. Narthex (vestibule)
2. Porte impériale
3. Nef
4. Tympan nord (nef)
5. Tribunes
6. Galerie sud
7. Galerie nord
8. Baptistère

Christ bénissant
Détail de la mosaïque la *Déïsis,* Le christ est représenté en buste, le visage, véritable icône, se détache sur fond d'or, mais le peintre ne figure plus le Pancréator farouche et dur : l'expression est empreinte d'une bonté et d'une douceur infinies. La mosaïque est située dans la lunette de la porte Impériale et fut mise au jour en 1932.

LE DÉCLIN DE LA BASILIQUE. En 1204, les Latins, au cours de la IVe croisade, poussés par les Vénitiens, mirent à sac Constantinople consacrant le schisme, entre l'Église grecque orthodoxe et celle de Rome, esquissé un siècle et demi plus tôt. Sainte-Sophie, dépouillée de ses ornements précieux, entra, sous la houlette du clergé de Venise, dans le giron de la papauté jusqu'en 1261. Sa lente dégradation allait s'accentuer avec le déclin de l'Empire byzantin. Quand les Turcs s'emparèrent de Constantinople en 1453, un des premiers actes du sultan Mehmet le Conquérant fut de se rendre à Sainte-Sophie célébrer l'office du vendredi sous les coupoles de la basilique grecque qui devint une mosquée, l'AYA SOFYA CAMII. Elle demeura un des centres universels de la foi musulmane jusqu'à ce que Mustafa Kemal instaure la République turque laïque et fasse de Sainte-Sophie un musée en 1934.

LE MUSÉE DE SAINTE-SOPHIE

Pour accéder au musée, on traverse au préalable un jardin, à l'ouest, où se trouvait à l'origine la cour extérieure de l'église. Au fond sont disposés des colonnes antiques et des éléments architecturaux exhumés lors de fouilles diverses à travers Istanbul, principalement sur la première colline de la ville. En se dirigeant vers l'entrée, on peut voir des vestiges de l'église théodosienne, mis au jour en 1935 par l'archéologue allemand Alfons Maria Schneider. Ils attestent que la deuxième Sainte-Sophie devait être de proportions comparables à celle de Justinien.

LA PLUS GRANDE COUPOLE DU MONDE
La face interne de l'immense coupole centrale, de plus de trente mètres de diamètre, comporte quarante nervures maçonnées, elles-mêmes décorées de motifs géométriques. Sur la circonférence, une couronne de quarante fenêtres renforce l'effet aérien de cette structure qui semble flotter au-dessus de la salle de prières. Une calligraphie or sur fond noir entoure un soleil figuré au centre.

L'ENTRÉE DE LA GALERIE SUPÉRIEURE
La basilique fut considérablement restaurée entre 1847 et 1849. Louis Haghe réalisa cette superbe lithographie peinte à la main d'après les dessins de Gaspare Fossati, l'architecte responsable de la restauration. Elle donne une idée très précise de l'apparence de Sainte-Sophie à cette époque, plus qu'aucune autre description ou photographie du siècle dernier.

STRUCTURE DE LA BASILIQUE ● *29.* Celle que les Grecs nommaient MEGALE EKKLESIA, la Grande Église, est construite sur un plan rectangulaire proche du carré, de 70 m de large sur 75 m de long environ. Une abside en demi-cercle dans sa partie interne, saillant du mur est, présente à l'extérieur une forme à trois pans coupés. L'église est précédée d'un vestibule intérieur, le narthex, et d'un vestibule extérieur, l'exonarthex. L'immense coupole, très légèrement oblongue, qui atteint dans sa plus grande dimension 31,4 m de diamètre, coiffe le chœur. Elle est contre-butée au nord et au sud par des tympans pleins, et sur les deux autres côtés par deux demi-coupoles, elles-mêmes retenues chacune par trois petites demi-coupoles. Celle du milieu, côté est, forme une saillie en abside. Quatre puissants piliers, disposés en carré, soutenaient à eux seuls la coupole dans la construction primitive. Après les dommages dus aux tremblements de terre, des contreforts vinrent consolider l'ensemble, d'autres furent édifiés en 989 et en 1346, suite à de nouvelles détériorations.

LA MOSQUÉE SAINTE-SOPHIE. Les autres ajouts sont liés à sa conversion en mosquée. À l'intérieur de la basilique, rebaptisée AYA SOFYA CAMII, furent construits un *mirhab* et toutes les installations nécessaires à l'exercice du culte musulman. Le sultan Ahmet III fit édifier une chaire, ou *minbar*. Le baptistère, au sud, devint un mausolée, ou *türbe*, à la mort du sultan Mustafa Ier. À l'extérieur, Mehmet II, Beyazıt et Selim II firent ériger les quatre minarets. Ces sultans et leurs successeurs assurèrent l'entretien de l'Aya Sofya Camii, toujours tenue en grande vénération.

LA RESTAURATION DES FOSSATI (1847-1849). La dernière restauration importante, entreprise sous la dynastie ottomane, fut confiée par le sultan Abdül Mecit (1839-1861) aux architectes suisses Gaspare et Giuseppe Fossati. La grande coupole fut renforcée. Les mosaïques figuratives chrétiennes qui subsistaient dans les galeries furent débarrassées de la couche de plâtre qui les dissimulait aux yeux des fidèles d'Allah pour être rénovées puis à nouveau recouvertes. En 1932, Mustafa Kemal décidait la transformation de Sainte-Sophie en musée. Au mois d'avril, Thomas Whittemore et les membres de l'Institut américain des études byzantines mirent derechef au jour les mosaïques pour terminer leur restauration. Le travail ne s'acheva qu'en 1964, date à laquelle les galeries de Sainte-Sophie furent ouvertes pour la première fois au public.

L'INSCRIPTION CALLIGRAPHIQUE DU DÔME CENTRAL
L'énorme inscription que l'on peut lire sur l'intrados de la grande coupole est de Mustafa Izzet Efendi ; elle remplace une calligraphie plus ancienne dont elle a conservé le texte : «Au nom de Dieu le Miséricordieux ; Dieu est la lumière du Ciel et de la Terre. Il est la vraie lumière, celle qui ne vient ni de l'éclat du verre, ni du miroitement de l'étoile du matin, ni du rougeoiement de la braise incandescente.»
Sourate XXIV, 35
Coran

LES DISQUES DE BOIS PEINT
Les six énormes *levhas* suspendus aux piliers des galeries sont des ajouts des Fossati. Les caractères ont été tracés

par le calligraphe Mustafa Izzet Efendi, et rappellent, en lettres d'or arabes, les noms sacrés de l'islam : Allah, le prophète Mohammed et les quatre premiers califes, Abu Bakr, Umar, Othman, fondateur de la dynastie ottomane, et Ali.

L'empereur Alexandre
Il accéda au trône en mai 912, succédant à son frère aîné Léo VI. Son portrait, ultime mosaïque mise au jour lors des travaux de restauration commencés en 1932, date de la brève période de son règne, 912-913. Alexandre est représenté en pied, vêtu du fastueux costume de cérémonie des empereurs byzantins. Il tient dans sa main gauche un crâne, symbole de la vanité de la vie terrestre.

Les mosaïques du narthex

Aujourd'hui, on entre dans l'église par la porte de l'exonarthex, flanquée de part et d'autre de contreforts. De là, on pénètre dans le narthex par une porte en bronze du IXe siècle dont le tympan s'orne d'une splendide mosaïque (**1**) datant de l'église justinienne et qui représente la Sainte Vierge entourée de Constantin Ier et de Justinien.
Les voûtes du narthex ainsi que les bas-côtés, les galeries, la grande coupole, les demi-coupoles et les tympans nord et sud étaient couverts de mosaïques d'époque justinienne, dont il reste de larges fragments. Elles sont constituées d'un fond or, de motifs géométriques sur les arêtes, et de médaillons représentant la croix à huit branches aux points d'intersection. D'autres médaillons, ainsi que les intrados des arcs, comportent des motifs floraux. Procope et d'autres sources permettent d'affirmer que Justinien ne commanda aucune représentation humaine pour la décoration de Sainte-Sophie. Toutes celles qui subsistent sont postérieures à la période iconoclaste qui sévit dans l'Empire byzantin avec plus ou moins de force de 730 à 843. Le narthex s'ouvre sur la nef par la porte Impériale, encadrée de chaque côté par quatre portes.
La porte Impériale (2). L'une des plus impressionnantes mosaïques figuratives est celle qui orne le tympan de la porte monumentale qui conduit du narthex à la nef. Il s'agit de la porte Impériale, que seuls l'empereur, son entourage et le patriarche étaient autorisés à franchir les jours de grande cérémonie. La mosaïque représente le Christ assis sur un trône serti de pierres précieuses, la main droite levée en signe de bénédiction. Il tient dans sa main gauche un livre portant l'inscription en grec : «La paix soit avec vous. Je suis la Lumière du Monde.» À gauche, un personnage, sans doute l'empereur Léon VI (ce qui permet de dater approximativement l'œuvre entre 886 et 912) est figuré dans l'attitude de la prostration. Au-dessus, deux médaillons représentent la Vierge Marie et l'archange Gabriel.

La nef

● 74

La porte Impériale franchie, on pénètre dans la nef (**3**). Des quarante fenêtres qui percent le tambour de la coupole jaillissent, quand l'orientation du soleil s'y prête, une multitude de faisceaux de lumière, noyant l'espace intérieur sous des cascades de clarté. Quatre énormes piliers délimitent le chœur. Sur leur sommet, à 31 m de hauteur, prennent appui quatre grands arcs, ornés à leur base de pendentifs pour corriger la légère ellipse de la coupole. Cette dernière s'élance au-dessus de cette structure pour atteindre à son point culminant 56 m. Une rangée de piliers secondaires

supportent les deux demi-coupoles qui permettent à la nef d'atteindre une portée d'environ 80 m. Les tympans nord et sud, formés de deux arcs pleins, sont percés chacun de douze fenêtres, disposées en deux rangées : sept pour la rangée du bas, cinq pour celle du haut. Trois d'entre elles, au centre, forment comme une triple arcade. Entre les piliers principaux, côtés nord et sud, quatre monolithes de brèche verte supportent les galeries et six autres soutiennent les tympans. Aux extrémités est et ouest, des exèdres en demi-cercle prolongent la nef. Deux colonnes massives en porphyre, surmontées par six colonnes de brèche verte, soutiennent les petites demi-coupoles. Les chapiteaux de Sainte-Sophie ● *74* sont des chefs-d'œuvre du genre. Sur chacun des chapiteaux, dits à corbeille composite, le monogramme de Justinien et de Théodora, finement sculpté au trépan, se détache d'un décor à feuilles d'acanthe. Deux rangées de doubles colonnades, entourant la partie centrale, se font face en un alignement que Procope compare à celui d'un groupe de danseurs. À l'est, l'abside en demi-cercle, coiffée d'une conque, saille vers l'Orient.

SAINT GRÉGOIRE LE THAUMATURGE. Toutes sortes de légendes ont couru sur la construction de Sainte-Sophie. L'une d'elles est liée à l'histoire de l'un des piliers du bas-côté nord, appelé la «colonne qui transpire». Saint Grégoire le Thaumaturge

LES MOSAÏQUES DE LA GALERIE SUD
Deux mosaïques byzantines décorent la salle située à l'extrémité de la galerie sud. La première, à droite, représente la Vierge entourée de l'empereur Jean II Comnène (1118-1143) et de son épouse, l'impératrice Irène. La seconde mosaïque, à gauche, figure le Christ entre l'impératrice Zoé et son troisième mari, Constantin IX (1042-1055). La tête de l'empereur est de facture plus récente que le reste de l'œuvre. Les effigies des premiers époux de l'impératrice Zoé, Michel IV (1034-1041) et Romanus III Argyrus (1028-1034), l'ont précédé à la même place. L'impératrice Zoé, décédée à l'âge de soixante-douze ans en 1050, fut pleurée par tout le peuple, qui l'avait surnommée «Mama». Le chambellan de la Cour, Michel Psellus, dans sa *Chronigraphica,* révèle un attachement profond à l'impératrice. Il rapporte que cette dernière, le dos voûté par l'âge et les mains tremblantes, «conservait un visage d'une fraîcheur parfaite.»

Les motifs des tapis se retrouvent parfois dans les céramiques

LA MOSAÏQUE DU TYMPAN DE LA PORTE DU NARTHEX
Sur le tympan de la porte du narthex est représentée la Sainte Vierge, trônant dans une posture hiératique et portant l'Enfant Jésus sur ses genoux. Elle est entourée de deux figures auréolées : à gauche, Justinien, l'«empereur illustre», comme le désigne l'inscription, offre de manière symbolique à la Vierge la basilique Sainte-Sophie ; à droite, Constantin Ier, le «grand empereur parmi les saints», lui présente Constantinople. La mosaïque, probablement commandée par l'empereur Basile II (976-1024), date de la fin du Xe siècle.

LE MAUSOLÉE DE SELIM II
Situé dans le jardin de Sainte-Sophie, le mausolée de Selim II (1566-1574) fut édifié par le grand architecte Sinan. Achevé en 1577, c'est l'un des plus beaux

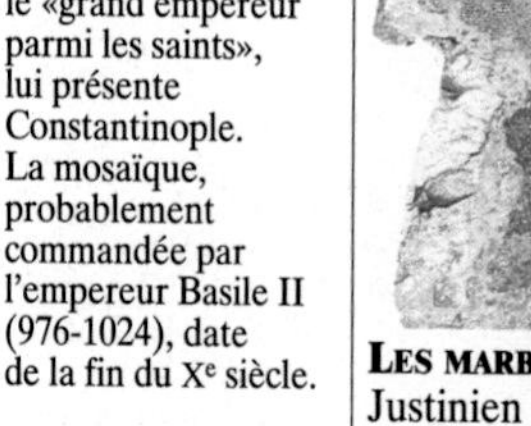

exemples d'architecture funéraire ottomane. Ses murs sont revêtus, à l'intérieur et à l'extérieur, de superbes faïences d'Iznik. Les inscriptions calligraphiques, visibles au-dessus des portes, évoquent, en vers ottomans, les beautés du Paradis.

serait apparu à cet emplacement dans les premières années d'existence de l'église et aurait transmis à la colonne, qui, prétend-on, exsudait sa propre sueur, son pouvoir de guérir les yeux et de rendre les femmes fertiles. Elle fut revêtue de cuivre pour la protéger, mais des pèlerins crédules, perforant le métal, creusèrent un trou dans la pierre pour en recueillir le précieux liquide.

LES MARBRES. Pour habiller les murs et dresser les colonnes, Justinien fit venir des provinces de l'Empire une grande variété de marbres : marbre blanc de Marmara, marbre vert de l'île d'Eubée, marbre rose des carrières de Synnada et marbre jaune d'Afrique. La symétrie des dessins formés par les veines a été obtenue en sciant les blocs de pierre en deux, et parfois en quatre plaques fines, disposées à la façon des panneaux de bois de marqueterie. Le carré de mosaïques, à motif d'*opus alexandrinum* au sud-est de la nef suscite tout particulièrement l'admiration. Il est principalement composé d'un cercle de granite, entouré de pierres rares de diverses couleurs : porphyre vert et rouge et brèche verte. Si l'on en croit Antoine, l'archevêque de Novgorod, qui visita l'église en l'an 1200, c'est là qu'avait lieu le couronnement de l'empereur, et qu'il trônait, retranché dans un enclos de bronze.
Nombre de structures furent ajoutées après la conversion de Sainte-Sophie en mosquée, notamment le *mirhab*, indiquant aux fidèles la direction de La Mecque, couvert de magnifiques faïences ; le *minbar*, chef-d'œuvre de la sculpture ottomane ; et la tribune du sultan. Cette dernière a été reconstruite par les Fossati en 1847-1849. Sainte-Sophie recèle nombre d'objets précieux, legs des sultans ottomans. Certains ont été décrits par Evliya Çelebi, muezzin de l'Aya Sofya Camii sous le règne de Murat IV (1623-1640) : «Murat III rapporta de l'île de Marmara deux vasques en marbre blanc, d'où autrefois une eau vive s'écoulait constamment pour que l'assistance puisse se livrer aux ablutions rituelles et se désaltérer. Le même sultan, outre de menues améliorations, fit dresser, au pied de chacun des quatre piliers principaux, des estrades de marbre pour lire le Coran ainsi qu'une haute chaire pour les muezzins, supportée

par de fines colonnes et édifiée sous l'arcade nord. Murat IV, le conquérant de Bagdad, offrit aux prédicateurs un trône de marbre monté sur quatre colonnes taillées dans le même matériau... Œuvrant avec passion à l'embellissement de la mosquée, il fit installer près de la porte sud une clôture où ses intendants, lorsqu'il venait prier le vendredi, suspendaient des cages remplies d'oiseaux, surtout des rossignols, que le sultan affectionnait particulièrement, afin que leurs chants, mêlés aux litanies des muezzins, emplissent la mosquée d'harmonies subtiles.» Si la clôture a aujourd'hui disparu, les deux urnes lustrales sont toujours visibles dans l'exèdre ouest. Elles sont d'époque hellénistique tardive ou remontent aux premiers temps de l'Empire byzantin ; seuls les couvercles ont été rajoutés à l'époque ottomane.

La bibliothèque ottomane. La plus remarquable réalisation ottomane tardive reste la bibliothèque construite, dans le bas-côté sud, par Mahmut Ier en 1739 grâce aux revenus du hammam de Cağaloğlu. Plusieurs niches coiffées de petites coupoles renferment, derrière des grilles de métal, cinq mille livres et manuscrits ottomans. Elles sont recouvertes de splendides céramiques du XVIe siècle, fabriquées à Iznik, que le sultan récupéra dans le palais de Topkapı, où elles étaient entreposées.

Les mosaïques de la nef (3). Il reste peu de chose des mosaïques qui ornent la nef de Sainte-Sophie. Le plus grand fragment qui subsiste, et le plus saisissant de beauté, décore la calotte de l'abside. La Mère de Dieu portant l'Enfant Jésus sur ses genoux y est représentée, mosaïque inaugurée par le patriarche Photius le jour de Pâques de l'an 867.
À la naissance de l'arc de tête, on distingue un colossal archange Gabriel qui, malgré les dégradations (la partie supérieure de son côté gauche et le haut des ailes ont disparu), révèle toute la finesse du trait et la vigueur du dessin. En vis-à-vis, quelques fragments de mosaïque, dont les plus significatifs représentent des extrémités d'ailes, sont tout ce qui subsiste d'un portrait de l'archange Michel.

Les mosaïques du tympan nord (4). Trois autres mosaïques, datant du IXe siècle ornent les niches à la base du tympan nord. On peut les voir depuis la nef : au centre, saint Jean Chrysostome, patriarche de Constantinople de 398 à 404, est entouré à gauche par saint Ignace le jeune, patriarche de Constantinople de 847 à 858 et de 867 à 877, et à droite par saint Ignace Theophoros d'Antioche.
Les autres mosaïques visibles dans la nef sont les chérubins à trois paires d'ailes qui

Dandolo, doge de Venise
Au pied du mur qui fait face à la Déisis, on peut voir une pierre tombale portant le nom de Henricus Dandolo, doge de Venise.
Ce dernier prit la tête des troupes vénitiennes, qui, alliées aux croisés, organisèrent le sac de Constantinople en 1204. Le chevalier Villehardouin, dans sa chronique *Histoire de la conquête de Constantinople*, dépeint Dandolo au plus fort de l'assaut : «Le doge de Venise, malgré son grand âge et sa totale cécité, se tenait debout à l'avant de sa galère, la bannière de saint Marc déployée devant lui.» Il dirigea ensuite la zone d'influence vénitienne de Byzance, et ce jusqu'à sa mort, le 16 juin 1205. Il était alors dans sa quatre-vingt-dixième année. Le clergé vénitien le fit enterrer dans la galerie, mais les Turcs, après s'être emparés de la ville en 1453, violèrent sa tombe et jetèrent ses os aux chiens. Mehmet II laissa le peintre italien Gentile Bellini, venu à Istanbul réaliser son portrait, emporter l'armure du doge.

ornent les pendentifs côté est (les deux autres, côté ouest, sont des reconstitutions peintes par les Fossati lors de leurs grands travaux de restauration). Elles datent du milieu du XIVe siècle, époque à laquelle les pendentifs furent renforcés après un nouvel effondrement partiel de la voûte en 1346. À la différence des autres mosaïques figuratives, elles ne furent pas cachées par un badigeon, sauf le visage des anges, dissimulé par les Fossati sous un médaillon doré en forme d'étoile, toujours en place.

LE GYNÉCÉE. Au nord et au sud, deux étages de galeries enserrent le chœur de l'église jusqu'à mi-hauteur. Des sources byzantines affirment que ces galeries servaient de gynécée, l'extrémité sud étant réservée à la famille impériale et, à l'occasion, aux synodes de l'Église grecque orthodoxe. Le trône de l'impératrice se dressait derrière la balustrade, au centre de la galerie ouest ; l'emplacement est marqué par un disque de brèche verte de Thessalie, incrusté dans le sol et encadré par une paire de doubles colonnes de brèche.

LES TRIBUNES. Deux rampes conduisent à la galerie sud, où se trouvent trois des quatre mosaïques des tribunes. Cette partie est partiellement fermée par deux fausses portes de marbre décorées de bas-reliefs très ouvragés, les portes du Ciel et de l'Enfer, au milieu desquelles la véritable entrée apparaît, surmontée d'une plaque en marbre translucide de Phrygie. Au-dessus, un haut-relief est sculpté sur la corniche en bois. Ce portail, certainement postérieur à l'église justinienne, a dû être ajouté pour clore l'extrémité de la galerie sud qui servait de loge impériale et de lieu de réunion pour les synodes.

LA DÉISIS (5). À droite de cette salle en entrant, sur le mur est du dernier pilier, se trouve la plus célèbre des mosaïques de Sainte-Sophie et une des plus remarquables au monde : la Déisis. Ce genre iconographique trouve ici une de ses expressions les plus parfaites. Un dessin au modelé raffiné met en scène le Christ entouré de la Sainte Vierge et de saint Jean Baptiste, connu en grec sous le nom de *«Prodromos»*, le Précurseur. Ici, la Vierge, contrairement à l'usage dans ce type de représentation, se tient à la gauche de Jésus tandis que saint Jean est à sa droite. Tous deux se penchent vers le Christ pour le supplier de sauver l'humanité, nous disent les iconographes. Le Christ, levant la main droite en signe de bénédiction, affecte un regard détaché

LA MOSAÏQUE DU TYMPAN DE LA PORTE IMPÉRIALE
Détail représentant un empereur byzantin implorant le Christ les mains jointes. Cette figure, généralement identifiée comme étant celle de Léon VI, permet de dater cette mosaïque entre 886 et 912.

LE KIOSQUE IMPÉRIAL
Cette peinture de 1904, exécutée par Zeikâi Paşa, représente le kiosque impérial de la mosquée Sainte-Sophie. Il s'agit d'un ajout conçu par l'architecte vénitien Gaspare Fossati pour le sultan Abdül Mecit Ier (1839-1861). Le style décoratif employé est un compromis entre le baroque encore en vogue au XIXe siècle et le goût oriental. Soutenu par de petites colonnes, ce kiosque à coupole est de forme polygonale. La clôture qui protège l'espace intérieur des regards indiscrets rappelle en plus complexe et en plus précieux les balustrades des galeries supérieures.

empreint d'une expression de tristesse. Il semble à cet instant participer plus de sa nature humaine que de son essence divine, quoi qu'en disent les théologiens de l'époque. Bien que les deux tiers de la mosaïque aient disparu, ce qui demeure de cette Déisis respire force et beauté. Ce chef-d'œuvre remonte à la seconde moitié du XIIIe siècle, en pleine renaissance byzantine, sous le règne des Paléologue, les derniers empereurs chrétiens qui dirigèrent l'Empire avant qu'il ne tombe aux mains des Turcs.

LES MOSAÏQUES DE LA GALERIE SUD (6). Sur la gauche, on remarquera les colonnes faisant face à la nef et les mosaïques dans l'intrados des arcades. En continuant vers l'extrémité sud de l'édifice, on arrive à une salle réservée à l'empereur, ornée de deux mosaïques représentant des portraits impériaux. Elles encadrent la fenêtre qui se trouve à côté de l'abside. Celle de gauche montre un couple impérial agenouillé qui entoure un Christ trônant. Le personnage de droite est l'impératrice Zoé, une des rares femmes à avoir détenu le pouvoir absolu dans l'Empire byzantin. La mosaïque à droite de la fenêtre montre un couple impérial offrant des cadeaux à la Vierge et au Christ enfant. La composition se prolonge sur un étroit panneau où un jeune prince est représenté entouré de ses parents : c'est Alexius, mort en 1122, le fils aîné de Jean II Comnène (1118-1143) et d'Irène, fille du roi Ladislas de Hongrie. Jean II était surnommé Jean le Bon, et Nicetas Choniates écrivit : «Il était le meilleur des empereurs de la famille des Comnène qui jamais n'occupa le trône de Rome.»

LA MOSAÏQUE DE LA GALERIE NORD (7). Un autre portrait impérial orne la travée principale de la galerie nord, sur la façade est du pilier. Il s'agit de l'empereur Alexandre, qui accéda au trône en mai 912, succédant à son frère aîné Léon VI. «Voici venir l'homme

PANNEAU DE FAÏENCE DU MAUSOLÉE DE SELIM II
Médaillon ogival sur fond en forme de *mihrab*, motif ottoman également utilisé sur les tapis.

LES JANISSAIRES ACCOMPAGNANT LE SULTAN À LA MOSQUÉE SAINTE-SOPHIE
On peut voir sur cette aquarelle du début du XVIIe siècle une scène fréquente à l'époque où Sainte-Sophie était une mosquée. Le sultan ne s'y rendait qu'accompagné de ses janissaires, le corps d'élite de l'armée qui constituait également sa garde personnelle. Dignitaires et soldats sont en tenue d'apparat : les capitaines, ou *ağa*, chevauchent entre les escadrons, vêtus de velours, de satin et portant le turban. Viennent ensuite les officiers qui, reconnaissables à leurs grandes aigrettes, vont à pied. Derrière l'édifice apparaissent les murs d'enceinte du palais de Topkapı.

Fontaine du Sérail et mosquée Sainte-Sophie

LE PEINTRE ET VOYAGEUR FRANÇAIS G. J. GRELOT
Il fut le premier «infidèle» à pénétrer dans Sainte-Sophie, en 1672, alors qu'elle était encore réservée au culte musulman. Il dut pour ce faire se déguiser en Turc, subterfuge qui lui permit de prendre plusieurs croquis et de dresser le plan de l'édifice. «Prévoyant que j'aurais besoin d'une petite collation et n'ayant pas décidé de suivre le ramazan, qui est le jeûne turc, mais seulement de dessiner quelques ébauches de l'église, j'avais pris avec moi un saucisson de Bologne, une bouteille de vin et du pain. Le premier jour que je passai ainsi dans la galerie se déroula fort bien et sans que je fusse interrompu. Mais le jour suivant ne fut pas aussi paisible. Au bout d'un moment, en effet, j'aperçus un homme qui s'avançait vers l'endroit où je me tenais. Or, un infidèle dessinant des figures, mangeant du porc et buvant du vin dans le Saint des Saints turc commettait un crime pour lequel ni le poteau d'exécution ni le bûcher n'eussent été une expiation suffisante.»

de treize mois», murmura ce dernier avant d'expirer, en voyant son frère, qui ne lui témoignait que du mépris, s'approcher pour lui rendre un dernier hommage forcé. Cette prophétie cynique s'accomplit : en juin de l'année suivante, Alexandre mourut d'une attaque d'apoplexie alors qu'il jouait au *cirit*, un sport apparenté au polo. En quittant l'église, par l'extrémité sud du narthex, on traverse l'antichambre des Guerriers. Son nom lui vient de l'époque byzantine : c'est là que la garde impériale attendait l'empereur lorsque ce dernier assistait à l'office.

LE COMPLEXE DE L'AYA SOFYA CAMII

La cour de Sainte-Sophie comporte en outre un certain nombre d'édifices ottomans, et un seul d'époque byzantine, le baptistère. L'ensemble fait partie du *külliye* de la mosquée. Au centre, nous trouvons le *şadırvan*, fontaine aux ablutions construite en 1740, sous le règne de Mahmut Ier, dans un style rococo orientalisant. Le bâtiment à droite du portail qui mène à l'Aya Sofya Meydanı est la *mektep*, école primaire réservée aux enfants du personnel de la mosquée. L'édicule couvert, à gauche du portail, est le *muvakithane*, demeure et laboratoire de l'astronome de Sainte-Sophie. On peut toujours voir, près de l'angle sud-ouest, le cadran solaire qu'il utilisait.

LES MAUSOLÉES. Les quatre édifices à coupole visibles dans le jardin, juste au sud de Sainte-Sophie, sont tous des tombeaux ottomans. Le plus ancien, octogonal, à coupole basse, était le premier baptistère de Sainte-Sophie. Les Turcs en firent un mausolée pour accueillir la dépouille du sultan fou Mustafa Ier (1617-1618 ; 1622-1623). Un quart de siècle plus tard, le sultan Ibrahim, fou lui aussi, déposé puis exécuté, fut enterré là le 10 septembre 1648. Les trois autres sépultures impériales, revêtues de magnifiques faïences d'Iznik, se trouvent à l'est, au fond du jardin. Celle du milieu est la plus récente. Elle est l'œuvre de Sinan, qui édifia pour Selim II (1566-1574) l'une des plus élégantes tombes ottomanes de la ville. À l'ouest, celle de Murat III (1574-1595), commencée par Sinan, fut achevée en 1599 par Davut Ağa, devenu chef des architectes impériaux à la mort du maître. Le successeur de ce dernier, Dalgic Ahmet Ağa, acheva quant à lui celle de Mehmet III (1596-1603) que l'on voit à l'extrémité est du jardin.

LA FONTAINE D'AHMET III

Face à l'angle sud-est de l'ancienne basilique Sainte-Sophie se dresse la plus colossale fontaine ottomane de la ville. Elle fut construite en 1728, par le sultan Ahmet III, à l'ère des Tulipes, époque de paix que le poète Nedim a décrite : «On dirait que tes palais, tous répandent la joie, le plaisir et la volupté». Cette fontaine d'ablutions est l'une des plus belles d'Istanbul, son architecture, de style baroque, est très élégante ; elle offre sur ses quatre façades des arcades, des niches construites avec des marbres de différentes couleurs, sculptés et dorés ; le toit extrêmement saillant est surmonté d'une petite coupole couverte en plomb.

«...Le plus parfait, le plus riche et le plus somptueux temple, non seulement de l'Orient, mais aussi de tout le monde.»

Nicolas de Nicolay

Le Trésor de la basilique

Un portail rococo, en haut de la Soğuk Çeşme Sokağı (rue de la Source-Froide), conduit à l'angle nord-est de l'enceinte de Sainte-Sophie, où se trouve le *skeuphylakion*, le Trésor de la basilique, construit par Justinien pour abriter objets précieux liturgiques et reliques sacrées. Parmi ces pièces figuraient la couronne d'épines de la Passion du Christ et des fragments de la vraie Croix, qu'Héléna, mère de Constantin, rapporta de Jérusalem. Les chevaliers de la IVe croisade et les Vénitiens pillèrent le Trésor lors du sac de 1204.

Depuis quatorze siècles, les textes de nombreux voyageurs témoignent de leur émerveillement. Le prince Vladimir de Kiev revenant d'un pèlerinage à Sainte-Sophie au XVIIIe siècle écrivait : «Nous ne savions pas si nous étions au paradis ou sur terre, car sur terre il ne peut exister autant de splendeur ou de beauté, et ce serait en pure perte que nous tenterions de décrire ce que nous avons vu. La seule chose dont nous sommes sûrs, c'est que Dieu demeure là parmi les hommes et que leur service divin y est plus beau que les cérémonies de toutes les autres nations. Nous ne pourrons oublier cette beauté.»

Les chapiteaux byzantins

Un nouveau style de chapiteau vit le jour à Byzance. Apparurent d'abord des impostes en forme de cônes pyramidaux et tronqués, conçus par les architectes pour renforcer les chapiteaux destinés à soutenir de vastes arcs muraux. Pour donner à cette structure toute la stabilité nécessaire, ils furent obligés de fondre le chapiteau et l'imposte en un seul élément. La forme primitive de ce nouveau chapiteau-imposte, un simple bloc de pierre nue, évolua peu à peu jusqu'au type somptueux des chapiteaux à corbeilles de Sainte-Sophie. Les ornements sur les faces sont des motifs ajourés, véritables dentelles ciselées dans le marbre blanc de Proconnèse. Hormis les feuilles d'acanthe, les motifs décoratifs, telles par exemple les têtes d'animaux, sont d'inspiration persane, empruntés aux tissus et aux mosaïques. Ce type de chapiteau byzantin se retrouve dans tout le bassin méditerranéen et témoigne de l'influence de Constantinople.

1. Première cour
2. Ortakapı (Seconde Porte)
3. Deuxième cour
4. Divan
5. Trésor Public (Armes et armures)
6. Porte des Voitures
7. Porte de la Mort (Meyyit Kapısı)
8. Écuries impériales
9. Cuisines
10. Porte de la Félicité (Bab-üs Saadet)
11. Pavillon des audiences (Arz Odası)
12. Troisième cour
13. Bibliothèque d'Ahmet III
14. Mosquée des Ağa (Ağalar Camii)
15. École des pages
16. Appartement de la Félicité (Hirka-i Saadet Dairesi), reliques du Prophète
17. Trésor impérial
18. Quatrième cour
19. Rivan Köşkü
20. Salle de la Circoncision (Sünnet Odası)
21. Terrasse
22. Kiosque de Bagdad (Baghdad Köşkü)
23. Kiosque du Sofa (Sofa Köşkü)
24. Kiosque d'Abdül Mecit (Mecidiye Köskü) restaurant Konyalı
25. Chemin de l'Or (Altın Yolu)
26. Harem
27. Porte de la Volière (Kuşhane Kapısı)
28. Cour de la Valide
29. Chambre impériale (Hünkar Odası)
30. Salon de Murat III
31. Appartements des princes et Terrasse des Favorites (Gözdeler Taşlıgı)

«CE PEUPLE A PLACÉ LE PALAIS DE SES MAÎTRES, SUR LE PENCHANT DE LA PLUS BELLE COLLINE QU'IL Y AIT DANS SON EMPIRE ET PEUT-ÊTRE DANS LE MONDE ENTIER.»

LAMARTINE

LA PREMIÈRE COUR DU PALAIS
Elle est également connue sous le nom de cour des Janissaires, les membres de ce corps d'élite de l'armée ottomane se réunissant là pendant leur service au palais. L'armée des janissaires, «le nerf principal et la puissante force de l'exercice du grand Turc», comprenait sous le règne de Süleyman le Magnifique près de 12 000 hommes. La richesse des vêtements et des coiffes était proportionnelle au grade de chacun. Une collection de costumes ottomans est aujourd'hui exposée à la garde-robe impériale du palais de Topkapı.

L'ÉGLISE SAINTE-IRÈNE
Cette église byzantine était autrefois reliée à la grande basilique. A l'époque ottomane, les bâtiments d'intendance du palais des sultans vinrent occuper le pourtour de la place, changeant la configuration des lieux. L'église se retrouva ainsi à l'intérieur de l'enceinte du Topkapı Sarayı.

TOPKAPI SARAYI, PALAIS DES SULTANS

TOPKAPI SARAYI ● *82* fut édifié sur le site d'une très ancienne oliveraie, à l'extrémité de la première colline, là où le Bosphore, rejoint par la Corne d'Or, se jette dans la mer

de Marmara. C'est en 1461 ou 1462, moins de dix ans après la Conquête ● *34*, que Mehmet Fatih en ordonna la construction ; ce palais portait alors le nom de Dar-üs-Saadet, la maison de la Félicité. Topkapı demeura la résidence des sultans jusqu'à ce que Abdül Mecit s'installe, en 1853, dans son palais baroque de Dolmabahçe ● *84*. Le vieux palais, quasiment déserté, ne rouvrit ses portes qu'en 1924, date à laquelle, transformé en musée, il fut inauguré par Mustafa Kemal Atatürk ● *44*. Chaque année de nouvelles salles sont accessibles à la visite.

LA PORTE DE L'AUGUSTE. L'entrée principale ou porte de l'Auguste, Bab-ı Hümayün (**1**), date de 1478. Son corps de garde fut construit dans les dernières années du règne de Mehmet Fatih (1451-1481) ; il possédait un second étage mais celui-ci fut démoli en 1867 quand le sultan Abdül Aziz (1861-1876) fit recouvrir la porte de marbre. Les salles situées à l'entrée abritaient jour et nuit une cinquantaine de gardes, les *kapıcı*.

Vue du palais de Topkapı en 1590

La première cour

La porte de l'Auguste s'ouvre sur la première cour, ou PLACE DES CÉRÉMONIES (**1**), où se dressaient autrefois un certain nombre de bâtiments réservés à l'intendance : une

boulangerie, les logements des boulangers, une infirmerie, un entrepôt pour le bois de chauffage, mais aussi le DARPHANE, l'hôtel impérial de la Monnaie. Seul ce dernier subsiste aujourd'hui, bien que le bâtiment de Mehmet II ait été remplacé par un autre d'époque ottomane tardive. C'est dans cette vaste cour que se rassemblaient les corps d'armée et que se déroulaient les cérémonies organisées à la veille des grands départs en campagne. Le portail voisin mène au PARC DE GÜLHANE et aux musées situés sur la terrasse ouest. À l'époque ottomane, il était connu sous le nom de Kız Bekçiler Kapısı, portail des Gardiens du Harem, car ses sentinelles étaient chargées de la sécurité du quartier réservé aux femmes.

L'ÉGLISE SAINTE-IRÈNE ● *74*.
En traversant la cour, on remarquera sur la gauche l'église byzantine Sainte-Irène (**1**), dédiée à la Paix divine, un attribut du Christ. Elle fut construite par l'empereur Justinien en même temps que Sainte-Sophie, en 537, et remplaça un précédent édifice détruit lors de la révolte de Nika en 532. Peu après la conquête de Constantinople, les janissaires en prirent possession pour y entreposer leurs armes. En 1826, le sultan Mahmut II décida de se débarrasser de ce corps d'armée qui constituait une menace politique et les fit massacrer. Leur arsenal fut ensuite transformé en un musée militaire et archéologique. Dans les années mille neuf cent soixante-dix il fut restauré et sert depuis de salle de concert lors du Festival de musique d'Istanbul qui a lieu en été.

LA PORTE DU MILIEU. En continuant tout droit on parvient à l'Orta Kapı (**2**), la porte du Milieu, également connue sous le nom de Bab-üs Selam, porte du Salut. C'est par cette entrée monumentale que l'on pénètre dans l'enceinte proprement dite du palais de Topkapı. Elle est

encadrée par deux tours octogonales à toiture conique, entre lesquelles court un parapet crénelé. Elle fut élevée sous le règne de Süleyman le Magnifique. Seul le souverain avait le droit de la franchir à cheval. L'enfilade de pièces, à droite de cette porte, était à l'origine la résidence du chef de la garde du palais. Les hommes placés sous son commandement occupaient les salles de gauche, où une petite suite était réservée au bourreau, un office dont s'acquittait le chef des jardiniers.

GRAND VIZIR

OFFICIERS DU PALAIS

CHEFS JARDINIERS

Le musée des anciens costumes ottomans créé en 1850 présentait 140 figures d'anciens janissaires. Gautier décrit : «Là sont collectionnés, comme des types d'animaux antédiluviens au musée d'Histoire naturelle, les individus supprimés par le coup d'état de Mahmoud. Là revit cette Turquie fantasque et chimérique des turbans en moules de pâtisserie, des dolimans bordés de peau de chat ; la Turquie des mamamouchis et des contes de fée.»

LA SECTION DES ARMES ET ARMURES Elle occupe désormais le Trésor public, situé dans la deuxième cour du palais. On y découvre beaucoup de pièces du XVIe siècle, apogée de l'art ornemental en ce domaine : fourreaux et manches des plus simples poignards sont sculptés dans l'ivoire et damasquinés d'or ou d'argent, les plus somptueux sont sertis de pierres précieuses ; les casques sont gravés ; les futs des canons de bronze sont ciselés de motifs calligraphiques. Quant aux boucliers dits rondaches, leur surface en osier brodé de soie et de fils d'argent constituent de véritables tapisseries miniatures où dominent les motifs floraux.

LA DEUXIÈME COUR

La porte du Milieu franchie, on pénètre dans une vaste place de 130 mètres de long sur 110 mètres de large, la seconde cour du palais également appelée PLACE DU DIVAN (**3**). Jusqu'au XVIIIe siècle ● *40*, le Conseil impérial, ou Divan, siégeait dans un des bâtiments situés sur la gauche. Les quatre premiers jours de chaque semaine, le grand vizir et les hauts dignitaires de l'Empire s'y réunissaient pour traiter les affaires courantes de l'Etat. Dans les premières années qui suivirent la Conquête, Mehmet Fatih présidait lui-même toutes les séances du Divan, mais par la suite il préféra suivre les débats depuis une loge adjacente, grâce à une fenêtre grillagée, aménagée au-dessus du siège du grand vizir. Ses successeurs firent de même. Les jours où avaient lieu les réunions du Conseil, la cour se remplissait d'une multitude de personnages officiels auxquels s'ajoutaient les janissaires et membres des différentes gardes du palais, formant une foule d'au moins 5 000 personnes, et plus du double dans les grandes occasions. Cinq chemins rayonnent depuis la porte du Salut. Le deuxième en partant de la gauche conduit à la salle du Divan et aux pièces attenantes dominées par la haute tour de la Justice qui permet de distinguer au premier coup d'œil le Topkapı Sarayı au sein du fourmillant panorama de la Corne d'Or. L'essentiel de cet ensemble architectural remonte à l'époque de Mehmet Fatih, mais fut maintes fois remanié.

LE DIVAN ● *82*. Le Divan (**4**) est formé d'un ensemble de trois pièces à coupole, dont la périphérie est bordée par un portique à colonnes surmonté d'un toit à auvent. La première pièce à gauche est la salle du Conseil ; celle du centre était réservée au service des Archives de l'Empire ; celle de droite était le cabinet du grand vizir. La salle

«LE PALAIS DE SERAÏ-BOURNOU AVEC SES TOITS CHINOIS, SES MURAILLES BLANCHES CRÉNELÉES, SES KIOSQUES TREILLAGÉS, SES JARDINS DE CYPRÈS, DE PINS PARASOLS, DE SYCOMORES...»

THÉOPHILE GAUTIER

des Archives abrite aujourd'hui une partie de la collection des montres et horloges. À côté de ces trois pièces se trouve le Trésor public (5), un édifice tout en longueur coiffé de huit dômes accouplés, reposant à l'intérieur sur trois piliers massifs. Il date de la fin du XVe siècle ou du début du XVIe siècle. On y entreposait l'argent des taxes et tributs perçus aux quatre coins de l'Empire. Les fonds s'y accumulaient jusqu'au jour du paiement trimestriel du budget alloué au Conseil pour les dépenses du gouvernement, le reliquat étant ensuite transféré au Trésor impérial, situé dans la troisième cour. La collection d'armes et armures, à laquelle se mêlent de nombreux objets personnels des sultans, a aujourd'hui remplacé la monnaie sonnante et trébuchante des impôts. À l'angle du Divan, situé au sud de la tour, s'ouvre l'entrée principale du harem ou porte des Voitures (6).

LA PORTE DE LA MORT. Dans la partie ouest de la deuxième cour subsiste un long portique, à l'extrémité sud duquel se trouve la porte de la Mort, Meyyit Kapısı (7). C'est par cette porte que les convois funèbres quittaient le palais pour rejoindre les lieux de sépulture. Elle mène également aux écuries impériales où sont aujourd'hui exposés les attelages des sultans (8).

LES CUISINES. La partie droite de la seconde cour est occupée par les cuisines (9) et les appartements du personnel attaché au service du palais. Les cuisines elles-mêmes comprennent une enfilade de dix salles spacieuses, alignées le long du mur d'enceinte est. Leurs dômes et leurs hautes cheminées coiffées de cylindres permettent de situer le palais de loin. Les deux dômes les plus au sud ont été construits sous Mehmet Fatih et les huit autres sous Beyazıt II (1481-1512). Quant aux cheminées, elles ont été ajoutées par Sinan qui procéda à la reconstruction d'une partie de cette cour du palais, détruite dans un incendie en 1574. Ces bâtiments abritent une riche collection de porcelaine chinoise, de céladon et d'argenterie, ainsi qu'une exposition d'ustensiles de cuisine, notamment de chaudrons appelés *kazans*.

LES MINIATURES
Deux bâtiments forment un angle au nord du pavillon de Fatih. Celui de gauche est l'ancien dortoir des eunuques attachés à la garde du Trésor. C'est là qu'est exposée aujourd'hui une des plus grandes richesses du Topkapı Sarayı : les manuscrits calligraphiés et les miniatures persanes et turques, une collection unique de treize mille œuvres,

la plupart réunies en album et donc partiellement visibles malheureusement ! Ces miniatures étaient le plus souvent les illustrations d'ouvrages consacrés à la vie des grands hommes et aux événements historiques importants. Plans et cartes avaient un usage documentaire, voire stratégique.

LA PORTE DE LA FÉLICITÉ
Elle est également appelée Akağalar Kapısı, la porte des eunuques blancs. La majeure partie de cette construction date du règne de Selim Ier (1512-1520). De part et d'autre se trouvaient les appartements du chef de la garde et le logement des eunuques blancs.

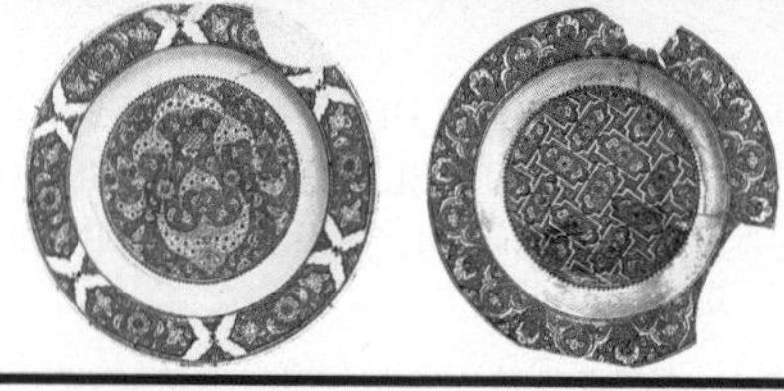

ASSIETTES DU XVIe SIÈCLE, CÉRAMIQUES D'IZNIK

LA PORTE DE LA FÉLICITÉ. Au fond de la deuxième cour, la porte de la Félicité, Bab-üs Saadet (**10**), permet d'accéder à la troisième cour, où se trouvent les quartiers privés du sultan. C'est là qu'il recevait ses sujets pour écouter leurs doléances à la veille de deux importantes fêtes du calendrier musulman : la Şeker Bayramı, fête du Sucre, et la Kurban Bayramı, fête du Sacrifice, qui commémore le sacrifice d'Abraham.
La porte, qui occupe le même emplacement depuis Mehmet Fatih, a été reconstruite au XVIe siècle et redécorée au XVIIIe dans le style rococo. Dans son prolongement se trouve la SALLE DU TRÔNE où chaque sultan nouvellement investi venait siéger pour recevoir l'hommage de tous les dignitaires civils et religieux de l'Empire, à commencer par celui des descendants du prophète Mahomet. Plusieurs trônes sont exposés dans les salles du Trésor ; le plus fastueux est certainement celui que les Ottomans rapportèrent de leur victoire contre les Iraniens à Çaldiran, fait d'émail vert et rouge sur feuilles d'or, serti de 25 000 perles et pierres précieuses.

LA SALLE DES AUDIENCES. Près de la Bab-üs Saadet, se trouve la salle des audiences, Arz Odası (**11**), un édifice élégant avec son toit en auvent supporté par une arcade à colonnes de marbre. Fondations et plan datent de l'époque de Mehmet Fatih mais on doit la majeure partie de l'édifice actuel à Selim Ier (1512-1520). Par ailleurs, des inscriptions mentionnent que plusieurs restaurations ont été effectuées, par Ahmet III, Mahmut II (1808-1839), et en 1856, suite à un incendie ayant détruit une grande partie du mobilier et des décorations. Seuls le magnifique baldaquin du trône, érigé en 1596, et le foyer en bronze doré échappèrent aux flammes. Le bâtiment se compose d'une petite antichambre à droite et à gauche de la salle des audiences proprement dite où le sultan recevait les visiteurs et où il s'entretenait avec les membres du Conseil à l'issue des réunions du Divan.

LA TROISIÈME COUR

L'AĞALAR CAMII
Située dans la troisième cour, elle abrite aujourd'hui la nouvelle bibliothèque du musée. Ses collections réunissent de très nombreux manuscrits turcs et perses, provenant de diverses sections du palais. Au centre de cette cour se dresse la bibliothèque d'Ahmet III (**13**), fondée en 1719.

L'ÉCOLE DES PAGES ET LE TRÉSOR IMPÉRIAL ● *82*. C'est autour de la troisième cour ou Enderun (**12**), qu'étaient répartis les différents bâtiments de l'école des pages du palais , institution où l'on formait les futurs cadres, civils, religieux et militaires de l'Empire. Les pages de cette école étaient âgés de 12 à 18 ans. La plupart étaient de jeunes chrétiens arrachés à leurs familles au moment du ramassage annuel, le *devşirme*. Donnaient également sur cette cour, les logements des eunuques blancs et des *ağa*, les maîtres chargés de l'administration et de la discipline de l'école. Le grand bâtiment, en biais et

à gauche de la cour, est la mosquée des Ağa, AĞALAR CAMII (**14**), fréquentée par les pages, les étudiants, leurs maîtres et les eunuques blancs. Elle abrite aujourd'hui la NOUVELLE BIBLIOTHÈQUE DU MUSÉE. Sur la droite, on peut voir les quartiers de la garde du sultan en campagne (**15**) où logeaient les pages destinés à former la garde personnelle du sultan lors des expéditions militaires. Le bâtiment est précédé d'une colonnade à coupoles. Ces dernières sont supportées par des colonnes de brèche verte. La garde-robe impériale y est exposée, une collection de caftans de cérémonie que portaient les sultans, qui mettent en valeur les techniques de tissage et les décors dont on ornait ces costumes.

L'APPARTEMENT DE LA FÉLICITÉ. Le bâtiment à gauche de la cour est l'HIRKA-I SAADET DAIRESI (**16**). Il contient les reliques du prophète Mahomet : sa bannière, son sabre et surtout, la plus sacrée d'entre elles, son manteau. Elles furent rapportées d'Égypte par Selim Ier après qu'il se soit emparé du Caire en 1517, s'octroyant au passage la dignité de calife, transmise à ses successeurs. Le pavillon est composé de quatre chambres à coupoles formant un carré. Les fondations et le plan datent du règne de Mehmet Fatih, mais Murat III reconstruisit et remeubla une partie de l'édifice.

LE LUXE QUOTIDIEN DES SULTANS
Plusieurs sections du musée du palais de Topkapı sont consacrés aux objets précieux utilisés à la Cour ottomane. Verreries et céramiques sont exposées dans les anciennes cuisines. On peut notamment y voir de superbes pièces de vaisselles produites dans les ateliers d'Iznik, et suivre l'évolution de leurs décors classiques : simples arabesques en bleu et blanc, puis motifs floraux à cinq couleurs, et, enfin, exemples tardifs à l'éclatante polychromie. Aiguières et pichets pouvaient se tranformer en véritables pièces d'orfèvrerie, et être incrustés de pierres précieuses. Les plus impressionnantes font partie des collections du Trésor, situé dans la troisième cour.

SPECTACLE DE FUNAMBULES À LA COUR D'AHMET III
En 1720, le sultan Ahmet III célébra pendant quinze jours et quinze nuits la circoncision de ses quatre fils. Les spectacles en tout genre se suivaient sans discontinuer sur l'Okmeydanı et autour des pavillons maritimes : devant le sultan et ses invités, se produisaient magiciens, acrobates et funambules, musiciens et danseurs.

Le Harem
Le quartier le plus privé du palais de Topkapı est le harem. La vie n'y était sans doute pas ce jardin des délices dont les mystères firent tant rêver l'Europe du XIXe siècle, mais plutôt une sorte de prison dorée, où même l'intrigue était hiérarchisée. Ainsi, chaque femme avait l'ambition de devenir un jour la *Valide Sultan*, la mère du sultan régnant, statut qui donnait presque tout pouvoir au sein du harem et surtout une influence telle qu'elle pouvait s'étendre à la vie publique, artistique et parfois politique de l'Empire. Parmi les quelques quatre cents femmes qui vivaient là, seules quelques élues pouvaient devenir *haseki*, c'est-à-dire favorite, puis, si elles donnaient naissance à un enfant mâle, *kadın*, épouse légitime. Celle qui convolait avec le sultan quittait le dortoir commun pour une chambre personnelle ; alors seulement, elle recevait bijoux et robes magnifiques, autant d'armes qui devaient prolonger son pouvoir de séduction.

La quatrième cour

La visite se poursuit par la quatrième cour, ou JARDIN DES TULIPES (**18**), étagée sur plusieurs niveaux et parsemée de pavillons. Au niveau le plus élevé, à l'angle sud-ouest, une volée de marches mène au PORTIQUE DES COLONNES, en forme de L, construit dans le prolongement du pavillon du MANTEAU SACRÉ DU PROPHÈTE. Dans l'axe de cet angle, se trouve un bassin de marbre. D'un côté se dresse le RIVAN KÖŞKÜ (**19**), un kiosque construit par Murat IV en 1636 pour commémorer la prise de Rivan, l'actuelle Erevan. La pièce, cruciforme, est entièrement revêtue de magnifiques faïences d'Iznik à l'intérieur, et de marbre à l'extérieur.

La salle de la Circoncision. De l'autre côté du bassin on peut voir la Sünnet Odası, salle de la Circoncision (**20**), construite par le sultan Ibrahim en 1642 pour célébrer les rites de circoncision de son premier fils, le futur Mehmet IV. Le bâtiment, de plan rectangulaire, est lui aussi couvert de faïences d'Iznik ▲ *292*. Il borde une large terrasse dallée de marbre, fermée sur le côté ouest par une balustrade de marbre blanc depuis laquelle le regard plonge sur les jardins en contrebas et, plus loin, vers la Corne d'Or. Au milieu de la balustrade, un charmant petit balcon recouvert d'un baldaquin en bronze doré est porté par quatre piliers de bronze. Une inscription mentionne la date de sa construction, 1640, première année du règne d'Ibrahim Ier, et le mot *iftariye*. Ce dernier désigne le repas que les musulmans prennent après le coucher du soleil pendant le mois du Ramazan. Le sultan avait en effet coutume de prendre son *iftar* sur ce balcon, comme en témoignent plusieurs miniatures du musée.

Le kiosque de Bagdad ● *82***.** Un autre pavillon se dresse à l'extrémité nord de la terrasse. Le BAGHDAD KÖŞKÜ (**22**) fut construit par Murat IV en 1638 pour commémorer la prise de Bagdad. Son toit à larges avancées, chef-d'œuvre du genre, est supporté par une arcade de colonnes de marbre réparties selon un plan cruciforme. Ces dernières sont couronnées de chapiteaux en forme de fleur de lotus, et les voussoirs des arcs sont constitués d'une alternance de claveaux de marbre blanc et coloré, aux bords dentelés imbriqués les uns dans les autres. Les murs, à l'intérieur comme à l'extérieur, sont recouverts de faïences, à dominante de bleu et de blanc. La salle est magnifiquement meublée. On peut notamment y voir un baldaquin en cuir, décoré d'arabesques peintes sur un fond pourpre. Depuis ce pavillon, le regard embrasse l'une des perspectives les plus saisissantes du palais.

LE KIOSQUE DU SOFA. Le charmant pavillon situé au centre du jardin, sur la principale terrasse de la quatrième cour, est le SOFA KÖŞKÜ (**23**). Il fut bâti au tout début du XVIIIe siècle pour Ahmet III, lui servant probablement de tribune privée lors du fameux Festival des Tulipes qu'il organisait dans ces jardins. En 1752, le bâtiment fut remodelé dans le style rococo par Mahmut Ier.

LE KIOSQUE D'ABDÜL MECIT. Au fond de la cour, à droite, un pavillon décoré dans le goût européen se dresse sur la terrasse de marbre. Il s'agit du MECIDIYE KÖŞKÜ (**24**), construit sous le règne d'Abdül Mecit en 1840. Un excellent restaurant, le KONYALI ◆ *364*, occupe désormais l'édifice.

LA SALLE À MANGER D'AHMET III
Cette décoration est tout à fait étonnante dans son style où l'on retrouve le principe des natures mortes Renaissance, simple bouquet posé dans une niche peinte en trompe-l'œil, mais démultiplié ici par le goût oriental de la géométrie.

LES SULTANS OTTOMANS
De gauche à droite, Selim II (1566-1574), Murat III (1574-1595), Süleyman Ier (1520-1566) et Selim Ier (1512-1520). Seyyid Loqman, historiographe de Selim II puis de Murat III, rédigea vers 1579 un ouvrage important consacré aux souverains ottomans, le *Kiyâfet al insaniye fi ğemaâ'il el'Osmaniye*. Il est illustré de douze portraits, réalisés par le maître Nakkaş Osman, le grand miniaturiste de l'époque. Seyyid Lockman raconte dans ce livre les événements marquants du règne de chaque sultan et décrit avec minutie leur caractère et leur physique. Il trace ainsi le portrait de Süleyman le Magnifique : «un beau visage rond, des sourcils froncés, des yeux d'azur, un nez de bélier, une carrure imposante et majestueuse comme celle d'un lion gracieux, avec une barbe abondante, un long cou et une grande taille, un bel homme à la poitrine large et aux épaules plates, de longs doigts, des pieds et des bras forts, un souverain sans peur, sans faute et glorieux.»

Trône de cérémonie de Murat III en or pur serti d'émeraudes

Les fenêtres de ce bâtiment, qui occupe l'extrémité nord-est du palais et de la colline, s'ouvrent sur le Bosphore et offrent une superbe vue panoramique.

LE HAREM

L'entrée du harem (**26**) se situe dans la deuxième cour. Une inscription, au-dessus de la PORTE DES VOITURES (**6**), nous donne la date de sa construction, 1588, mais il fut presque entièrement refait après l'incendie de 1665.

LE CHEMIN DE L'OR. Un vestibule conduit tout d'abord à la salle des gardes, revêtue de faïences. Les eunuques noirs se tenaient ici, barrant aux intrus l'accès à l'Altın Yolu, le chemin de l'Or (**25**), un passage pavé de mosaïques qui longe le flanc est du harem. Au commencement du chemin de l'Or, à gauche, se dresse un portique, jalonné par dix colonnes de marbre à chapiteaux en forme de fleur de lotus. Les lampes en métal ouvragé qui y sont suspendues éclairaient autrefois le passage menant à la porte des Voitures.

LE QUARTIER DES EUNUQUES. Le bâtiment recouvert de faïences, à l'arrière du porche, était le dortoir des eunuques noirs, édifié en 1668-1669. Un passage mène à la cour centrale du dortoir qui comporte une quarantaine de petites cellules réparties sur ses trois étages et dans lesquelles vivaient jusqu'à six cents eunuques. Les plus âgés d'entre eux avaient la charge du service intérieur sous la conduite de leur chef, dont le titre, *Kızlar Ağası*, signifie le «maître des femmes».

«Je ne pense pas que l'heure arrive jamais,
et si je reparais devant Dieu, j'aurai en échange
un jardin encore plus beau que celui-ci»

Le Coran

Ses appartements se trouvaient dans le bâtiment situé juste au-delà de l'arcade, passage obligé vers l'entrée principale du harem, la Cümle Kapısı. Au-delà de cette porte, un autre poste de garde est stratégiquement situé à l'intersection principale du harem, conçue comme une véritable prison dorée.

Le quartier des femmes. Sur la droite, un couloir mène à la Kuşhane Kapısı, porte de la Volière (**27**), par laquelle on accède à la troisième cour. Sur la gauche, un long et étroit passage descend vers la cour des *cariyeler*, les servantes du harem. Tout droit, un portail conduit à la cour de la sultane mère, située à l'ouest du chemin de l'Or. Les appartements de la sultane mère occupent sur deux niveaux la partie ouest de la cour, tandis qu'au nord se trouvent ceux des première et seconde *kadın*, les deux femmes qui occupaient le rang le plus élevé parmi les quatre épouses légitimes du sultan. Le marchepied, visible à l'angle nord-ouest, est celui qu'utilisait le sultan quand il venait à cheval.

La chambre de l'Âtre ● *36.* La porte du Trône s'ouvre sur l'Ocakli Oda, chambre de l'Âtre, une magnifique pièce couverte de carreaux de faïence, bâtie autour d'une imposante cheminée en bronze. La porte de droite conduit aux appartements des *kadın*, celle de gauche à une pièce plus petite, la chambre à la Fontaine, Çeşmeli Oda, dont la jolie fontaine ● *66* date de 1665. Ces salles, de même que la suivante, tenaient lieu d'antichambres entre le harem et les appartements du sultan.

Les appartements de la sultane mère. À l'angle sud-ouest de la cour, un corridor mène au salon de la sultane mère. Ses quartiers privés comprenaient une autre salle de réception, une cour intérieure, une salle de séjour, une autre de prière, et une petite suite à l'étage supérieur. Le couloir longe les bains du sultan et ceux de la sultane mère, puis conduit à la plus vaste chambre du harem, celle du sultan.

La chambre Impériale. L'Hünkar Odasi (**29**) est divisée en deux parties inégales par une grande arche ; la partie la plus grande est recouverte d'un dôme, et la plus petite, légèrement surélevée,

Le Trésor impérial
Le second bâtiment sur la droite de la troisième cour est le pavillon de Fatih ou Trésor (**17**). Mehmet le Conquérant l'avait fait bâtir à l'origine comme selamlık, une suite d'appartements réservés au sultan, aux princes du sang et aux pages, les pièces surmontées de deux coupoles étant réservées au Trésor. Mais bientôt les appartements servirent à entreposer des objets précieux, et le selamlık fut donc transféré dans une autre partie du palais. Récemment restauré, le Trésor expose une collection unique d'objets de valeur ayant appartenu aux sultans. On ne peut qu'être impressionné par la magnificence des brocards et tapis, joyaux et bijoux qui sont ici exposés.

Chef des janissaires
dessin de Joseph-Marie Vien (XVIIIe siècle).

Les toits du harem du palais de Topkapı, derrière lesquels se profile la haute tour dite de la Justice, située à l'angle du Divan.

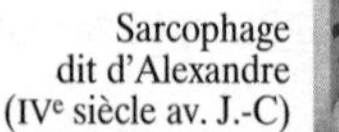

Sarcophage
dit d'Alexandre
(IVe siècle av. J.-C)

servait d'estrade, *sofa,* aux musiciens du palais.
Cette magnifique salle, très certainement l'œuvre de Sinan, a dû être construite sous le règne de Murat III.
Les superstructures ont été restaurées d'après le modèle original, mais la partie inférieure a conservé les décorations baroquisantes ajoutées par Osman III (1747-1757). À l'angle sud-est, une petite chambre servait de salon privé au sultan.
Une porte à l'angle nord-est de l'Hünkar Odası s'ouvre sur la chambre de l'Âtre, que l'on traverse pour pénétrer dans une petite antichambre somptueuse, conçue par Sinan elle aussi.

LE SALON DE MURAT III. C'est une magnifique chambre (**30**) plus petite que l'Hünkar Odası, mais plus authentique car elle a conservé sa décoration d'origine. Les murs sont revêtus de faïences d'Iznik ; les panneaux, représentant des pruniers en fleurs et entourant la cheminée en bronze, sont d'une remarquable qualité artistique, tout comme les frises calligraphiées qui ornent la pièce.
Une jolie fontaine, *sebil* en marbre polychrome et triple étage de cascades, fait face au foyer. La beauté de la décoration et la perfection des formes désignent à l'évidence Sinan comme maître d'œuvre.

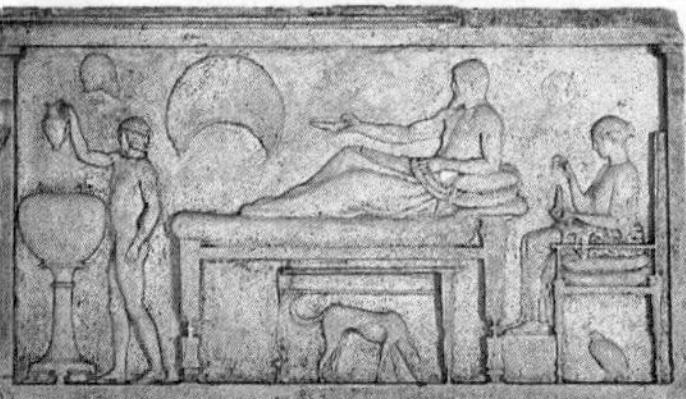

LA BIBLIOTHÈQUE. Près du salon se trouve une petite chambre qu'Ahmet Ier convertit en bibliothèque et salle de séjour en 1608. C'est l'une des pièces les plus agréables du palais avec ses rayonnages taillés dans le marbre, ses meubles à tiroirs incrustés d'écaille de tortue et de nacre, et ses murs revêtus de faïences vertes et bleues presque aussi belles que celles du salon. Elle est éclairée par des fenêtres symétriques donnant sur la mer de Marmara, le Bosphore et la Corne d'Or.

SARCOPHAGE D'UN GRAND PERSONNAGE
Cet homme important est allongé sur un lit de repos, son épouse assise à son chevet. Un jeune serviteur lui prépare un rhyton de vin. La présence d'un chien, d'un épervier et d'un casque évoque un héros guerrier.

EURIPIDE
Il approche de son visage le masque de la tragédie. Certains éléments sculptés sont orientaux, mais le style de cette scuplture reste très proche de l'art grec classique, notamment par l'attitude des personnages et par le rendu des plis des vêtements.

LE KIOSQUE DES FAÏENCES
C'est un exemple très représentatif d'architecture turque d'Asie centrale, tant par sa structure que par sa décoration de faïences, et de calligraphies sur fond bleu.

Le sarcophage d'Alexandre
Cet exemple d'art funéraire grec est exceptionnel par sa beauté et son état de conservation. Les sculptures de cette sépulture de style ionique sont d'un extrême raffinement dans l'expression des personnages et la dynamique des formes. L'effet de vie était renforcé par une vive polychromie dont des traces sont toujours visibles. Les scènes sculptées dans le marbre représentent une bataille entre les Perses et les Grecs, ainsi qu'une chasse au lion et au cerf.

La chambre des Fruits. Une porte de marbre mène à une autre chambre, la salle-à-manger d'Ahmet III. Elle est connue sous le nom de Yemi Odası, la chambre des Fruits, en raison des coupes de fruits et des vases de fleurs peints dans des couleurs chatoyantes sur les panneaux de bois laqué des murs. Son style européen, revu à la mode orientale, est caractéristique de la «période des Tulipes», Lâle Devri, qui correspond à la première moitié du XVIIIe siècle.
Les appartements des princes ● *36*. Les faïences qui décorent les appartements des princes, sont de la meilleure facture d'Iznik et permettent de dater ceux-ci de la fin du XVIe siècle ou du début du XVIIe siècle. Le dôme de la première pièce est décoré d'une peinture sur toile ; il en est de même du plafond de la chambre intérieure dans laquelle trône une cheminée de cuivre doré, flanquée de panneaux de faïences parmi les plus magnifiques qui existent. Jusqu'à une période récente, on pensait que ces appartements étaient les infâmes *kafes*, cellules où les frères cadets du sultan étaient enfermés pour les empêcher de briguer le trône. On sait aujourd'hui que ces «cages» sont, plus loin, ces petites chambres sombres auxquelles

Têtes romaines
(IIe siècle, Pergame)

Le sarcophage des pleureuses
En forme de temple ionique, ce sarcophage du IVe siècle av. J.-C. est l'un des premiers de ce type. Il porte des traces de peinture de couleurs vives.

Musée archéologique situé dans la première cour du palais.

on accède par un corridor appelé, pour une raison mal connue aujourd'hui, le «lieu de délibération des Jinns».

LA TERRASSE DES FAVORITES. La GÖZDELER TAŞLIĞI (**31**) est une vaste cour surplombant les jardins inférieurs du sérail, et sur laquelle se dresse, à l'est, un long bâtiment à deux étages : le dortoir des Favorites. Un appartement au rez-de-chaussée était réservé au sultan.

LES MUSÉES DE LA PREMIÈRE COUR

Ayant quitté l'enceinte du palais, on se trouve de nouveau dans la première cour. Le MUSÉE ARCHÉOLOGIQUE est à gauche et le MUSÉE DES ANTIQUITÉS ORIENTALES à droite. On aperçoit, un peu plus loin que ce dernier, le Çinili Köşkü.

LE KIOSQUE DES FAÏENCES. Ce kiosque des Faïences est un des bâtiments d'origine du palais de Topkapı et un chef-d'œuvre inégalé d'architecture ottomane, où l'influence persane est très marquée dans les volumes et la décoration. La façade est ornée d'une remarquable calligraphie bleue et blanche et de faïences de couleur turquoise, semblables à celles qui ornent la célèbre mosquée verte de Bursa. Il fut construit en 1472 à la demande de Mehmet Fatih qui en fit son pavillon de chasse à partir duquel il regardait à l'occasion, comme le montre des miniatures d'époque, ses pages jouer au *cirit*, un jeu proche du polo. De 1874 à 1891, il servit d'entrepôt pour les antiquités, transférées par la suite dans le Musée archéologique. Restauré dans les années cinquante, il devint le musée des Faïences turques. La collection, exceptionnelle, comprend des faïences d'Iznik et de Çanakkale, un *mirhab* de la mosquée d'Ibrahim Bey d'époque préclassique, et une belle fontaine d'ablutions caractéristique du style baroque du XIXe siècle ottoman.

LE MUSÉE ARCHÉOLOGIQUE. Il fut fondé en1881 par Hamdi Bey, le premier archéologue turc d'envergure internationale. En 1991, à l'occasion du centième anniversaire de l'ouverture du musée, une nouvelle aile a été inaugurée, à l'extrémité sud-est de l'ancien bâtiment. La pièce maîtresse de ce musée est le sarcophage dit d'Alexandre, l'un des monuments funéraires découvert en 1887 par Hamdi Bey dans la nécropole de l'ancienne Sidon en Syrie. Se référant aux bas-reliefs qui ornent ses côtés

FLACON À PARFUM PHRYGIEN, FIN VIIe SIÈCLE AV. J.-C.
Il a été découvert dans un tumulus de la célèbre Gordion, capitale du royaume de Phrygie, située à une centaine de kilomètre à l'ouest d'Ankara. Les fouilles ont mis au jour des fortifications et des maisons, ainsi que des demeures royales.

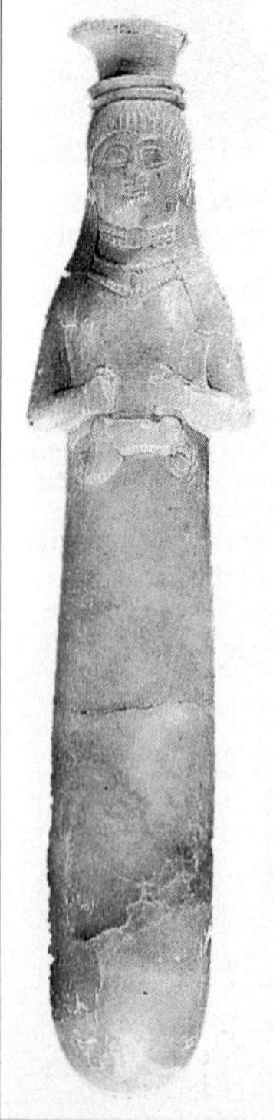

et représentent Alexandre dans des scènes de chasse et de bataille, on a cru pendant longtemps qu'il s'agissait de la tombe même de l'empereur. Mais le sarcophage, daté du IVe siècle av. J.-C. a été identifié comme étant celui d'un souverain de la dynastie Séleucide. Parmi les autres monuments funéraires exposés dans le musée, on remarquera quelques autres pièces importantes comme le sarcophage dit des Pleureuses, celui de Meleager, de Phèdre et d'Hippolyte, de Sidamara, du Satrape et enfin le sarcophage de Tabnit. Le musée abrite aussi une belle collection de sculptures grecques et romaines, les deux œuvres les plus célèbres étant l'éphèbe de Tralles et une tête d'Alexandre, copie de la fameuse sculpture de Lysippe, qui datent du IIIe siècle av. J.-C. On peut voir aussi une élégante sculpture d'époque romaine tardive : une tête de l'empereur Arcadius datée de 400 ap. J.-C. Impossible de manquer la monumentale statue de Bes, l'Héraclès chypriote, une figure monstrueuse tenant une lionne sans tête par les pattes arrière. Les étages de la nouvelle aile sont organisés thématiquement. Le rez-de-chaussée est voué à la sculpture anatolienne classique, et le vestibule abrite une maquette grandeur nature du temple d'Athéna à Assos. Le premier étage présente un portrait d'Istanbul à travers les siècles, avec des vitrines consacrées aux époques préhistorique, hellénistique, romaine, byzantine, latine et ottomane. Le thème du second étage est l'Anatolie et Troie à travers les âges. Au troisième étage, sont présentées les cultures voisines de l'Anatolie : Chypre, la Syrie et la Palestine. L'abondance et la variété des objets et la qualité muséographique de l'aile moderne contribuent à faire de ce musée archéologique l'un des plus intéressants au monde.

Le musée de l'Ancien Orient. Deux grands lions hittites encadrent la porte de ce musée qui possède une importante collection d'antiquités glanées à travers l'Anatolie et les provinces moyen-orientales de l'Empire ottoman. Il rassemble des objets égyptiens, summériens, akkadiens, babyloniens, hittites (dont les tablettes d'argile du premier traité de paix signé entre les Hittites et les Egyptiens, le traité de Kadesh ● *29*) urartéens et assyriens, ainsi que des pièces uniques, arabes et nabatéennes de la période préislamique. Sa visite nous permet de prendre toute la mesure de l'héritage artistique et archéologique dont ont bénéficié les Ottomans en conquérant l'Empire byzantin et le Moyen-Orient.

Salle des bijoux du Musée archéologique
Cette collection de bijoux regroupe des pièces des anciens royaumes de Mésopotamie, Sumer, Babylonie, Assyrie, et de l'Empire Byzantin. Ci-dessus, des pendants d'oreilles en or, datant du premier âge du bronze, découverts à Troie ; ci-contre, une boucle d'oreille du IXe siècle et une médaille byzantine du VIe siècle.

L'art hittite au musée de l'Ancien Orient
Parmi les civilisations anatoliennes représentées dans ce musée, celle des Hittites est parmi les plus importantes. Un certain nombre de pièces proviennent des ruines d'Hattuşa, ancienne capitale de l'Empire hittite, aujourd'hui connue sous le nom de Boğazköy. On pourra notamment voir un lion de porte datant approximativement de l'an 800 av. J.-C., sculpté dans le basalte et couvert de hiéroglyphes, une cruche évasée en forme de bec du XVIe siècle av. J.-C., et des tablettes de terre cuite du XIIIe siècle av. J.-C., couvertes d'écriture cunéiforme.

LES ORIGINES DE LA MINIATURE OTTOMANE
La représentation humaine, en sculpture comme en peinture, ayant été tenue pour suspecte en terre d'Islam durant des siècles, la créativité des artistes turcs a trouvé compensation ailleurs, principalement dans l'art de bâtir, mais aussi dans diverses branches des arts décoratifs, poussés à un tel degré de perfection qu'il faut bien leur reconnaître un statut majeur. Les origines de la miniature pourraient remonter à la période seldjoukide de l'Anatolie (XI-XIIIe siècle), et au-delà, à la période pré-islamique turco-Uygur d'Asie Centrale, mais c'est à partir du règne de Mehmet II qu'allait se développer de nouvelles écoles à Istanbul. Le sultan s'entoura de peintres miniaturistes dont le plus talentueux fut le portraitiste Sinan de Bursa ; son style porte la trace du passage des peintres italiens, dont Gentile Bellini, invités au sérail par le sultan.

ISTANBUL ET GALATA
Matrâki, 1536-37,
À mi-chemin entre la carte géographique et le paysage, les aplats de Mâtraki ont un charme très particulier. Matrâki, guerrier, savant et peintre-topographe, réalisa une suite d'images décrivant des villes conquises ou visitées par le souverain, ses armées et sa flotte.

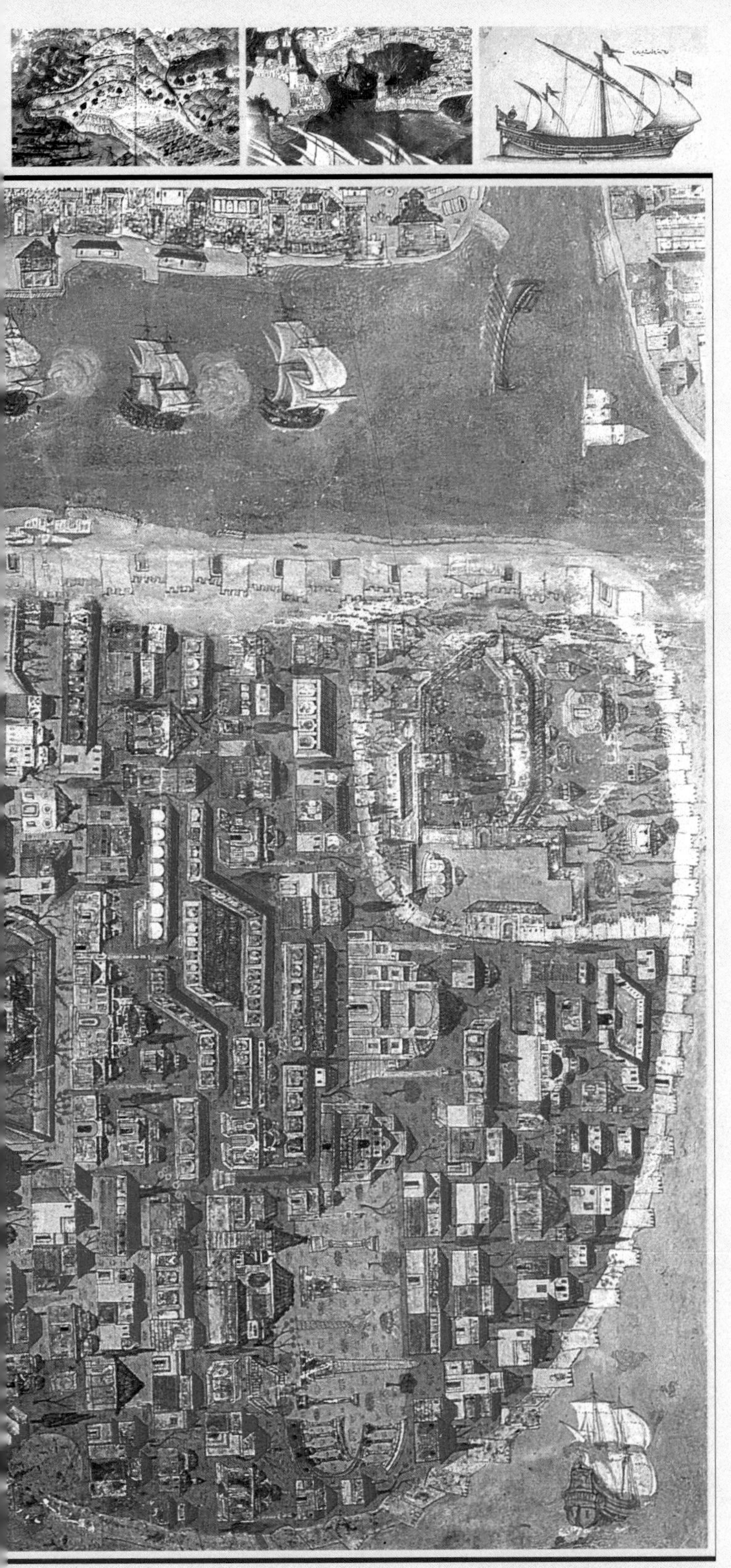

«La peinture, le portrait, la calligraphie, l'enluminure trouvent désormais à Istanbul succès et parures.»

Bâki

La célébration de la personne du sultan, de ses expéditions guerrières, des fastes et des fêtes du palais, allait constituer l'inspiration principale des miniaturistes ottomans. Leur nombre, modeste sous Mehmet II, s'éleva à vingt-neuf maîtres sous Süleyman le Magnifique, au XVIe siècle, pour atteindre le chiffre respectable de mille artistes travaillant dans cent ateliers au XVIIe siècle. Malgré une certaine uniformité de style, quelques fortes personnalités allaient émerger d'époque en époque. Sous Beyazıt II, Ahmet de Bursa, élève du peintre Sinan, ainsi que Baba Mustafa peuvent être cités. Les peintres recrutés par les sultans, d'origine turque dans leur majorité, mais aussi en nombre important d'origine iranienne ou balkanique, créèrent de concert un style, que l'on qualifie à juste titre, d'ottoman.
Parmi la pléïade d'artistes du règne de Murat III, ce fut sans doute le maître Osman qui célébra son époque avec le plus de talent, à travers un recueil de gracieuses images *Le Livre des Accomplissements*, qui décrivait la vie du sérail et les campagnes guerrières sous un angle décoratif. Glabres ou barbus, les visages sont quasiment semblables. La beauté des images à deux dimensions provient du jeu des couleurs plates de densité égale.

L'interdit figuratif n'a pas été respecté par les souverains, qui se sont permis d'aimer et de protéger l'art de la miniature, et même au-delà, comme ce fut le cas de Mehmet II, celui de l'art du portrait. Cet art est resté tributaire des pages calligraphiées des livres princiers. La miniature turque a représenté des hommes et des femmes en tant que taches colorées faisant partie d'une savante composition, sans s'intéresser à la personnalité des personnages dépeints. Dans une structure étatique où terres et hommes font partie du domaine impérial, la recherche d'une définition imagée de l'individu n'avait pas de raison d'être. Les serviteurs du Sultan ont été interchangeables. Le paysage des miniatures, évitant les contraintes de la perspective, égalisait le lointain et le proche, mettant le monde à plat, comme à portée de la main du grand seigneur.

Il s'agissait d'un parti pris esthétique qui, par un curieux détour, a souvent été repris par la peinture moderne, tout particulièrement abstraite.

À gauche : *le devşirme* ou ramassage des jeunes enfants chrétiens dans le *Süleymanahme*, commandé par Şüleyman en 1517

À droite, la science est glorifiée dans cette représentation *Astronomes dans leur observatoire à Galatasaray*, extraite du *Şehinşehname*, 1581.

Siyah Qualem
Venus de la lointaine Asie et arrivés tard en Islam, les Turcs Seldjoukides, puis les ottomans restent fidèles à leur héritage préislamique. L'œuvre de Siyah Qualem garde trace de la peinture chinoise et de ses développements en Asie Centrale. Le rôle des Turcs Uyghour, qui ont opté pour la religion manichéenne est déterminant : l'iconographie occupe une place fondamentale dans leur religion.

C'est à cette tradition qu'il convient de rattacher un des chefs-d'œuvre de cette période centre-asiatique : l'œuvre mystérieuse de Siyah Qualem.

Les héros des épopées d'Asie Centrale sont généralement les chefs des tribus nomades qui lors de leurs hauts faits affrontent les démons du monde souterrain.

«Tu ne pourras traverser le pays de Karaman
Il n'a pas de ponts tu n'en franchiras pas les torrents»

Yunus Emré

L'album de Fatih
Siyah Qualem concilie le monde surnaturel avec toute la fraîcheur descriptive du quotidien d'une société nomade : mais ces peintures de datation et de provenance incertaines ne firent pas école, car les élites du sérail, fortement imprégnées par la culture et l'esthétique arabo-persane étaient allergiques à la vigueur chamanique de Siyah Qualem et de ses disciples.

Siyah Qualem concilie le monde surnaturel avec toute la fraîcheur descriptive du quotidien d'une société nomade : mais ces peintures de datation et de provenance incertaines ne firent pas école, car les élites du sérail, fortement imprégnées par la culture et l'esthétique arabo-persane étaient allergiques à la vigueur chamanique de Siyah Qualem et de ses disciples.

KÜÇÜK AYA SOFYA

SOKOLLU MEHMET PAŞA CAMII

LA PLACE SAINTE-SOPHIE

L'AYASOFYA MEYDANI est située entre l'ancienne basilique Sainte-Sophie et la Sultan Ahmet Camii. Ici se trouvait jadis le forum d'Auguste, l'*Augusteon.* Toute la ville était centrée sur cette place, espace public et culturel. C'est aussi l'ancienne agora du Grand Palais de Byzance que le savant français Pierre Gilles découvrit dans les années 1545-1550. L'esplanade était autrefois délimitée au nord par Sainte-Sophie et le palais du Patriarcat, lui-même adossé à la basilique. En bordure est du forum se trouvait la *Chalke*, ou maison d'Airain, l'entrée principale du palais, ainsi que le sénat créé par Constantin le Grand pour la Nouvelle Rome. L'ensemble était complété au sud-ouest par le célèbre hippodrome de Byzance et, au sud, par les thermes de Zeuxippe, les plus grands de la cité. Le forum se prolongeait à l'ouest par une autre vaste place, la *Stoa Basilica.* C'est vers cette place que convergeaient les grandes avenues et près d'elle que l'on trouvait les riches maisons byzantines et les complexes des mosquées ottomanes qui portaient le nom de leur fondateur. Ces fondations étaient entourées de maisons modestes et de boutiques. C'est dans l'Istanbul d'aujourd'hui le site de l'université, du tribunal et d'un grand marché aux livres.

LE HAMMAM DE ROXELANE. Situé au nord-est, entre Sainte-Sophie et la mosquée Bleue, le hammam de Roxelane ● *58*, fut commandé à Sinan en 1556 par Süleyman le Magnifique pour son épouse. Cet édifice à coupoles, qui faisait partie du *külliye* de l'Aya Sofya Camii, est d'une grande beauté. Récemment restauré, l'édifice sert aujourd'hui de lieu de vente et d'exposition de tapis et de kilims turcs ● *60.*

LES FORUMS DE L'ANTIQUE BYZANTION
Au Ve siècle, la Nouvelle Rome comptait plusieurs forums importants qui donnaient à la ville un aspect romain très marqué : l'Augusteon, actuelle place Sainte-Sophie ; le Forum Constantini, localisé dans l'actuel quartier de Çemberlitaş ; le Forum Tauri qui fut plus tard rebaptisé Forum Theodosii ; le Forum Amastrianum, situé au sud de l'actuel quartier de Şehzadebaşı ; le Forum Bovis, actuelle place d'Aksaray ; et le Forum Arcadi, au sud de la Millet Caddesi, où le socle de marbre de la colonne d'Arcadius est toujours visible.

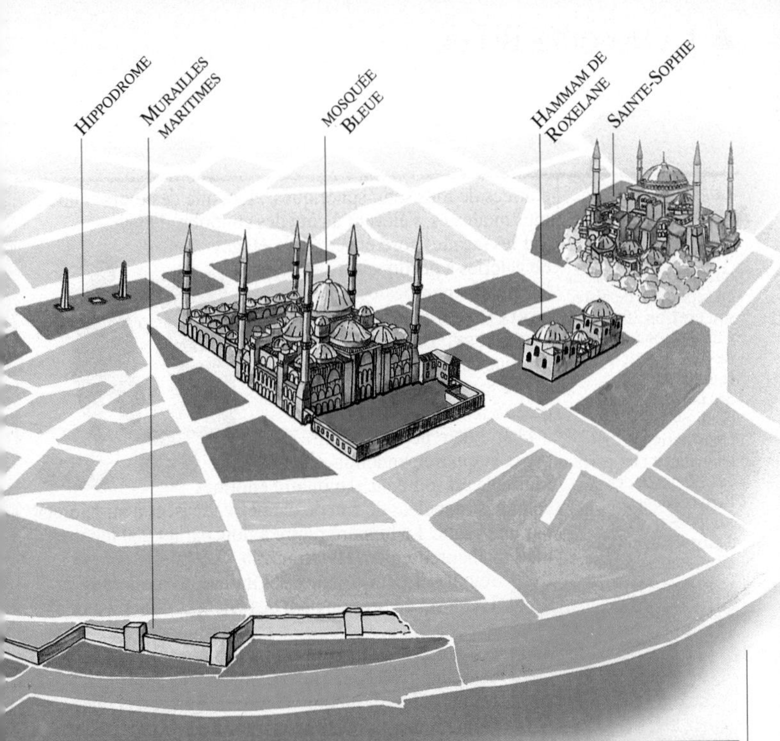

LA MOSQUÉE BLEUE

La Sultan Ahmet Camii est célèbre pour sa gracieuse cascade de coupoles et de demi-coupoles, les six minarets élancés qui accentuent sa silhouette, ses proportions à la fois imposantes et harmonieuses. Ce joyau architectural a été construit par Davut Ağa sur ordre d'Ahmet Ier (1603-1617). Décidée en 1609, sa construction s'acheva en 1616, un an avant la mort du sultan. La mosquée est précédée d'une cour aussi grande que l'édifice lui-même. On y accède par l'un des grands portails situés sur chacun des trois côtés que borde un péristyle de vingt-six colonnes formant un portique couvert de trente petites coupoles. Un magnifique *şadırvan* ● *76* octogonal occupe l'espace central. La mosquée de Sultan Ahmet est la seule d'Istanbul à posséder six minarets. Ceux édifiés aux angles de la mosquée ont trois *şerefe* (balcons) ; ceux de la cour n'en comptent que deux. Quatre grandes demi-coupoles contre-butent la coupole centrale. Elles sont flanquées à leur tour de deux (à l'est et à l'ouest) ou trois (au nord et au sud) petites demi-coupoles. Des dômes soulignent également les angles de la mosquée. Les quatre piliers porteurs de la coupole centrale émergent de la structure en grandes tours octogonales

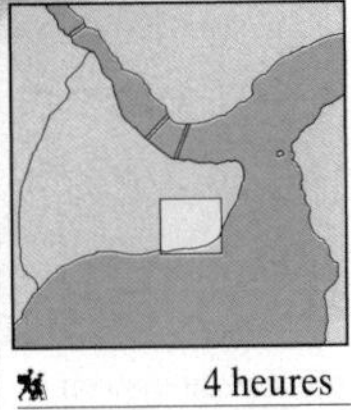

4 heures

LE TRAVAIL DE L'IVOIRE À BYZANCE
Les plus beaux ivoires constantinopolitains sont de la fin du Ve siècle. L'ivoire, matériau précieux, est réservé aux représentations de l'Empereur qui les offrait aux notables qui avaient soutenu sa candidature.

Intérieur et *mihrab* de la mosquée Bleue.

LES COURSES DE L'HIPPODROME
Une course réunissait d'ordinaire quatre quadriges et consistait en sept tours de piste, soit environ 2500 m. Chaque conducteur de char portait la couleur de l'une des factions socio-politiques de Constantinople qui le finançait : les partis des Blancs et des Bleus étaient composés d'aristocrates et de propriétaires terriens,

proches du pouvoir ; les Rouges et les Verts étaient pour la plupart des artisans et des commerçants, plus proches du peuple. L'aurige victorieux devenait un véritable héros : l'empereur Anastase (451-518) fit ériger deux bronzes à la gloire de l'un des plus célèbres d'entre eux, Porphyrus. L'empereur et sa suite assistaient aux courses depuis une tribune privée appelée *kathisma*, probablement située du côté est des arènes et communiquant directement avec l'enceinte du Grand Palais de Byzance, aujourd'hui disparu. Les entractes étaient meublés par des spectacles d'animaux sauvages, de nains, d'acrobates et de musiciens.

coiffées de toits semi-sphériques, alors que des tours rondes, plus modestes, s'élèvent à côté des coupoles d'angle. Sur les façades nord et sud, deux étages de galeries à portiques prolongent les arcades plus basses de la cour.

STRUCTURE ET DÉCORATION INTÉRIEURE. La salle de prières est presque carrée avec 53 m de long sur 51 m de large. Sa coupole de 23,5 m de diamètre culmine à 43 m. Elle repose sur quatre arcs brisés et quatre pendentifs plats. Mais elle est soutenue par quatre énormes colonnes cannelées de 5 m de diamètre, divisées à mi-hauteur par une bague. La lumière rentre à flots par les 260 fenêtres mais malheureusement les vitraux du XVIIe siècle ont été remplacés par de mauvaises imitations modernes. La mosquée tire son nom des faïences d'un bleu très vif qui décorent le dôme et la partie supérieure des murs, eux aussi de facture récente. Plus intéressantes sont celles qui recouvrent la partie basse des murs et les tribunes. La céramique d'Iznik est ici à son apogée : magnifiques motifs floraux traditionnels (lys, œillets, tulipes, roses, cyprès et arbres divers), teintes exquises où dominent les verts et les bleus. Le *mihrab* et le *minbar* en marbre blanc sont de beaux exemples de sculpture ottomane du XVIIe siècle. Tout aussi remarquables, les grandes portes en bronze de la cour et, à l'intérieur de la mosquée, les portes et les persiennes en bois incrusté de nacre, d'écaille de tortue et d'ivoire. La loge du sultan se trouve à l'étage, à gauche du *mihrab*. Le plafond en bois, sous cette loge, est peint de motifs floraux et géométriques, rares exemples du premier style ottoman. Une rampe extérieure à l'angle nord-est de la mosquée conduit à l'*hünkar kasrı*, le pavillon impérial, lequel communique par un couloir avec la loge impériale. L'*hünkar kasrı* abrite le MUSÉE DES KILIMS ● *60*. Les salles voûtées en contrebas, qui étaient jadis des entrepôts et des écuries, ont été restaurées pour accueillir le MUSÉE DES TAPIS ● *60*.

Le complexe de la mosquée Bleue ● *80*. La mosquée et sa cour étaient entourées d'une enceinte dont seule la partie nord subsiste. Ce mur séparait la mosquée des autres édifices du *külliye* : *medrese*, *türbe*, hôpital, *han*, école élémentaire et *imaret*. Hormis le caravansérail et l'hôpital, ces bâtiments existent toujours. La *medrese* est à l'extérieur des murs, au nord-est. Elle jouxte le grand *türbe* carré, récemment restauré et ouvert au public, où reposent Ahmet Ier, son épouse Kösem et trois de ses fils, Osman II (1618-1622), Murat IV et le prince Beyazıt, le Bajazet de la tragédie de Racine.

L'hippodrome. L'At Meydani, vaste esplanade plantée d'arbres et contiguë à la mosquée, occupe le site d'un hippodrome romain. La rue qui l'entoure correspond à l'ancienne piste de course. C'est Septime Sévère qui en réalisa les premiers aménagements vers 198 av. J.-C. ; Constantin le Grand fit tout rebâtir en plus vaste lorsqu'il fonda sa nouvelle capitale à Byzance. L'hippodrome fut le théâtre de tous les grands événements de l'histoire byzantine, à commencer par la naissance officielle de la Nouvelle Rome le 11 mai 330 ● *31*. On y acclamait les généraux victorieux et les empereurs, dont certains furent exécutés en ce même lieu, ainsi que quelques patriarches de Constantinople, hérétiques et rebelles. L'hippodrome était aussi le lieu d'expression du mécontentement populaire. C'est de là que partit, le 13 janvier 532, la révolte de Nika ● *32* qui devait s'achever

L'obélisque
Élevé par le pharaon Touthmôsis III (XVIe siècle av. J.-C.), il mesurait 60 m. Mais lors de son déchargement à onstantinople,

il se cassa, et seul le tiers supérieur, de 26 m, put être érigé sur le site en 390, par Théodose le Grand.

Sokollu Mehmet Paşa
Tout jeune, ce fils de prêtre bosniaque intégra l'école des janissaires du palais de Topkapı, où il fut vite remarqué. Il accéda rapidement à des postes importants et devint grand vizir de Süleyman le Magnifique en 1565. Il conserva son poste auprès du fils et successeur de Süleyman, Selim II, dont il épousa la fille Esmahan et pour laquelle il fonda la mosquée qui porte son nom.

Après la mort de Selim en 1574, Sokollu Mehmet Paşa devint grand vizir de Murat III. Il fut assassiné en 1579, dans la salle du Divan, par un soldat pris de démence.

dans le sang cinq jours plus tard quand Bélisaire, à la tête des troupes de Justinien, bloqua les sorties et fit massacrer les 30 000 insurgés. Comme bien d'autres monuments de Constantinople, l'hippodrome fut pillé et détruit pendant l'occupation latine de 1204-1261. À l'arrivée des Turcs, en 1453, il était en ruine. Dans les années 1609-1616, les dernières pierres de l'ouvrage romain servirent à construire la mosquée Bleue. Le site fut alors rebaptisé At Meydanı, ou place des Chevaux, car les pages du palais y jouaient au *cirit*, l'ancêtre du polo. En 1890, l'architecte français Bouvier dessina le parc, auquel viendra s'ajouter neuf ans plus tard, au nord-est, la fontaine offerte à Abdül Hamit II par l'empereur d'Allemagne Guillaume II.

L'obélisque de Théodose. L'obélisque de Théodose, nommé en turc Dikilitaş, est monté sur quatre cubes de bronze reposant sur un socle de marbre décoré de bas-reliefs. Les sculptures montrent Théodose et sa famille dans leur tribune de l'hippodrome. Sur la face sud, l'empereur regarde les courses représentées dans la partie basse ; côté est, il remet une couronne de lauriers à l'aurige victorieux ; côté nord, il assiste à l'érection de l'obélisque ; sur le côté ouest, enfin, il reçoit l'hommage de ses ennemis vaincus.

La colonne Serpentine. Le monument central de la place est la colonne Serpentine, en turc Yılanlı Sütun, torsade de trois serpents entrelacés, piédestal, en fait, d'un trophée offert par les trente et une cités grecques ayant levé des troupes pour vaincre les Perses à Platées en 479 av. J.-C. Elle fut rapportée du temple d'Apollon à Delphes par Constantin

le Grand. Les trois têtes de serpent ont disparu tour à tour après la Conquête. L'une d'entre elles, retrouvée en 1847, est exposée au Musée archéologique.

LA COLONNE DE CONSTANTIN. La troisième colonne, l'Örme Sütun se trouve à l'extrémité sud de l'At Meydanı. Haute de 32 m, elle est en pierre de facture assez grossière. Pierre Gilles l'appelait le «Colosse» ; la plupart des textes modernes parlent, à tort, de «colonne de Constantin Porphyrogénète». En fait, ces deux noms viennent de l'inscription grecque du socle, qui compare la colonne au Colosse de Rhodes, précisant que, très abîmée, elle avait été restaurée et habillée de bronze par Constantin VII Porphyrogénète. Elle date donc sans doute d'une époque plus ancienne, peut-être celle de Constantin le Grand.

La polychromie des faïences qui décorent la Sokollu Mehmet Paşa Camii est encore accentuée par la présence de vitraux colorés.

LE PALAIS D'IBRAHIM PAŞA

Vers l'ouest de la place, on aperçoit l'Ibrahim Paşa Sarayı, construit par Ibrahim Paşa en 1523, peu après son accession au poste de grand vizir de Süleyman. Il a été récemment restauré pour accueillir le MUSÉE DES ARTS TURCS ET ISLAMIQUES qui possède la plus riche collection du genre au monde. La partie basse de l'aile nord a été en partie convertie en un petit café typique, idéal pour se désaltérer après la visite du musée. À droite, un lion en pierre d'époque seldjoukide monte la garde près de l'escalier qui conduit au premier étage de l'aile nord, où se trouve le musée.

LE MUSÉE DES ARTS TURCS ET ISLAMIQUES ♥. Des objets du VIIe au XIXe siècle sont exposés dans les dix-neuf salles des ailes nord et ouest. Toutes les époques de l'art turc et islamique sont représentées : umayyaade, abbasside, mamelouk, seldjoukide, beylik et ottomane. La collection, superbement mise en valeur, regroupe les objets les plus divers : *kilims*, manuscrits, calligraphies, miniatures, bois sculptés, ferronnerie, sculptures sur pierre, faïences, verreries, objets artisanaux. Deux antichambres mènent à l'aile sud dont la grande salle rassemble les trésors du musée. Le rez-de-jardin abrite la section d'ethnologie, consacrée

PALAIS BYZANTIN Constantinople n'a que peu de points communs avec l'ancienne Byzance. À l'unité de la cité antique se substitue une structure urbaine complexe qui se développe autour des quartiers existants. Cette miniature du XIe siècle montre un palais byzantin entouré d'un jardin. Sa fontaine est alimentée par un système de canalisations la reliant aux citernes ● *76*. Les quartiers autour de ces palais aristocratiques sont composés de riches maisons souvent à trois étages ou d'habitations plus modestes comportant des échoppes d'artisans.

VOLET EN BOIS SCULPTÉ DE STYLE SELDJOUKIDE - MUSÉE DES ARTS TURCS ET ISLAMIQUES

Ce volet sculpté provient de l'*imaret* de Karaman Ibrahim Bey, à Konya. C'est l'un des rares exemples de style seldjoukide comportant des éléments figuratifs. Le médaillon central est composé d'étoiles à six ou douze branches et de dodécagones. Aux angles sont figurés deux lions ailés et deux griffons. Des motifs de palmettes et de feuilles entrelacées forment le cadre. Le bandeau supérieur porte une inscription calligraphiée, et le bandeau inférieur comporte cinq octogones décorés de spirales et de palmettes.

essentiellement aux Yürük, nomades turcs d'Anatolie dont le mode d'existence n'a guère changé depuis les premières incursions des Seldjoukides en Asie Mineure après leur victoire sur les Byzantins à Manzikert en 1071. Les objets de l'exposition, disposés sous des tentes noires en peau de chèvre, sont toujours utilisés par ces nomades.

LA MOSQUÉE DE SOKOLLU MEHMET PAŞA

De retour sur l'esplanade, on trouve, en longeant jusqu'au bout l'At Meydanı par l'ouest, une ruelle en pente, la Şehit Mehmet Paşa Yokuşu, qui serpente jusqu'à la mer. L'entrée principale de la Sokollu Mehmet Paşa Camii, une très belle mosquée que Sinan construisit en 1571-1572, se trouve au deuxième virage sur la gauche. L'entrée de la mosquée est insolite. Il faut en fait emprunter un escalier passant sous une grande salle voûtée, l'ancienne *dershane* de la *medrese* ● *80*. On débouche ainsi dans la cour, l'*avlu*, avec au centre un *şadırvan* ● *66* surmonté d'une coupole à larges auvents. Les seize cellules de la *medrese* bordent trois côtés de la cour, le quatrième, face à la *dershane*, étant occupé par le porche à baies voûtées donnant sur la salle de prières. D'élégantes calligraphies en faïences bleues et blanches décorent les lunettes des fenêtres. La salle de prières est un hexagone inscrit dans un rectangle. Elle est couverte d'une coupole contrebutée par quatre petites demi-coupoles. Il n'y a pas de nefs latérales, mais sur trois côtés court une tribune basse soutenue par des colonnes en marbre, à chapiteaux en losange de pur style ottoman. L'alternance de marbres verts et rouges des voussoirs est typique de l'époque.

FAÏENCES ET VITRAUX. La décoration est particulièrement raffinée. Les murs sont très sobres, égayés seulement par les faïences des pendentifs, une frise à motif floral, et le bel encadrement du *mihrab* : des faïences à rinceaux et fleurs turquoise sur fond vert pâle, alternant avec des calligraphies en blanc sur fond bleu foncé. Le *minbar*, finement

sculpté dans le marbre, est surmonté d'un haut toit conique recouvert des mêmes faïences turquoise que le pourtour du *mihrab*. Le mur au-dessus du *mihrab* est percé de belles fenêtres à vitraux. On voit encore, à l'entrée, des traces des arabesques multicolores peintes jadis sur les murs et un morceau de la pierre noire de la Kaaba posé sur un présentoir en or. D'autres fragments de la pierre sacrée sont enchâssés dans le *minbar* et le *mihrab*.

SAINT-SERGE-ET-SAINT-BACCHUS. En sortant de la Sokollu Mehmet Paşa Camii, on se dirige au sud vers la mer de Marmara jusqu'à la Küçük Ayasofya Caddesi. À droite se trouve la Küçük Aya Sofya Camii, mosquée Petite Sainte-Sophie, ainsi nommée parce qu'elle ressemble à la célèbre basilique. Il s'agit en fait de l'ancienne église Saint-Serge-et-Saint-Bacchus, l'une des plus belles églises byzantines ● *74* de la ville et l'une des plus importantes de son histoire. La construction de l'édifice commença en 527, sur l'ordre de Justinien, alors dans la première année de son règne. Le bâtiment devait rester un lieu de culte chrétien pendant près de mille ans. Au tout début du XVIe siècle, il fut transformé en mosquée par le chef des eunuques noirs de Beyazıt II, Hüseyin Ağa, qui repose dans un *türbe* au nord de l'abside. Le plan est un octogone irrégulier inscrit dans un rectangle très approximatif. La transition de l'octogone au cercle est étonnante : la coupole est divisé en seize sections, soit huit pans plats alternant avec les huit pans concaves surmontant les angles de l'octogone. Du sol s'élèvent les huit piliers polygonaux qui définissent les angles du plan. Dans l'intervalle des piliers, des paires de colonnes en marbre, alternativement verte et rouge, suivent la courbe de l'exèdre. Un déambulatoire chemine entre ce rideau multicolore quasi cinétique et les murs ; à l'étage court une vaste galerie à laquelle on accède par un escalier à l'extrémité sud du narthex. Les chapiteaux et les entablements classiques finement sculptés illustrent bien le style lapidaire du VIe siècle. L'épistyle bordé d'arcades de la tribune est typique de l'architecture byzantine tardive ; on retrouve cette

LA PETITE SAINTE-SOPHIE
C'est la première des nombreuses églises fondées par l'empereur Justinien qui vénérait tout particulièrement saint Serge et saint Bacchus, les patrons des centurions chrétiens de l'armée romaine, martyrs de leur foi.

structure notamment à Sainte-Sophie. L'entablement du rez-de-chaussée, classique pourtant avec son architrave, sa frise et sa corniche, est d'une légèreté remarquable. Sur la frise sont gravés douze hexamètres grecs à la gloire de Justinien, de Théodora et de saint Serge ; saint Georges a curieusement été oublié. Comme à Sainte-Sophie, les murs sont revêtus de marbres veinés, les voûtes et les coupoles de resplendissantes mosaïques. La porte sud donne sur une ruelle qui conduit au bord de la Marmara en passant sous la voie ferrée. À gauche, apparaissent les vestiges particulièrement bien conservés des murailles maritimes byzantines.

Les murailles maritimes

À l'origine, les murailles construites le long de la mer de Marmara par Constantin le Grand se prolongeaient jusqu'aux murailles terrestres, à Samatya, au pied de la septième colline. Au siècle suivant, elles furent de nouveau prolongées, cette fois jusqu'à celles de Théodose qui venaient d'être construites. Quatre siècles plus tard, elles furent presque entièrement reconstruites par l'empereur Théophile (829-842), soucieux de mieux protéger la ville des attaques arabes. On distingue encore son nom sur les inscriptions

Les mosaïques du Grand Palais
Le musée des Mosaïques fut aménagé afin de protéger le pavement du péristyle d'une vaste cour du Grand Palais, mis au jour entre 1935 et 1954. Ces mosaïques, qui datent du VIe siècle avaient été recouvertes par un dallage en marbre au VIIe siècle, puis avaient disparu sous les édifices construits à cet emplacement aux VIIe et IXe siècles. Les personnages et les motifs de couleurs vives, rouge, bleu, jaune, vert, marron et noir, se détachent sur un fond de carreaux blancs disposés en écailles de poisson. Les sujets représentés sont inspirés du répertoire hellénistique : scènes de chasse, sujets mythologiques, scènes de la vie quotidienne. Ainsi se côtoient le bestiaire rural et des animaux fantastiques ; on remarquera notamment un lion étranglé par un éléphant, un aigle aux prises avec un serpent, un griffon et une chimère, une chasse au tigre, un centaure et un satyre, et un superbe Dionysos à la barbe de feuilles vertes portant des fruits.

des gigantesques tours. Au total, les murailles sur la Marmara constituaient une ligne de défense continue, haute de 12 à 15 m et ponctuée de cent quatre-vingt-huit tours, disposées à intervalles réguliers ainsi que de treize portes. Elles s'étendaient sur 8 km depuis la pointe du Sérail, où elles faisaient la jonction avec les murailles de la Corne d'Or, jusqu'à la tour de Marbre, où elles rejoignaient les murailles de Théodose. La cité était ainsi ceinte au total de 25 km de remparts. Une bonne partie des murailles maritimes a été détruite au siècle dernier, mais les vestiges restent impressionnants, surtout au pied de la première colline.

LE BOUCOLÉON. Non loin se trouvent les ruines d'un portail byzantin encore plus grand : la ÇATLADI KAPI, ou porte Fendue. Des feuilles d'acanthe et un grand monogramme de Justinien ● *32* sont sculptés dans le marbre des montants et de la voûte. Il s'agit probablement de l'ancienne porte de la Marine impériale, l'une des entrées du port du Boucoléon, le port privé du Grand Palais. Le Boucoléon, ou palais du Taureau et du Lion, tire son nom d'une statue, aujourd'hui disparue, représentant un lion terrassant un taureau. On passait du port au palais par l'escalier monumental de la tour, juste après la Çatladi Kapı. Une loggia de la façade est du Boucoléon est encore visible : elle est percée de trois ouvertures à encadrements de marbre et s'ouvre sur une salle voûtée.

LE GRAND PALAIS DE BYZANCE. Ces vestiges sont tout ce qui reste du majestueux Grand Palais de Byzance dont les pavillons, jardins et cours s'étendaient sur tout le flanc maritime de la première colline. Constantin le Grand avait fait construire les premiers bâtiments, qui furent gravement endommagés lors de la révolte de Nika en 532. Justinien les fit reconstruire et agrandir. Plus tard, d'autres empereurs, notamment Basile Ier de Macédoine, le restaurèrent, l'agrandirent et le décorèrent. Le Grand Palais resta la résidence impériale jusqu'au sac de Constantinople par les Vénitiens et les croisés en 1204 ● *32*. À la restauration de l'Empire en 1261, il était en si piètre état que les Paléologue préférèrent vivre au palais des Blachernes au-dessus de la Corne d'Or.

LA PORTE DES ÉCURIES. La tour qui émerge des remparts, un peu après le Boucoléon, est un phare d'époque byzantine ; le phare moderne se trouve à 500 m. L'Ahir Kapı, toute proche, est la seule porte des murailles maritimes sur la Marmara encore debout. Elle communiquait avec les écuries du sultan, d'où son nom. On trouve là un restaurant sans prétention mais excellent, le Karisma Sen ◆ *364*.

LE GRAND PALAIS
Il regroupait en fait tout un ensemble architectural : le palais Sacré et le palais de Daphné, proches de la mosquée Bleue ; la Chalke, ou maison d'Airain, jouxtant le côté sud du forum ; le palais de Magnaure et de Mangane, sur le versant maritime de la première colline, un peu à l'est du palais de Topkapı ; et le palais du Boucoléon. Là se trouvait le célèbre pavillon de Porphyre, gynécée des impératrices de Byzance dont les murs étaient recouverts de superbes marbres de couleur pourpre que les premiers empereurs avaient rapportés de Rome : ils sont à l'origine du surnom donné aux descendants impériaux, *Porphyrogenitus*, mot qui signifie «né dans la pourpre». Lorsque les Turcs prirent la ville, le Grand Palais n'était plus que ruines. Peu de temps après la Conquête, Mehmet II, arpentant ses salles dévastées, en fut si attristé qu'il récita les vers mélancoliques du poète perse Saadi : «L'araignée tisse ses rideaux dans le palais des Césars. Le hibou hulule son cri nocturne sur les tours d'Aphrasiab».

Les petits métiers d'Istanbul
On est frappé par le nombre et la diversité des petits métiers qui font partie de la vie quotidienne des Istanbouliotes : au fil des rues, on découvre des buvettes minuscules, des kiosques où l'on vend le *döner kebab*, des échoppes de barbiers ou d'écrivains publics ; on rencontre des cireurs de chaussures, des marchands ambulants de cigarettes, de journaux, enfin de tout ce qui peut se manger sur le pouce et de tout ce dont on peut avoir besoin : à la première averse surgissent les marchands de parapluies, remplacés par les marchands de lunettes de soleil ou de boissons fraîches quand le soleil réapparaît.

Quartier de la Moustache Blanche

Passé l'Ahır Kapı, on se retrouve à gauche dans la rue du même nom, l'Ahır Kapı Sokağı. La première rue à droite, la Keresteci Hakki Sokağı, mène à l'Ak Bıyık Meydanı, place de la Moustache-Blanche. C'est le cœur de l'Ak Biyik, un des plus vieux quartiers d'Istanbul avec son lacis de venelles aux noms insolites : rue de la Barbe-Hirsute, rue des Favoris-en-Sueur, rue de la Mine-Honteuse, avenue de la Moustache-Blanche, d'où la place et le quartier tirent leur nom. Deux fontaines ottomanes ornent la place ; celle de gauche est l'Ak Biyik Meydan Çeşmesi. Il y a plus de quatre cents fontaines ottomanes ● *66* de ce genre dans la vieille cité, fontaines monumentales ou simples fontaines adossées. C'était jadis les seules sources d'eau potable des Istanbuliotes ; elles sont toujours indispensables, surtout dans les vieux quartiers.

Le musée des Mosaïques

On quitte la place par l'Ak Bıyık Sokağı et on emprunte, à droite, la Mimar Mehmet Ağa Caddesi, puis à gauche la Torun Sokağı, ou rue du Petit-Enfant. On arrive ainsi à l'entrée principale du musée des Mosaïques qu'encadrent des fragments de colonnes et de chapiteaux antiques en marbre et divers autres vestiges du Grand Palais de Byzance.
Le musée expose des mosaïques du Grand Palais restaurées et montées sur des panneaux. Elles proviennent du péristyle des Mosaïques, vaste déambulatoire à colonnades qui conduisait peut-être au *kathisma*, la tribune impériale de l'hippodrome. Les sujets représentés sont surtout des paysages, des scènes de chasse et des combats d'animaux, mais aussi des scènes de l'hippodrome, parfois cocasses,

> «Se détachant à cru sur l'horizon azuré du ciel, une splendide mosquée couronne la colline et regarde les deux mers : sa coupole d'or semble réverbérer l'incendie...» Lamartine

comme celle où deux spectateurs ivres miment le cheval et l'aurige. Ces mosaïques datent de la première moitié du VIe siècle et furent sans doute utilisées lors de la reconstruction du Grand Palais par Justinien.

La rue de la Barbe-Hirsute. La sortie du musée se fait par la Kaba Sakal Sokağı, ou rue de la Barbe-Hirsute, qui passe derrière la mosquée Bleue. Cette rue était une *arasta*, ou rue marchande. Sa reconstruction date des années 1970. Les échoppes qui se nichent sous les voûtes proposent des souvenirs. L'une des entrées du Musée des Tapis de la mosquée Bleue se trouve au bout de la rue à droite. En continuant à grimper et en obliquant sur la gauche, on reste dans la Kaba Sakal Sokağı ; la rue passe devant le Hammam de Roxelane. On aperçoit à l'est de grands bâtiments. Le premier est la Cedid Mehmet Efendi Medresesi, un édifice du XVIIe siècle restauré par le TTOK. Cette ancienne *medrese* abrite le marché des métiers d'art. Les échoppes se trouvent dans les petites cellules qui entourent la cour. Tous les artisanats turcs sont représentés : reliure, papier marbré, broderie, miniature, gravure, confection de poupées. Le TTOK a également restauré la maison Verte, Yeşil Ev, un *konak* ottoman jouxtant la *medrese*. C'est aujourd'hui un hôtel-restaurant doté d'une agréable terrasse ● *364*, l'endroit idéal pour une pause-déjeuner après cette promenade autour de la première colline.

Musée des Tapis et Kilims
Au XIIIe siècle, Marco Polo louait déjà dans ses écrits la beauté des tapis turcs. Cet artisanat millénaire est le fruit de plusieurs traditions : d'une part, celles des nomades d'Anatolie, les Yörüks ; d'autre part, celles des tribus turkmènes d'Asie Centrale qui les transmirent aux Seldjoukides.

La fontaine de Guillaume II
À l'extrémité nord-est de l'hippodrome se dresse la fontaine offerte par le kaiser Guillaume II au sultan Abdül Hamit II. À la fin du XIXe siècle, l'Empire ottoman, moribond, constitue encore une pièce maîtresse sur l'échiquier géopolitique de l'Europe : au centre des tensions franco-allemandes et austro-russes se trouvent les Balkans, enjeu stratégique aux portes de l'Asie et de la Méditerranée orientale.Les guerres balkaniques seront le prélude du conflit mondial qui éclate en 1914 : en novembre, l'Empire ottoman entre en guerre aux côtés de l'Allemagne et de l'Autriche-Hongrie.

ŞEHZADE CAMII

BEYAZIT CAMII

SÜLEYMANIYE

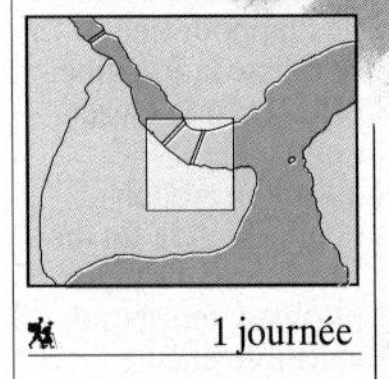

1 journée

LA SORTIE DU GRAND BAZAR
Chalands à la sortie du Bazar près de la mosquée de la Nuruosmaniye. Le rez-de-chaussée des maisons est occupé par des épiceries et de nombreuses échoppes d'artisans.

LA PLUS ANCIENNE RUE DE LA CITÉ

L'artère principale de l'ancienne Constantinople, la *Mese* ou passage du Milieu, s'étendait entre l'Augustéon et la porte d'Adrianople, sur la sixième colline. La voie qui relie aujourd'hui les sommets des première et troisième collines suit le premier tronçon de la voie romaine. Les noms qui lui ont été donnés, *Divan Yolu*, route du Divan, entre les première et deuxième collines, puis *Yeni Çeriler Caddesi*, avenue des Janissaires, jusqu'en haut de la troisième colline, rappellent que les janissaires empruntaient l'ancienne *Mese* pour se rendre de leur caserne de la *Beyazıt Meydanı* au palais de Topkapı les jours de réunion du Divan.

LE MILLIAIRE D'OR

À l'entrée de la *Divan Yolu* se dresse à droite l'un des rares réservoirs ottomans d'Istanbul encore debout. En contrebas, la stèle en marbre exhumée en 1967-1968 est un vestige du milliaire d'Or, arc de triomphe érigé entre la *Mese* et l'*Augusteon* vers la fin de l'époque romaine et réplique du *Miliarium Aureum* qu'Auguste avait fait élever à Rome et à partir duquel on mesurait toutes les distances dans l'Empire. Le milliaire de Constantinople était le point de référence de toutes les bornes de la *via Egnati*, qui reliait Byzance à l'Adriatique. Selon Pierre Gilles, il était surmonté des statues de Constantin le Grand et de sa mère Hélène, portant entre eux une grande croix. La première rue à droite mène à l'entrée du Yerebatan Sarayı.

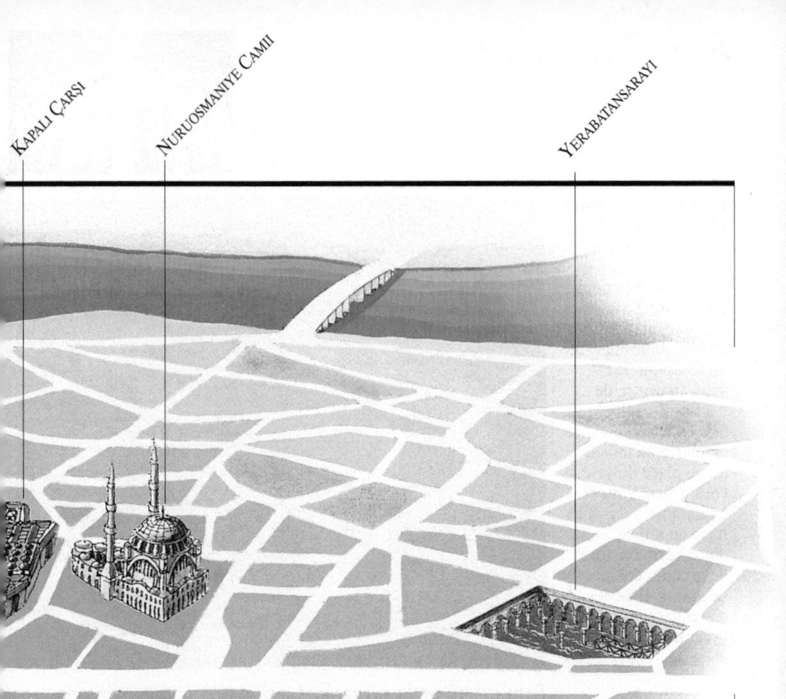

La citerne de la Basilique

Le Yerebatan Sarayi est la plus vaste et la plus imposante citerne byzantine d'Istanbul, ressemblant comme son nom turc l'indique à un véritable palais souterrain. On la connaît à l'étranger sous son appellation byzantine de citerne de la Basilique ● *76*, car elle fut creusée sous la *Stoa Basilica* ou portique Impérial, la grand-place à portique située à l'ouest de l'Augustéon.
La *Stoa Basilica*, qui date peut-être de l'époque de Constantin le Grand, fut détruite par un incendie vers 475. Justinien la fit relever en 532 ; on en profita pour reconstruire la citerne avec des matériaux récupérés dans les anciennes structures. Elle fut apparemment la principale source d'eau de la première colline à l'époque byzantine puis ottomane. Dans les années soixante-dix, seule une petite partie des colonnes émergeait près de l'escalier. La majeure partie de l'eau a été pompée depuis et l'on a construit des passerelles permettant d'accéder à toutes les parties de la citerne, qui fut ouverte au public en 1987.

Yerebatan Sarayi
Depuis l'époque byzantine, les sources abondantes de la forêt de Belgrade près de la Mer Noire ont été captées dans des réservoirs appelés *bent*. L'eau parvenait aux citernes de la ville grâce aux canalisations et aux nombreux aqueducs.

Binbirdirek Sarnici, dite citerne aux Mille et Une Colonnes

BINBIRDIREK SARNICI
“Nous avons visité les Mille et Une Colonnes. Je ne sais pas à quoi cet endroit était destiné à l’origine, mais on m’a dit que ce devait être un réservoir. Il est situé au centre de Constantinople. Vous descendez un escalier de pierre au milieu d’une place déserte et vous y êtes. Vous êtes à quarante pieds sous terre au milieu d’une véritable forêt de grandes colonnes de granit, élancées, d’architecture byzantine.”
Mark Twain

STRUCTURE DE LA CITERNE. La citerne comptait à l’origine 336 colonnes, réparties en 12 rangées de 28 et distantes de 4 m. À la fin du XIXe siècle, on mura l’angle sud-ouest, masquant du même coup 90 colonnes. La plupart des colonnes ont des chapiteaux corinthiens d’époque byzantine. Arcs et dômes sont en brique, celles-ci formant des motifs en chevrons. Dans l’angle gauche de la citerne sont encore visibles les traces d’un nymphée, monument entourant une fontaine qui communiquait sans doute avec la *Stoa Basilica*. On y découvre deux colonnes dont les piédestaux sculptés d’oves classiques reposent sur d’étonnantes têtes de Méduse, l’une à l’horizontale et l’autre à l’envers. Deux têtes similaires sont exposées dans le jardin du Musée archéologique. Ces vestiges proviennent probablement de quelque ruine de la première colline, réutilisée lorsque Justinien reconstruisit la *Stoa Basilica* et sa citerne souterraine.

TÊTE DE MÉDUSE, CITERNE DE YEREBATAN
L’empereur Justinien fit détruire les murailles de Chalcédoine, ville de Bithynie qui commandait l’entrée du Pont-Euxin. Une grande partie des matériaux de construction des aqueducs (dont l’aqueduc de Valens) et des citernes couvertes fut transportée de Chalcédoine à Constantinople. Cette superbe tête de Gorgone pourrait provenir elle aussi de cette ville antique.

LA MOSQUÉE DE FIRUZ AĞA

Plus loin sur la Divan Yolu, on découvre la FIRUZ AĞA CAMII, petite mosquée érigée en 1491 pour Firuz Ağa, grand argentier de Beyazıt II. Il s’agit de l’une des rares mosquées préclassiques d’Istanbul, style qui prospéra jusqu’en 1500 et donc surtout à Bursa, première capitale de l’Empire ottoman. Le fondateur repose sous un sarcophage en marbre, posé sur la terrasse qui jouxte la mosquée.

VESTIGES DES PALAIS D’ANTIOCHUS ET LAUSUS. Des vestiges archéologiques ont été découverts près de la mosquée dans les années soixante. Les fragments exposés semblent provenir des petits palais d’Antiochus et Lausus, des patriciens ayant vécu vers la fin de l’Empire romain. Le palais d’Antiochus, le plus somptueux des deux, est un bâtiment hexagonal à cinq absides semi-circulaires disposées par paires autour d’espaces circulaires. Au début du IXe siècle, le palais fut transformé en martyrium pour accueillir les reliques de sainte Euphémie qui avaient été ramenées de Chalcédoine. Le martyrium, qui était décoré de fresques de la fin du XIIIe siècle, ne se visite malheureusement pas. Les fresques ont été déplacées et sont conservées sous un abri situé à côté du palais de Justice.

«Le grand Bazar couvre un immense espace de terrain, et forme une ville dans la ville avec ses rues, ses ruelles, ses passages, ses carrefours, ses fontaines.»

Théophile Gautier

La citerne des Mille et Une Colonnes

La première rue à gauche dans la Divan Yolu, l'Işik Sokağı, grimpe vers un petit parc au sud duquel se trouve l'entrée de la Binbirdirek Sarnici, la citerne des Mille et Une Colonnes. Le monument n'est pas ouvert officiellement au public mais lorsque le gardien est là, on peut le visiter moyennant un pourboire. La Binbirdirek est la plus grande citerne antique d'Istanbul après le *Yerebatan Sarayı*. Elle mesurait à l'origine 19 m du sol au sommet des dômes, mais au fil des siècles 4,5 m de boue s'y sont accumulés, réduisant la hauteur d'autant. Les colonnes, formées de deux tambours réunis par de curieuses bagues en pierre, mesuraient en tout 12,4 m. Contrairement à ce que son nom laisse imaginer, elle n'en possédait en fait que 224, disposées en 16 rangées de 14, dont 12 sont murées, sans doute depuis fort longtemps. Les chapiteaux, dépourvus de décorations, portent le plus souvent le monogramme des tailleurs de pierre. Quelques auteurs anciens affirment que le commanditaire de l'édifice est un certain Philoxénus, sénateur romain sous Constantin le Grand, mais il semble bien qu'une partie de la structure date du Ve ou VIe siècle.

Le mausolée de Mahmut II. Il faut à nouveau revenir dans la Divan Yolu pour trouver, sur la droite, le grand *türbe* de Mahmut II (1808-1839). Ce mausolée à coupole de style Empire date de 1839, année de la mort du sultan. Aux côtés de Mahmut II reposent son fils Abdül Aziz et son petit-fils Abdül Hamit II (1876-1909), ainsi que plusieurs princes.

Le complexe de la Köprülü Camii

Le petit bâtiment en brique et en pierre, visible de l'autre côté de la rue, est une bibliothèque ottomane transformée en centre de recherches. L'édifice, doté d'un porche à colonnades et d'une salle de lecture à coupole, faisait à l'origine partie du complexe de la Köprülü Camii dont d'autres dépendances jalonnent cet itinéraire. Son *külliye* fut construit vers 1659-1660 à l'initiative de Mehmet Paşa et de son fils Fazil Ahmet Paşa, tous deux grands vizirs et membres de l'illustre famille Köprülü. Au carrefour suivant, on découvre le *türbe* de Mehmet Paşa puis, à quelques pas, sa mosquée, en fait l'ancienne salle de cours de la *medrese*, en majeure partie démolie.

Le hammam de la Çemberlitaş. En face, se dresse le Çemberlitaş hamami, bain turc construit sur ordre de la sultane mère Nur Banu (épouse de Selim II et mère de Murat III) peu de temps avant sa mort en 1583. Du hammam double, seule subsiste la section des hommes.

La colonne de Constantin

À l'extrémité de la Divan Yolu se dresse la colonne de Constantin, ou colonne Brûlée, noircie par un incendie en 1779. Les Turcs l'appellent Çemberlitaş, la colonne aux Cercles. Constantin le Grand l'inaugura le 11 mai 330, jour où Byzance fut rebaptisée Constantinople. À l'origine, le monument avait un piédestal à cinq degrés sur lequel reposaient un socle en porphyre et la colonne composée alors de sept tambours en porphyre. Endommagée en 416, elle fut consolidée à cette époque par des cercles de fer, remplacés récemment par des bagues d'acier. Le sommet du monument porta successivement un chapiteau soutenant une statue de Constantin puis des assises surmontées d'une immense croix, qui disparut à son tour. La colonne ne possède plus aujourd'hui que six tambours, le septième ayant été ancré dans une base maçonnée.

Vue aérienne du Grand Bazar

Le Grand Bazar est un vaste ensemble de rues couvertes et de bâtiments ; le vieux *bedesten* à petites coupoles est situé au centre.

CITERNE DE YEREBATAN gravure de Thomas Allom, XIXe siècle.

LA MOSQUÉE D'OSMAN II

À la hauteur de la colonne de Constantin, la Vezir Hanı Caddesi conduit à la NURUOSMANIYE CAMII, ou mosquée de la Lumière sacrée d'Osman. Le complexe, qui comprenait mosquée, *medrese*, bibliothèque, loge impériale, mausolée et *sebil*, fut mis en chantier en 1748 sur ordre de Mahmut Ier et terminé en 1755 par son frère et successeur, Osman III (1754-1757), dont il porte le nom. La Nuruosmaniye Camii, comme la plupart des mosquées baroques, se résume à un cube couvert d'une grande coupole reposant sur quatre arcs engagés dans les murs. Les arcs puissamment accentués, notamment sur les façades, sont en berceau et non brisés comme dans l'achitecture ottomane classique.

LA MOSQUÉE DE MAHMUT PAŞA

La Mahmut Paşa Camii se trouve un peu plus loin dans la même rue. Cette construction de 1462 est la plus ancienne mosquée viziriale d'Istanbul. Son commanditaire, Mahmut Paşa, était un aristocrate d'origine byzantine. Converti à l'islam, il devint très vite un fonctionnaire de haut rang de l'Empire ottoman et fut nommé grand vizir peu après la Conquête. Ses réelles compétences ne l'empêchèrent pas de tomber en disgrâce et d'être décapité en 1474 sur l'ordre de Mehmet Fatih. La salle de prières est un long rectangle divisé en son milieu par une arcade délimitant deux carrés coiffés chacun d'une coupole d'égal diamètre. L'espace principal est flanqué de part et d'autre d'un étroit passage à voûte en berceau s'ouvrant sur trois petites pièces latérales. Côté ouest, un narthex à cinq travées occupe toute la largeur du bâtiment ; il est précédé d'un porche à cinq travées également.

LE MAUSOLÉE DE MAHMUT PAŞA. Mahmut Paşa repose dans le jardin de la mosquée. Son magnifique *türbe*, construit en 1474, comme l'atteste l'inscription, est un haut édifice octogonal à double rangée de fenêtres et coupole aveugle. La partie supérieure des façades est entièrement recouverte d'une mosaïque de faïences portant des motifs de roue, dans les tons bleus et turquoise. Il s'agit sans doute de céramiques d'Iznik de la première époque (1453-1555), les seules de ce style visibles à Istanbul.

Au début du XXe siècle, époque de cette photographie, le Grand Bazar venait d'être restauré après un tremblement de terre. Il est dominé à l'est par la Nuruosmaniye Camii. Son style est très nettement influencé par le baroque européen qui domina l'art turc dans la seconde moitié du XVIIIe siècle. Cas unique parmi les mosquées d'Istanbul, ses dépendances occupent le pourtour d'une cour de plan absidial.

«LES MOSQUÉES LES PLUS CÉLÈBRES, LEURS PARVIS, LEURS PORTIQUES DE MARBRE SOUTENUS PAR DES FORÊTS DE COLONNES ET RAFRAÎCHIS PAR DES EAUX JAILLISSANTES»

FORBIN

PORTE D'UNE MOSQUÉE, TABLEAU DE ŞEVRET DAĞ (1876-1944)
Şevret Dağ, fut l'élève d'Osman Hamdi qui avait lui-même été formé en France, dans l'atelier de Gustave Boulanger. Il est surtout connu pour ses tableaux d'intérieurs de mosquées, dont cette œuvre de 1911 est la plus célèbre. On peut voir ici représentée l'une de ces lourdes portières de cuir qui, abaissées lors du service religieux, isolent du bruit extérieur et interdisent l'entrée afin de ne pas perturber les prières. Elles sont aussi la matérialisation de la frontière invisible entre le monde profane et le monde sacré accessible aux seuls fidèles.Par leur aspect, elles ressemblent également aux tapisseries de velours brodé d'or qui peuvent être accrochées au portique des *minbar* auquel seul l'*imam* a accès.

COMPLEXES DE L'AVENUE YENI ÇERILER

LA MOSQUÉE D'ATIK ALI PAŞA. L'Atik Ali Paşa Camii occupe un angle de la Yeni Çeriler Caddesi, un peu plus loin que la colonne de Constantin. Cette mosquée fut construite en 1496 sur ordre d'Hadim Atik Ali Paşa, eunuque puis grand vizir de Beyazıt II. Son plan, une vaste salle rectangulaire divisée en deux parties inégales par une arcade, est plutôt insolite. La section ouest, la plus grande, est couverte d'une coupole. Elle est flanquée au nord et au sud de deux pièces coiffées de petites coupoles. Côté est, le *mihrab* trône dans une sorte de grande abside semi-circulaire sous demi-coupole. Comme dans la plupart des premières mosquées ottomanes, les pendentifs des demi-coupoles et des quatre petites coupoles sont ornés de stalactites.

LE COMPLEXE DE KOCA SINAN PAŞA. À une courte distance de l'Atik Ali Paşa Camii se dresse le mur en marbre, percé de grilles de l'enceinte du *külliye* de Koca Sinan Paşa. Ce beau complexe ottoman conçu par l'architecte Davut Ağa regroupe une *medrese*, une *sebil* et le *türbe* de son fondateur Sinan Paşa, grand vizir de Murat III et de Mehmet III. Il fut consacré en 1593, deux ans avant la mort du commanditaire. Le monument le plus intéressant est le mausolée, polygone

Galerie marchande du Grand Bazar.

à seize côtés en pierres blanches et roses surmonté d'une exubérante corniche à stalactites et aux fenêtres élégamment moulurées. La *medrese*, à laquelle on accède par l'allée latérale, s'ouvre sur une ravissante cour à portique voûté en ogives. La *sebil* est tout aussi élégante avec ses grilles en bronze séparées par des colonnettes et son toit en auvent.

LE COMPLEXE DE CORLULU ALI PAŞA. En face de la fontaine se trouve le complexe de Corlulu Ali Paşa, qu'entoure également un mur en marbre. Ali Paşa, gendre de Mustafa II (1695-1703), fut décapité à Mytilène en 1711 sur ordre d'Ahmet III dont il était le grand vizir. Sa tête, rapportée à Istanbul, fut enterrée dans le cimetière du *külliye*. La petite mosquée et la *medrese* du complexe ont été construites en 1708. Bien que son architecture reste très classique, les chapiteaux des colonnes du porche dénotent déjà l'influence du style baroque.

LE COMPLEXE DE KARA MUSTAFA PAŞA. Juste en face se trouve le complexe de Kara Mustafa Paşa de Merzifon. Commencée en 1663, la construction du complexe s'interrompit la même année lorsque son commanditaire, grand vizir de Mehmet IV, fut décapité à Belgrade après l'échec du siège de Vienne ● *36*. Le fils du défunt reprit le chantier qui fut terminé en 1690. Les ossements de Kara Mustafa Paşa furent alors enterrés dans le cimetière de la mosquée. À la jonction des styles classique et baroque, l'ensemble est surtout intéressant pour sa mosquée, l'une des rares à plan octogonal. La *medrese* abrite aujourd'hui un institut de recherches consacré au célèbre poète Yahya Kemal (1884-1958).

CAFTAN OTTOMAN BRODÉ
Le musée du palais de Topkapı possède une riche collection de tissus et de vêtements ottomans dont les pièces les plus splendides ont été réalisées entre le XVe et le XVIIe siècle. Durant cette période, Bursa fut le principal centre de production des brocarts, taffetas, velours et velours de soie. Les soies tissées d'or et d'argent, et les velours brodés de ces mêmes fils précieux étaient réservés à la confection des caftans.

«CHAQUE RUE DU BAZAR EST AFFECTÉE À UNE SPÉCIALITÉ. DERRRIÈRE CES ÉTALAGES, IL Y A DES ARRIÈRES-BOUTIQUES OÙ DES OBJETS PRÉCIEUX SONT SERRÉS DANS DES COFFRES.»

THÉOPHILE GAUTIER.

LE GRAND BAZAR

L'un des plus célèbres marchés du monde se trouve dans le voisinage de la Yeni Çeriler Caddesi. Sur la rive droite de l'avenue, s'ouvre la Çarşıkapı Sokağı, ou rue de la Porte du Marché, qui y conduit.

HISTOIRE. Le Kapali Çarşı, ou littéralement le marché couvert est connu de tous sous le nom de Grand Bazar. Il fut construit à l'initiative de Mehmet Fatih peu après la Conquête. À l'origine, il se constituait de deux *bedesten*, autour desquels vinrent s'installer de nouvelles boutiques et des ateliers, créant ainsi tout un ensemble de ruelles abritées sous des toiles. Avec le temps, ces aménagements provisoires furent remplacés par les arcades en pierre soutenant un plafond voûté que l'on peut encore voir aujourd'hui. Le réseau des galeries s'était lui à ce point étendu qu'il englobait désormais les deux *bedesten* au sein de ses vastes dédales. Entre le XVIe siècle et le XIXe siècle, le Grand Bazar fut à maintes reprises restauré et modifié à la suite de tremblements de terre et de nombreux incendies qui l'endommagèrent tour à tour.

STRUCTURE DU GRAND BAZAR. Il constitue une véritable ville dans la ville : un recensement de 1880 n'y dénombra pas moins de 4 399 échoppes, 2 195 ateliers, 497 éventaires, 20 *han*, 12 entrepôts, 18 fontaines, une école primaire, une tombe et une petite mosquée (*mescit*). Parmi les 1742 commerces recensés en 1976, on comptait 472 joailliers-bijoutiers, 181 chausseurs, 154 confectionneurs, 131 magasins d'articles touristiques, 129 marchands de meubles et de décoration, 124 artisans bijoutiers, 116 marchands de tapis, et 56 restaurants, cafés et salons de thé, dont le fameux restaurant HAVUZLU LOKANTA ◆ 364. On y trouve également deux banques, des toilettes publiques, et un bureau d'informations touristiques. Au premier abord, le marché semble un labyrinthe ; mais en s'y promenant, on s'aperçoit que les rues et les places composent en fait un plan de rectangles réguliers.

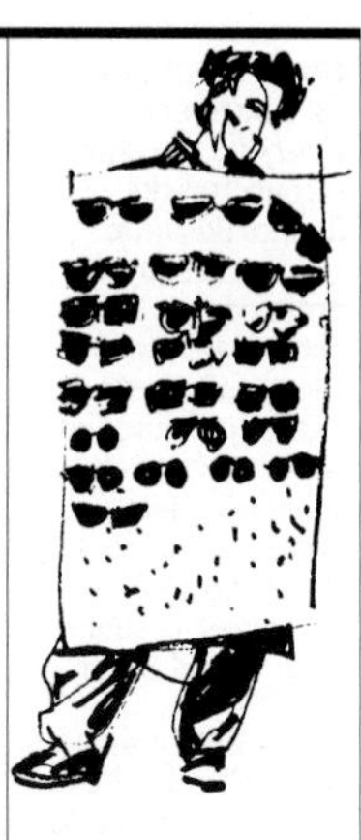

FEMMES AU GRAND BAZAR AQUARELLE D'A. PREZIOSI (1816-1882)
Au XIXe siècle le Grand Bazar est encore l'un des seuls endroits où l'on croise des femmes, et surtout celui qu'elles fréquentent le plus assidument. Elles ne s'y rendent qu'accompagnées d'une servante ou d'un eunuque, et toujours sévèrement voilées ne laissant voir que leurs yeux ; leurs cheveux sont également dissimulés par une étoffe de gaze épaisse. Théophile Gautier décrit ces femmes «que leurs feredgés vert-pomme, rose-mauve ou bleu-de-ciel, leurs yachmaks opaques et soigneusement fermés, leurs bottines de maroquin jaune chaussées d'une galoche de même couleur, signent musulmanes en toutes lettres ; (...) Le marchand, appuyé sur le coude, répond d'un air flegmatique aux mille questions des jeunes femmes qui fourragent les marchandises et mettent son étalage sans dessus dessous».

Boite de cireurs de chaussures
Ces boîtes en bois recouvertes de feuilles de laiton gravé sont souvent ornées de photographies. Elles renferment des cirages de toutes les couleurs. Les cireurs sont présents un peu partout : dans les grands hôtels , devant les mosquées et au Grand Bazar.

Evliya Çelebi situe les débuts du marché des joyaux à l'époque de Mehmet le Conquérant : «Le vieux bedesten contient toutes les richesses des Ottomans et les biens des grands de l'Empire y sont entassés. Son sous-sol comporte des centaines de caves aux portes de fer». Le vieux *bedesten* avait été construit pour abriter les orfèvres et les joailliers. Les orfèvres travaillaient l'or et l'argent tandis que les joailliers taillaient et vendaient les émeraudes, les brillants et les diamants.

Les commerçants étaient autrefois regroupés par type d'activité qu'évoquent encore les noms des rues. Aujourd'hui seules quelques corporations suivent encore cette coutume : c'est notamment le cas des joailliers et des bijoutiers, rues Kalpakçılar et Kuyumcular ; des vendeurs de mobilier, rue Divrikli ; des marchands de tapis, rue Sahaflar ; et des peaussiers, rue Perdahçılar.

Le vieux bedesten. Le vieux *bedesten*, Iç Bedesten, également appelé *bedesten* des Bijoux, Cevahir Bedesteni, constitue le cœur du marché. Il se compose de quinze salles coiffées de coupoles alignées en cinq rangées de trois unités et de huit petites élévations soutenues par autant de gros piliers, dits «pieds d'éléphants». Il était destiné à la vente des marchandises les plus précieuses, ses magasins et entrepôts, munis de lourdes portes de fer qui étaient verrouillées la nuit, étant gardés par soixante-dix soldats. À l'époque d'Evliya Çelebi, on y trouvait les marchands d'étoffes luxueuses, soieries et velours, les fabricants de turbans, les armuriers, les libraires, les joailliers qui faisaient le commerce des pierres précieuses, les agents de change et les marchands de tapis. Aujourd'hui s'y sont installés quelques antiquaires proposant des objets intéressants : monnaies et pièces de vaisselle anciennes, armes et divers objets ottomans. On y trouve également un certain nombre de marchands de tapis, mais surtout des magasins touristiques proposant divers objets d'artisanat en cuivre ou en étain. Chacune des quatres portes du *bedesten* (une de chaque côté) porte le nom de la corporation qui travaillait ou travaille encore dans les rues avoisinantes. La porte des Orfèvres est surmontée à l'extérieur d'un bas-relief représentant l'aigle impérial de la dynastie des Comnène qui régna sur Byzance aux XIe et XIIe siècles (les Paléologue, au pouvoir dans les deux derniers siècles de l'Empire byzantin, prirent pour emblème l'aigle à deux têtes) ● *32*. Cette sculpture byzantine fut sans doute récupérée d'un autre monument et intégrée à la construction ottomane, comme ce fut si souvent le cas à Istanbul.

Le nouveau bedesten. Le nouveau *bedesten* porte en turc le nom de Sandal Bedesteni, le mot *sandal* désignant un tissu au motif particulier qui était fabriqué à Bursa. Son nom français de marché aux Brocarts, est donc une traduction approximative. Il est situé à l'angle sud-est du Grand Bazar. Mehmet Fatih le fit construire vers la fin de son règne, l'essor formidable du commerce ottoman

ayant rendu le vieux *bedesten* trop exigu. L'immense toit de ce bâtiment se compose de vingt coupoles en brique soutenues par douze piliers massifs répartis sur trois rangs de quatre unités.
A l'époque ottomane, le Sandal Bedesteni était le centre du commerce des soieries, auquel venait s'ajouter dans une moindre proportion ceux de divers tissus, de miroirs, et comme dans le vieux *bedesten*, d'armes ornées de pierres précieuses et de bijoux.
La principale activité de ce *bedesten* souffrit des profonds changements du commerce des textiles amenés au XIXe siècle par la révolution industrielle et ses échoppes fermèrent les unes après les autres. En 1913, la municipalité y installa divers services publics et y créa une salle de vente aux enchères, aujourd'hui particulièrement animée les lundis et jeudis après-midi réservés à la vente des tapis.

Les boutiques du Bazar appartiennent à des particuliers, le Sandal Bedesteni est la propriété de la municipalité d'Istanbul qui l'a restauré en respectant ses banquettes et les armoires traditionnelles. Des ventes aux enchères sont organisées deux fois par semaine.

ACHATS AU GRAND BAZAR

TAPIS ET KILIMS. Les personnes qui désirent rapporter un tapis ● *60* de Turquie trouveront de nombreux magasins spécialisés dans cet article à l'intérieur du Grand Bazar, et notamment dans la *Sahaflar Caddesi*, première galerie au nord du vieux *bedesten*.
L'achat d'un tapis est l'objet de tout un cérémonial : de longues tractations qu'il n'est de bon goût d'engager que si le désir d'acheter est réel, le rituel du thé que l'on partage si l'affaire semble en bonne voie.
BIJOUX. Les joailleries et les bijouteries sont les magasins les plus nombreux du Grand Bazar. Hormis les bijoux en or et ceux ornés de pierres précieuses, on peut également découvrir des créations artisanales en argent, inspirées des formes traditionnelles.
CUIR ET PEAUX. En Turquie, le travail du cuir est depuis toujours un artisanat; c'est aujourd'hui une industrie. L'on trouve aussi bien des vêtements en cuir du dernier cri que des pelisses de type mongol en peau de mouton.

ÇAY ! ÇAY !...
Chaque semaine les marchands du Bazar achètent des jetons à une échoppe qui ne prépare que du thé. Une dizaine de marchands est reliée par téléphone à cette petite boutique, et, sur simple appel, les vendeurs de thé viennent leur livrer des verres de thé bouillant qu'ils offrent à leurs clients.

Sceaux
des sultans ottomans

Théophile Gautier écrivait au siècle dernier : «Il y a des joailliers dont les pierreries sont enfermées dans des coffres ou sous des vitrines placées hors de la portée des filous ; dans ces obscures boutiques, assez semblables à des échoppes de savetier, abondent des richesses incroyables.» Aujourd'hui, les trésors de l'Empire sont au musée de Topkapı et l'on ne trouve plus au Bazar ces superbes Corans du XVIe siècle transcrits par des calligraphes, reliés de cuir guilloché, ornés de décors ciselés et munis d'un rabat.

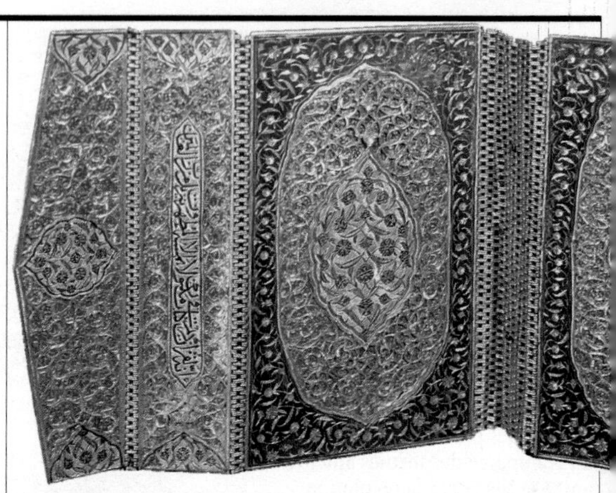

Le Grand Bazar aujourd'hui
Le Bazar a été modernisé après l'incendie qui le ravagea en 1954. Des murs, des arcades, des coupoles ont été transformées, les boutiques sont mieux éclairées, des vitrines ont été ajoutées. Certains noms de rues précisent le type des marchandises qui y sont vendues : rue des joailliers, des tapis ; du cuir, des jeans... Les allées sont très animées toute la journée.

Pipes et narguilés. Le fumeur de pipe est rare en Turquie et pourtant ce pays est extrêmement riche en «écume de mer». Certains fumeurs apprécient cette pierre calcaire, très tendre et légère, car elle adoucit l'âpreté du tabac et absorbe la nicotine, colorant à la longue le fourneau de riches nuances qui vont de l'ivoire au noir profond. Le Grand Bazar compte deux ou trois marchands de pipes sérieux où l'amateur trouvera, à côté d'un important choix de modèles classiques, des pièces savamment sculptées, de la tête de Turc barbu et enturbanné, à la serre d'aigle, en passant par le traîneau attelé à des rennes. Au bazar égyptien, les prix sont moins élevés, mais la qualité du travail et des blocs d'écume sont moindres. Enfin, il faut savoir qu'une bonne pipe en écume de mer coûte à Istanbul en moyenne quatre fois moins cher qu'en France.Les Turcs sont des artistes de la fumerie depuis des siècles, comme en témoigne l'usage du narguilé. Certes, le temps est révolu où les les jeunes femmes des harems utilisaient ces précieux objets de cristal ciselé où flottaient des pétales de rose. Aujourd'hui, la cigarette fait une concurrence déloyale à ce considérable instrument qui peut atteindre 120 cm de hauteur, et plus de 2 m pour le long tuyau de cuir par lequel la fumée chemine après s'être refroidie lors de son passage dans l'eau. Il reste cependant deux ou trois endroits publics à Istanbul où l'on peut fumer dans ces pipes à eau le savoureux *tömbeki*, un tabac cultivé sur les bords de la mer Noire. Sec et de grosse coupe, son arôme puissant se dégage lorsque, humidifié et disposé en une boule compacte sur un petit fourneau de terre cuite, il se consume sous le morceau de charbon ardent. Le *Nargileci* du Çorlulu Pasajı est un endroit particulièrement choisi pout tenter l'expérience. Presque insoupçonnable depuis la rue, ce café occupe la cour d'une ancienne

medrese ◆364.On s'y assoiera à l'une des tables en fer pour y fumer, deviser et jouer au *tavla* en buvant, dans de petits verres bombés, le thé de Rize ou ce breuvage à base de poudre chimique que les Istanbuliotes consomment à l'occasion, l'*elma çay* ou «thé à la pomme».

Les caravansérails

Le Grand Bazar était entouré sur ses quatre côtés et dans ses environs immédiats par une trentaine de *han* où les commerçants et les artisans entreposaient leurs marchandises. Après le tremblement de terre de 1894, le périmètre du Grand Bazar ayant diminué, beaucoup s'en trouvèrent éloignés et seuls treize d'entre eux sont aujourd'hui à ses abords immédiats. Beaucoup ont gardé leur vocation première, d'autres abritent toutes sortes d'ateliers et de boutiques.

Le plus beau, le Zincirli Han, est situé tout près de l'angle nord-est du Bazar. Des magasins de tapis et d'antiquités y sont installés. On trouve aussi beaucoup de hans dans les rues qui conduisent du Grand Bazar à la Corne d'Or. Deux sont particulièrement remarquables : le Valide Hanı, construit en 1651 sur ordre de la sultane mère Kösem, et le Büyük Yeni Han, une commande du sultan Osman III, datant de 1754.

Les Han
Tout autour du Bazar on aperçoit de nombreux *han* traditionnels ; une grande partie des marchandises vendues dans le bazar sont fabriquées dans ces boutiques. Au Kalcilar Han, où l'on trouve tous les objets en argent, les artisans sont au travail au premier étage..On entre dans le Büyük Yeni Han au niveau de 3e étage ; près de l'entrée, l'on vend des petites maisons pour les oiseaux que les Istanbuliotes fixent sur leurs balcons.

Autour du Grand Bazar

Une porte à l'angle nord-est du marché débouche dans la *Mahmut Paşa Caddesi*, principale avenue entre le Grand Bazar et la Corne d'Or.

Le hammam de Mahmut Paşa. À quelques centaines de mètres du marché se dresse l'imposant hammam du *külliye* de Mahmut Paşa. Ce hammam, achevé en 1476, deux ans après la mort de Mahmut Paşa, est le plus ancien de la ville, après celui de Gedik Ahmet Paşa. Comme dans la plupart des grands bains publics ottomans, il était double à l'origine, mais le hammam des femmes a été démoli pour construire le *han* adjacent.

Le quartier du Çuhacılar Hanı. Il faut retourner dans la Mahmut Paşa Yokuşu et tourner à gauche dans la Çuhacılar Hanı Sokağı pour voir à mi-chemin le caravansérail qui a donné son nom à cette rue. Les ruelles de ce quartier datant du milieu

du XVIIIe siècle constituent un véritable dédale. La Çarşıkapı-Nuruosmaniye Caddesi qui prolonge la Çuhacılar Hanı Sokağı continue de suivre le flanc est du Grand Bazar. À gauche se dresse la Nuruosmaniye Camii dont la cour d'entrée se trouve plus loin, juste en face de la porte principale du Grand Bazar. Au carrefour suivant s'ouvre sur la droite la Kalpakçılar Başı Caddesi, artère principale du Grand Bazar qui longe le côté sud du marché. Arrivé à la porte sud-ouest, on tourne à droite dans la Çadırcılar Caddesi, située à l'ouest du Bazar que l'on quitte quelques pas plus loin en passant, à gauche, sous un vieux porche en pierre, Hakkaklar Kapısı, ou porte des Graveurs.

LE MARCHÉ AUX LIVRES

Une volée de marches conduit au Sahaflar Çarşısı, marché pittoresque et animé où les bibliophiles peuvent trouver aussi bien des ouvrages anciens que des nouveautés. Les librairies entourent une cour ombragée par une treille. C'est l'un des plus vieux marchés de la ville, puisqu'il occupe le site de la *Chartoprateia*, le marché du livre et de la papeterie de Byzance. Après la Conquête, les fabricants de turbans et les graveurs s'y installèrent – d'où le nom de la porte du marché. Délaissant leurs vieux quartiers du marché couvert (où une rue porte encore leur nom), les libraires investirent les lieux au début du XVIIIe siècle. Peu après, la légalisation de l'imprimerie leur permit d'accroître considérablement leur activité et d'occuper tout le marché, qui prit alors son nom actuel. Au XIXe siècle et au début du XXe siècle, la vente

LE MARCHÉ AUX LIVRES

Si vous entrez dans le Grand Bazar par la porte de la Nuruosmaniye, la Kalpakçilar Caddesi traverse le Bazar jusqu'à la porte

de Beyazıt et débouche sur la place du même nom où se tient le marché des bouquinistes. Les échoppes des bouquinistes étaient autrefois construites en bois ; elles ont été reconstruites dans les années soixante. Les marchands proposent des livres anciens en toutes langues, Corans précieux, ouvrages d'histoire ou modestes éditions de poche récentes. Vous pourrez vous rafraîchir au café-salon de thé Çay Bahçesi, fréquenté par les étudiants de l'université toute proche.

Le Grand Bazar au XIXe siècle
Dans son *Beauties of the Bosphorus,* publié au siècle dernier, Julia Pardoe donnait une description du Bazar, qu'elle illustra d'une gravure de W.H. Bartlett.

et la distribution de livres passaient essentiellement par le Sahaflar Çarşısı. Depuis une cinquantaine d'années, le marché souffre de la multiplication des librairies modernes dans la ville, mais il peut toujours s'enorgueillir d'être le plus vieux marché aux livres de Turquie. Un buste récent d'Ibrahim Mütererrika, le premier imprimeur de livres en turc (en 1732), orne le jardin au centre de la place.

La place Beyazit

Après avoir traversé le Sahaflar Çarşısı, on pénètre dans la cour extérieure du complexe de la Beyazıt Camii qui domine une immense place, la Beyazıt Meydanı, au sommet de la troisième colline. On y trouve un agréable café à la terrasse duquel on peut déjeuner ◆ 364. L'établissement était autrefois une maison de café. Elle fut fréquentée par les janissaires qui occupaient jusqu'en 1826 une caserne à proximité, date à laquelle Mahmut II décida de dissoudre ce redoutable corps d'armée. L'ancienne maison de café subsista jusqu'aux années soixante, à l'ombre de son immense platane - *l'arbre de l'oisiveté* dit le poète - où les intellectuels aimaient à se réunir. Depuis la fondation du *külliye* de Beyazıt, il y a cinq siècles, cette place est le marché en plein air favori des Istanbuliotes. À la multitude des vendeurs et camelots locaux se mêlent depuis quelque temps les marchands des pays de l'Est.

Les allées du Bazar
Les touristes sont assaillis par une nuée de vendeurs qui s'expriment dans toutes les langues. Les nombreuses boutiques abritent un fouillis savant de bijoux de pacotille et de bijoux précieux ; des amoncellements de tapis , d'étoffes et de cuivres.

Le complexe de la mosquée de Beyazit. Ce *külliye* n'a guère changé depuis qu'Evliya Çelebi l'a décrit dans son *Livre de voyages* : «Les cours intérieure et extérieure de la Beyazıt Camii sont bordées d'échoppes de toutes sortes ; il y a aussi une cantine populaire, un réfectoire et une auberge pour les voyageurs, ainsi qu'une école pour enseigner le Coran. La cour a six portes d'entrée ; elle est plantée d'arbres majestueux sous lesquels des milliers de gens gagnent leur vie en vendant les marchandises les plus variées».

Le hammam de Gedik Paşa

De l'autre côté de la Yeni Çeriler Caddesi, dans la Gedik Paşa Caddesi, se trouve le plus ancien hamman d'Istanbul qui date de 1475. L'homme dont il porte le nom, Gedik Ahmet Paşa, fut l'un des grands vizirs de Mehmet le Conquérant. Il fut également le commandant de la flotte qui prit Azov et se rendit maîtresse de l'île grecque de Lefkada et du port italien d'Otrante. Le *soğukluk* de ce hammam, un vaste espace sous coupole flanqué d'alcôves et de petites pièces, est beaucoup plus grand qu'à l'accoutumée. On remarque à droite la structure complexe d'une voûte à stalactites.

Le complexe, fondé par Beyazıt II, fils et successeur de Mehmet le Conquérant, est chronologiquement le deuxième *külliye* d'Istanbul. Un premier, construit par Mehmet II après la prise de Constantinople, fut détruit par un séisme en 1766, et la mosquée qui se trouve aujourd'hui sur son site date de 1771. La *Beyazıt Camii* est donc la plus ancienne mosquée impériale d'Istanbul encore visible. Elle marque le début de l'architecture ottomane classique dont la prédominance allait durer plus de deux siècles.

BEYAZIT CAMII

La mosquée fut construite en 1501-1506 par l'architecte Yakub-şah bin Sultan, dont la seule autre réalisation connue est le caravansérail de Bursa. Deux minarets décorés de motifs géométriques occupent aux angles extérieurs une position excentrée qui renforce l'originalité et la puissance architecturale de cette mosquée. La cour centrale, ou *avlu,* qui précède la mosquée de Beyazıt s'ouvre par de majestueux portails, sur trois de ses côtés. Un péristyle de vingt colonnes antiques, en porphyre vert et marbre de Syène, forme une arcade dont les voussoirs sont de couleurs alternées, rouges et blancs ou noirs et blancs ; le portique est coiffé de vingt-quatre petits dômes. Des marbres de différents coloris forment le pavement. Un joli *şadırvan*, ou fontaine d'ablutions, occupe le centre de la cour. Des stalactites sculptées décorent chapiteaux, corniches et niches. L'ensemble possède des proportions harmonieuses que rehausse la richesse non dépourvue de sobriété des ornementations.

«L'homme dont les pieds ont été couverts
de la poussière des sentiers du Seigneur,
sera préservé par lui du feu de l'enfer.»

Beyazit II

L'intérieur de la mosquée. On pénètre dans la salle de prières par un magnifique portail monumental. Le plan intérieur est une version simplifiée et beaucoup plus petite de celui de Sainte-Sophie ● *74*. Comme dans la basilique, la coupole centrale (17 m de diamètre) et les deux demi-coupoles qui lui sont accolées à l'est et à l'ouest définissent l'espace de la nef, flanquée de travées latérales au sud et au nord. Ces bas-côtés sans tribunes s'ouvrent largement sur la partie centrale, dont ils ne sont séparés que par une paire de colonnes antiques en granit et les quatre piliers portant la coupole. La loge du sultan, supportée par des colonnes en marbres rares et précieux, est curieusement à droite du *minbar* et non à gauche comme dans les autres mosquées de la ville. Côté ouest s'ouvre un large corridor divisé en travées sous voûte ou sous coupole. Cette structure est nettement en saillie par rapport au corps du bâtiment, à la façon d'un vestibule. À l'extrémité sud de ce corridor se trouve une petite bibliothèque, un ajout du XVIIIe siècle dû au Seyh-ül Islam Veliyüttin.

Les vieilles maisons en bois du quartier de Beyazit
La silhouette des maisons traditionnelles est caractérisée par les encorbellements, que l'on appelle en Turquie *çıkma*. Cette avancée correspond à l'emplacement de la principale pièce d'habitation, la *başoda*.
On retrouve presque toujours la même organisation de façade : deux rangées

de trois fenêtres, plus une sur le côté. Certains nostalgiques, conscients de la valeur patrimoniale de ces maisons, tentent de les restaurer dans l'esprit d'autrefois. Mais la plupart d'entre elles, devenues très vétustes, font partie des logements pauvres d'Istanbul.

Le complexe de Beyazit II

Outre la mosquée, le *külliye* comprend une *medrese*, un *imaret*, un hammam, une école élémentaire et plusieurs mausolées ● *80*.

Le mausolée de Beyazit II. Le cimetière du *külliye* s'étend derrière la mosquée. C'est là que repose Beyazıt II, dans un *türbe* sobre et harmonieux en calcaire rehaussé de vert antique. En 1580, Sinan avait fait aménager en contrebas du cimetière une galerie marchande qui fut par la suite démolie avant d'être reconstruite à l'identique dans les années soixante. Le tombeau tout proche de la fille du sultan, Sel uk Hatun, est encore plus simple. Un peu plus loin, le *türbe* de style Empire exubérant est celui de Koca Mustafa Reşit Paşa, grand vizir d'Abdül Mecit et chef du mouvement de réforme Tanzimat, mort en 1858 ● *40*.

Le forum de Théodose
Dans la base du mur bordant l'Ordu Caddesi sont encastrés d'anciens bas-reliefs d'époque romaine tardive dont l'un, posé à l'envers, représente une rangée de centurions. Ces vestiges proviennent d'une colonne romaine du forum de Théodose, qui s'étendait jadis au sommet de la troisième colline et dont on retrouve des traces un peu partout le long de l'Ordu Caddesi, à l'extrémité ouest de la Beyazıt Meydanı.

La mektep. La double *sibyan mektebi*, ou école élémentaire, est située derrière les échoppes. Ce bâtiment à deux coupoles et un portail est le plus vieil établissement d'enseignement primaire ottoman de la ville.

L'imaret. L'*imaret* de la Beyazıdiye se trouve dans la cour extérieure de la mosquée, en face du minaret nord. Il fut restauré en 1882 sur ordre d'Abdül Hamit II et abrite maintenant la Bibliothèque nationale.

La place Beyazıt. L'entrée principale de l'université d'Istanbul, installée ici depuis l'avènement de la République, se trouve en bordure nord de la Beyazıt Hürriyet Meydanı. La cour de l'université est dominée par une grosse tour d'une cinquantaine de mètres, construite en 1828 sur ordre de Mahmut II pour guetter les incendies, et toujours en service dans les années soixante. Il y a une trentaine d'années, on pouvait encore grimper au sommet de la tour pour admirer le panorama ; elle est aujourd'hui fermée au public.

Le musée de la Calligraphie ● *206*.
La *medrese* de la Beyazıdiye occupe la bordure ouest de la place. Comme dans toutes les *medrese* classiques, les cellules des élèves bordent les quatre côtés de la cour, et la *dershane* (salle de cours) est juste en face du portail d'entrée. Le bâtiment, restauré, abrite la bibliothèque municipale et le musée de la Calligraphie, consacré à l'histoire de l'écriture ottomane. On peut voir dans une des cellules la reconstitution d'un atelier de calligraphie où des figures en cire représentent un maître enseignant à ses élèves cet art éminemment islamique.

La troisième colline

Le hammam de la Beyazıdiye se trouve un peu plus loin dans l'avenue principale, laquelle prend à cet endroit le nom d'Ordu Caddesi. Juste en face du hammam, on découvre deux *han* ottomans : celui de gauche, construit sous le règne de Mehmet Fatih, est le Simkes Hanı, ou caravansérail des Tréfileurs d'argent. Le *han* de droite, une commande de Seyyit Hasan Paşa, grand vizir de Mahmut Ier, date environ de 1740. À 350 m, toujours dans l'Ordu Caddesi,

se dresse le *külliye* de Ragip Paşa, grand vizir de Mustafa III (1757-1774). Ce petit complexe de 1762 est probablement l'œuvre de l'architecte Mehmet Tahir Ağa. Son principal bâtiment est une *mektep*, convertie en bibliothèque pour enfants. Deux pâtés de maisons plus loin s'élève la Lâleli Camii, peut-être la plus belle mosquée baroque d'Istanbul.

La mosquée des Tulipes

La Lâleli Camii fut réalisée en 1759-1763 par Mehmet Tahir Ağa sur ordre de Mustafa III. Elle est construite sur une haute terrasse qui surplombe tout un ensemble de ruelles et d'échoppes sous voûtes. Au centre de cet espace s'ouvre un grand vestibule délimité par huit énormes piliers, avec au centre une fontaine. Le plan de la salle de prières est un octogone inscrit dans un rectangle. Les structures portantes sont engagées dans les murs, sauf du coté ouest, où les colonnes supportent la tribune ouest. Des marbres de toutes sortes et de tous coloris recouvrent les parois. Dans le mur ouest de la galerie sont incrustés des médaillons en opus sectile de marbres rares et pierres

La calligraphie
Elle fait partie des arts prépondérants dans les cultures ottomanes et islamiques, puisqu'elle est intimement liée à l'exécution des copies du Coran. L'écriture arabe se prête tout naturellement à de nombreuses variations esthétiques ● *206*.

De nombreux marchands ambulants sont présents dans les rues de la ville, comme ici des vendeurs de pastèques.

Le port de Galata à la fin du XIXe siècle.

Couvercle de boîte de loukoums

AHMET III, LE ROI TULIPE
Au début du règne d'Ahmet III, en 1703, l'Empire ottoman est déjà sur son déclin.Le nouveau sultan, lassé des guerres, se fait la réputation d'un esthète qui se plaît dans la recherche de plaisirs raffinés. Ahmet III organise de nombreuses fêtes et favorise les beaux-arts, la musique, la poésie et la littérature ; cinq bibliothèques sont créées et la première imprimerie installée en 1724. L'engouement pour les tulipes atteint de telles proportions que la seconde moitié du règne d'Ahmet III, à partir de 1717, prend le nom de *Lâle Devri*, période des Tulipes. Curieusement, la fureur pour ces fleurs, qui s'échangent à prix d'or, avait commencé un siècle plus tôt en Hollande, où les premières tulipes avaient été importées d'Anatolie en 1559.Ahmet III, dont le goût pour l'Occident et la faiblesse en matière militaire sont controversés, doit abdiquer en 1730. Son fils Mustafa III, qui accède au pouvoir en 1757, sera à l'origine de l'édification de la mosquée des Tulipes.

semi-précieuses, onyx, jaspe, lapis-lazuli. Le *külliye* de la Lâleli Camii comprenait également une *medrese*, un *imaret*, un *han*, un hammam et un *türbe,* où reposent Mustafa II et son fils Selim III (1797-1807).

LA MOSQUÉE DU PRINCE

La Fethi Bey Caddesi débouche dans la Fevziye Caddesi, qui à son tour mène à la Şehzade Başı Caddesi. Sur la droite se trouve l'édifice qui a donné son nom à l'avenue, la ŞEHZADE CAMII, ou mosquée du Prince. Son *külliye* fut élevé par Süleyman le Magnifique à la mémoire de son fils aîné, le prince Mehmet, mort de la variole en 1543, à l'âge de vingt et un ans. Le projet fut confié à Sinan ● *314*, qui l'acheva en 1548, signant ainsi son premier grand complexe de mosquée impériale. La mosquée est précédée d'un élégant *avlu* bordé de tous côtés par un portique, avec comme toujours un *şadırvan* au centre. C'est l'une des plus belles réussites du grand Sinan, qui inaugure ici une brillante innovation : construire des galeries sur toute la longueur des façades, ici au nord et au sud, pour cacher les contreforts.

L'INTÉRIEUR DE LA MOSQUÉE. La salle de prières est vaste et dégagée, sans colonnes ni galeries, ce qui est inhabituel pour une mosquée impériale. Sinan, qui voulait dès le départ un plan centré, prit le parti d'agrandir l'espace non pas avec deux demi-coupoles comme à Sainte-Sophie, mais avec quatre. Pourtant, la symétrie parfaite des deux axes finit par créer un effet assez monotone. De plus, les quatre piliers qui portent la coupole semblent isolés au milieu de cet énorme volume, si bien que leur inévitable monumentalité s'en trouve exagérée. L'austère simplicité du lieu ne manque néanmoins pas d'attrait.

LE JARDIN DES MAUSOLÉES. Le jardin clos de la mosquée renferme une demi-douzaine de tombeaux. Le plus grand et le plus somptueux est celui du prince Mehmet, réalisé par Sinan en 1543-1544. Sa décoration intérieure est d'une grande beauté, mais il n'est pas toujours ouvert au public, pas plus d'ailleurs que les autres mausolées, dont deux sont particulièrement intéressants : celui du gendre de Süleyman, le grand vizir Rüstem Paşa, construit par Sinan en 1561, et celui d'Ibrahim Paşa, grand vizir et gendre de Murat III, réalisé par Dalgıç Ahmet Ağa en 1603. Tous deux sont décorés

«CE TEMPLE A ÉTÉ BÂTI POUR LES VRAIS CROYANTS PAR LE GLORIEUX VICAIRE D'ALLAH, LE DIXIÈME DES EMPEREURS OTTOMANS, SELON LA LOI SACRÉE DU CORAN»

INSCRIPTION SUR LE TÜRBE DE SÜLEYMAN

LA ŞEHZADE CAMII
L'intérieur est décoré de calligraphies blanches sur fond bleu

de magnifiques faïences d'Iznik. La *medrese* du *külliye* se trouve à l'angle nord-ouest de l'*avlu*, juste devant l'aqueduc de Valens ; l'*imaret* et la *mektep* sont situés dans la Dede Efendi Sokağı, un peu après le jardin.

LA MEDRESE DE DAMAT IBRAHIM PAŞA. Une *medrese* dotée d'une ravissante *sebil* se dresse à l'angle de la Dede Efendi Sokağı et de la Şehzade Başı Caddesi, juste en face du jardin de la mosquée du Prince. Cet élégant bâtiment fut construit en 1720 sur ordre de Nevsehirli Damat Ibrahim Paşa, gendre d'Ahmet III dont il fut le grand vizir de 1718 à 1730, durant l'âge d'or de la Lâle Devri, «période des Tulipes».

LA MOSQUÉE DU KALENDERHANE

Dans les années soixante-dix, une enquête menée par des chercheurs de la Dumberton Oaks Society dirigés par C. Lee Stricker a permis de déterminer l'origine de la Kalenderhane Camii : il s'agit de l'église Theotokos Kyriotissa, «Notre-Dame, Mère de Dieu», construite au XIIe siècle ● *74*. Elle fut convertie en mosquée à l'époque de Mehmet Fatih. L'ordre des derviches de Kalender s'y installa peu après la Conquête ● *34*, d'où son nom turc.

LE MARCHÉ DES DROGUES. Un passage voûté à côté de la Kalenderhane Camii passe sous l'aqueduc de Valens. De là, il faut tourner à droite, puis à gauche dans la Süleymaniye Caddesi. La Süleymaniye Camii se trouve au bout de la rue. L'entrée de la mosquée est au sud du complexe, que l'on rejoint

RYTHME ET GÉOMÉTRIE
Les deux minarets qui s'élèvent aux angles ouest de la mosquée du Prince sont à juste titre renommés pour leurs bas-reliefs à motifs géométriques et leurs *şerefe* au réseau complexe de nervures incrustées çà et là de terre cuite. Le minaret en tant que symbole de l'Islam se doit de rentrer en concurrence avec les clochers des églises, surtout dans une ville comme Istanbul, où l'apparition des mosquées alla de pair avec l'avènement d'un nouvel empire. D'où le souci de leur ornementation. Les plus beaux, sont l'expression de l'art

majeur de la géométrie propre à l'Islam : c'est une esthétique profondément originale, où la logique des formes se diversifie à l'infini selon les principes de multiplication et de symétrie. La cascade de coupoles et de demi-coupoles aux nervures accentuées et aux corniches ouvragées qui coiffe le corps du bâtiment décline à sa manière contrastes et répétitions avec une incroyable virtuosité.

Les débuts de la calligraphie orientale sont étroitement liés à la célébration des versets du Coran et des paroles, en turc *hadis* du prophète Mahomet. Ainsi Ibn Mukle, au Xe siècle, Ibn Bervah, au XIe siècle, Yakut, au XIIIe siècle sont des calligraphes qui font référence dans le domaine de l'écriture sacrée. En Turquie, ce n'est que sous Beyazıt II que l'on constate l'apparition d'un maître novateur en la personne du Sheik Hamdullah (1429-1520), qui sera considéré comme l'ancêtre des calligraphes ottomans. Le sultan Beyazıt II, lui-même fut l'élève d'Hamdullah qui, par ailleurs était un tireur d'arc réputé, un grand nageur et même un expert dans la conception de costumes d'apparat. Hamdullah est un grand maître du style *nesih*. L'écriture que nous présentons, *sülüs-nesih* interprète un aphorisme d'Ali, gendre du prophète : «L'homme accède à la plénitude des grands par la droiture».

AHMET KARAHISARI
Originaire de la ville anatolienne d'Afyon-Kara Hısar (la forteresse Noire de l'Opium). Ahmet Karahisarı, (mort en 1556) fut vite surnommé «Lumière de l'Écriture» pour l'éblouissante perfection de ses compositions. La grandeur de Karahisarı est liée à l'audace de ses larges tracés verticaux et horizontaux d'allure épique. Dans l'exercice de style, sans signification précise que nous présentons, l'auteur ajoute, en marge : «Chaque lettre est pareille à un autre océan, chaque ligne est semblable à une autre vague, et chaque signe de ponctuation à une autre perle.»

CALLIGRAPHIE ANONYME DU XIXe SIÈCLE

armi les divers styles offrant matière à réflexion, les exemples 'écriture de caractère anthropomorphique se rattachant

à la pensée des Bektachîs sont intéressants ; il s'agit pour les calligraphes adeptes de cette secte anatolienne de célébrer, par graphisme interposé, grâce à l'entrelac les lettres, la nature divine du corps humain, sous orme du nom d'Ali et de ses fils martyrs. Ali est e gendre du prophète, le symbole du martyr our de nombreuses congrégations musulmanes, car il fut nassacré avec ses deux fils, dans la ville de Karbelâ.

CALLIGRAPHIE DU XVIe SIÈCLE

ORTRAIT D'UN
EINTRE (VERS 1480)
eintres, calligraphes
t enlumineurs
ravaillaient dans le
Vakkaşhane (atelier
mpérial) créé par
Aehmed II après
a Conquête.

NECMEDDIN OKYAY
(1883-1976)
Parmi les calligraphes contemporains, Okyay fut avec Tugrakeş Hakki, un des derniers de l'école d'Istanbul. Comme Hamdullah, son prédécesseur du XVe siècle, Okyay excella dans les techniques d'écriture. Il cultivait 400 espèces de roses, qui lui étaient aussi chères que ses superbes écritures.

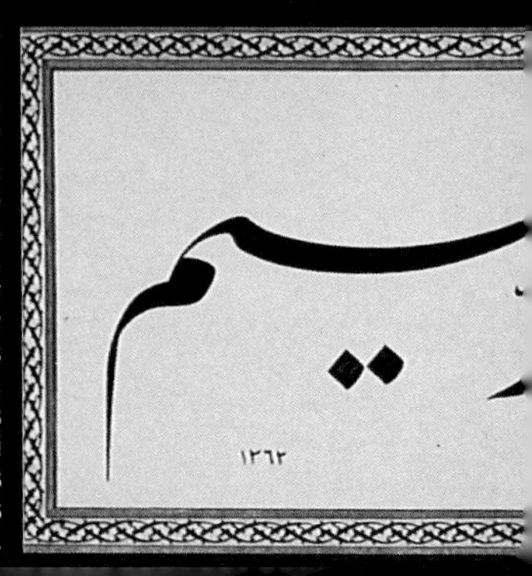

NECMEDDIN OKYAY
BISMILLAHI'R-RAHMANI'R-RAHÎM

MÜSENNA. CALLIGRAPHIE DU XIXe SIÈCLE
Le hurufisme trouve un prolongement dans le domaine du graphisme : bravant l'interdit orthodoxe qui vise la représentation figurée des êtres humains, un véritable art calligraphique voit le jour dans les dessins hurufi qui combinent les lettres pour dessiner des visages humains ou des animaux sacrés. Jeu de miroirs où les images se multiplient : l'homme, Dieu et le Verbe se nouent au bout de chaque opération.

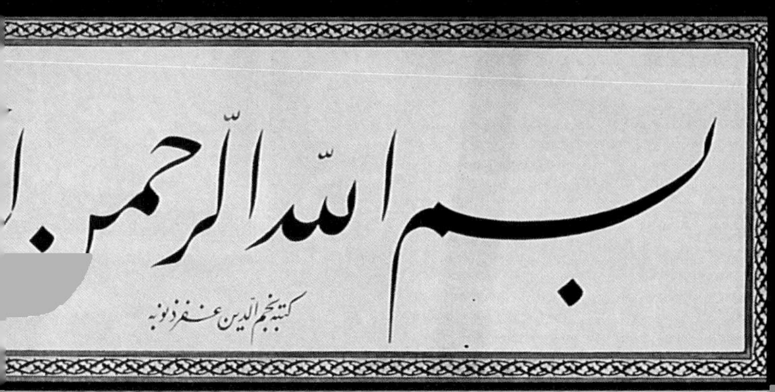

Le sultan Ahmet III (1673-1736) fut un calligraphe renommée, passé maître dans l'art du tuğra. Dès leur jeune âge, les sultans ont pratiqué cet art qui devait constituer pour eux une émanation écrite du pouvoir. Familiers des sultans, les savants calligraphes ont occupé une place privilégiée dans la hiérarchie du sérail.

Le calligraphe, assis en tailleur se sert de la main gauche comme support, portant un feutre sur lequel il pose le papier, tandis que la main droite utilise le roseau trempé dans l'encrier traditionnel, le *divit*. L'écriture s'opère par un double mouvement des mains, nécessitant un contrôle de la respiration du calligraphe pour ne pas troubler le trait. La réussite dépend du parfait équilibre de tout les facteurs en jeu. Des heures d'exercices répétés, comme c'est le cas pour les musiciens, maintiennent la main du calligraphe en forme. Pour évaluer la justesse de chaque écriture, on utilise un système de pointage, en forme de losange tracé par la touche encrée du roseau afin de pouvoir calculer verticalement ou horizontalement le calibre de chacune des lettres.

La fabrication d'encres noires ou colorées, à la fois denses et coulantes, peut être réalisée par une sorte d'alchimie passablement compliquée à base de suif, de fleurs de grenadier, de suc de vigne et divers autres ingrédients qui nécessitent cuisson et mélanges savants. Et enfin la qualité de l'encre obtenue se vérifie en y trempant une épine de hérisson ! On peut énumérer 14 espèces différentes de papier, ceux venus de Samarcande sont les meilleurs. Si le calligraphe le désire, il teintera le papier choisi par de savants mélanges grâce à une préparation dont voici quelques ingrédients : tilleul, thé, safran, tabac, paille, pelure d'oignon, écorce de grenade amère. L'œuf fait partie du parfait lustrage du papier à l'aide de polissoirs de différentes nature : marbre, coquillage, verre, ivoire.

Yazili abrû
Calligraphie sur papier marbré (*abrû*) par Necmeddin Okyay (1883-1976).

Les valeurs colorées de l'ensemble composé par le calligraphe comportent de nombreuses variations allant du clair au foncé, ou du foncé au clair. Selon les besoins, partant de la surface du papier, la calligraphie a trouvé en elle-même l'élan nécessaire pour s'élever jusqu'à des dimensions monumentales dans les palais ou les mosquées, se manifestant aussi sur les tombes, les fontaines, grâce à la peinture ou la sculpture sur marbre. L'art calligraphique multiforme est un monde en soi, avec ses créateurs et ses admirateurs. Hier comme aujourd'hui, le prix des œuvres les plus célèbres atteint des prix considérables.

Abidine Deux calligraphies contemporaines (1992)

Tuğra Calligraphie du sultan Ahmet III (1673-1736)

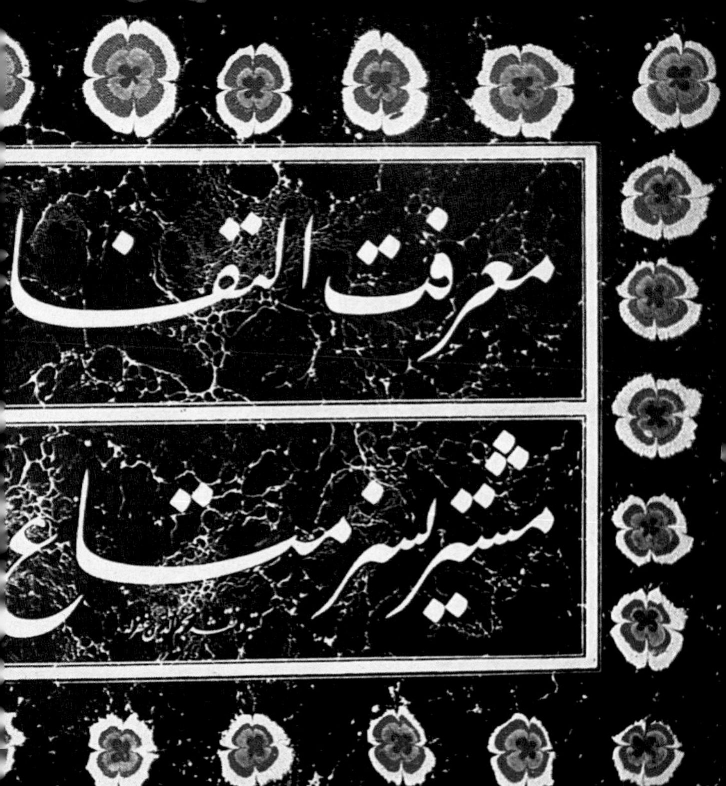

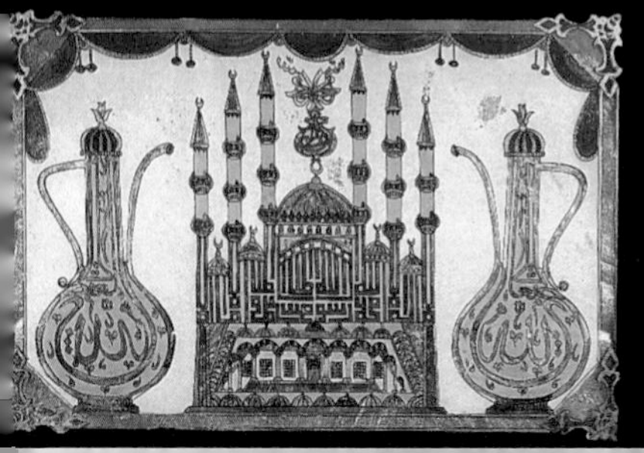

Mosquée et aiguières
Les calligraphes ottomans ont décoré de superbes écritures les belles faïences à fond bleu des murs des mosquées ou des *türbe* des princes ou des vizirs. Aux XIXe et XXe siècles, les calligraphes ont réalisé des écriteaux sur bois ou des peintures calligraphiées sur plaques de verre qui ont orné les murs des maisons et parfois les vitrines des échoppes et des cafés.

CALLIGRAPHIE BEKTACHÎ Cette inscription d'inspiration Bektachî réunit les noms du prophète Mahomet et d'Ali son gendre, qui se superposent ici pour former une unité visuelle et spirituelle, constituant un acte de foi.

Parallèlement à la calligraphie savante, destinée à une élite ou aux impératifs d'un art monumental, s'était développée durant l'Empire ottoman une imagerie de caractère populaire, elle aussi souvent basée sur les lettres de l'alphabet, se permettant toutefois des libertés pleines de fantaisie et de charme. Ainsi tantôt les formules de prières se transforment en mosquée, tantôt en aiguière, en lion ou en cigogne, éventuellement en un personnage sacré. Cette tradition n'a pas complètement disparu de nos jours l'on peut encore trouver des exemples peu coûteux de ce style sur les marchés d'Istanbul, sous forme de peintures sur verre ou de reproductions lithographiées.

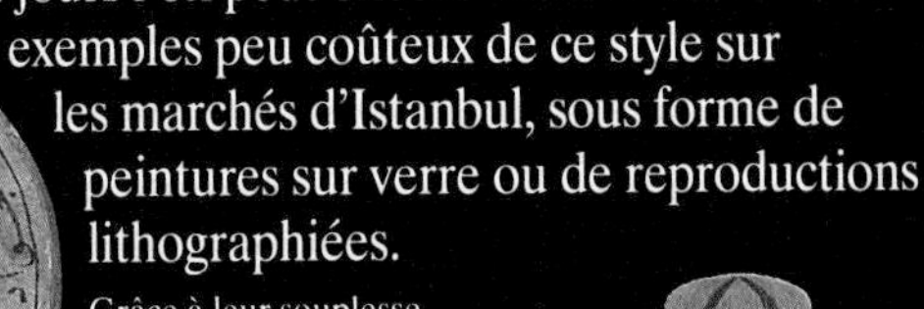

Grâce à leur souplesse de forme, les écritures composées circulairement ont orné les sceaux, les céramiques, les talismans.

Ah ! l'amour Selon une tradition populaire, l'union des lettres arabes «A» et «H» forme l'exclamation «Ah!». Ces deux lettres exprimant peine ou regret, sont presque toujours accompagnées par le mot «amour». Dans les deux alvéoles de la lettre «H» se nichent des yeux qui pleurent leur chagrin amoureux.

Image du couvre-chef d'un maître de confrérie sur un tabouret d'apparat Les turbans et les façons de se couvrir le crâne ont marqué les hiérarchies et les fonctionss de la société ottomane, accompagnant chaque personnage jusqu'à la tombe, elle-même coiffée selon le rang et la fonction du défunt.

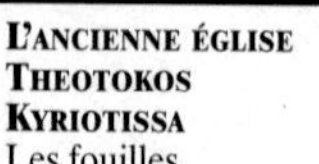

L'ancienne église Theotokos Kyriotissa
Les fouilles entreprises dans la Kalenderhane Camii ont permis de dégager dans une petite chapelle à droite de la nef des fresques racontant la vie de saint François d'Assise. Le portrait en pied du saint et les dix scènes qui l'entourent ont été peints vers 1250, pendant l'occupation latine de la ville.

La ville et ses habitants
Sous le règne de Süleyman, de nombreuses mosquées furent construites dans des quartiers nouveaux. Au point de vue de l'organisation de la cité chaque quartier avait sa mosquée, son imam chargé de pouvoirs judiciaires, et sa place de marché. Plusieurs quartiers formaient une commune. Avec l'arrivée de musulmans beaucoup d'églises furent changées en mosquées. La population de Stambul ne cessa de croître pendant le XVIe siècle. En 1554, on compte 40 000 chrétiens, 4 000 juifs, 60 000 Turcs en ville et 10 000 en banlieue.

par le Tiryaki Çarşısı, ou rue du Marché des Drogues. Il semble bien qu'à l'époque ottomane les salons de thé des *medrese*, sur le trottoir de gauche, ne proposaient pas uniquement du thé, du café et du tabac mais aussi de l'opium.

La mosquée de Süleyman le Magnifique

Le complexe de la Süleymaniye Camii est le quatrième *külliye* impérial construit à Istanbul. Sans être aussi vaste que la mosquée de Mehmet Fatih, la Süleymaniye Camii la dépasse en splendeur et en majesté. C'est sans conteste un des chefs-d'œuvre de l'architecte de génie qu'était Sinan. Commencée en 1550, la mosquée était achevée en 1557, mais il fallut deux années supplémentaires pour compléter le *külliye*. La mosquée elle-même est entourée d'une vaste esplanade ceinte de murs. Les autres éléments du *külliye* s'alignent dans les rues avoisinantes. Quatre minarets s'élèvent aux angles de la cour. Ceux qui jouxtent le corps de la mosquée, les plus hauts, ont trois *şerefe* ; les deux autres, plus petits, n'en ont que deux. Le grand dôme est flanqué à l'est et à l'ouest par deux demi-dômes et, côtés nord et sud, par des arcs aux tympans percés de fenêtres. À l'intérieur, la grande coupole est portée par quatre énormes piliers appuyés sur d'épais contreforts latéraux que Sinan a ingénieusement intégrés aux murs nord et sud en les faisant saillir symétriquement à l'extérieur et à l'intérieur. Il masqua cette avancée en ajoutant des galeries à arcades entre les contreforts. À l'extérieur, la galerie est à deux niveaux, la galerie supérieure ayant le double de colonnes. Lui correspond, à l'intérieur, une galerie à un seul niveau. Cette innovation confère à l'édifice une originalité et une noblesse certaines.

L'intérieur de la mosquée. La salle de prière, un rectangle de 70 m sur 61 m,

«QU'IL N'Y AIT QU'UN DIEU AU CIEL
ET QU'UN EMPEREUR TOUT PUISSANT SUR TERRE»
SÜLEYMAN LE MAGNIFIQUE.

AVLU DE LA SÜLEYMANIYE
La Süleymaniye est précédée de l'habituelle cour à portique, ou *avlu*, d'une exceptionnelle richesse avec ses colonnes en porphyre, marbre ou granit somptueux. Au centre, la fontaine aux ablutions.

est coiffée d'une coupole principale de 26,2 m de diamètre et d'une hauteur sous clé de 49,5 m. L'espace central se prolonge le long de l'axe principal par des demi-coupoles et des exèdres aux angles. Des tribunes bordent les nefs latérales, surmontées de cinq coupoles. L'espace central et les bas-côtés ne sont séparés que par les quatre piliers porteurs et les deux paires de colonnes en porphyre sur lesquelles reposent les murs des tympans en triples arcades. Deux autres paires de colonnes en porphyre, au nord et au sud des précédentes, soutiennent de chaque côté les coupoles qui coiffent l'espace central. Des galeries à arcades occupent l'espace entre ces colonnes et les contreforts. Les ravissants vitraux du mur est sont l'œuvre d'un verrier connu sous le nom de Sarhoş Ibrahim (Ibrahim l'Ivrogne) ; les faïences, utilisées avec beaucoup de sobriété, sont les premiers spécimens du nouveau style né à Iznik ● *292* au milieu du XVIe siècle motifs de fleurs et de feuilles turquoise, bleu intense et rou sur fond blanc immaculé. Le *minbar* et le *mihrab* en marbr blanc se signalent par leur élégante simplicité, tout comr les portes, les persiennes et le *kuran kürsü* en bois incrusté de nacre et d'ivoire. Les inscriptions ont été tracées par le célèbre calligraphe ottoman Ahmet Karahisarı ● *206*.

LES MAUSOLÉES DE SÜLEYMAN ET DE ROXELANE. Les tombes de Süleyman et de son épouse Roxelane se trouvent dans le cimetière derrière la mosquée. Le *türbe* de Süleyman le Magnifique est comme il se doit le plus grandiose mausolée de Sinan. Il date de 1566, année de la mort de Süleyman. L'édifice est un octogone ceint d'un portique à colonnes. Comme d'autres

PLAN DU COMPLEXE DE LA SÜLEYMANIYE
Les éléments du *külliye* de la Süleymaniye sont disposés autour de la terrasse de la mosquée et dans les rues qui bordent l'enceinte du complexe : cinq *medrese* (écoles supérieures de théologie), dont l'une sert d'école préparatoire, une *tip medrese* (école de médecine), un hôpital-asile, un *imaret*, un caravansérail, une *darü'l-hadis* (école supérieure coranique), une *darü'l-kurra* (école d'enseignement des différentes manières de lire et de réciter le Coran), un hammam et une rue marchande. La *darü'l-kurra* est encastrée dans le mur est du cimetière. Ce vaste espace sous coupole aux proportions harmonieuses est construit sur une petite citerne byzantine à quatre colonnes.

La Corne d'Or vue de la Süleymaniye

Le mausolée de Sinan
Sinan fut le grand architecte de Süleyman puis de ses deux successeurs, Selim II et Murat III. Au cours de sa longue carrière, il dota Istanbul de 327 mosquées et monuments divers. Sinan a travaillé jusqu'à la veille

de sa mort en 1588, à plus de quatre-vingt-dix ans. Le mausolée où il repose est voisin du majestueux chef-d'œuvre qu'il réalisa pour Süleyman le Magnifique, dont il glorifiait ainsi le règne.

Les vitraux de la Süleymaniye
Au XVIe siècle, les vitraux sont constitués de morceaux de verre teintés, montés sur un châssis. Ils reproduisent les motifs traditionnels des arts mineurs, et notamment ceux des céramiques et des tapis de cour, comme ici ces compositions de feuilles *saz*, d'arabesques et de «quatre fleurs».

türbe de Sinan, celui-ci est à double coupole. La coupole intérieure, soutenue par des colonnes, a conservé ses magnifiques fresques lie-de-vin, noires et or. Les parois sont revêtues de faïences d'Iznik, deux fois plus nombreuses dans cette petite salle que dans l'immense mosquée. Süleyman repose dans l'imposant tombeau qui trône au milieu de la pièce, surmonté de l'énorme turban blanc que portait le sultan pendant son règne. Sa majesté est à la mesure du personnage. Süleyman avait vingt-cinq ans lorsqu'il accéda au pouvoir en 1520. Il devait gouverner jusqu'à sa mort en 1566. Son règne, le plus long et le plus illustre de toute l'histoire ottomane, fut ainsi résumé par Evliya Çelebi : «Pendant les quarante-six années de son règne, il conquit le monde et soumit dix-huit monarques. Il établit l'ordre et la justice dans ses territoires, pénétra victorieusement dans les sept quartiers du globe, embellit tous les pays domptés par les armes et réussit dans toutes ses entreprises.» Le *türbe* de Roxelane, à l'est de celui de son époux, est plus petit mais les faïences y sont encore plus belles. La base cylindrique de la coupole, légèrement en retrait de la corniche octogonale, porte une longue inscription qui forme une sorte de frise sculptée. Ce mausolée date de 1558, année de la mort de la sultane.

Le complexe de la Süleymaniye

Derrière le cimetière, la terrasse se termine en un grand terre-plein, triangulaire en raison du tracé des rues en contrebas. C'est là qu'à l'époque de Süleyman avaient lieu chaque semaine des rencontres de lutte, sport très prisé dans les pays islamiques. À gauche de ce triangle en s'éloignant du cimetière,

on découvre la *darü'l-hadis*, une *medrese* de forme inhabituelle. Ses vingt-deux cellules sont en effet alignées sur un rang et non pas disposées autour d'une cour. En face se dresse un simple mur percé d'ouvertures fermées par des grilles et qui enclôt un jardin tout en longueur. Du haut de la terrasse, on peut voir la rue qui borde l'enceinte au nord. Cette ancienne *arasta*, rue marchande à double rangée d'échoppes, est toujours occupée par des commerces, mais l'endroit est plutôt délabré et on parle de le restaurer. De l'autre côté de la rue, deux des cinq *medrese* du *külliye* de la Süleymaniye sont encore visibles. Il faut revenir sur ses pas jusqu'à l'extrémité du Tiryaki Çarşısı pour voir les autres éléments du *külliye*. Le petit bâtiment à l'angle de la rue, à l'est de l'esplanade, est la *mektep*, ancienne école élémentaire destinée aux enfants du personnel de la Süleymaniye. Elle a été restaurée et accueille de nos jours une bibliothèque pour enfants. Deux édifices jouxtent la *mektep*, les *medrese* Evvel et Sani. Elles abritent aujourd'hui la célèbre bibliothèque de la Süleymaniye, l'une des plus importantes d'Istanbul. Sur l'autre trottoir se dresse un grand *darü's-sifa*, hôpital très réputé à l'époque ottomane qui a été remis en état en 1991 pour accueillir un restaurant. Une *tip medrese*, école de médecine, jouxtait la *medrese* Sani. Il ne reste pas grand-chose de ce qui fut l'un des plus prestigieux établissements de l'Empire ottoman. Seule subsiste une rangée de cellules le long du Tiryaki Çarşısı. La rue qui longe le mur ouest de la Süleymaniye part à droite du Tiryaki Çarşısı. Le premier bâtiment qui s'offre à la vue est le vaste *imaret* du *külliye*. À l'époque ottomane, on y servait des repas non seulement aux pauvres du quartier, mais également aux quelques milliers d'usagers du complexe.

Roxelane et Süleyman
Roxelane est connue des Turcs sous le nom d'*Haseki Hürrem*, la Joyeuse Favorite. En Occident, on la connaît sous le nom de *Roxelane*, littéralement «la Russe», à cause des origines qu'on lui prêtait. Süleyman s'éprit de Roxelane au début de son règne et, délaissant les autres femmes de son harem, en fit son épouse. L'Italien Bassano, qui était page au *Topkapı Sarayı* à l'époque, fut le témoin de cette passion : «Il lui manifeste tant d'amour et de confiance que tous ses sujets étonnés disent qu'elle l'a ensorcelé, et l'appellent *Cadi*, c'est-à-dire la Sorcière.»

Süleyman et Sinan
L'apogée des arts ottomans au XVIe siècle est marquée par deux grands personnages, le sultan Süleyman le Magnifique et son grand architecte, Sinan. Entre le souverain et l'artiste s'établit une relation privilégiée et ambiguë. L'architecte dépend du bon vouloir du sultan pour le financement de ses ambitieux projets. Réciproquement, Süleyman, désireux de fixer l'empreinte de sa puissance dans des œuvres qui lui survivront, doit s'en remettre entièrement au génie de Sinan, pour réaliser ses rêves d'éternité.

L'*imaret* est aujourd'hui occupé par une société culturelle turque. Sa cour centrale, plantée de platanes, de jeunes palmiers, et ornée d'une jolie fontaine en marbre, est très agréable.

Le mausolée de Sinan

À l'extrémité ouest de la rue du Marché des Drogues, en face d'un angle du mur d'enceinte, on découvre une *sebil* sous coupole, au fond d'un petit cimetière triangulaire. Sinan y est enterré dans un *türbe* qu'il se fit ériger vers la fin de sa vie au sein du jardin de la maison où il vivait depuis que la Süleymaniye était terminée. C'est un *türbe* ouvert : une arcade à six arcs en ogive porte un toit en marbre avec une toute petite coupole en aplomb du sarcophage en marbre sur lequel est posé un gros turban semblable à celui que portait le défunt en sa qualité de grand architecte. Le mur sud du jardin porte une inscription du poète Mustafa Sa'i à la gloire de l'œuvre de son ami Sinan. Mustafa Sa'i parle aussi de Sinan dans son *Tezkere-ül Ebniye*, où il dresse la liste complète des nombreuses réalisations du célèbre architecte.

LE CARAVANSÉRAIL

Le bâtiment suivant est le caravansérail, aujourd'hui fermé au public. Cet établissement de vastes proportions comprenait des chambres, des écuries pour les chevaux et les dromadaires, et des entrepôts pour les bagages des voyageurs, ainsi qu'une cuisine populaire (*imaret*) équipée d'un réfectoire, d'un dépôt pour les aliments, d'une boulangerie et d'un pressoir à olives. Une vieille coutume ottomane voulait que tous les marchands agréés fussent logés et nourris gratuitement dans les caravansérails de l'Empire. Evliya Çelebi évoque cette tradition d'hospitalité de la Süleymaniye : «Le caravansérail est d'une grande splendeur. Tous les voyageurs y reçoivent deux fois par jour un bol de riz, une écuelle de soupe de gruau et du pain ; on leur donne chaque soir une bougie et du fourrage pour leurs chevaux ; mais ils ne peuvent rester gratuitement que trois jours.» Mosquées, hôpitaux, auberges, écoles, bibliothèque, cet ensemble rationnellement conçu était au centre de la vie religieuse et sociale du quartier. La Süleymaniye, par sa composition et la beauté des divers bâtiments de son *külliye*, est encore aujourd'hui l'un des plus beaux exemples d'architecture islamique.

SINAN ASSISTE AUX OBSÈQUES DE SÜLEYMAN
La dépouille du sultan décédé lors de la campagne de Hongrie, est ramenée à Istanbul pour y être inhumée.

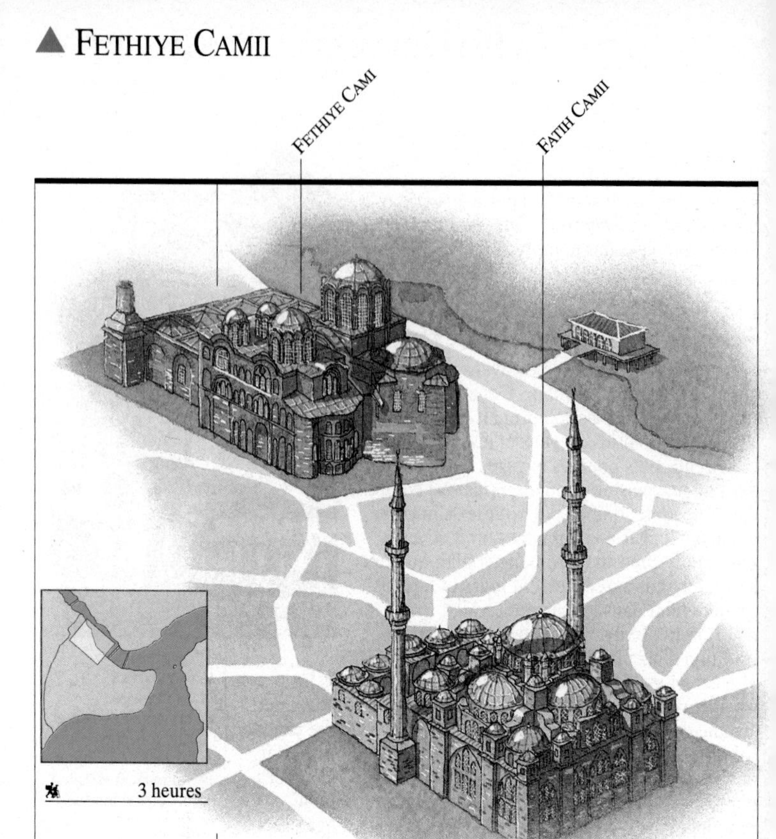

3 heures

LA MOSQUÉE AU MINARET TORSADÉ Une centaine de mètres avant l'aqueduc de Valens, un peu au-delà du mur ouest de l'enceinte de la Şehzade Camii, se trouve la Burmali Minare Camii. Cette jolie petite mosquée, fondée en 1550 par Emin Nurettin Osman Efendi, le kadi (juge) d'Égypte, doit son nom à la forme torsadée de son minaret de brique. Cet exemple, courant dans le reste de l'Anatolie, est unique à Istanbul. Une autre particularité de cet édifice est son porche élancé, supporté par quatre colonnes à chapiteaux de style corinthien byzantin.

L'AQUEDUC DE VALENS

L'Atatürk Bulvarı, entre la troisième et la quatrième colline, est enjambé par l'immense aqueduc de Valens, ● *76* dont

le nom turc, Bozdogan Kemeri, signifie «arcade du Faucon Gris». Achevé sous le règne de l'empereur Valens en 378, il faisait partie du vaste système d'approvisionnement en eau de la ville ▲ *356*. Endommagé par plusieurs tremblements de terre, il fut chaque fois restauré, la dernière fois en 1697.

LA COLONNE DE LA JEUNE FILLE. À gauche de la Macar Kadeşler Caddesi, la Kız Taşı Sokağı, conduit à une petite place où se dresse la Kiz Taşı, colonne de la Jeune Fille. Cette colonne commémorative romaine est composée d'un piédestal à trois degrés en marbre de Corinthe et d'une colonne de granite surmontée d'un chapiteau corinthien qui a conservé sa plinthe décorée d'aigles. L'inscription du socle atteste que le monument fut érigé en l'honneur de l'empereur Marcien (450-457) ● *31*. Son nom turc vient des fragments de sculpture, toujours visibles sur la base de la colonne, et représentant une victoire ailée.

«BIENTÔT APPARAISSENT LES HAUTES ARCHES DE L'AQUEDUC DE VALENS, DOMINANT DE LEUR IMMENSE CONSTRUCTION DE PIERRE LES HUMBLES MAISONS TURQUES TOUTES BÂTIES EN BOIS.» NERVAL

LE COMPLEXE DE MEHMET II

Plus haut, à droite de l'artère principale, on emprunte l'Aslanhane Sokağı, dont le nom, qui signifie «rue de la Maison du Lion» vient d'une ménagerie qu'entretenait à cet endroit Mehmet II. Tournant à gauche, à mi-chemin de l'Aslanhane Sokağı, on parvient à la vaste esplanade où se tient le *külliye* ● *80* fondé par Mehmet Fatih, avec, au centre, la mosquée précédée de son *avlu* et prolongée par le jardin des *türbe*. Au nord et au sud, s'alignent les *medrese* et autres bâtiments du *külliye*. Érigé entre 1463 et 1470 par l'architecte Atik Sinan, il fut en son temps le plus grand et le plus somptueux complexe ottoman jamais édifié. L'*avlu*, le portail principal, le *mirhab*, les minarets jusqu'à la hauteur du premier *şerefe*, le mur sud du cimetière, et la porte annexe du mur est de l'enceinte sont très probablement d'origine ; tous les autres éléments, endommagés lors d'un tremblement de terre, ont été relevés par Mustafa II. Parmi eux, les huit *medrese* ont été récemment restaurées de même que le *tabhane*. Peu de choses subsistent de la cuisine publique et le caravansérail a disparu.

LA MOSQUÉE DE MEHMET LE CONQUÉRANT. La Mehmet Fatih Camii fut totalement détruite lors du séisme de 1766 ● *16*. Mustafa II ordonna aussitôt sa reconstruction, dans un style baroque très éloigné de la forme initiale. Achevé en 1771, elle reproduit la structure utilisée par Sinan dans la Şehzade Camii, la Sultan Ahmet Camii et la Yeni Cami, à savoir un dôme central soutenu par quatre semi-dômes. Mais si les lignes extérieures sont d'un classicisme agréable, la décoration intérieure est plutôt décevante ; la partie inférieure des murs est recouverte de céramiques blanches d'une qualité si médiocre que l'humidité y laisse des traces de moisissure. On remarquera néanmoins, le *mirhab*, aux panneaux dorés dans la partie basse, qui sont de style baroque, ainsi que le minbar et son décor raffiné en marbre polychrome.

LE JARDIN DES MAUSOLÉES. Les mausolées de Mehmet Fatih et de son épouse Gülbahar, mère de Beyazıt II, furent reconstruites après le tremblement de terre. L'intérieur du *türbe* baroque de Mehmet II, est somptueusement décoré. À l'extérieur du *tabhane* de Mehmet Fatih se dresse le *türbe* construit en 1817-1818 pour la sultane mère Naksidil, femme d'Abdül Hamit Ier et mère de Mahmut II. Ce bel exemple du style baroque ottoman ● *84* contraste avec l'austérité classique du *külliye*.

MEHMET II, LE BÂTISSEUR
En 1453, la capitale de l'Empire byzantin agonisant n'est plus que le fantôme de ce qu'elle avait été. Derrière les murailles, la végétation part à l'assaut des quartiers abandonnés, des vestiges romains et des palais en ruine. La population qui ne compte plus que 40 000 Grecs, s'est peu à peu regroupée autour de la basilique Sainte-Sophie. Mehmet II le Conquérant redonnera vie à la cité mythique : en quelques années, une nouvelle population, venue des quatre horizons de l'Empire ottoman, s'y installe et construit mosquées, bazars et caravansérails.

MARCHAND AMBULANT

MONNAIES OTTOMANES
Mehmet II est également à l'origine de l'uniformisation du système monétaire ottoman. La plupart des pièces ne portent sur leurs deux faces qu'une légende

en caractères calligraphiés, parfois accompagnée de motifs de tresse. Les pièces à effigie sont très rares. On distingue les pièces d'or, appelées *altin*, des pièces en argent surtout utilisées pour le commerce.

LA MOSQUÉE DE SELIM Ier

À droite de la Fevzi Paşa Caddesi, la Yavuz Selim Caddesi conduit à la Sultan Selim Camii et à l'ancienne et gigantesque citerne d'Aspar, qui est aujourd'hui le site d'un marché municipal. La Sultan Selim Camii, l'un des plus beaux bâtiments d'Istanbul, se dresse sur une terrasse dominant la Corne d'Or, au sommet de la cinquième colline. Achevée en 1522, elle fut dédié par Süleyman le Magnifique à son père. Son grand dôme très évasé et son chapelet de petits dômes, de part et d'autre, produisent un effet certain. Sa cour est l'une des plus de la ville, avec ses colonnes de marbre et de granite, les voussoirs polychromes des arcs, son *şadırvan*, et ses magnifiques faïences d'Iznik qui ornent les lunettes au-dessus des fenêtres. Le mobilier est superbe, et tout particulièrement le *mirhab*, le *minbar* et la loge du sultan. La bordure du plafond sous la loge offre un exemple somptueux d'ébénisterie avec ses frises à motifs floraux peints et rehaussés d'or.

LES MAUSOLÉES. Le jardin des mausolées est situé derrière la mosquée. Le grand *türbe* octogonal surmonté d'une coupole est celui de Selim Ier. Son porche est orné de panneaux de faïences que l'on suppose fabriquées à Iznik, bien que l'on n'en connaisse pas de semblables par le dessin ou par la couleur. En face, un autre mausolée abrite les dépouilles de quatre enfants de Süleyman le Magnifique, morts en bas âge.

Ce tombeau des Princes est attribué à Sinan. Plus loin se trouve un autre grand *türbe* octogonal, celui d'Abdül Mecit qui mourut en 1861.

«VÉNÈRE ET AIME LA JUSTE CONCEPTION DANS LES PEINTURES ET LES IMAGES DU CHRIST [...] SI TU NE LE FAIS PAS, TU PORTES EN VAIN LE NOM DE CHRÉTIEN.»

VIE DE SAINT IÔNNIKIOS

LA THEOTOKOS PAMMAKARISTOS

Quittant la Selimiye Camii par la Sultan Selim Caddesi, on tourne à droite dans la Fethiye Caddesi qui conduit aux abords de la mosquée de même nom. Il s'agit en fait d'une ancienne église byzantine, la *Theotokos Pammakaristos* ● *64*, magnifiquement restaurée dans les années soixante par l'Institut américain des études byzantines.
Le corps du bâtiment principal fut édifié au XIIe siècle par le gentilhomme Jean Comnène et sa femme Anna Doukina. Vers la fin du XIIIe siècle, il fut reconstruit par le général Michel Doukas Glabas Tarchaniotes, commandant de la cavalerie d'Andronic II Paléologue (1282 - 1328). Autour de 1310, un parecclésion (chapelle latérale) fut ajouté sur le côté sud de l'église par la veuve de Michel Doukas en hommage à son défunt mari. Après la conquête turque, l'église servit de patriarcat grec orthodoxe de 1456 à 1586. En 1591, Murat III convertit l'édifice en lieu de culte musulman et l'appela Fethiye Camii, mosquée de la Conquête, pour célébrer sa victoire sur les Perses et l'annexion de la Géorgie et de l'Azerbaïdjan à l'Empire ottoman. Cette conversion ne se fit pas sans dommage. Après les travaux de restauration de l'Institut américain, la grande salle de prières conserva sa fonction de mosquée, tandis que la chapelle latérale, séparée de cette dernière, retrouva ses colonnes d'origine et devint un musée ; les superbes mosaïques qui échappèrent à l'islamisation de l'édifice, débarassées de leur badigeon et nettoyées, y sont depuis, présentées au public. Elles remontent toutes au début du XIVe siècle, et témoignent du mouvement de renaissance artistique qui s'épanouit à Byzance sous le règne des Paléologue.

LES MOSAÏQUES DU PARECCLÉSION DE LA THEOTOKOS PAMMAKARISTOS
Un Christ Pantocrator orne le dôme, entouré par les douze apôtres du Nouveau Testament. Dans la conque de l'abside, on peut voir un Christ Michel

Hyperagathos ; sur le mur de gauche, une Vierge fait face à saint Jean-Baptiste, représenté sur le mur opposé. Tous deux sont surmontés de quatre archanges. Ailleurs, sur les conques, dans l'intrado des arcs et sur les pilastres sont figurés dix-sept saints. Entre la partie inférieure du mur sud et les mosaïques de la partie supérieure se déroule une longue inscription en lettres d'or sur fond bleu. C'est une lamentation écrite par le poète Philes pour commémorer l'amour que Maria Blachena, la fondatrice de l'église, portait à son mari défunt, le général Tarchaniotes.

LE CONQUÉRANT Aujourd'hui, il ne reste de ces murailles terrestres, que celles que Mehmet II laissa intactes après la prise de la ville de Constantinople en 1453.

LES MURAILLES TERRESTRES

Les murailles terrestres datent en grande partie de l'époque de Théodose II (408-450). La première phase de construction, une seule grande muraille ponctuée à intervalles réguliers par près de cent bastions, fut achevée en 413 sous la direction du préfet de l'Empire d'Orient, Anthemius. En 447, un séisme détruisit l'essentiel de cette ligne fortifiée et abattit 57 tours, au moment même où Attila le Hun avançait sur Constantinople à la tête de la Horde d'Or. La reconstruction fut immédiatement entreprise par Constantin, nouveau préfet de l'Empire d'Orient, qui réquisitionna pour ce faire les factions du cirque de l'HIPPODROME. Deux mois plus tard de nouvelles murailles étaient élevées, doublées d'une seconde enceinte et précédées de douves. Les nouvelles défenses stoppèrent Attila qui, ayant renoncer à prendre Constantinople, tourna bride et alla ravager les régions occidentales de l'Empire romain. Le système de défense reposait essentiellement sur la muraille intérieure, de 5 m d'épaisseur et de 8 à 12 m de hauteur.

TOP KAPI
IBRAHIM PAŞA CAMII
SILIVRI KAPISI
IMRAHOR CAMII
BELGRAD KAPISI
YEDIKÜLE
MERMER KÜLE

«Imaginez quatre miles d'une gigantesque et triple ligne de remparts.»

Lord Byron

Kara Ahmet Paşa Cami
Mihrimah Camii
Edirne Kapisi
Kariye Camii
Tekfur Saray

Ses 96 bastions, de forme carrée pour la plupart et hauts de 18 à 20 m, étaient reliés par des courtines longues de 55 m environ. Un terre-plein de 15 à 20 m de large, appelé péribole, s'étendait entre les deux lignes fortifiées à 5 m environ au-dessus du niveau des rues. L'enceinte extérieure, de 10 m d'épaisseur et 8,5 m de hauteur, comportait elle aussi 96 tours, carrées et en demi-lune, qui alternaient avec celles de la muraille intérieure. Le système était complété par un chemin extérieur, le parateichion, bordé par un parapet dont la contrescarpe surplombait de 2 m les larges et profondes douves qui pouvaient être inondées en cas de menace sur la cité.

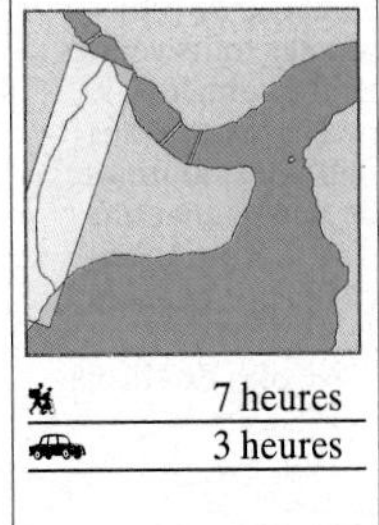

7 heures
3 heures

La tour de Marbre. La muraille de Théodose ● *31* s'ancrait aux murailles maritimes sur la Marmara par la tour de Marbre, Mermer Kule, fortin qui domine toujours le quartier nord-ouest de la vieille cité. Ce bâtiment de 13 m de diamètre et 30 m de haut, érigé sur un petit promontoire en bord de mer, est aujourd'hui séparé de la muraille par la route littorale. La partie inférieure de ses façades est recouverte de marbre. La tour de Marbre était peut-être à l'origine un pavillon maritime, pied-à-terre pour l'empereur lorsqu'il partait en voyage.

Le château des Sept Tours
En longeant les murs du château côté mer, on voit une grande tour : la tour de Marbre qui s'avance dans la mer.

La porte du Christ. En s'écartant un peu de la route du bord de mer, on découvre une première porte antique, juste à côté de la première tour de la muraille intérieure. Elle est surmontée du monogramme XP couronné de lauriers, d'où son nom de porte du Christ. Outre quelques petites poternes, la muraille de Théodose comportait en tout dix passages. Cinq étaient publics ; les cinq autres étaient réservés à l'armée. C'était le cas de la porte du Christ, qu'on appelle parfois pour cette raison première porte militaire. La structure des unes et des autres était assez similaire, mais tandis que les passages publics s'ouvraient sur les ponts enjambant les douves et débouchant sur la campagne environnante, les portes militaires ne communiquaient qu'avec l'enceinte extérieure. Les murailles, entre la route de Marmara et la voie ferrée, sont remarquablement bien conservées. Diverses inscriptions indiquent le nom des empereurs qui, au cours des siècles, firent effectuer d'importantes réparations : ainsi celui de Jean VIII Paléologue (1425-1448) ● *33* apparaît sur la première tour extérieure, celui de Romain Ier Lécapène (919-944) sur la quatrième tour intérieure, et ceux de Léon III (717-741) et de son fils Constantin V (741-775) sur la septième tour intérieure. Les dates de la trentaine d'inscriptions encore visibles s'échelonnent sur plus d'un millénaire, preuve de l'importance que les empereurs byzantins attachaient au système de défense de leur capitale.

Entre les sixième et septième tours de la muraille intérieure, il faut emprunter la route principale extra-muros puis le pont pour traverser la voie ferrée qui interrompt le rempart à cet endroit. Plus loin, on rencontre la porte de Yedikule.

LE CHÂTEAU AUX SEPT TOURS
“À l'angle de la cité qui a son regard vers Gallipoli, près de la rive de la mer, y a, comme j'ai déjà dit, un fort château composé de sept grosses tours ceintes et environnées de hautes et fortes murailles, fournies de bonne quantité d'artillerie, lequel château est appelé *Iadicula*.”
Nicolas de Nicolay.

LA PORTE DU CANON
Au temps de Byzance, elle portait le nom de Saint-Romain. La nuit du 29 mai 1453, quand Mehmet II lance l'assaut final contre Constantinople, il choisit d'attaquer les murailles à cet endroit. Les premiers escadrons d'infanterie sont sacrifiés pour que leurs cadavres viennent combler les douves. À l'aube, un énorme canon lance ses boulets de 600 kg contre la porte bientôt battue en brèche. Son nom turc, Top Kapı, la porte du Canon rappelle cet épisode.

Le château aux Sept tours

La Yedikule kapı est un petit portail byzantin surmonté sur sa face intérieure d'un aigle en marbre qui étend ses ailes, emblème de la dynastie des Comnène. Il faut emprunter ce passage puis tourner à droite pour trouver l'entrée du Yedikule, château aux Sept Tours, curieux édifice, mélange de styles byzantin et ottoman, adossé à la muraille, juste à côté de la voie ferrée. Quatre des tours sont intégrées dans les murailles. Les trois autres, construites plus tard à l'intérieur des murs sur ordre de Mehmet Fatih, communiquent entre elles. Quatre gigantesques courtines délimitent l'enceinte de forme pentagonale et ancrent le château à la muraille. Aux angles nord-ouest et sud-ouest se dressent deux des tours polygonales de la grande muraille de Théodose, entre lesquelles on distingue les deux pylônes carrés en marbre de la célèbre porte Dorée. Deux tours, notamment celle à gauche de l'entrée, servaient jadis de prisons pour les diplomates étrangers et les prisonniers de guerre. Les autres tours abritaient une partie du trésor impérial. Un escalier dans la tour, dite des Ambassadeurs, permet d'accéder au sommet du donjon et, de là, au chemin de ronde qui conduit à la porte Dorée.

La porte Dorée. Il s'agit en fait d'un arc de triomphe romain érigé sur la voie menant au palais par Théodose Ier le Grand vers 388, avant la construction des remparts.

Sur cette gravure du XVe siècle, on aperçoit la muraille qui longeait les deux rives de la Corne d'Or.

LES MURAILLES TERRESTRES
“J’ai parcouru une grande partie de la Turquie, maintes autres régions d’Europe, et quelques régions asiatiques ; mais je n’ai jamais contemplé d’œuvre de la Nature ou de l’art qui m’ait fait une aussi forte impression que le panorama qui se déploie de part et d’autre des Sept Tours à la Corne d’Or.”
Lord Byron.

Comme tout arc de triomphe, la *Porta Aurea* était un édifice autonome. Sa triple arcade classique (une grande arcade centrale flanquée de deux plus petites) est construite sur le passage de la voie qui, longeant la Marmara, conduisait deux kilomètres plus loin, à l’extérieur de la ville. Un quart de siècle plus tard, on intégra la porte Dorée aux remparts lorsque Théodose II fit reconstruire la muraille de Constantin. Le pylône nord servit de prison et fut l’un des principaux lieux d’exécution de la ville. On peut encore y voir les instruments de torture et de mise à mort utilisés à cette époque, ainsi que le sinistre «puits de sang» où l’on jetait les têtes des suppliciés pour qu’elles fussent emportées par la mer. En sortant du château, on suit la Yedikule Caddesi, puis l’Imrahor Ilyas Bey Caddesi.

L’ÉGLISE SAINT-JEAN-DE-STOUDION

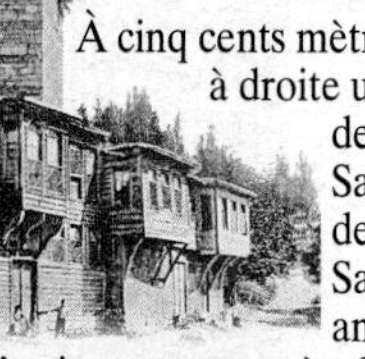

À cinq cents mètres environ, on découvre en tournant à droite un énorme bâtiment délabré et privé de toit : l’Imrahor Camii, ancienne église Saint-Jean-de-Stoudion. La construction de l’église Ayios Ioannis Prodomos, Saint-Jean-le-Précurseur, remonte aux années 454-463. Un monastère vint s’y ajouter peu après, fondation du patricien romain Studius, consul de l’empereur Marcien. Dans le premier quart du IXe siècle, le monastère acquit une immense renommée sous la direction de Théodore le Studite. Un vieux portail en fer permet d’entrer dans le jardin clos de l’église. Le narthex à trois travées précédant le sanctuaire, est un ancien atrium. Son portail central est doté de quatre colonnes à chapiteaux corinthiens portant un entablement à architrave. Deux encadrements de porte en marbre sont encore visibles dans l’intervalle. Vient ensuite le narthex s’ouvrant par trois portails et deux portes latérales. Le plan est celui d’une basilique : une nef terminée par une abside et flanquée de bas-côtés bordé chacun par une rangée de sept colonnes. Les six colonnes de brèche verte, au nord, sont surmontées de chapiteaux et d’entablements

«La campagne environnante était constellée de cyprès à l'ombre desquels se serraient des milliers de sépultures.»

Pierre Loti

similaires à ceux de l'exonarthex. Les entablements des colonnades latérales soutenaient à l'origine deux autres rangées de colonnes sur lesquelles reposait un toit en bois disparu, tout comme les colonnes du côté sud, depuis le séisme de 1894 qui laissa l'édifice dans l'état actuel.

Vers la porte d'Edirne

La porte de Belgrade. De retour à la Yedikule Kapı, il faut parcourir environ 600 m pour trouver la deuxième porte militaire. Elle fut rebaptisée Belgrat Kapı, lorsque Süleyman Ier eut installé dans le voisinage les artisans qu'il avait ramenés de la ville de Belgrade, conquise en 1521.

La porte d'Argent. Toute la section suivante des murailles, longue de 680 m est en bon état, et la muraille intérieure a conservé ses treize bastions. Elle aboutit à la Silivri Kapı qui, à l'époque byzantine, s'appelait *Porta ton Pigi* en raison de la présence extra-muros, à 500 m environ, du célèbre lieu de pèlerinage de Pananyia Zoodochus Pigi, Notre-Dame-Source-de-Vie. Comme toutes les grandes portes, la Silivri Kapı est double, avec une ouverture à la fois dans les enceintes extérieure et intérieure.

La porte de Mevlâna. Tous les éléments de la section suivante des remparts, longue de 900 m, c'est-à-dire l'enceinte extérieure, la muraille intérieure et leurs quinze tours, sont debout. Elle aboutit à la Mevlâna Kapı, du nom du fondateur de l'ancien ordre des derviches. Les Byzantins, l'appelaient «Porte des Rouges», du nom de la faction du cirque de l'Hippodrome responsable de sa construction, comme l'attestent les inscriptions en grec et en latin sur le corbeau sud de sa façade extérieure.

Les cimetières et les murailles
C'est dans la première moitié du XVIIIe siècle qu'est promulguée une loi interdisant toute inhumation intra-muros. Dès lors se développent, au-delà des murailles terrestres, plusieurs cimetières. S'étirant vers la campagne, ils prennent rapidement de vastes proportions et sont baptisés «champ des morts». Ils fascineront au XIXe siècle les écrivains français comme Gautier, Nerval, puis Loti, par leur foisonnement de stèles plantées au milieu d'une douce et luxuriante végétation.

Mais ces temps sont révolus et même les Turcs qui autrefois venaient pique-niquer au bord des tombes, leur préfèrent aujourd'hui la campagne et les forêts du haut Bosphore, à proximité de la mer Noire. Les nouvelles banlieues grignotent maintenant les vieux champs des morts, laissés peu à peu à l'abandon, avec la création de cimetières modernes. De l'autre côté des murailles terrestres, on peut apercevoir trois grands cimetières : le Merkez Efendi Mezarlığı, le Topkapı Mezarlığı et l'Edirnekapı Şehitliği.

LA MOSQUÉE AUX DEUX CENTS FENÊTRES
L'espace intérieur de la mosquée de la Princesse Mihrimah est amplifié par une abondante lumière tombant des quelques deux cents fenêtres de l'édifice ; le baldaquin et la couronne de la coupole centrale en comptent la moitié à eux seuls. Leurs vitraux sont peu colorés en comparaison de ceux de la Süleymaniye d'Istanbul ou des mosquées dédiées à Mihrimah, à Üsküdar et Edirne. L'effet ici recherché est en effet, et avant tout, une clarté absolue pour rehausser la pureté des volumes.

LA PORTE DU CANON. Sur les 900 mètres de rempart suivant, une seule des quinze tours intérieures a disparu ; les quatorze tours extérieures sont toujours en place. Le rempart a été démoli entre la dixième et la onzième tour lors du percement de la Millet Caddesi, dans les années soixante. La quatrième porte militaire, a été murée mais la Top Kapı se dresse toujours sur l'un des deux sommets de la septième colline.

LE MESOTEICHION. La section de remparts qui se dresse entre la Top Kapı et l'Edirne Kapı s'étend sur environ 1 250 m, interrompue entre les sixième et huitième tours par la Vatan Caddesi. L'avenue et la ligne souterraine de métro suivent le cours de l'ancienne Lycus. Cette portion des remparts s'appelait Mesoteichion, c'est-à-dire le «milieu des murailles». Elle forme, en effet, l'arc médian de la longue ligne de défense qui va de la mer de Marmara à la Corne d'Or. C'est aussi la partie la plus vulnérable des murailles, car elle suit la pente de la vallée de la Lycus et s'abaisse donc dangereusement à cet endroit. C'est ainsi que, lors du siège de 1453, les défenseurs du Mesoteichion se trouvèrent pris sous les feux croisés des Turcs embusqués de chaque côté de la vallée. Cette section des remparts est, naturellement très abîmée.

LA PORTE DE L'ASSAUT. Les Byzantins appelaient *Murus Bacchatureus* la partie nord du Mesoteichion, entre la Lycus et l'Edirne Kapı. Elle était percée d'une seule ouverture, la Pyli ton Pempton, ou cinquième porte militaire, aujourd'hui Hücum Kapı. L'empereur Constantin XI y fit transporter son quartier général dans les dernières heures du siège de Constantinople. Quelques minutes avant que les remparts ne cèdent, il se battait encore vaillamment aux côtés

de ses cousins Théophile Paléologue, Don Francisco de Tolède et de son fidèle compagnon Jean le Dalmate. On raconte que son corps, retrouvé près de la porte de Pempton le soir même de la chute de Constantinople, fut enterré secrètement dans une église.

LA MIHRIMAH CAMII

Au nord de l'Hücum Kapı, à l'intérieur de l'enceinte, on découvre la Mihrimah Camii qui domine les vieux quartiers depuis le sommet de la sixième colline. Il s'agit de l'une des œuvres maîtresses du grand architecte Sinan, dédiée à une fille de Süleyman le Magnifique, la princesse Mihrimah, décédée en 1557.

LE COMPLEXE DE LA MOSQUÉE ● *34*. Le *külliye,* construit entre 1562 et 1565, comprend une *medrese*, une école primaire ou *mektep*, un double hammam, le mausolée du grand vizir Semiz Ali Paşa, gendre de Mihrimah, et une rue marchande ou *arasta* installée sous la terrasse du complexe. Passée la porte de l'enceinte, un escalier conduit à la terrasse. À droite, s'ouvre l'*avlu*, cour bordée sur trois côtés par un portique et les cellules de la *medrese*. Au centre, se trouve la *şadırvan*, ou fontaine aux ablutions. L'entrée de la mosquée est constituée d'un porche à huit colonnes de marbre et de granit. À l'origine, un avant-porche précédait ce dernier. Son toit incliné en bois était supporté par douze colonnes dont on voit encore la trace sur le sol.

LA MOSQUÉE. À sa situation dominante s'ajoute l'aspect imposant de sa structure, le dôme principal reposant sur un cube massif borné aux angles par quatre tourelles qui contrebutent de grands arcs. Chaque tympan est percé de quinze fenêtres en arc brisé et quatre rondes, garnies de vitraux. À l'intérieur, la salle de prières, de forme carrée, constitue

LA MIHRIMAH CAMII
Plan du baldaquin avec la projection de la coupole inscrite. En rouge, les vestiges de la structure portante : les quatre colonnes en granit et les pilastres. Au-dessus, coupe transversale de la coupole et de son baldaquin carré, montrant les grands pendentifs sphériques.
Augusto Romano Burelli, *La Moschea di Sinan*.

MOSAÏQUE DU CHRIST PANTOCRATOR
Ce médaillon central de la coupole sud du narthex de Saint-Sauveur-in-Chora fait pendant à celui de la coupole nord où sont représentés la Vierge et l'Enfant. Ces deux médaillons sont entourés chacun de vingt-quatre personnages figurés dans les nervures des coupoles : les patriarches, les prophètes, les chefs des douze tribus et les seize rois d'Israël.

l'espace central de la mosquée. Elle est surmontée d'une vaste coupole de 20 m de diamètre et de 37 m de haut qui repose sur des pendentifs. Au nord et au sud, des arcades triples, portant au centre sur deux colonnes de granit, ouvrent sur les bas-côtés surmontés de galeries à trois coupoles chacune.

LA PORTE D'EDIRNE. Située à l'endroit d'où partait la principale route pour Adrianople, la Porta Adrianople des Byzantins devint l'EDIRNE KAPI des Turcs, quand Adrianople fut rebaptisée Edirne ● *308*. L'autre nom qu'on lui donnait, Porta Polyandriou ou porte du Cimetière, s'explique par la présence, juste devant les remparts, d'une vaste nécropole. C'est par cette porte que Mehmet II fit son entrée triomphale dans Constantinople au début de l'après-midi du 29 mai 1453. Une plaque rappelle cet événement historique.

LA KARIYE CAMII

À droite de l'Edirne Kapı, on emprunte la Fevzi Paşa Caddesi et tourne à gauche à la première intersection, dans la Vaiz Sokağı. Au troisième carrefour, la Kariye Camii Sokağı se présente sur la droite. Elle débouche sur le parvis de la KARIYE CAMII, ancienne église Saint-Sauveur-in-Chora, située à peu de distance de la muraille de Théodose et près du sommet de la sixième colline.

HISTOIRE DE L'ÉGLISE. Saint-Sauveur-in-Chora pourrait être traduit par Saint-Sauveur-des-Champs ; en effet, l'église et son monastère se trouvaient à l'origine à l'extérieur de la muraille de Constantin. Plus tard, l'édifice fut intégré dans la ville que bornait désormais la muraille de Théodose. Son nom lui resta, mais prit alors un sens symbolique. Ainsi, les inscriptions dans l'église désignent le Christ comme la «Terre de la Vie». L'édifice actuel date de la fin du XIe siècle. Il fut érigé dans les années 1077-1081 sur ordre de Maria Doukas, belle-mère d'Alexis Ier Comnène. C'était probablement un édifice de type à quatre colonnes, une structure courante à l'époque. Au début du XIIe siècle,

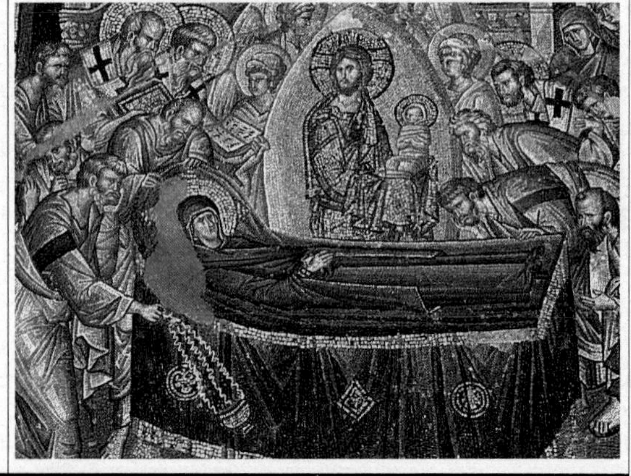

MOSAÏQUE DE LA DORMITION DE LA VIERGE
Dite Koimesis, elle décore la nef de Saint-Sauveur-in-Chora. La Vierge, allongée sur son lit, est entourée des Apôtres. Au centre, Jésus-Christ entouré d'un halo porte un nouveau-né symbolisant l'âme de Marie renaissant au paradis.

Isaac Comnène, petit-fils de la fondatrice et troisième fils d'Alexis Ier, y fit apporter des transformations de détails et quelques ajouts. Deux siècles plus tard, dans les années 1315-1321, Théodore Métochite, premier Ministre et grand chancelier du Trésor d'Andronic II Paléologue, ordonna à son tour des travaux, donnant à l'église sa physionomie et sa décoration actuelles. Les œuvres d'art de Saint-Sauveur-in-Chora sont donc contemporaines de celles de la Pammakaristos, construite pendant la renaissance qui marqua le règne des Paléologue. Saint-Sauveur-in-Chora resta un sanctuaire chrétien plus de cinquante ans après la Conquête. L'église fut transformée en mosquée sur ordre d'Atik Ali Paşa, grand vizir de Beyazıt II. Au fil des siècles, la plupart des mosaïques qui ne furent pas détruites par les tremblements de terre disparurent peu à peu sous le plâtre, la peinture ou la poussière, mais ne furent jamais complètement effacées. Un programme de restauration, patronné par l'Institut américain et le Centre Dumberton Oaks d'Etudes byzantines, fut lancé en 1848 à l'initiative de Th. Whittemore et P. A. Underwood.

Structure de l'église ● *74.* On pénètre dans l'église par un exonarthex suivi d'un narthex. La nef est flanquée d'un paracclésion à droite et d'un corridor à double niveau à gauche. L'espace central est coiffé d'une coupole reposant sur un haut tambour ; cette structure est portée par les quatre énormes pilastres des angles de la nef, d'où s'élancent de grands arcs. Des pendentifs assurent la transition avec la corniche circulaire. La coupole actuelle est turque, mais le tambour date de la reconstruction de 1315-1321.

Décoration de l'église. Les mosaïques et les fresques ● *64* de l'église Saint-Sauveur sont de loin les plus importantes œuvres picturales byzantines du monde, tant par leur beauté que par leur nombre. Elles sont contemporaines des fresques de Giotto en Italie et, quoique fort différentes dans le détail des chefs-d'œuvre du maître italien, elles sont imprégnées de cette vitalité et de ce réalisme si caractéristiques du début de la Renaissance, et très éloignées du style convenu et rigide de la tradition byzantine.

Fresque du Jugement dernier
Paracclésion, Saint-Sauveur-in-Chora. Au centre, est représenté le Christ, en juge suprême. Il est entouré de la Vierge Marie, de saint Jean-Baptiste et du chœur des Prophètes.

Tesselles
Détail d'une mosaïque : les tesselles très fines captent par un jeu subtil les ombres et les lumières.

Mosaïque des Noces de Canaa
Cette représentation d'un épisode du Nouveau Testament illustre également la vie quotidienne byzantine. Les vignobles constituaient, en effet, la principale culture autour de Constantinople. Le vin était conservé dans de grandes jarres en terre.

Constantinople en 1422, carte de Cristoforo Buondelmonti
Cette représentation de la capitale de l'Empire byzantin, quelques années avant la Conquête, montre clairement la continuité des murailles terrestres et maritimes autour de la cité. Seuls les principaux monuments y sont figurés parmi lesquels on peut reconnaître le Grand Palais, la basilique Sainte-Sophie, l'hippodrome, le Sénat, Saint-Jean-de-Stoudion, le palais des Porphyrogénètes, et les nombreuses colonnes commémoratives dressées ici et là. Au nord, de l'autre côté de la Corne d'Or, s'élèvent les murailles de la florissante cité génoise, Galata, dominée par sa célèbre tour.

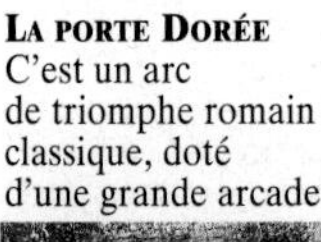

La porte Dorée
C'est un arc de triomphe romain classique, doté d'une grande arcade

centrale flanquée par deux pylônes revêtus de marbre. C'est par cette porte que l'empereur, au retour des expéditions, faisait son entrée triomphale.

Les mouvements des personnages, aux gestes gracieux, donnent à beaucoup des scènes représentées un caractère de légèreté et de douce béatitude. La vitalité picturale de ces œuvres est soutenue par l'emploi de couleurs franches et lumineuses, bleu, vert, rouge et or, fondues dans une harmonie de tons plus délicats, gris, mauve et rose. Enfin, la grande variété de mises en scène des épisodes bibliques donnent ici la mesure de la puissance d'inspiration des artistes byzantins.

Les mosaïques. La succession des mosaïques se fait dans un ordre iconographique précis. On y distingue sept grands groupes : les six grands panneaux votifs du narthex et de l'exonarthex, dont l'un représente Théodore Métochite offrant son église au Christ ; les ancêtres du Christ dans les coupoles du narthex ; le cycle de la Vie de la Vierge Marie dans les trois premières croisées du narthex ; celui de l'Enfance du Christ dans les lunettes de l'exonarthex ; celui des Miracles du Christ sur les voûtes de l'exonarthex et la quatrième croisée du narthex ; et enfin les portraits de saints et les mosaïques de la nef.

Les fresques du parecclésion. Les superbes fresques du paracclésion, dernière commande de Théodore Métochite, datent probablement des années 1320-1321. L'auteur anonyme de ces chefs-d'œuvre est sans doute également celui des mosaïques de l'église. Les thèmes traités sont ceux que l'on trouve en général dans une chapelle funéraire :

«Tu m'as fait errer dans les pays de Roum et de Damas
ils ne te comprendront pas, les ignares,
ils te quitteront...»

Karaca Oğlan

la Résurrection, le Jugement dernier, le Paradis et l'Enfer, la Mère de Dieu médiatrice entre la Terre et le Ciel. Sous la corniche, entre les quatre tombeaux, s'aligne la procession des saints et des martyrs. La scène de la Résurrection, en grec Anastasis, est représentée sous la voûte de l'abside. Cette œuvre grandiose est un sommet de l'art byzantin. Au centre, trône le Christ. Il vient de renverser les portes de l'Enfer qui gisent à ses pieds, près de Satan enchaîné. De sa main droite, il tire Adam de sa tombe et fait de même pour Eve à sa gauche. Derrière le premier homme, se tiennent saint Jean-Baptiste, David et Salomon ; Abel et un autre groupe de justes se trouvent aux côtés d'Ève dans sa tombe. Les quatre tombeaux du paracclésion occupent des niches profondes. Il y avait là, à l'origine, des sarcophages surmontés de mosaïques et de fresques dont on décèle encore les traces.

Théodore Métochite. Le tombeau, situé au fond du parecclésion, est surmonté d'une archivolte richement sculptée et décorée. Bien que l'inscription ait disparu, il s'agit probablement de la sépulture de Théodore Métochite, grande figure de la Renaissance, à la fois diplomate, haut responsable politique, théologien, astronome, poète, mécène, et le principal artisan du renouveau intellectuel et artistique qui marqua l'époque des Paléologue. Parvenu au pouvoir par un coup de force en 1328, Andronic III (1328-1341) s'empressa d'écarter Métochite et l'ancienne classe politique avant de les dépouiller de tous leurs biens et de les contraindre à l'exil. Théodore Métochite ne fut autorisé à rentrer à Constantinople qu'à la fin de sa vie. Il se retira dans le monastère de Saint-Sauveur-in-Chora, où il mourut le 13 mai 1331.

Les caravanes
Le dernier empereur à faire son entrée triomphale dans Constantinople par la porte Dorée fut Michel VIII Paléologue (1261-1282), le 15 août 1261. Elle n'est plus aujourd'hui qu'une porte parmi d'autres sous laquelle s'engouffre le flot des voitures. Au début du siècle, on pouvait encore voir des caravanes de chameaux portant leurs fardeaux la franchir en file indienne pour rejoindre la route d'Edirne. À l'intérieur d'Istanbul, elles faisaient halte dans les *han*, hôtelleries que les européens désignent par le terme persan de caravansérails.

LE TEKFUR SARAYI
Ce fut l'une des résidences impériales des premiers empereurs byzantins, sur la sixième colline. Après la Conquête, le palais fut affecté à divers usages. Aux XVIe et XVIIe siècles, il fut transformé en ménagerie impériale et accueillit de grands animaux, tels éléphants et girafes qui stupéfièrent les voyageurs européens. Fynes Moryson, en 1597, décrit ainsi une girafe : «[C'était] une bête sauvage nouvellement rapportée d'Afrique, la mère des Monstres [...]. Son poil était rouge avec moult taches noires et blanches. Le bout de mes doigts arrivait à peine aussi haut que l'arrière de son échine, qui s'élevait de plus en plus vers l'épaule. Son cou très mince et d'une longueur prodigieuse lui permettait d'atteindre avec sa tête n'importe quelle partie de la pièce où elle se tenait.» Le palais fut habité du XIe siècle à la fin de l'empire byzantin.

LE PALAIS DE TEKFUR

À l'extrémité de la muraille de Théodose, entre les murailles intérieure et extérieure, se dresse l'un des plus admirables vestiges de l'époque byzantine ● *74*, le Tekfur Sarayı, ou palais du Souverain, plus communément appelé palais des Porphyrogénète. Il a sans doute été construit à la fin du XIIIe siècle, peut-être pour servir d'annexe au palais des Blachernes voisin, qui fut la principale résidence impériale pendant les deux derniers siècles de l'Empire byzantin. Le bâtiment rectangulaire, très vaste, compte deux étages. En bas, c'est un rez-de-chaussée voûté, grande pièce de 17 m de longueur qui percé de quatre grandes arcades ouvertes sur une cour formant atrium, que précède un propylée. Au premier étage, une vaste pièce de 23 m de long sur 10 m de large comporte six baies, la dernière donnant sur le chemin de ronde. Le second étage, élevé au-dessus du niveau des murs d'enceinte, possède des fenêtres sur chaque côté, dont sept donnent sur la cour ; on remarque sur la façade sud une curieuse saillie courbe en forme d'abside, et, côté est, des traces de balcon sous une fenêtre. Planchers et toit ont disparu. L'ensemble, et notamment la façade donnant sur la cour, présente une décoration géométrique composée de motifs en brique rouge et marbre blanc, caractéristique de l'architecture byzantine tardive.

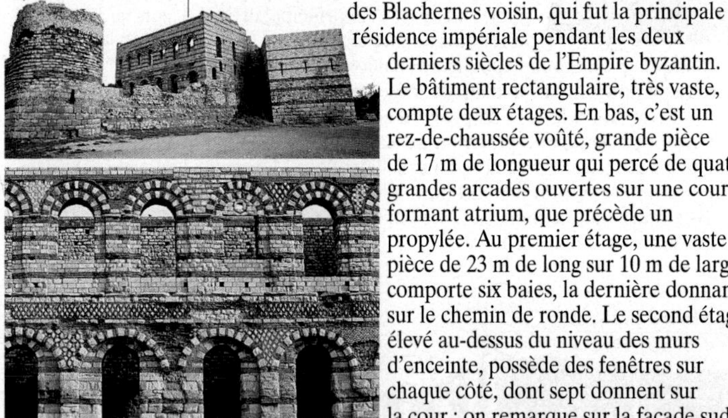

LA MURAILLE DE MANUEL Ier COMNÈNE. La muraille de Théodose s'arrête net après le palais des Porphyrogénète ; celle qui la prolonge, de construction plus récente, est la muraille de Manuel Ier Comnène, du nom de l'empereur qui la fit ériger au milieu

«SI TU VOIS UNE BELLE TU T'ARRÊTES
Ô CŒUR JE NE PEUX SUPPORTER
TON SOUCI»

ANONYME

du XIIe siècle. Son architecture est très différente de celle de la muraille byzantine. Le tronçon qui va du Tekfur Sarayı à la Corne d'Or ne comporte le plus souvent qu'une simple ligne fortifiée dépourvue de douves ; l'absence d'enceinte extérieure et de fossé défensif est compensée par des murs plus haut et plus épais que ceux de la muraille de Théodose ; ses neufs tours, huit rondes et une carrée, sont en outre plus massives, plus hautes et plus rapprochées. Ses grandes arcades sont murées sur l'extérieur et comportent une unique ouverture : l'EGRI KAPI, ou porte Oblique, ainsi nommée depuis qu'un mausolée érigé juste devant le passage oblige la venelle à faire un coude avant de pénétrer dans la ville. Le reste des remparts, qui va de la troisième tour aux contreforts de la terrasse du palais des Blachernes, semble avoir été construit plus tard.

LE PALAIS DES BLACHERNES

On accède au palais des Blachernes par la terrasse où se dressait jadis la partie basse du palais, et dont le soubassement presque intact descend jusqu'au niveau du sol, à l'extérieur des remparts. Les tours en ruine qui bordent la terrasse sont les derniers vestiges du palais des Blachernes, détruit sans doute lors du siège de 1453. Deux murs partent de l'angle nord de la terrasse. D'abord parallèles, ils se rejoignent à la Corne d'Or pour former l'enceinte extérieure de la citadelle. L'enceinte intérieure fut construite par l'empereur Héraclius (610-641) en 627, sans doute pour remplacer l'ancienne portion de la muraille de Théodose, à cet endroit particulièrement vulnérable, et que les Barbares avaient presque détruite en 626. On remarquera ses trois tours hexagonales, les plus belles peut-être de tous les remparts. En 813, Léon V (813-820), jugeant qu'une simple muraille ne suffisait plus, fit construire le mur extérieur et ses quatre tourelles, ouvrage moins massif et très inférieur au rempart intérieur. On pénètre dans la citadelle proprement dite par la porte des Blachernes, située entre la première et la deuxième tour du mur d'Héraclius. On parvient ainsi à la Toplu Dede Sokağı, ruelle en lacet qui conduit à l'antique *Porta Kiliomene*, à l'extrémité ouest du rempart maritime de la Corne d'Or. À cet endroit, se termine l'enceinte terrestre et débutent les murailles maritimes qui, de la Corne d'Or à la mer de Marmara, s'étendaient sur 11 à 12 km.

LES FEMMES TURQUES Mustafa Kemal, le fondateur de la République turque, ambitionna de faire de son pays un état moderne, laïque, proche du modèle européen. Si les traditions islamiques sont encore fortement ancrées dans les campagnes où le port du voile est fréquent, dans les grandes villes, les femmes sont de plus en plus nombreuses à travailler et ont quitté pour toujours l'espace clos du harem. Néanmoins, même à Istanbul, les cafés restent réservés aux hommes et, passée une certaine heure, les femmes disparaissent des rues.

EYÜP
CAFÉ PIERRE LOTI
ZAL MAHMUT PAŞA CAMII
EYÜP ISKELESI
AYVANSARAY KAPI
HALIÇ KÖPRÜSÜ
PATRIARCAT
AYRANSARAY VAPUR ISKELESI
BULGAR KILISESI
GÜL CAMII

5 heures

LES MURAILLES MARITIMES
C'est l'empereur Théophile (829-842) qui en fit construire la majeure partie et les relia aux murailles terrestres.

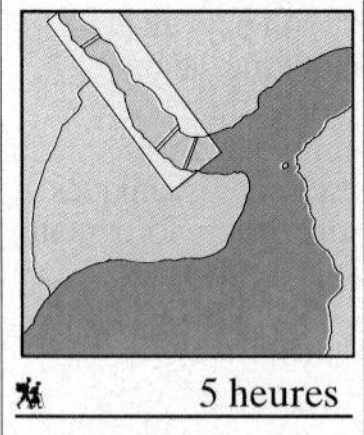

DU PONT DE GALATA AU PONT ATATÜRK

La première moitié du trajet conduit du pont de Galata au pont Atatürk, par la grande avenue, la Ragıp Gümüşpala Caddesi qui longe la Corne d'Or. À environ 200 m au-dessus du pont de Galata, se dresse une tour ancienne datant de la fin de la période ottomane et récemment restaurée. Il s'agit de l'une des rares tours existant encore parmi les cent-dix que comptèrent les murailles maritimes sur la Corne d'Or.

LA MOSQUÉE DES FABRICANTS DE BALANCES. En suivant toujours la Corne d'Or, mais cette fois sur le côté gauche de l'avenue, on découvre trois petites mosquées bâties juste après la Conquête par des guildes d'artisans installées dans ce quartier. La première d'entre elles, la Kantarcılar Mescidi, mosquée des Fabricants de Balances,

«LE PAYSAGE, TOUT AU LONG
DE LA CORNE D'OR, EST CAPTIVANT,
JUSQU'AUX ÉCHELLES DE HASKEUY ET EYOUB»

A. T'SERSTEVENS

fut construite durant le règne de Mehmet Fatih par Sarı Demirci Mevlâna Mehmet Muhittin. Ce dernier était, semble-t-il, membre de la guilde des fabricants de balances dont on trouve encore les boutiques dans la Kantarcılar Sokağı, toute proche.

LA MOSQUÉE DES CHAUDRONNIERS. A 250 m, se trouve la Kazancılar Camii, la mosquée des Chaudronniers. On la connaît aussi sous le nom de Üç Mihrablı Camii, la mosquée aux Trois Mihrab. Fondée par Hoca Hayrettin en 1475, elle fut ensuite agrandie par Mehmet Fatih lui-même, puis par la belle-fille d'Hayrettin, chacun faisant ajouter un *mihrab* ● *80*, d'où son nom.

LA MOSQUÉE DES TANNEURS. La troisième mosquée se trouve environ 150 m plus loin, juste avant d'arriver au pont Atatürk. C'est la Sağrıcılar Camii, la mosquée des Tanneurs. C'est probablement la plus vieille mosquée de la ville, édifiée en 1455 par Yavuz Ersinan, porte-étendard de Mehmet Fatih durant le siège de Constantinople en 1453. Yavuz Ersinan était un ancêtre d'Evliya Çelebi, célèbre écrivain et chroniqueur, lequel naquit en 1611 dans une maison voisine.

FENER VAPUR ISKELESI

ATATÜRK KÖPRÜSÜ

GALATA KÖPRÜSÜ

PORT DE LA CORNE D'OR

CAÏQUE SUR LA CORNE D'OR

LA TOUR DU BAGNE
Quelques vestiges des murailles sont encore visibles en amont de la Corne d'Or, le plus souvent entourés de structures plus modernes. Seules deux des portes monumentales des murailles maritimes existent encore, mais les sites de celles qui ont disparu ont gardé leur ancien nom, l'Aya kapı et la Cibali kapı. La tour de défense, située juste après le pont de Galata, servit de prison durant les périodes byzantine et ottomane, et fut surnommée par les Latins, «le Bagne». À l'intérieur, se trouve la tombe d'un saint musulman, Cafer Baba, l'émissaire pacifique d'Haroun al-Rachid à Constantinople où il fut cependant emprisonné. Sa tombe, découverte après la Conquête, était encore, ces dernières années, un lieu de pèlerinage très populaire.

Zeyrek Camii

AFFICHE DE LA COMPAGNIE FRANÇAISE DES MESSAGERIES MARITIMES
À la veille de la Première Guerre mondiale, de grands paquebots desservent régulièrement Istanbul devenu un haut lieu touristique, avec entre 40 000 et 65 000 visiteurs par an.

LA MOSQUÉE DES ROSES
La fête de sainte Théodosie, qui tombe le 28 mai, fut en 1453, célébrée dans l'église du Christ Pantocrator la veille de la prise de la ville par les Turcs. La tradition rapporte que l'édifice était encore orné de roses quand les premiers soldats turcs y firent irruption. Aussi, lorsque l'on transforma plus tard l'édifice en mosquée, l'appela-t-on Gül Camii, la mosquée des Roses. Les Grecs de la ville l'appellent l'église de la Rose immortelle, et certains d'entre eux croient que l'on y enterra secrètement Constantin XI le jour de la prise de Constantinople.

L'ÉGLISE DU CHRIST PANTOCRATOR

À l'une des extrémités du boulevard Atatürk, à 400 m du rond-point, apparaît l'église, connue en Turquie sous le nom de Zeyrek Camii. Il s'agit de l'ancienne église Pantocrator, l'un des édifices les plus réputés de la Constantinople byzantine ● *74*.
Elle se compose en fait de deux églises et d'une chapelle, auxquelles s'ajoutait un monastère renommé, depuis longtemps disparu. C'est l'impératrice Irène, épouse de Jean II Comnène (1118-1143), qui fit construire aux environs de 1120 le monastère et l'église située plus au sud et qui les consacra au Christ Pantocrator,

le Tout-Puissant. À sa mort, en 1124, son mari fit bâtir à quelques mètres, une autre église de taille et d'aspect identiques, qu'il dédia à la Panayia Elousa, Notre-Dame-de-la-Pitié. L'ouvrage achevé, il réunit les deux églises par une petite chapelle latérale où il inhuma la dépouille de sa compagne, qu'il devait rejoindre en 1143. Trois autres empereurs y sont enterrés : Manuel Ier Comnène (1143-1180), Manuel II Paléologue (1391-1425) et Jean VIII Paléologue (1425-1448), avec sa troisième et dernière femme, Maria Comnène de Trébizonde, qui fut également la dernière impératrice de Byzance, car, à l'arrivée de Constantin IX sur le trône, sa troisième et dernière épouse était déjà morte.

Du pont Atatürk au Fener

La porte Cibali. De l'autre côté du boulevard Atatürk, on longe la Corne d'Or et un parc aménagé sur sa rive. À environ 450 m du pont Atatürk, sur la gauche, se dresse une des deux portes subsistantes des murailles maritimes byzantines : c'est la Cibali Kapı, connue à l'époque de Byzance sous le nom de Porta Putea. Une inscription sur une plaque rapporte que, lorsque Constantinople passa aux mains des Turcs, le 29 mai 1453 ● *34*, les troupes de Mehmet Fatih opérèrent une brèche dans cette porte. C'est aussi l'endroit où les Byzantins affrontèrent la flotte vénitienne, quand les Latins effectuèrent leur première attaque contre Constantinople en 1203, attaque qu'ils renouvelèrent en 1204, cette fois avec succès. Sur la rive opposée, dans le quartier de Kasimpaşa, se dresse l'Aynalıkavak Kasrı, ou palais de de l'Arsenal, également connu sous le nom de palais des Glaces. Cet édifice, construit sous le règne d'Ahmet III (1703-1730) et transformé par Selim III (1789-1807), doit son dernier surnom aux grand miroirs vénitiens qui décorent ses salons, offerts par la Sérénissime République après le traité de Passarowitz, en 1718.

L'église Saint-Nicolas. À 250 m de la Cibali Kapı, on aperçoit une église grecque construite à l'intérieur des murailles maritimes. Edifiée vers 1720, elle est consacrée à saint Nicolas, le patron des marins. Elle est toujours ouverte aux fidèles bien que leur nombre ne représente plus qu'une petite fraction de ce qu'il était dans le passé.

La mosquée des Roses. L'Aya Kapı, la porte Sainte, est la seconde des deux portes des murailles de la Corne d'Or encore visibles. Au temps de Byzance, elle porta également le nom de porte Sainte-Théodosie, du nom de l'église

Vue de la Corne d'Or depuis Péra.

La Grande École
Dominant le quartier du Fener, on aperçoit au loin, un bâtiment rouge brique. L'édifice construit en 1881, est aujourd'hui occupé par l'école secondaire de la communauté grecque. C'était autrefois la Megali Scholea, la Grande École, une institution laïque d'études supérieures réservée à la communauté grecque. Nombre de ses diplômés occupèrent de hautes fonctions dans l'Empire ottoman. On compte parmi eux les plus illustres Feneriotes de l'aristocratie post-byzantine, tels que Paléologue, Cantacuzène, Cantemir, Mavrocordato et Ypsilanti.

Église Saint-Étienne-des-Bulgares
Monument néo-gothique édifié en 1871.

PETITS MÉTIERS
Près de la mosquée Bleue, ce petit marchand vend des graines pour nourrir les nombreux pigeons. Devant la mosquée d'Eyüp, l'on trouve un choix très grand de souvenirs religieux : mouchoirs, chapelets d'ambre, talismans contre le mauvais œil qu'achètent les pèlerins.

PRIÈRE DU VENDREDI
Avant la prière, les fidèles s'arrêtent dans la cour à la fontaine d'ablutions de la mosquée d'Eyüp. Le vendredi, ils écoutent l'imam qui prêche du haut du *minbar.*

proche transformée depuis en mosquée. Passé l'Aya Kapı, on tourne 50 m plus loin à gauche, dans la Kara Sarıklı Sokağı où se trouve la Gül Camii, ancienne église Sainte-Théodosie ● *74*. L'église fut fondée dans la première moitié du XIe siècle. Consacrée à l'origine à sainte Euphémie, elle prit le nom de sainte Théodosie lorsque les reliques de cette très populaire vénératrice d'icônes y furent enchâssées. Le plan de cette église est en croix grecque inscrite avec coupole. Les nefs latérales supportent des tribunes ; les piliers portant la coupole sont indépendants des murs en retrait, possédant aux angles des alcôves à deux étages ● *74*.

LE CHÂTEAU DU PETRION. Environ 100 m après l'Aya Kapı, on arrive à la Yeni Aya Kapı, la Nouvelle Porte Sainte. Il ne s'agit pas d'une porte byzantine mais d'une construction de 1582, attribuée à Sinan ▲ *314*. Cent mètres plus loin, la Sadrazam Ali Paşa Caddesi, qui longe la Corne d'Or, se dédouble. Ici se trouvait autrefois une porte monumentale connue des Turcs sous le nom de Petri Kapı, laquelle conduisait à l'intérieur d'une enceinte fortifiée : le château du Petrion, datant de l'époque de Justinien. Le château du Petrion joua un rôle important lors des sièges vénitiens de 1203-1204 racontés par le chevalier français Villehardouin dans son *Histoire de la conquête de Constantinople*. Le 29 mai 1453, il résista à une attaque de la flotte turque, et ses défenseurs ne se rendirent que lorsqu'ils apprirent que la ville était prise. À cette nouvelle, Mehmet II ordonna que les maisons et églises situées à l'intérieur de son enceinte soient épargnées lors du pillage.

LE QUARTIER DU FENER

Arrivés au début du XVIe siècle, marchands et commerçants grecs de ce quartier, les Feneriotes, amassèrent des richesses considérables sous la protection de la Sublime Porte, et certains accédèrent à un rang élevé dans l'Empire. L'une des fonctions traditionnellement occupées par les Feneriotes était celle d'*hospodar* (vice-roi) de Moldavie et de Valachie, principautés danubiennes et états vassaux de l'Empire ottoman jusqu'au XIXe siècle.

LE PATRIARCAT GREC ORTHODOXE. Quittant l'avenue principale pour la Sadrazam Ali Paşa Caddesi, à gauche,

on arrive bientôt devant l'entrée du Patriarcat grec orthodoxe. Le Patriarcat fut transféré dans ce bâtiment en 1601, lorsque l'église de la Pammakaristos, qu'il occupait, fut convertie en mosquée, la Fethiye Camii, par Murat III.
L'église patriarcale Saint-Georges remplaça vers 1720 une église plus ancienne du même nom. Dans le bas-côté droit, se trouve le trône patriarcal incrusté d'ivoire. Le siège administratif du patriarcat est installé face à l'église. Pendant la période ottomane, le patriarche de Constantinople, placé sous la suzeraineté du sultan, était le chef religieux de tous les chrétiens orthodoxes de l'Empire. Aujourd'hui, le patriarche d'Istanbul est le chef spirituel de l'Église grecque orthodoxe, mais le nombre de ses fidèles en Turquie ne s'élève plus qu'à quelques milliers de Grecs résidant encore dans la ville et dans les îles d'Imbros et de Tenedos que le traité de Lausanne a adjugées à la Turquie en 1923 ● *43*.

LA PORTE DU PHARE. À l'angle de la rue, juste après l'entrée du Patriarcat, se trouvait autrefois la célèbre porte Phanari, la porte du Phare, connue des Turcs sous le nom de *Fener Kapı*. La porte a depuis longtemps disparu, mais son nom subsiste dans celui du quartier, l'illustre Fener.

La caravane de chameaux partait chaque année d'Eyüp pour le pèlerinage à La Mecque.

LA CORNE D'OR
Son nom turc, *Haliç* signifie tout simplement «canal». C'est un golfe long de 7 kilomètres, d'une largeur variable qui atteint au plus 800 m, et d'une profondeur moyenne de 35 m.
Deux petites rivières l'alimentent, l'Alibey et le Kağıthane autrefois surnommées les eaux-douces d'Europe.
L'appellation de Corne d'Or fut donnée au canal à une époque où ses rives constituaient un des lieux de plaisance favoris des sultans et des grandes familles ottomanes.
Ce n'était alors qu'une succession de jardins, de palais et de ces ravissantes villas de bois que sont les yalı.
Hélas l'industrialisation l'avait défiguré par endroit : des ateliers et des usines s'y étaient installé de manière anarchique, gâchant le paysage et provoquant la pollution des eaux.
Un récent programme d'aménagement a entrepris de redonner à la Corne d'Or sa grâce passée, et de recréer sur le rivage parcs et lieux de détente.

EYÜP ISKELESI
Ces barques permettent de passer d'une rive à l'autre

LA MOSQUÉE D'EYÜP
C'est la mosquée la plus vénérée et la plus fréquentée d'Istanbul, en raison de son mausolée où repose Eyüp Ensari, compagnon du Prophète.

LES MAUSOLÉES DES VIZIRS
Ils se dressent au début de la Cami Kebir Caddesi, conduit à la mosquée d'Eyüp.

L'ÉGLISE NOTRE-DAME-DES-MONGOLS. En haut de la colline qui domine le Patriarcat se trouve une petite église de couleur rose-rouge consacrée à Notre-Dame-des-Mongols, en turc, Kanlı Kilise. C'est la seule église de la ville qui appartienne encore au Patriarcat grec orthodoxe. On y célèbre toujours les offices bien que le nombre des fidèles y soit peu important. Elle est consacrée à la Theotokos Panayiotissa, Notre-Dame, Mère de Dieu, mais elle est plus connue sous le nom de Mouchliotissa, Notre-Dame-des-Mongols. De récentes études révélèrent qu'une première église avait été construite à cet emplacement au Xe siècle. C'est la princesse Maria Paléologue, fille naturelle de Michel VIII Paléologue, qui la fit reconstruire aux environs de 1282. En 1265, elle épousa le grand khan des Mongols, Abagu. Maria vécut en Perse, à la cour mongole pendant environ quinze ans, et, sous son influence, le khan et ses sujets se convertirent au christianisme. Après l'assassinat d'Abagu par son frère Ahmet, en 1281, elle fut contrainte de revenir à Constantinople. Peu de temps après, son père fit le projet de l'unir à un autre khan des Mongols, mais cette fois Maria refusa, ayant décidé de se retirer au couvent. C'est à cette époque qu'elle fit reconstruire l'actuelle église à laquelle elle fit adjoindre un monastère, tous deux dédiés à la Theotokos Panayiotissa. La célébrité de la fondatrice en tant qu'ancienne reine des Mongols valut bientôt à l'église sa nouvelle appellation.

L'ÉGLISE SAINT-ÉTIENNE-DES-BULGARES. Continuant à suivre le littoral, on arrive bientôt à l'église Saint-Étienne-des-Bulgares. Cette église et le bâtiment qui lui fait face, l'ancien EXARCAT, furent fondés en 1871, à l'époque où l'Église bulgare était en pleine revendication

«Ô MES AMIS, J'AVAIS FAIT CONSTRUIRE UN PALAIS
ET C'EST MOI, QUI LE PREMIER, EN AI JETÉ LES POUTRES À BAS.»

KARACA-OĞLAN

de son indépendance vis-à-vis du patriarcat grec orthodoxe. L'église, dédiée à saint Étienne, patron de la Bulgarie, est un monument néo-gothique entièrement en fonte, y compris le mobilier et les panneaux muraux. Elle a néanmoins belle allure, à l'extérieur comme à l'intérieur, et la petite communauté de Bulgares la maintient en bon état. L'église Saint-Étienne est entourée d'un jardin où reposent plusieurs métropolites de l'église bulgare.

L'ÉGLISE SAINT-JEAN-BAPTISTE. À environ 250 m, sur le rivage, se trouve l'église grecque Saint-Jean-Baptiste. On pense qu'une première église fut fondée sur ce site à l'époque byzantine, mais l'édifice actuel ne date que de 1830. L'hôtel particulier, quelque peu délabré, contigu à la cour de l'église, est l'ancien *Metochion* du monastère Sainte-Catherine-du-Mont-Sinaï, où résidèrent les archimandrites de 1686 jusqu'à la fin des années mille neuf cent soixante.

LE QUARTIER DE BALAT

À environ 150 m on arrive à la Balat Kapı, site de l'une des anciennes portes des murailles maritimes. Son appellation turque, Balat, qui s'applique aussi au vieux quartier situé à l'intérieur, constitue une dérivation du mot grec *palation*, signifiant palais ; elle évoque également le palais des Blachernes, tout proche. Balat fut, des siècles durant, le principal quartier juif de la ville. On y célèbre encore les offices dans une demi-douzaine de synagogues ; la fondation de certaines d'entre elles remonte à l'époque byzantine, bien que les structures actuelles semblent appartenir à la dernière époque ottomane. La plus remarquable est la SYNAGOGUE OKRIDA, récemment restaurée. Il se trouve aussi à Balat et dans le quartier voisin d'Ayvansaray un assez grand nombre de vieilles églises grecques et arméniennes, certaines d'entre elles ayant été fondées à l'époque byzantine. De l'autre côté de la Balat Kapı, sur la droite, se trouve une petite mosquée due à Sinan. Une longue inscription élégamment calligraphiée sur le très beau portail d'entrée rappelle que c'est Ferruh Ağa, *kethüda* (intendant) du grand vizir Semiz Ali Paşa, qui la fit construire en 1562-1563. Le *mihrab* est recouvert de faïences qui remontent à l'époque de la construction du palais de Tekfur (XIe siècle). À l'est de la mosquée, vous verrez un ancien hammam.

Le double porche de la mosquée d'Eyüp ainsi que le portail d'entrée de sa cour sont surmontés de cartouches portant des versets du Coran calligraphiés.

JEUNE GARÇON EN HABIT DE FÊTE, LE JOUR DE SA CIRCONCISION
La circoncision est pour les jeunes garçons de religion musulmane l'équivalent du baptême chrétien et marque de manière symbolique leur admission dans la communauté des croyants. C'est aussi l'occasion d'une fête familiale.

La mosquée d'Eyüp vue de la rive opposée de la Corne d'Or.

Le quartier d'Ayvansaray

La mosquée d'Atik Mustafa Paşa. La dernière des anciennes portes situées sur la Corne d'Or est l'Ayvansaray Kapı, à quelques 500 m de la Balat Kapı. Cent mètres avant, une rue étroite mène à l'entrée de l'Atik Mustafa Paşa Camii. Il s'agit en fait d'une église byzantine transformée en mosquée à la fin du XVe siècle par Atik Mustafa Paşa, grand vizir de Beyazıt II. On suppose qu'il s'agit de l'ancienne église Saint-Pierre-et-Saint-Marc, fondée au Xe ou XIe siècle. L'abside, au sud, renferme le tombeau supposé découvert après la Conquête, d'Eyüp Ensari, compagnon du Prophète qui mourut lors du premier siège de Constantinople en 670.

La fontaine sacrée des Blachernes. En tournant à gauche, dans l'Ayvansaray Sokağı, on parvient à l'*ayazma* des Blachernes, une fontaine sacrée située dans un jardin entourant une petite église. Le sanctuaire remonte au moins à 451, lorsque l'impératrice Pulchérie, sœur de Théodose II et femme de Marcien, fit construire au-dessus d'une fontaine sacrée une grande église qu'elle consacra à la Blacherniotissa, Notre-Dame-des-Blachernes. L'église fut reconstruite plusieurs fois, le plus remarquablement par Justinien ● *32*, bien que l'actuel édifice ne date que du XIXe siècle. De retour sur le rivage, à l'*iskele* d'Ayvansaray, il est possible de prendre le bateau jusqu'à l'échelle d'Eyüp, à environ 1 km, en amont de la Corne d'Or.

Le cimetière d'Eyüp
Ce n'est que depuis la fin du siècle dernier que les chrétiens peuvent pénétrer dans la mosquée d'Eyüp. Pierre Loti raconte : «Tout un monde de stèles, penchées, tombées, brisées dans leur chute, devenues informes, et puis recouvertes de lichens, ayant pris la couleur du sol, la couleur des tapis d'herbe sèche, la couleur des murailles de Byzance, ce même brun cendré, qui est ici partout, sauf sur les cyprès noirâtres et sur leurs vieilles ossatures blanchies par le temps. Presque tous ces morts doivent être infiniment oubliés, car très peu de tombes sont encore entretenues, restent à peu près peintes et dorées.»

LE QUARTIER D'EYÜP

Eyüp est le nom d'un compagnon du Prophète, Eyüp (Job) Ensari, tué durant le premier siège de Constantinople (670). En 1453, Mehmet Fatih qui à son tour assiégeait Constantinople, découvrit miraculeusement la tombe supposée d'Eyüp. En moins de cinq ans, il fit construire sur le site un grand *külliye* comprenant une mosquée et un mausolée pour conserver la dépouille du disciple. Durant l'époque ottomane, de nombreux personnages importants de l'Empire, hommes et femmes, furent inhumés dans de splendides *türbe*, érigés dans le voisinage. Plusieurs de ces mausolées s'entouraient de vastes *külliye*. Eyüp est donc un véritable musée en plein air de l'architecture ottomane, particulièrement des monuments funéraires ● *78*. Beaucoup d'autres Ottomans de moindre condition sociale choisirent d'être enterrés à flanc de côteau, au-dessus de la châsse d'Eyüp, créant ainsi le deuxième cimetière de Turquie par sa taille, seulement surpassé en superficie par le cimetière de Karaca Ahmet, au-dessus d'Üsküdar.

LES MAUSOLÉES D'EYÜP. Depuis le débarcadère d'Eyüp, on emprunte l'Eyüp Iskele Caddesi jusqu'à son intersection avec la Boyacı Feshane Caddesi, où l'on découvre le *türbe* de Ferhat Paşa, datant de 1595, puis 100 m plus loin, dans la Camii Kebir Caddesi, celui, élégant mais sévère dans sa sobriété, du grand vizir Sokollu Mehmet Paşa, construit par Sinan vers 1572. De l'autre côté de la rue, se trouve l'austère *türbe* de Siyavuş Paşa, autre ouvrage de Sinan datant des environs de 1583. Cette «rue des tombeaux» nous conduit à la principale place du quartier, toujours animée par les marchands ambulants vendant victuailles et objets pieux à la foule de pèlerins ● *62* venus visiter le *türbe* d'Eyüp ; on y rencontre des groupes de jeunes garçons portant cape brodée et fez étincelant, venus

DÉTAIL ORNEMENTAL D'UN MAUSOLÉE
Au-dessus des fenêtres treillissées, un abri pour les oiseaux en forme de fontaine d'ablutions miniature.

TALISMAN CONTRE LE MAUVAIS ŒIL
Les échoppes d'articles religieux vendent également des talismans contre le mauvais œil, comme celui-ci en pierres de turquoise.

Le tombeau d'Eyüp est caché entre les buissons et les arbres au milieu des jardins de cyprès. L'herbe entoure les vieilles tombes rongées de lichens, qui portaient jusqu'en 1926, pour les hommes, la tête du cippe terminée par un fez, pour les femmes par des bouquets de fleurs.

SÜTLÜCE
Ce sont d'anciens abattoirs que le gouvernement turc projette de transformer en centre culturel.

avec leur famille présenter leur hommage au compagnon de Mahomet après la cérémonie.

LE COMPLEXE DE LA MOSQUÉE D'EYÜP. Sur la droite, se trouve le portail d'entrée de l'enceinte de la mosquée d'Eyüp. Le *külliye* comprenait à l'origine, en plus du mausolée et de la mosquée, une *medrese*, un hammam, un *imaret*, un caravansérail et un marché couvert, dont la construction ordonnée par Mehmet Fatih fut achevée en 1458. Dès lors, c'est à Eyüp que tous ses successeurs, à commencer par Beyazıt II, vinrent ceindre l'épée d'Osman, lors de leur accession au trône. À la fin du XVIIIe siècle, la mosquée était tombée en ruine, et Selim III la fit entièrement reconstruire dans les années 1798-1800, à l'exception des deux minarets qu'Ahmet avait déjà remplacés. On s'approche de la mosquée en traversant une cour extérieure ombragée par d'immenses et vieux platanes : dans les creux de ces arbres vivent des cigognes estropiées et, au printemps, de beaux hérons gris viennent nicher dans leurs branches ■ *18*. On pénètre ensuite

CAFÉ PIERRE LOTI
Le soir, à la nuit tombée, Pierre Loti pour fumer le narguilé allait s'asseoir à la terrasse d'un humble café d'Eyüp qui regarde la Corne d'Or. Les petits cafés sur les places autour des mosquées sont toujours très fréquentés par les Istanbouliotes. Le café Pierre Loti offre encore aujourd'hui à ses habitués l'ombre de ses arbres, de sa glycine et de ses tendelets de toile.

dans une cour intérieure, bordée sur trois côtés par une colonnade haute et imposante, enveloppée par l'ombre épaisse des arbres.

Mosquée d'Eyüp. Le plan de l'Eyüp Camii est un octogone inscrit dans un rectangle. En dépit de sa construction récente, la mosquée s'avère singulièrement séduisante, avec sa pierre couleur de miel, ses décorations rehaussées de filets d'or, son élégant lustre suspendu au centre de la coupole et son magnifique tapis turquoise qui recouvre entièrement le sol (l'ancien Premier ministre Adnan Menderes en fit présent à la mosquée après avoir réchappé d'un accident d'avion). La majeure partie du mur aveugle situé à l'opposé est recouverte de panneaux de faïences de différentes époques, dépourvus d'unité de style mais dont certains, pris individuellement, sont d'une grande beauté. Une porte dans ce mur conduit au *türbe* d'Eyüp Ensari, monument octogonal dont trois côtés s'avancent dans le vestibule. Le quatrième côté est recouvert de faïences dont beaucoup datent de la meilleure période d'Iznik. La décoration du *türbe* est somptueuse, bien que remontant pour une grande part à l'époque baroque.

Le grand cimetière d'Eyüp. Le grand cimetière d'Eyüp ● *250* est situé sur la colline qui domine la mosquée. C'est l'un des endroits les plus séduisants et les plus pittoresques d'Istanbul, avec ses milliers de tombes et de pierres tombales éparpillées à l'ombre d'un vaste bosquet de cyprès.

Les plus anciennes pierres tombales sont admirablement sculptées et couronnées de la représentation de la coiffe du défunt : turban pour les hommes, châle pour les femmes, assorti d'un diadème, s'il s'agit d'une princesse. Les pierres tombales des femmes sont décorées de motifs floraux, habituellement de roses ; le nombre de fleurs indique le nombre d'enfants auquel elles ont donné naissance. Sur celles des hommes sont ordinairement gravées des épitaphes en vieille écriture turque, certaines même en forme de plaisanterie telle que : «Passant, épargne-moi tes prières, mais, s'il te plaît ne dérobe pas ma pierre tombale !»

Le café Pierre Loti. L'allée qui traverse le cimetière conduit au café Pierre Loti que le romancier français, alors jeune officier de marine, avait l'habitude de fréquenter lorsqu'il habitait Eyüp. Plusieurs scènes de son roman *Aziyadé* ▲ *354*, se situent dans ce cimetière, dont l'aspect a peu changé depuis. De ce petit café, la vue est particulièrement romantique au coucher du soleil, lorsque la Corne d'Or retrouve sa beauté perdue dans la lumière oblique du couchant.

Excursion aux Eaux-Douces d'Europe, au XIXe siècle

“Si, au lieu de sortir de la Corne d'Or par son embouchure, on remonte dans l'intérieur du port à travers les rues maritimes d'une ville de vaisseaux ; si on passe au-dessous d'un pont flottant qui clôt l'arsenal de la marine impériale, on voit les rives de la Corne d'Or se rapprocher peu à peu, et on arrive ainsi, en suivant le col rétréci du golfe, à une petite rivière calme et limpide qui coule au milieu de belles prairies. C'est le vallon des Eaux-Douces d'Europe.”

Charles Reynaud.

“En débarquant aux Eaux-Douces, on éprouve ce plaisir qui résulte toujours de l'ensemble harmonieux de la verdure, de l'ombrage et des eaux limpides distribuées sur un terrain inégal. La rivière se trouve resserrée en cet endroit dans un canal d'environ cent pieds de largeur, et dont les bords, revêtus en pierre, sont ombragés par des allées de très beaux arbres. Ce canal forme plusieurs chutes peu élevées, mais qui occupent toute sa largeur. Entre les cascades l'on voit des kiosques revêtus de couleurs vives et de dorures.”

Castellan

Les cimetières musulmans, ou champs des morts, tiennent une place importante dans la vie des Istanbuliotes. Loin d'être des lieux mélancoliques, ce sont d'immenses forêts, à l'extérieur de la ville, le long des murailles terrestres, le haut d'Üsküdar, les abords des mosquées et parfois le long des rues. L'on y vient en promenade ou en pique-nique, apprécier la fraîcheur paisible que procure l'ombrage des cyprès. L'intimité avec la mort se traduit par celle que l'on entretient avec les défunts, à qui l'on vient offrir des fleurs, du lait et des parfums. Les cimetières turcs étonnent par leur semblant de désordre et d'abandon : désordre végétal où s'expriment les forces vives de la nature, abandon, signe de douce résignation au temps qui passe

Les sépultures des hommes et des femmes se différenciaient par leurs ornements : pour les hommes, une cippe cylindrique au sommet de laquelle est figuré un turban dont le raffinement est proportionnel à l'importance du défunt ; pour les femmes, une pierre plate terminée par une couronne de fleurs ou de fruits sculptés en relief.

Colonnes et stèles portent des épitaphes en vieille écriture turque.

Un petit bassin est creusé au centre de la dalle funéraire pour recevoir les offrandes des amis et des parents du défunt.

Les morts sont célébrés le deuxième jour de la fête des Friandises, la *Şeker Bayramı*, qui clôt le Ramazan. A cette occasion se réunissaient autrefois à l'entrée des cimetières, des marchands de gâteaux et de sucreries.

«HÂTEZ-VOUS D'INHUMER VOS MORTS,
POUR QU'ILS PUISSENT JOUIR
DE LA BÉATITUDE ÉTERNELLE»

LE CORAN

On peut encore voir dans les vieux cimetières turcs des tombes des XVIIIe et XIXe siècles, époque où l'art funéraire ottoman atteignit son apogée, profitant d'une grande abondance de marbre.

Peu à peu déchaussées, cippes et stèles penchent en tous sens, d'autres, brisées, gisent à terre. Les pierres rongées par le lichen prennent la couleur patinée des murailles, et se confondent avec celle du sol.

Une atmosphère de jardin sauvage règne dans les «champs des morts». Herbes et fleurs partent à l'assaut des tombes éparpillées entre les arbres.

AZAPKAPI CAMII

TOUR DE GALATA

LYCÉE DE GALATASARAY

ÇIÇEK PASAJI

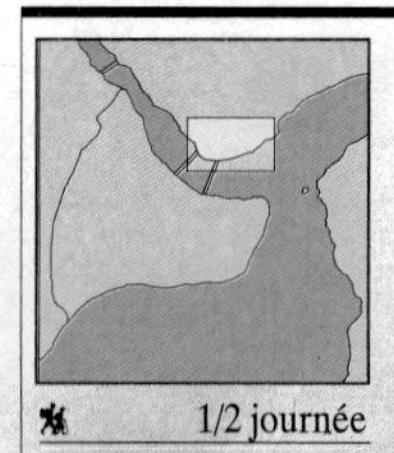

1/2 journée

LA TOUR DE GALATA
Au-dessus des maisons modernes de Galata se dresse le donjon de l'ancienne enceinte fortifiée de la cité franque. Le panorama que l'on découvre depuis son sommet, à 53 mètres d'altitude, est exceptionnel.

LE PONT DE GALATA
Cette aquarelle de Hawizy Hvanson peinte en 1908 montre l'ancien pont de bois avant que ne lui succède en 1910-1912 un pont métallique qui sera remplacé à son tour en 1992.

Les deux plus vieux quartiers de la rive nord de la Corne d'Or sont Galata et Beyoğlu. L'ancien nom de Beyoğlu, Péra, signifie «au-delà» en grec. Il a d'abord désigné la côte septentrionale de la Corne d'Or, puis, à l'époque de Byzance, la bourgade implantée en face de Constantinople et, plus tard encore, l'élégante banlieue qui domine Galata.

HISTOIRE

L'ÉPOQUE BYZANTINE ● *32*. Galata, petite ville fortifiée d'époque gréco-byzantine, et donc plus ancienne que Constantinople, prit un essor formidable lorsque les Génois en prirent le contrôle au XIIIe siècle. Dès le XIe siècle, les empereurs byzantins avaient en effet autorisé Venise et d'autres cités-états italiennes, dont Gênes, à établir des comptoirs commerciaux à Constantinople. Lorsque les Vénitiens et leurs alliés, les chevaliers de la IVe croisade prirent possession de la capitale byzantine en 1204, les Génois, chassés de Constantinople, furent contraints d'émigrer de l'autre côté du détroit. Ils s'installèrent à Galata et prirent possession de son port. Durant le dernier siècle d'occupation latine, ils conclurent une alliance avec les Byzantins : le traité de Nymphaeum, signé le 12 mars 1261 avec Michel VIII Paléologue alors en exil à Nicée ● *32*, leur accorda d'importantes concessions

NUSRETIYE CAMII

TAKSIM

commerciales dans l'Empire. Quatre mois plus tard, l'empereur byzantin reprenait Constantinople. Il autorisa alors les Génois à exploiter sans restriction la concession de Galata, qui devint bientôt une cité indépendante sous la tutelle de Gênes. Un gouverneur appelé podestat, nommé pour un an par le sénat de Gênes, y exerçait le pouvoir, assisté d'un conseil. Ce gouvernement siégait à l'hôtel de ville, également appelé podestat. Lorsque les Turcs assiégèrent Constantinople en 1453 ● *34*, Galata, pour sauvegarder les intérêts commerciaux de la république ligure, resta neutre même si de nombreux Génois choisirent de se battre aux côtés des Grecs. En 1454, l'enclave génoise fut intégrée à l'Empire ottoman. Le sultan nomma un voïvode (gouverneur) à la tête de sa nouvelle possession.

L'ÉPOQUE OTTOMANE. Les Génois de Galata conservèrent une certaine autonomie jusqu'au milieu du XVIIe siècle et purent continuer à gérer les affaires municipales par le biais de la Communauté magnifique de Péra, leur corps constitué officiel. Mais, peu à peu, leur pouvoir s'effrita, si bien qu'à la fin du XIXe siècle la Communauté avait perdu toute influence.

ÉGLISE DANS L'ANCIENNE PÉRA ET MOSQUÉE DE GALATA
Le quartier de Péra fortement européanisé côtoyait celui de Galata où, après la Conquête plusieurs mosquées furent construites. Longtemps Istanbul fut donnée en exemple pour la tolérance religieuse qui y régnait.

GALATA ET PÉRA Carte du peintre Matrakçı Nasuh, vers 1536-1537. Le peintre a représenté le triangle de Galata, concession génoise, établie sur le rivage de le Corne d'Or. Elle est entourée de murailles flanquées de nombreuses tours que domine, au nord, le grand donjon. Au-dessus de Galata, Péra et ses vignes.

L'ARSENAL. Après la Conquête, Mehmet Fatih fit construire au pied de Galata un gigantesque arsenal maritime, *tershane*, aujourd'hui encore consacré à la construction navale. Grâce à ces infrastructures et à la présence d'un port extrêmement actif, Galata ne tarda pas à devenir le centre des industries maritimes de la cité, où tout un peuple de marchands italiens, grecs, juifs et arméniens vivait du commerce des denrées nécessaires aux navires et à leurs équipages.

LES ÉCOLES EUROPÉENNES DE GALATA, AU SIÈCLE DERNIER Autour des ambassades, chaque nation avait établi toutes les institutions nécessaires à son confort : églises, bureau de poste, commerces en tout genre et écoles religieuses, dont l'excellente réputation attirait non seulement les Européens mais aussi les grandes familles ottomanes qui y envoyaient leurs enfants.

PÉRA. Un siècle environ après la Conquête, les commerçants les plus riches commencèrent à s'installer sur les hauteurs de Galata, au milieu des vignobles, en un lieu baptisé Péra, le futur Beyoğlu. Ils s'y firent construire des palais entourés de jardins le long de ce qui devait devenir plus tard la fameuse Grand-Rue de Péra.

LA MOSQUÉE DES ARABES

Arrivant par le pont Atatürk, on aperçoit, à gauche, l'arsenal et, à droite, la Sokollu Mehmet Paşa Camii, ainsi qu'une ravissante fontaine baroque. Prenant la direction du pont de Galata, on préfèrera à la grande avenue littorale, la Tershane Caddesi, le lacis de petites rues qui la borde. À une courte distance de la Yanık Kapı Sokağı, se dresse un grand édifice à l'imposant campanile qui pourrait être à première vue une église italienne. Il s'agit en fait de l'Arap Camii, ou mosquée des Arabes. Le passage voûté sous le campanile communique avec la cour de la mosquée.

LA RUE DU MARCHÉ DU JEUDI

Après l'Arap Camii on tourne à gauche dans la Perşembe Pazarı Sokağı, ou rue du Marché du Jeudi, qui grimpe jusqu'aux vieux quartiers que les Génois entourèrent de remparts en 1304. La rue est bordée de vastes demeures aux façades à rangs alternés de pierres et de briques, et dont les étages en encorbellements débordent irrégulièrement au-dessus de la rue. On a longtemps cru que ces habitations étaient d'époque byzantine tardive et d'origine génoise. La découverte sur l'une d'elles d'une inscription en arabe portant les dates de 1735-1736 laisse supposer que toutes les maisons de la rue datent du XVIIIe siècle, hypothèse aujourd'hui acceptée.

LE FUNICULAIRE SOUTERRAIN C'est une sorte de petit métro qui relie l'Istiklal Caddesi aux abords de la place de Karaköy, et donc du pont de Galata.

«LES FAMILLES PÉROTES S'AVANCENT EN CLANS NOMBREUX DANS L'ESPACE LAISSÉ LIBRE PAR LES CONSOMMATEURS ASSIS, HABILLÉS À L'EUROPÉENNE.»

PIERRE LOTI

L'ancien Podestat

La Perşembe Pazarı Sokağı débouche sur la Voyvoda Caddesi. De l'autre côté de l'avenue, dans l'Eski Banka Sokağı, rue de la Vieille Banque, des escaliers conduisent en bas de la Galata Kulesı Sokağı.
À droite, se dresse l'ancien Podestat, construit en 1316 pour loger les gouverneurs successifs envoyés par Gênes. Profondément remanié en 1939, le bâtiment n'a plus rien de médiéval.

Le caravansérail Saint-Pierre

Une petite rue descend sur la gauche, en haut des escaliers. Son côté droit est occupé presque entièrement par une immense bâtisse de style européen : le *han* Saint-Pierre, construit en 1771 sur ordre du comte de Saint-Priest qui souhaitait en faire «la demeure et la banque de la nation française», comme il l'écrivit dans son testament. Une plaque apposée sur la façade porte les armes du comte et celles de la dynastie des Bourbons. Une autre rappelle que le poète français André Chénier est né le 30 octobre 1762 dans une maison qui occupait ce site avant la construction du *han*.

Église Saint-Pierre-et-Saint-Paul. À mi-parcours, là où la Galata Kulesı Sokağı s'incurve vers la droite, on découvre l'église catholique Saint-Pierre-et-Saint-Paul, plus connue sous le nom de San Pietro. Elle fut fondée à la fin du XVe siècle par les Dominicains, qui en sont toujours propriétaires. Placée sous la protection de la France à l'époque ottomane,

Histoire de tabac
À une époque où Istanbul s'enveloppait des vapeurs romantiques de l'Orient-Express, les cigarettes turques étaient à la mode. Pour marquer sa légitimité et sa différence avec les imitateurs étrangers qui lui volaient son succès, la Régie des Tabacs de l'Empire ottoman revendiqua sur ses boîtes la paternité des «seules cigarettes turques authentiques».

Entrée du Tünel à la fin des années cinquante

Entrée de l'un des nombreux passages du quartier de Beyoğlu et escalier de la rue de la Vieille Banque, Eski Banka Sokağı.

Saint-Pierre-et-Saint-Paul fut l'église paroissiale de la communauté française de Péra, puis celle des Maltais. La construction actuelle date de 1841. Elle est l'œuvre des frères Fossati qui devaient également restaurer Sainte-Sophie en 1847-1849.

LA TOUR DE GALATA

La tour de Galata se dresse en haut de la Galata Kulesı Sokağı. Cette gigantesque construction, érigée à 35 m au-dessus du niveau de la mer et dont le toit conique culmine à 67 m de hauteur, domine toute la rive septentrionale de la Corne d'Or. Un ascenseur conduit à l'avant-dernier étage, puis des escaliers au sommet de la tour, à 53 m d'altitude. On y trouvera un restaurant et une plate-forme d'observation d'où l'on pourra admirer le panorama de la ville. On suppose généralement que la tour de Galata aurait été construite par les Génois vers 1348 comme grand bastion de l'enceinte qui devait les protéger d'éventuelles attaques des Byzantins. Après la Conquête, Mehmet le Conquérant fit réduire sa hauteur de 6,80 m et les Turcs y incarcérèrent leurs prisonniers de guerre. Sous le règne d'Ahmet III (1574-1595), la tour devint un observatoire, puis à la fin de l'époque ottomane, un poste de guet des incendies et le resta jusqu'à la fin des années soixante. Ce monument historique fut ensuite fermé pendant quelques années avant de devenir l'un des importants sites touristiques d'Istanbul. Une plaque à côté du dernier palier de l'ascenseur rappelle l'incroyable exploit réalisé au milieu

DERVICHES
Ces derviches tourneurs du *tekke* de Galata, disciples de l'ordre de mevleni, veulent par leur danse incarner la ronde des planètes autour du soleil et parvenir à l'extase.

Tableaux contemporains représentant Beyoğlu et la Corne d'Or.

du XVIIe siècle par Hezarfen Ahmet Çelebi. Il s'élança du haut de cette tour muni de deux grandes ailes qu'il s'était fabriquées et réussit à traverser le Bosphore, atterrissant sur l'autre rive, à Üsküdar.

Le monastère des derviches tourneurs

L'entrée du *tekke* des derviches *mevlevi* se trouve sur la gauche, en haut de la Galip Dede Caddesi, à côté d'une charmante *sebil* construite au début du XIXe siècle pour Halil Efendi. Le *tekke* fut fondé en 1492 par Seyh Muhammed Semai Sultan Divani, descendant direct de Mevlâna Rumi, le saint et poète mystique qui créa au XIIIe siècle la confrérie des derviches *mevlevi*, plus connus en Occident sous le nom de derviches tourneurs.
Au fond de la cour se trouve le *semahane* où se déroulaient les célèbres séances de danse. Ce bâtiment a été restauré dans les années soixante-dix. Il abrite aujourd'hui le musée de la Littérature du Divan, consacré aux œuvres des poètes mystiques ottomans dont Galip Dede est le plus fameux représentant. La collection comprend également des manuscrits et des objets ayant appartenu aux derviches tourneurs qui occupèrent ce monastère jusqu'à la dissolution de leur ordre, en 1924. Des spectacles de danse *mevlevi* sont organisés de temps à autre dans ce monastère, notamment pendant le Festival d'été d'Istanbul.

L'ancienne Grand-Rue de Péra

La Galip Dede Caddesi monte jusqu'à l'Istiklal Caddesi, qui commence immédiatement à gauche près de la station du funiculaire souterrain, le Tünel. Un tramway a été récemment remis en service entre cette station et la Taksim Meydanı, place qui se trouve à l'autre extrémité de l'Istiklal Caddesi ; l'unique arrêt s'effectue à mi-chemin, à la place de Galatasaray. Hormis le tramway, l'avenue est interdite à la circulation automobile, si bien que la promenade y a retrouvé le charme qu'elle devait avoir à la grande époque

Panorama depuis le sommet de la tour de Galata
Au pied de la tour, s'étend le quartier de Galata. De l'autre côté de la Corne d'Or, on voit l'ancienne Stanbul, de la pointe du Sérail au quartier d'Eminönü, hérissée des minarets de ses grandes mosquées : Sultan Ahmet Camii, Süleymaniye Camii et Ayasofya Camii.

Beautés des cabarets au début du siècle.

de Péra. L'Istiklal Caddesi eut un brillant passé : les grandes ambassades européennes commencèrent à s'y installer dès le XVIe siècle, y construisant de petits palais. Ces légations étaient le cœur de véritables petites «nations», dotées d'habitations, d'églises, de bureaux de poste et d'autres institutions qui échappaient quasiment à l'autorité ottomane. À l'avènement de la République en 1923, les ambassades furent déplacées dans la nouvelle capitale, Ankara, et celles d'Istanbul devinrent des consulats. À la première intersection de l'Istiklal Caddesi, se dresse l'ancienne ambassade de Russie, la première construction des frères Fossati à Istanbul, en 1837. À droite, se trouve l'ancienne ambassade de Suède, datant sans doute de la fin du XVIIe siècle. Au carrefour suivant, la Kumbaracı Yokuşu se présente à droite

L'ÉGLISE PROTESTANTE. À 200 m, se dresse l'église restaurée du Mémorial de la Guerre de Crimée, seul lieu de culte protestant construit à Istanbul, à l'initiative de Lord Stratford de Redcliffe qui en posa la première pierre le 18 octobre 1858. L'église, œuvre de C. E. Street, est le premier exemple istanbuliote du style néo-gothique.

L'ÉGLISE SAINTE-MARIE-DRAPERIS. Plus loin dans l'Istiklal Caddesi, se trouve l'église franciscaine Sainte-Marie-Draperis. Les Franciscains avaient bâti en 1453, une première église Sainte-Marie sur le site de la gare de Sirkeci. Ils durent la quitter après la Conquête et se contenter pendant longtemps d'asiles temporaires dans diverses maisons de Galata, jusqu'au jour où Clara Bartola Draperis leur offrit un bâtiment situé à l'emplacement de la maison des Douanes.

ISTIKLAL CADDESI AUJOURD'HUI. La population cosmopolite du début du siècle a presque complétement disparu et avec elle, les pâtisseries, les cafés littéraires et les bars. Mais, les soirs de fin de semaine, on rencontre, dans les tavernes du Çiçek Pasajı et les cafés d'Istiklal Caddesi, une foule très nombreuse venue écouter de la musique gitane ou l'*arabesk.* Pour un public de touristes ou de provinciaux, les *gazino* proposent en soirée des spectacles de chant, de jeux, de magie, de danses du ventre et des sketches de chansonniers. De nombreux cinémas, une dizaine de théâtres, quatre grandes galeries d'art et la Biennale d'Istanbul créée en 1987 animent la vie artistique de la ville.

VIE NOCTURNE ET SPECTACLES
Depuis toujours les nightclubs sont l'apanage de l'ancien quartier européen de Péra, aujourd'hui Beyoğlu. Ils sont particulièrement nombreux le long de la *Cumhuriyet Caddesi*, entre la place de Taksim et l'hôtel Hilton. Les spectacles proposés sont variés : musique folklorique, chanteurs et orchestres en tout genre, et bien sûr numéros de danse orientale.

LE PÉRA PALACE HOTEL
Le palace créé en 1892 par la Compagnie des Wagons-lits pour accueillir les voyageurs de l'Orient-Express existe toujours, aux n^{os}98-100 de la *Mesrutiyet Caddesi*, dans le quartier de Tepebaşı. La chambre n°101, qu'occupa Mustafa Kemal Atatürk, a été transformée en musée. Mais on peut demander la chambre n°103 qu'occupa Greta Garbo, la n°104 qui fut celle de Mata Hari, ou encore la n°304 où dormit Sarah Bernhardt. Agatha Christie écrivit la majeure partie de son roman *Le Crime de l'Orient-Express* dans la chambre n°411 qu'enveloppe depuis une certaine aura de mystère. Sans habiter à l'hôtel, on peut venir déguster un cocktail à son élégant Orient Bar et goûter ainsi la magie des lieux.

LES AMBASSADES

L'Istiklal Caddesi croise ensuite une ruelle en pente raide sur la droite, la Postacılar Sokağı, ou rue des Postiers, que prolonge la Tomtom Kaptan Sokağı. Ce passage est bordé sur la gauche par les anciennes ambassades de Hollande et de France, dont les entrées principales donnent sur la grande avenue. En bas de la Postacılar Sokağı s'étend une petite place flanquée par deux grands bâtiments de style européen. Celui de gauche, qui date du XIXe siècle, est l'ancien palais de Justice de France. On y réglait les contentieux des pays européens à la fin de la période ottomane. Celui de droite, le palais de Venise, était l'ambassade de la Sérénissime République, entre la fin du XVIe siècle et 1797, avant de devenir l'ambassade d'Italie.

LA MAISON DE FRANCE

La France fut la première nation européenne à établir des relations diplomatiques avec l'Empire ottoman quand, en 1535, le roi François Ier envoya un émissaire

Représentation d'un mélodrame au théâtre de Péra, vers 1850-1870.

L'ORIENT-EXPRESS
Le jour de 1883 où l'Orient-Express s'apprête à quitter pour la première fois la gare de l'Est à Paris, personne n'imagine que cette superbe et lourde machine de 70 m de long deviendra un mythe qui fera rêver plusieurs générations et inspirera maints romanciers. Sa destination : Istanbul, la «perle de l'Orient». À l'intérieur du premier des grands trains de luxe, les boiseries sont précieuses, la vaisselle et le linge fins et immaculés, les verreries de Lalique, et le champagne coule à flots.

Lycée et place de Galatasaray.

auprès de Süleyman le Magnifique. Elle fut aussi la première à construire une ambassade dans la Grand-Rue de Péra, en 1581. L'édifice actuel et son église, Saint-Louis-des-Français, ont été reconstruits après l'incendie de 1831.

L'ÉGLISE SAINT-ANTOINE. Après le deuxième virage à droite, on arrive devant l'église Saint-Antoine-de-Padoue, tenue par des Franciscains, un bel exemple de style néo-gothique italien construit en 1913. Elle remplaça une première église paroissiale Saint-François qui avait été érigée en haut de la Grand-Rue en 1725.

LE LYCÉE DE GALATASARAY

La place de Galatasaray constitue un important carrefour à mi-chemin de l'Istiklal Caddesi. Tout comme le quartier, elle porte le nom du lycée dont on aperçoit à droite le portail. Bien que les bâtiments datent de 1908, l'établissement a été créé à la fin du XVe siècle par Beyazıt II, comme annexe de l'école des pages du palais de Topkapı. En 1868, le sultan Abdül Aziz le modernisa et le réorganisa sur le modèle français. Il a depuis formé l'élite politique et intellectuelle de la société turque et joué un rôle dans la modernisation du pays.

L'AMBASSADE DE GRANDE-BRETAGNE. L'avenue qui part à gauche de la place, l'Hamalbaşı Caddesi, mène à l'ambassade de Grande-Bretagne. L'Angleterre noua véritablement des relations avec Istanbul lorsque Elisabeth I[e] et Murat III signèrent en 1580 l'entente qui devait permettre la fondation de la Compagnie du Levant. Vers 1880, Lord Elgin construisit une première ambassade qui fut détruite par l'incendie de 1831.

«SUR LES MURS, PEINTS À LA FRESQUE PAR UN ARTISTE RUSSE, SE PROMENAIT SOUS DES PALMIERS STYLISÉS LE TOUT-MOSCOU COIFFÉ D'UN FEZ DÉRISOIRE.»

PAUL MORAND

LE RESTAURANT RUSSE D'AYASPAŞA DANS LES ANNÉES QUARANTE
Ce restaurant est situé près du Park Hôtel (un édifice moderne remplace le vieux palace du même nom rasé en 1979), non loin de la place de Taksim. Dans les années quarante, c'était l'un des plus fameux d'Istanbul, et tout ce que la ville comptait d'artistes et d'intellectuels venaient y déguster borscht et bœuf strogonoff... C'était encore l'époque des Victoria Dodges et des Bugattis et le tramway venait de faire son apparition. Les femmes, complaisamment décolletées imitaient les starlettes d'Hollywood. Aujourd'hui, ce restaurant a gardé son ambiance charmante et chaleureuse d'autrefois.

Le bâtiment actuel est en partie l'œuvre de l'architecte du Parlement de Londres, Sir Charles Barry ; W. J. Smith le termina en 1845 dans un esprit assez différent.

LE PÉRA PALACE HÔTEL. Le romantique hôtel Péra Palace, ouvert en 1876 pour accueillir les premiers passagers de l'Orient Express, existe toujours dans la Meşrutiyet Caddesi, à gauche de l'Hamalbaşı Caddesi. Tout ce quartier de Tepebaşı, hier si élégant, est aujourd'hui très pauvre, mais le Péra Palace, n'a rien perdu de sa splendeur.

LES MARCHÉS DE GALATASARAY

La première rue à gauche, après la place de Galatasaray, est la Sahne Sokağı, ou rue du Théâtre. C'est dans cette rue et dans les ruelles avoisinantes que se tient le pittoresque Galatasaray Balık Pazar, «marché aux poissons de Galatasaray» ; charrettes à bras et étals des petites boutiques offrent à profusion poissons, viandes, fruits et légumes de toutes sortes. Un peu plus loin dans la Sahne Sokağı s'ouvre l'une des portes du célèbre Çiçek Pasajı, ou passage des Fleurs, dont l'autre entrée se trouve dans l'Istiklal Caddesi. Il y a une vingtaine d'années, le passage comptait encore quelques fleuristes, aujourd'hui installés dans la Sahne Sokağı. Cette petite rue en L traverse un ensemble d'immeubles construits en 1871 qui constituaient le quartier résidentiel connu sous le nom de «Cité de Péra», mais bien dégradé depuis. Depuis plus d'un demi-siècle, la passage est occupé par les *meyhane*, tavernes à bières, aujourd'hui tout à fait fréquentables, mais dont les nostalgiques évoquent avec regret les chanteurs ambulants, mendiants vrais ou faux, acrobates, avaleurs de sabres et toute la faune nocturne de Beyoğlu

Rue de Péra au début du siècle

Collège des Jésuites de Galatasaray

LA PLACE DE TAKSIM
Tableau de Sabri Bekel en 1948. Ce peintre, formé aux écoles des Beaux-Arts de Belgrade, puis de Florence, revint en Turquie en 1935.

LA GRAND-RUE DE PÉRA
L'Istiklal Caddesi était au début du XXe siècle l'avenue la plus moderne d'Istanbul comme en témoigne cet élégant petit immeuble à cinq étages de style néo-classique.

Façade d'un immeuble du XIXe siècle à Beyoğlu

LE MONUMENT DE LA GUERRE D'INDÉPENDANCE
Ce monument à la gloire des héros de la guerre d'indépendance qui délivrèrent la Turquie des armées d'occupation, est au centre de la place de Taksim.

qui n'a plus le droit de hanter les lieux.

LES CAFÉS. Les intellectuels et les célébrités d'Istanbul se retrouvent en début de soirée au Café Pub, au Kulis ou au Papyrus, trois bars de l'Istiklal Caddesi, entre la place de Galatasaray et la place de Taksim.

LA PLACE DE TAKSIM

En haut de la grande avenue, on découvre sur la gauche l'ancien consulat de France, construit en 1719. C'était à l'origine un hôpital où l'on soignait les pestiférés. Un peu plus loin se trouve le *taksim* (réservoir) octogonal construit en 1732 sur ordre de Mahmut Ier et qui a donné son nom à la place et au quartier.
Ce grand réservoir recevait les eaux provenant de la forêt de Belgrade et destinées à être distribuées dans les quartiers modernes de la rive septentrionale de la Corne d'Or.
Sur la droite se trouve un imposant édifice de style néo-byzantin coiffé d'un haut tambour et précédé de deux campaniles : l'église grecque orthodoxe de la Sainte-Trinité construite en 1882. Un groupe de sculptures se dresse en bordure ouest de la place, représentant Atatürk et d'autres héros nationalistes. Le côté est de la place est occupé par le Centre culturel Atatürk, qui accueille derrière ses façades de verre, l'opéra d'Istanbul et la plupart des grandes manifestations théâtrales, chorégraphiques et musicales de la ville, notamment pendant le Festival d'été qui débute à la mi-juin.

LE QUARTIER D'HARBIYE

La Cumhuriyet Caddesi qui part au nord de la place de Taksim conduit aux quartiers modernes de la ville : Harbiye, Maçka, Sişli et Nişantaşı. Harbiye compte deux musées intéressants auxquels s'ajoutent deux autres sites du Festival d'Istanbul, le palais des Sports et des Expositions (Spor ve Sergi Sarayı) et la Salle des Concerts. On peut d'abord visiter l'Askerı Müzesi, ou Musée militaire, qui possède une collection exceptionnelle d'objets retraçant toute l'histoire militaire de la Turquie. Le célèbre orchestre Mektar y donne des concerts de musique militaire ottomane. Le n°25 de l'Halaskargazi Caddesi abrite également un petit musée consacré à Mustafa Kemal Atatürk. Il occupa cette maison en 1918-1919, à la grande époque de Péra, juste avant de partir organiser le mouvement nationaliste en Anatolie ● *44*.

ATIK VALIDE KÜLLIYE
ÎLES DES PRINCES
ISKELE CAMII
ÜSKÜDAR ISKELESI
ŞEMSI AHMET PAŞA CAMII

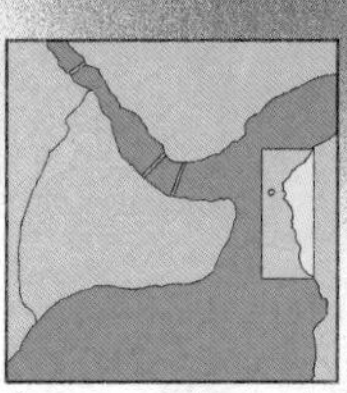

1 journée

ÜSKÜDAR
C'est le quartier asiatique d'Istanbul, et, en tant que tel, il a conservé un certain cachet oriental.
Au détour du dédale de ses rues étroites, on découvre de pittoresques maisons de bois, mais également quelques monuments ottomans de prestige, dont deux mosquées impériales signées par le grand architecte Sinan ● *314*. En outre, son immense cimetière de Karacaahmet, offre de nombreux exemples d'art funéraire ottoman.

HISTOIRE

Situé sur la côte asiatique en aval du Bosphore, face à la péninsule de l'ancienne Constantinople, Üsküdar est le plus grand faubourg anatolien d'Istanbul et historiquement le plus riche. C'est la Chrysopolis antique, la Ville de l'Or, fondée à peu près en même temps que Byzance et rebaptisée, à l'époque médiévale, Scutari. Durant toute l'ère byzantine, son histoire a été étroitement mêlée à celle de Constantinople, la capitale de l'Empire. À la différence de cette dernière, retranchée derrière ses épaisses murailles qui ne seront violées que deux fois, en 1204 par les croisés ● *32* et en 1453 par les Turcs, Üsküdar était mal préparée à repousser les assauts des armées ennemies. Occupé ou détruit par divers envahisseurs, il tomba finalement aux mains des Turcs au milieu du XIVe siècle. Ce que le faubourg perdit en gloires militaires, il le gagna en splendeurs architecturales : tout au long de l'Empire ottoman, des personnages influents le dotèrent de magnifiques mosquées et autres

KIZ KULESI

fondations pieuses dont beaucoup ont traversé les siècles.

L'ÉCHELLE D'ÜSKÜDAR. Les ferries abordent à l'Üsküdar Iskelesi. L'Hakimiyeti Milliye Meydanı est la grande place attenante à l'échelle d'Üsküdar, où aboutissait autrefois la route commerciale venant d'Anatolie. C'était également le lieu de rassemblement de la Surre-i-Hümayun, la Caravane sacrée. Son cortège de pèlerins partait chaque année pour La Mecque, accompagné de chameaux blancs chargés des présents que le sultan envoyait au chérif de la Ville Sainte.

SULTAN MIHRIMAH CAMII

Au centre de la place s'élève une majestueuse fontaine baroque dominée au nord par une gracieuse mosquée, juchée sur une haute terrasse en bordure de la côte ; cette mosquée impériale, connue également des Turcs sous le nom d'Iskele Camii, la mosquée du Débarcadère, fut construite par l'architecte Sinan en 1547-1548 pour la sultane Mihrimah, fille de Süleyman le Magnifique et épouse du grand vizir Rüstem Paşa. Elle fait partie de l'un des deux *külliye* que l'architecte érigea pour cette princesse, l'autre étant celui de la mosquée impériale situé au sommet de la sixième colline. L'aspect imposant de l'édifice est renforcé par sa situation dominante. Son double porche d'entrée forme une curieuse avancée qui intègre une fontaine aux ablutions. L'intérieur, en revanche, est un peu décevant quant à l'équilibre des volumes : contrairement aux structures classiques, à deux ou à quatre demi-dômes, le dôme central n'est ici soutenu que par trois demi-dômes, donnant l'impression que l'édifice a été tronqué.

LES ÉLÉMENTS DU COMPLEXE. Le *külliye* de la Mihrimah Camii comprenait un *imaret*, une *medrese* et une *mektep*. Seuls ces deux derniers subsistent. La *medrese*, au nord de la mosquée, est un joli bâtiment de forme rectangulaire qui sert aujourd'hui de clinique.

Depuis Eminönü ou Kabataş, sur la côte européenne, des ferries relient le port d'Üsküdar. Dans l'Antiquité, c'était le port de Chalcédoine, actuelle Kadıköy, plus au sud, sur la mer de Marmara. Comme les villages du Bosphore, Üsküdar maintient ses activités de pêche : les petites barques voisinent avec les gros transbordeurs ; à l'heure du déjeuner, les Istanbuliotes se pressent sur le quai pour acheter un sandwich au poisson.

ÇAMLIKA
Depuis le sommet de la colline de Çamlıca, au nord-est d'Üsküdar, on découvre une vue plongeante sur le Bosphore. Face à cet endroit de la rive asiatique se profile le palais de Dolmabahçe, en marbre blanc.

Petite maison pour les oiseaux à l'ombre de l'entablement de la Mihrimah.

L'ancienne école primaire, transformée en bibliothèque pour enfants, se trouve derrière la mosquée. La forme originale de ses arcs de soutènement est la conséquence de l'élévation et de l'étroitesse du terrain où elle est bâtie. Au sud de la place s'ouvre la principale avenue d'Üsküdar, l'Hakimiyeti Milliye Caddesi, une artère commerçante très animée. Le samedi et le dimanche, de nombreux antiquaires y installent un petit marché. Le nouveau supermarché situé à l'angle de la Büyük Hamam Sokağı est installé dans un ancien hammam restauré. Une inscription, «Sinan Hamam Çarşısı», permet, sinon de l'attribuer de façon certaine au célèbre architecte, du moins de le dater de l'époque où il exerçait son art. En restant du même côté de l'avenue, on atteint un peu plus loin la mosquée de Kara Davut Paşa, petite fondation pieuse édifiée au XVe siècle, précédée d'une cour et d'un jardin. À l'intérieur, la salle de prières de la mosquée est une pièce large et peu profonde divisée en trois parties par des arcs, chaque partie étant coiffée d'un dôme, une structure unique en son genre à Istanbul.

KIZ KULESI
Symbole du Bosphore, elle est souvent représentée sur les boîtes de bonbons ou de loukoums.

MOSQUÉE DE LA PRINCESSE MIHRIMAH, TABLEAU D'AHMET ZIYA AKBULUT
Au pied des escaliers qui descendent de la terrasse de la mosquée de la Princesse Mihrimah, on remarquera une élégante fontaine baroque, construite en 1726 et dédiée à Ahmet III. Théophile Gautier la décrivit en ces termes : «Une fontaine toute bordée d'arabesques, de rinceaux et de fleurs, toute bariolée d'inscriptions turques sculptées en relief dans le marbre, surmontée d'un de ces charmants toits en auvent dont le *bon goût* moderne a décoiffé la fontaine de Top-Hané, occupe gracieusement le centre de la petite place en forme de quai à laquelle aboutit la principale rue de Scutari.»

Yeni Valide camii

Revenant jusqu'à la grande place, on découvre à l'angle de l'avenue le vaste complexe de la Yeni Valide Camii, ou nouvelle mosquée de la Sultane mère, construit en 1708-1710 ; c'est une commande du sultan Ahmet III ● *39* qui la dédia à sa mère, Gülnus Ümmetullah. L'élégant mausolée de cette sultane, à l'angle, ressemble à une immense volière ; à côté se trouve une grande fontaine publique. La mosquée, quant à elle, est une des dernières construites dans le pur style classique ottoman ; sa structure est une variation du plan en octogone inscrit dans un carré. L'école du *külliye* ● *80* est située en face de la porte principale ; au-delà, se trouve un grand *imaret*, ou cuisine publique, à l'angle duquel a été rajoutée ultérieurement une fontaine baroque ● *66*.

Şemsi Ahmet Paşa camii

Rejoignant la rive du Bosphore, par la Şemsipşa Caddesi, à l'ouest de l'Hakimiyeti Milliye Meydanı, on parvient à la Şemsi Ahmet Paşa Camii, qu'Evliya Çelebi décrit fort justement comme «une petite perle de mosquée sur la lèvre de la mer». Sinan fut le maître d'œuvre de cet édifice, réalisé en 1580 pour Şemsi Ahmet Paşa, un célèbre vizir descendant de la dynastie des Seldjoukides qui régnait sur l'Anatolie avant que les Ottomans ne s'emparent du pouvoir ● *33*. La mosquée est très sobre : une salle carrée couverte d'une coupole flanquée de conques qui la soutiennent. Le *türbe* du vizir communique avec la mosquée, dont il n'est séparé que par une grille verte. La *medrese* occupe deux côtés de la cour ; le troisième côté est formé par un mur percé de fenêtres qui ouvre directement sur le quai et le Bosphore.

La tour de Léandre

On aperçoit au large et vers le sud, à environ 700 m, un petit îlot fortifié à l'embouchure du Bosphore. Il s'agit de la Kız Kulesı, la tour de la Vierge, plus connue sous le nom de tour de Léandre. Si l'on en croit le chroniqueur Nicetas Choniates, Manuel Ier Comnène fortifia l'îlot au XIIe siècle et l'utilisa pour arrimer l'une des extrémités de la grande chaîne qui défendait l'accès du Bosphore lors du siège de Constantinople. La tour servit successivement de phare, de sémaphore, de lieu de quarantaine, de poste de douane, de maison de retraite pour les officiers de marine et, actuellement, de poste d'inspection de la Marine turque. Sa forme actuelle, plutôt bizarre est inchangée depuis le XVIIIe siècle.

La tour de Léandre
Ce nom provient en fait d'une croyance erronée selon laquelle Léandre serait mort à cet endroit du détroit alors qu'il le traversait à la nage pour rejoindre sa maîtresse, la prêtresse Hero. On situe actuellement le théâtre de cette légende tragique près d'Abydos, dans les Dardanelles.

Son nom turc, Kız Kulesı, est inspiré d'un autre conte, pouvant d'ailleurs être associé à tous les châteaux et tours du littoral anatolien. La légende populaire raconte qu'une prophétesse avertit un roi que sa fille, princesse d'une grande beauté, mourrait de la morsure d'un serpent. Le roi fit aussitôt construire une petite tour au milieu des eaux du Bosphore et y cacha sa fille afin de la soustraire à la sinistre prédiction. Mais ses ennemis firent envoyer à la princesse une corbeille de fruits où avait été dissimulé un reptile, et la jeune fille périt ainsi que l'avait annoncé l'oracle.

LES ÎLES DES PRINCES À LA BELLE ÉPOQUE
On raconte qu'un certain Rizzo, Grec de belle prestance et fortuné, avait deux plaisirs : fumer le narguilé au dernier étage de sa résidence, d'où il pouvait contempler toute la grande île, et jouer du violon pendant que les femmes de la haute société se pâmaient sur sa terrasse. Rizzo n'était pas insensible aux charmes de certaines d'entre elles, mais ses deux sœurs n'étant pas mariées l'usage voulait qu'il demeurât célibataire.

À sa mort, il légua sa maison à un hôpital grec. Elle a depuis été transformée en pension et la logeuse, Annunciata, évoque avec émotion le temps révolu des élégantes, exhibant leurs robes à la mode de Paris, douillettement installées dans les nacelles d'osier de fiacres à baldaquin.

LA MOSQUÉE DE MEHMET PAŞA LE GREC

La plus ancienne mosquée d'Üsküdar est la Rumi Mehmet Paşa Camii, qui fut construite en 1471. Elle est perchée au sommet d'une colline qui se profile derrière la Şemsi Ahmet Paşa Camii. L'architecture extérieure de cette mosquée en brique possède plusieurs caractéristiques byzantines comme le tambour élevé du dôme, la corniche extérieure épousant l'arc en plein cintre des fenêtres ou encore la base carrée du dôme brisée par les grands arcs de soutènement. Cette influence byzantine manifeste s'explique sans doute par les origines grecques de Mehmet Paşa qui devint, après la conquête de la ville, un des vizirs de Mehmet Fatih. À l'intérieur, la mosquée présente une coupole centrale pourvue de pendentifs, et un demi-dôme à l'est. Les pièces latérales sont complètement séparées de la grande salle de prières. Derrière les bâtiments du complexe on peut apercevoir le *türbe* du vizir.

AYAZMA CAMII

Quittant la Mehmet Paşa Camii par la porte sud, on emprunte l'Eşretsaat Sokağı qui conduit au quartier d'Ayazma et à la mosquée du même nom. L'Ayazma Camii, ou mosquée de la Fontaine sacrée, est une des plus belles mosquées de style baroque. Elle fut construite en 1760-1761 sur ordre de Mustafa III qui la dédia à sa mère.Un élégant portail d'entrée s'ouvre sur la cour où de petits escaliers semi-circulaires amènent au seuil du porche de la mosquée ; sur la gauche, une large citerne précède une colonnade à deux étages qui mène à la loge impériale. La toiture est ponctuée de petits dômes et de tourelles. Les fenêtres, très nombreuses, prodiguent une abondante lumière à l'intérieur, qui, en revanche, offre peu d'intérêt hormis son unique galerie de marbre gris supportée par une colonnade qui court le long du mur d'entrée.

ATIK VALIDE CAMII

Le monument le plus important d'Üsküdar est l'Atik Valide Camii, ou ancienne mosquée de la Sultane mère qui se dresse au-dessus de la ville basse. Ce grand complexe a été édifié par Sinan en 1583 pour la Valide Nur Banu, femme de Selim II et

mère de Murat III. C'est peut-être, après la Süleymaniye, la réalisation la plus importante de l'architecte Sinan.
La cour de la mosquée. Une allée longeant un cimetière conduit au parvis de la mosquée, un des plus beaux *avlu* qu'il soit donné de voir à Istanbul. C'est un cloître aux proportions grandioses bordé d'un portique à coupoles et colonnes de marbre ; au centre, le *şadırvan* est ombragé par de vieux platanes et des cyprès ● *59*. Le double porche de la mosquée qui s'ouvre sur la cour est très ouvragé : la partie qui saille à l'extérieur est couverte d'un toit en auvent et la partie intérieure d'un dôme. En façade, les fenêtres sont surmontées d'un décor de faïences à motifs calligraphiques.
La mosquée. La salle de prières de la mosquée est de forme rectangulaire, coiffée d'une coupole centrale soutenue par une structure hexagonale alternant piliers et colonnes ; au nord et au sud, les travées latérales sont également couvertes de coupoles. Des galeries longent la salle de prières sur trois côtés ; leurs plafonds de bois possèdent encore un riche décor peint. Les motifs, typiques de cette époque, représentent des fleurs et des arabesques de couleurs noir, rouge et or. Le *mirhab*, formant une abside à section carrée, est entièrement revêtu de faïences d'Iznik ▲ *292* de la meilleure période. On remarquera également l'encadrement des fenêtres en mosaïque de marbre rouge et les volets de bois incrustés de nacre. Le *mirhab* et le *minbar* sont finement sculptés dans un marbre clair.
Le külliye de la mosquée. Il se compose d'une *medrese* ou école coranique, d'un hôpital, un hammam et d'une cuisine publique, qui comportait plusieurs réfectoires destinés aux étudiants et aux professeurs de la *medrese*, aux patients de l'hôpital. Les cuisines servent aujourd'hui encore des repas aux pauvres d'Üsküdar. Tous les bâtiments sont encore debout et, pour la plupart, en bon état de conservation. On descend vers la *medrese*, en contre-bas de la mosquée, par un escalier situé à l'ouest de la grande cour. La cour de la *medrese* est aussi admirable que celle de la mosquée ; elle est curieusement assymétrique, comportant cinq baies à coupoles d'un côté et trois de l'autre. À l'ouest, la *dershane* ou salle de cours de la *medrese*, dans l'axe de la mosquée, surplombe la rue qui passe sous l'édifice. À l'angle opposé de la cour se trouve le grand hôpital du complexe. Les autres bâtiments encore en état servent aujourd'hui de prison.

Littoral et plages des Îles des Princes
Sur les plages de Sedef Adasi, réputées pour leurs eaux relativement pures, les amateurs de bains de mer sont de plus en plus nombreux. Sur le littoral et autour de la place centrale, le béton gagne quelque peu, mais le gouvernement veille et ne concède de terrain qu'à un prix prohibitif. Aussi peut-on espérer que les îles conserveront longtemps leurs attraits de perles rares alors que, non loin de là, les yalı du Bosphore, laissés à l'abandon, s'effondrent, et que le quartier de Beyoğlu subit de grandes percées haussmaniennes.

Büyükada
L'île est couverte de pins nains

et bordée de plages de sable et de corail. La ville située sur la côte nord est entourée de très beaux jardins. Son port offre un excellent mouillage.

ÇINILI CAMI

La rue à l'est de l'Atik Valide Camii mène, au bout de 1 km, à la Çinili Cami ou mosquée aux faïences, entourée d'un agréable jardin. Ce petit complexe a été édifié pour la Valide Sultan Mahpeyker Kösem, femme d'Ahmet Ier et mère des sultans Murat IV et Ibrahim le Fou.

LA MOSQUÉE. Elle a été construite par l'architecte Koca Kasim en 1640. Petite et sobre, elle consiste en une simple salle de prières carrée, couverte d'une coupole. Son nom lui vient des faïences d'Iznik ▲ *292* qui la recouvrent, à l'intérieur comme à l'extérieur, à dominante bleu pâle et turquoise sur fond blanc. Bien qu'elles soient postérieures à l'époque qui a fait la gloire des ateliers d'Iznik, elles sont très belles. Les sculptures du *minbar* de marbre blanc sont rehaussées d'or, de rouge et de vert, et son toit cônique est recouvert de faïences.

Le porche, de style baroque, est un ajout tardif ainsi que le minaret dont le *şerefe* est orné d'un magnifique décor de feuilles d'acanthe, rare sinon unique dans l'architecture ottomane. L'enceinte de la mosquée renferme, en outre, une magnifique fontaines d'ablutions et une minuscule *medrese* de forme triangulaire qui épouse la pente descendante de la colline. L'élégante école primaire du complexe se trouve juste à l'extérieur de l'enceinte et le hammam, un peu plus loin dans la rue principale d'Üsküdar.

LA GRANDE MONTAGNE DES PINS

L'excursion entre Üsküdar et la Büyük Çamlıca, la Grande Montagne des Pins, est très populaire. Culminant à 267 m au-dessus du niveau de la mer, la Büyük Çamlıca est la plus haute colline du Bosphore ■ *18*. L'Automobile et Touring Club de Turquie a construit

LES MONASTÈRES BYZANTINS
L'épanouissement du christianisme à Constantinople coïncide avec le règne de Théodose Ier (379-395) et le développement du monachisme. Les monastères, au nombre de 23 sous le règne de Théodose II (408-450), se multiplieront au cours des siècles jusqu'à atteindre le chiffre incroyable de 300.
Les communautés religieuses s'établissent de préférence à l'écart de la vie publique et des quartiers les plus habités, s'installant en marge de la capitale byzantine et sur les îles de la mer de Marmara. Leurs principes de vie, proches de l'érémitisme, leur font préférer les sommets des collines pour accentuer encore leur isolement.
Ces moines, vêtus de bure noire, qui suivent des règles ascétiques, offrent un visage de la religion constrastant fortement avec celui des patriarches et autres dignitaires ecclésiastiques qui sont étroitement liés au pouvoir impérial dont ils sont quasiment les fonctionnaires.

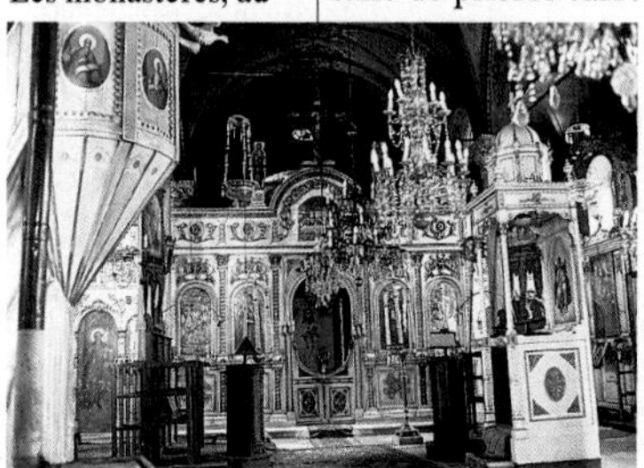

«Je suis las de l'été de l'hiver
J'ai rencontré le maître des jardins
Qu'on vienne piller le mien»

Yunus Emre

au sommet de la Montagne des Pins un très agréable café-salon de thé depuis lequel on découvre un superbe panorama : la cité impériale qu'enserrent la Corne d'Or, la mer de Marmara et le bas Bosphore ● *274*. Image que rend bien l'expression «ville ceinte d'une couronne d'eau» qu'emploie Procope, chroniqueur à la cour de Justinien, à propos de la vue que l'on a du haut de cette colline.

Les îles des Princes

Des ferries partent régulièrement d'Eminönü et d'Üsküdar pour les îles des Princes, un archipel situé au large de la côte asiatique, au sud-est de la mer de Marmara, à une vingtaine de milles d'Istanbul. Les voyageurs pressés emprunteront de préférence les vedettes rapides qui effectuent des liaisons fréquentes depuis le port de Kabataş. Abordant les îles des Princes en période estivale, on ne peut manquer d'être frappé par le contraste entre l'intense animation des stations balnéaires et les survivances du passé. Ces îles sont au nombre de neuf. Quatre d'entre elles sont de taille conséquente : Kınalı (la Proti des Grecs), Burgaz (Antigone), Heybeli (Chalki) et Büyük Ada (Prinkipio), littéralement la Grande Ile, la plus importante et la plus populeuse de toutes en été.

Histoire. À l'époque byzantine, elles portèrent également le nom de *Panadanisia*, qui signifie îles des Prêtres, en raison des monastères qui s'y étaient installés. Ceux de Kınalı Ada et de Burgaz Ada sont aujourd'hui en ruine. Heybeli Ada possède un monastère sur chacune de ses trois collines. Celui de la Sainte-Trinité, au nord, fut fondé en 850 et reconstruit en 1844 par le patriarche

Se déplacer dans les îles
Les voitures tirées par des petits chevaux ou des ânes et les bicyclettes sont les uniques moyens de transport sur les îles, où les automobiles sont interdites depuis 1928, à l'exception des ambulances, des voitures de pompiers.

Maisons ottomanes
Les îles conservent quelques vieilles maisons ottomanes en bois ; leur fragilité demande un entretien constant.

Les jardins
Les grandes demeures sont entourées de superbes jardins où fleurissent les magnolias, les lilas, les mimosas, le chèvrefeuille et le jasmin. Vous pourrez acheter des colliers de fleurs de jasmin aux petits vendeurs. Sous les pins pousse un maquis odorant d'arbousiers, de lentisques, de myrtes et de cistes qui embaument l'air au printemps.

Les palais en bois de Büyük Ada
L'ancien hôtel particulier d'Izzet Paşa, chef de la police secrète d'Abdül Hamit II (1876-1909), est un des plus beaux *yalı* de la Grande Ile, situé au n°55 de la Çankaya Caddesi. Un de ses hôtes célèbres fut Léon Trotski, durant les cinq premières années de son exil, de 1929 à 1933. On peut également voir, à l'écart de la ville, le palais du nonce apostolique. Le futur Jean XXIII y habita alors qu'il occupait ce poste entre 1933 et 1944.

Germain IV, qui le transforma en séminaire. Celui de la Panaghia Camariotissa, à l'est, fut fondé par Jean V Paléologue au XIVe siècle. D'abord transformé en orphelinat, il est devenu depuis 1942 l'École navale turque. L'autre particularité des îles est de concentrer sur un espace restreint toute la diversité ethnique et religieuse du pays. Grecs, Arméniens, juifs d'origine espagnole dont les ancêtres ont fui les persécutions d'Isabelle la Catholique, s'y rendent quand vient l'été, côtoyant la bourgeoisie turque de Taksim. Les îles des Princes doivent leur nom à une sinistre pratique des empereurs byzantins : à leur accession au pouvoir, ils reléguaient sur ces îles patriarches et princes intrigants et, le cas échéant, l'ancien empereur déchu de son trône. Ces prisonniers illustres étaient, ainsi que leurs femmes et leurs enfants, aveuglés ou mutilés pour prévenir toute velléité de retour à Constantinople. Le nom turc de ces îles, Kızıl Adalar, signifie îles rousses : l'archipel était en effet réputé pour l'extrême richesse qu'elle tirait de ses mines de cuivre. Ce renom leur valut la visite de nombreux pillards : croisés en partance pour la Terre Sainte, à qui Dandolo, doge de Venise, conseilla d'y faire halte, pirates génois et flibustiers de toutes sortes. Mais aujourd'hui, rares sont les traces de ce passé de gloire et d'infortunes.

Les yali. Aujourd'hui, ce sont les maisons de bois, très répandues sur ces îles et héritées d'un XIXe siècle florissant, qui en font tout le charme. Une loi empêche fort heureusement les propriétaires d'en modifier la façade. Chaque opération de rénovation doit être effectuée selon les plans originaux. Cependant, à côté des monuments historiques reconnus, certaines demeures, laissées à l'abandon sont

menacées de ruine. Mais toutes évoquent l'insouciance évanouie de la Belle Epoque.

L'ANADOLU CLUB. Mustafa Kemal en fit un lieu de villégiature pour ses ministres, et le fréquenta lui-même souvent. Aujourd'hui encore, chaque député est membre à vie de ce club très fermé, doté de luxueux salons, d'une salle de jeux, la seule autorisée de l'île, d'un parc jalonné de statues plus ou moins antiques et d'une plage privée, en contrebas, à laquelle on accède par un ascenseur. L'hôtel *Splendid*, situé en face de l'Anadolu club, est également un des lieux de prédilection de l'ancienne classe dirigeante et des gens aisés qui apprécient l'ambiance raffinée et quelque peu désuète de son grand salon lambrissé. L'établissement s'enorgueillit d'avoir abrité les amours du roi Edouard VII et de Miss Simpson, sous l'œil bienveillant du président de la nouvelle République turque.

LES MAISONS DE BOIS
Ces demeures ont été construites en bois au XVIIIe et au XIXe siècle par des commerçants d'Istanbul. Elles ont généralement deux et parfois trois étages. L'intérieur possède d'assez vastes pièces et des salles de réception. Leur façade est munie d'un balcon d'où l'on peut admirer la vue sur la baie où sur les bois environnants.

LES MONASTÈRES DE BÜYÜK ADA

Haut lieu du culte orthodoxe jusqu'à la chute de Byzance, Büyük Ada possède encore plusieurs monastères grecs. Le monastère de Jésus-Christ, construit en 1597, est établi au sommet de la colline de Jésus, au milieu des pins. Le couvent de l'île qui servit de retraite à plusieurs princesses byzantines abrite la tombe de l'impératrice Irène (1066-1123). La mission franciscaine d'Ancône et l'office orthodoxe qui se tient dans la très œcuménique église de San Pacifico, ouverte aussi aux Arméniens, connaissent une honnête fréquentation l'été, en cette terre d'Islam.

LE MONASTÈRE SAINT-GEORGES. Le monastère Saint-Georges à Ayios Yorgios bâti au Xe siècle sur les hauteurs de la colline du même nom, attire aujourd'hui encore de nombreux pèlerins. Sur les buissons qui bordent le chemin du monastère de petites bandes d'étoffe blanche sont accrochées, symboles des prières adressées à saint Georges, à qui l'on prête, entre autres pouvoirs, celui de rendre les jeunes gens amoureux. Le sentier, raide et accidenté, traverse la pinède qui recouvre les deux tiers de l'île ; le gouvernement, soucieux de favoriser le tourisme, a tenté à plusieurs reprises de l'aménager, mais, régulièrement, les fidèles du saint viennent ôter les pavés, afin de conserver un chemin de pénitence. Si ce dernier est fréquenté toute l'année, le 23 avril, jour de la fête du saint, ce sont des milliers de pèlerins, toutes confessions confondues, qui le gravissent pour assister au premier office de l'aube. Après quoi, la plupart s'asseyent à la terrasse d'un restaurant, pour célébrer l'événement et partager le vin local mis en fûts par les moines d'Ayios Yorgios depuis des siècles.

Au large mouillent les yachts à moteur et les immenses voiliers dignes des ports les plus réputés de la Méditerranée. De petits caboteurs assurent assez régulièrement l'été la liaison entre la grande île de Büyük Ada et les îles des Princes les plus peuplées : Kinali, Burgaz et Heybeli. Les autres îles sont couvertes de forêts et de maquis et sont moins bien desservies.

▲ Le Bosphore

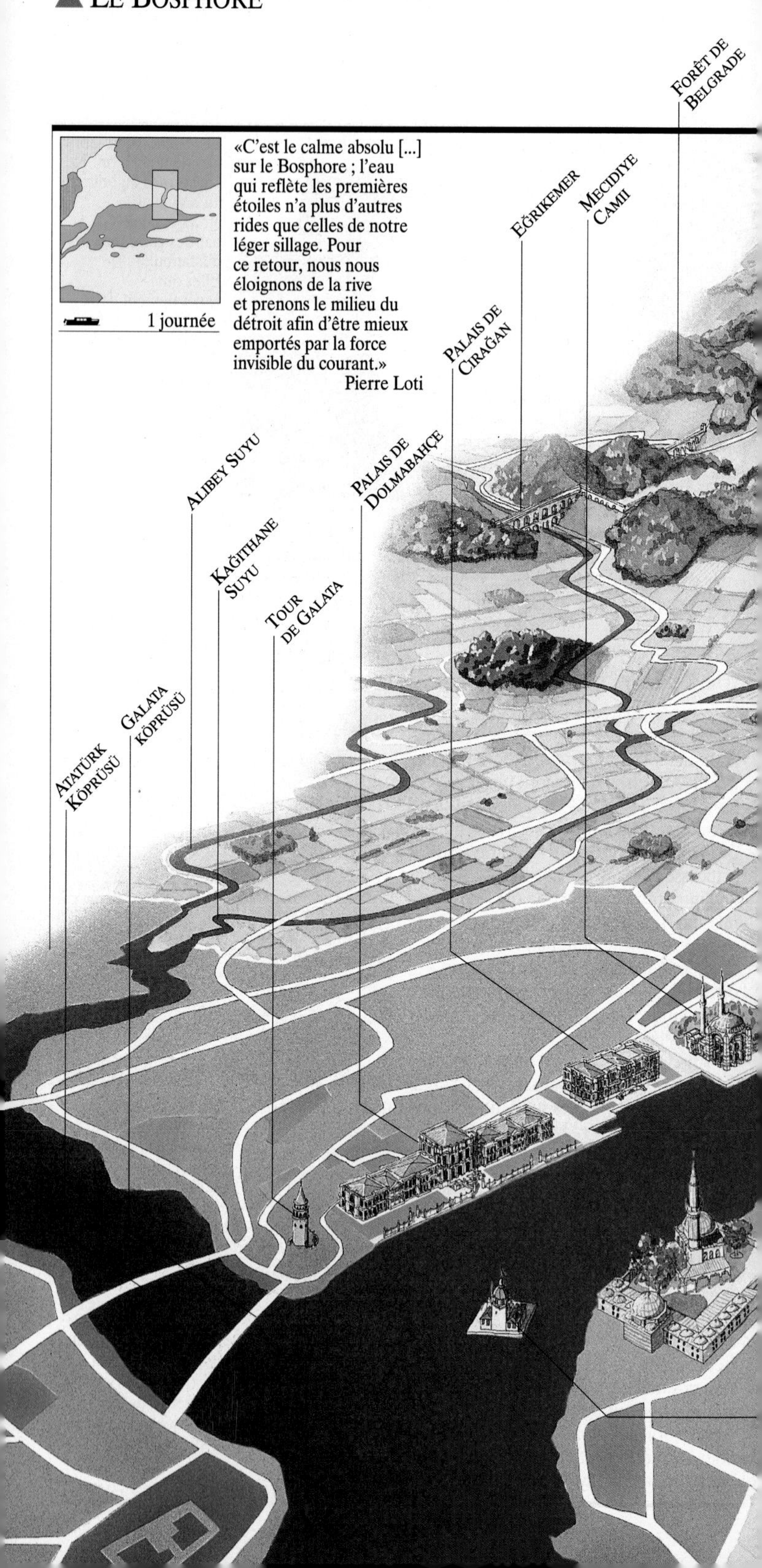

1 journée
«C'est le calme absolu [...] sur le Bosphore ; l'eau qui reflète les premières étoiles n'a plus d'autres rides que celles de notre léger sillage. Pour ce retour, nous nous éloignons de la rive et prenons le milieu du détroit afin d'être mieux emportés par la force invisible du courant.»
Pierre Loti
Forêt de Belgrade
Eğrikemer
Mecidiye Camii
Palais de Cırağan
Alibey Suyu
Palais de Dolmabahçe
Kağıthane Suyu
Tour de Galata
Galata Köprüsü
Atatürk Köprüsü

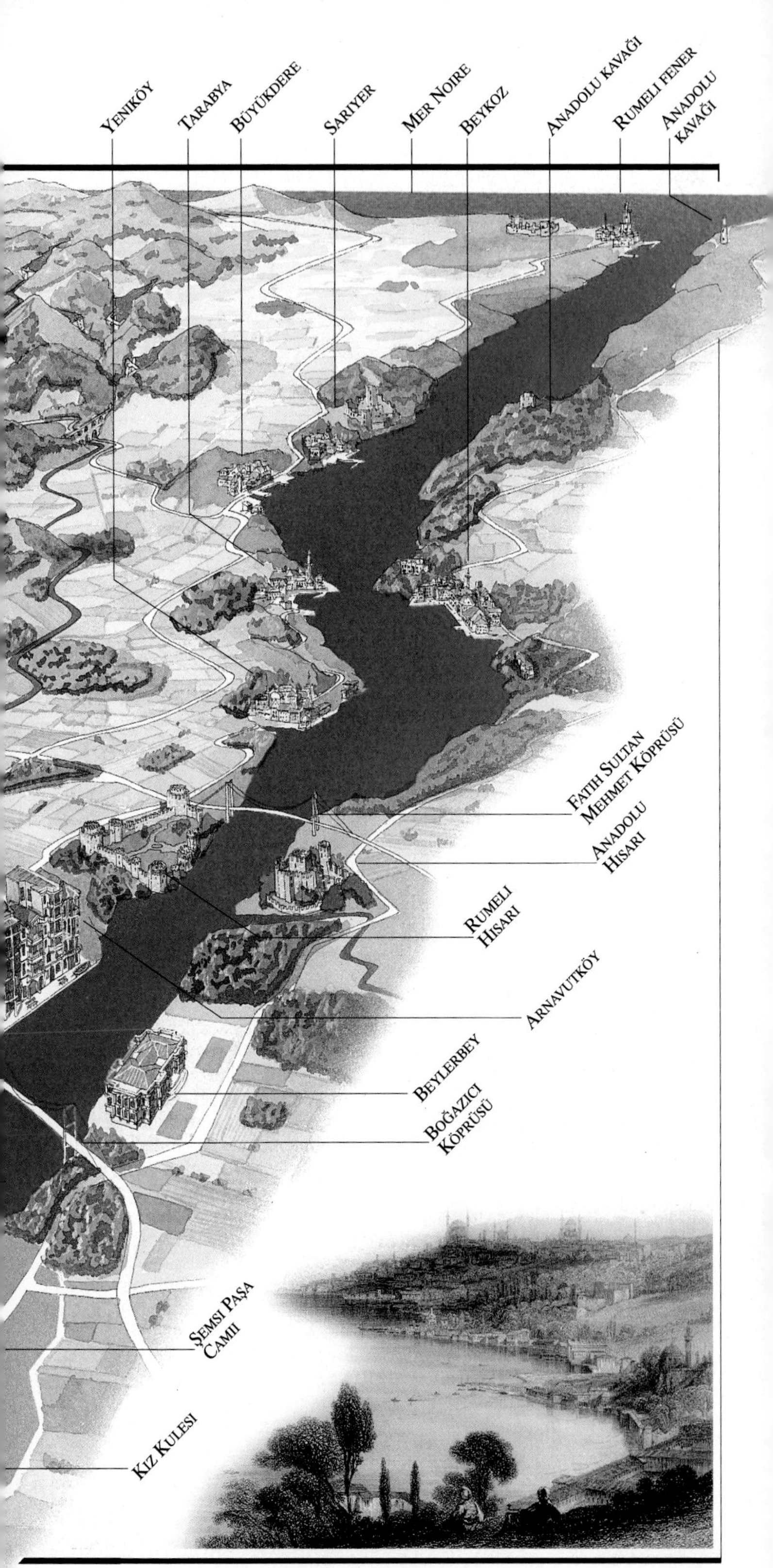
Yeniköy
Tarabya
Büyükdere
Sarıyer
Mer Noire
Beykoz
Anadolu Kavaği
Rumeli Fener
Anadolu Kavaği
Fatih Sultan Mehmet Köprüsü
Anadolu Hisarı
Rumeli Hisarı
Arnavutköy
Beylerbey
Boğazıcı Köprüsü
Şemsi Paşa Camii
Kız Kulesi

LA RIVE EUROPÉENNE DU BOSPHORE

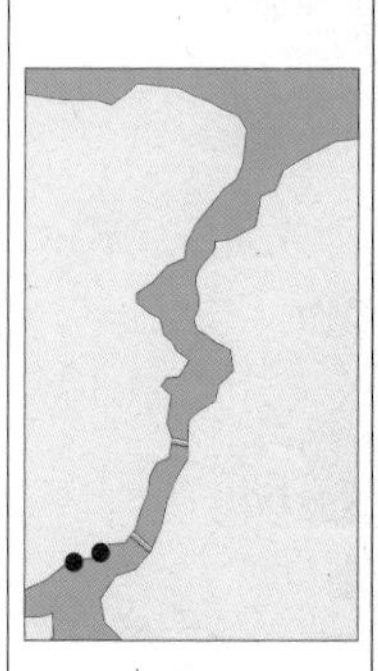

EMINÖNÜ. Un service régulier de ferries, au départ d'Eminönü, dessert les villages du Bosphore dont on distingue la rive européenne, *Rumeli*, de la rive asiatique ou anatolienne, *Anadolu*. Ces villages, dont certains existent depuis l'époque byzantine, ont été pour la plupart, dans la seconde moitié du XXe siècle, progressivement intégrés dans un tissu urbain en pleine extension. Ils ont conservé toutefois leurs particularismes et leur traditions villageoises, plus marqués à mesure que l'on remonte le détroit. Beaucoup de leurs habitants vivent encore de la pêche. Le Bosphore, en turc, Boğaziçi (boğaz veut dire «le détroit») ■ *18*, affiche le plus souvent une sérénité parfaite mais à voir surgir ce bras de mer entre les deux continents, on ne peut qu'être impressionné, même par temps calme, par sa majesté. Les Istanbuliotes prisent tout particulièrement les nuits où la pleine lune s'élève au-dessus des collines boisées de la rive d'Asie, traçant sur le courant un chemin argenté qui rejoint la côte européenne, un phénomène nommé en turc *mehtap*. La première pleine lune de l'automne marque généralement le début de la saison de pêche avec l'arrivée de grands bancs de *lüfer*, petits poissons bleus qui redescendent le bras de mer. Pour les capturer, les pêcheurs utilisent une barque à rames appelée *sandal*, dérivée de la *sandalo* vénitienne. La plupart sont aujourd'hui équipées d'un moteur et munies d'une puissante lampe qui balaie la surface pour repérer les bancs de poissons avant de lancer les filets. Lorsqu'il atteint la rive européenne, le ferry accoste au pont de Galata ▲ *128*, derrière lequel s'étend le quartier de Tophane, qui s'est constitué autour de l'ancien arsenal du même nom.

DOLMABAHÇE SARAYI
Lamartine, lors d'un séjour à Istanbul en 1833 décrit ainsi le palais de Dolmabahçe: «Il ressemble à un palais d'amphibies : les flots du Bosphore, pour peu qu'ils s'élèvent sous le vent, rasent les fenêtres et jettent leur écume dans les appartements du rez-de-chaussée ; les marches des perrons trempent dans l'eau ; des portes grillagées donnent entrée à la mer jusque dans les cours et les jardins. Là sont des remises pour les caïques et des bains pour les sultanes, qui peuvent nager dans la mer à l'abri des persiennes de leur salon.»

La mosquée de Dolmabahçe. La Dolmabahçe Camii ● *84* fut construite en 1853 par l'architecte Nikogos Balyan ; il lui adjoignit, l'année suivante, une tour baroque en pierre de taille, la tour de l'horloge qui domine, de ses 27 m de hauteur, cette partie de la ville.

Le palais de Dolmabahçe.
Le Dolmabahçe Sarayı est de loin le plus vaste des palais ottomans du Bosphore. Le site était, à l'époque byzantine, un petit port. Mehmet Fatih le fit combler et créa à sa place un jardin royal ● *50*, d'où le nom Dolmabahçe qui veut dire «le jardin comblé». En 1842, Abdül Mecit confia la construction du colossal palais, que l'on voit aujourd'hui, à Karabet Balyan et son fils Nikogos. Ces derniers l'achevèrent en 1853. On pénètre dans l'enceinte du palais par les jardins, à l'extrémité sud. Sa façade longue de 248 m, d'un marbre blanc lumineux, borde la rive du détroit. Son quai s'étend sur 600 m. Le corps central est flanqué de deux ailes principales qui abritaient le siège du gouvernement et les appartements du sultan. Le *selamlık* (réservé aux hommes) occupe la partie sud et le harem la partie nord. Si l'on ajoute les logements du personnel résidant au palais, les 43 salons et les 6 hammams, cela représente un ensemble de 285 pièces.

C'est à Beşiktaş, au XVIIIe siècle, que la sultane Hatice, sœur de Selim II, fit construire un palais d'été dont les plans furent établis par le peintre Melling.

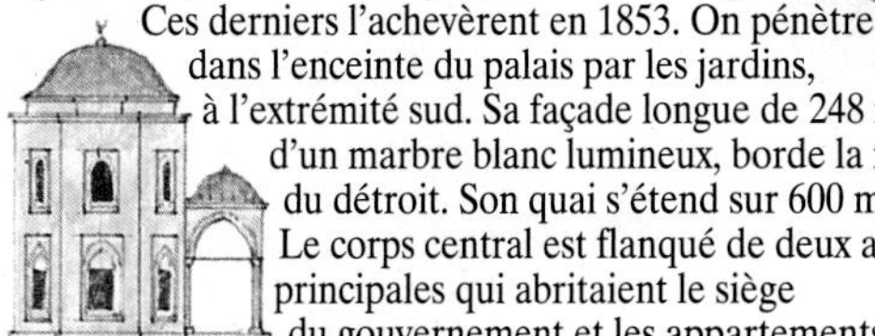

L'échelle de Beşiktaş.
À 300 m du Dolmabahçe Sarayı, le ferry accoste à Besiktaş Iskele. Dans le parc situé derrière l'embarcadère, on peut voir une statue du célèbre amiral Hayrettin Paşa, connu en Occident sous le nom de Barberousse. Son mausolée fait face à l'embarcadère, à l'extrémité sud du parc ■ *26.*

Le musée de la Marine. Au sud de l'embarcadère de Besiktaş, se trouve le Deniz Müzesi. Sa pièce la plus précieuse est une carte marine représentant la côte atlantique de l'Amérique du Nord, dressée au XVIe siècle par Piri Reis, le grand navigateur turc. Le musée possède en outre une collection de pazar caïques, les barques à rames que les sultans utilisaient pour rejoindre leurs palais et leurs luxueux pavillons de bois ou *yalı* sur le Bosphore ou la Corne d'Or.

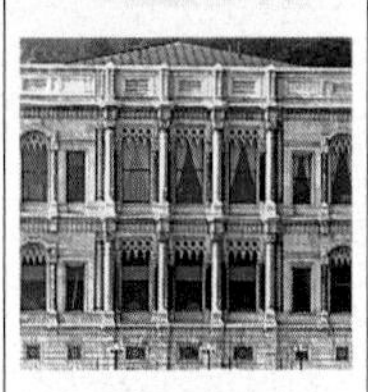

La façade de marbre blanc du palais de Dolmabahçe est bordée d'un quai de 600 m de longueur.

▲ Le palais de Dolmabahçe

Coupole de la grande salle de réception Muayede

Le palais de Dolmabahçe fut conçu dans un style composite, mi-occidental mi-oriental, mélange singulier et baroque des ordres classiques et d'une ornementation évoquant les Indes lointaines. Les 285 chambres et les 46 salons répondent à la même volonté de mélange des styles. Les objets les plus extravagants, les peintures murales exécutées par des peintres russes ou italiens, les énormes candélabres en cristal de Bohême ou de Baccarat, le mobilier, la décoration syncrétique en font un lieu fabuleux où l'excès et la démesure se conjuguent à la suavité et au sens de la pompe.

Le salon rouge. Divan et fauteuils sont tapissés de soie rouge, assortie aux tentures. Sur la table, un chandelier en cristal de Bohême, rouge également.

Candélabre en cristal de Baccarat et meuble de style rococo.

Portail d'entrée du palais, côté jardins. Le portail est flanqué de deux ailes courbes par lesquelles on accède au niveau supérieur. La porte est encadrée de colonnes grecques et surmontée d'une balustrade extrêmement surchargée.

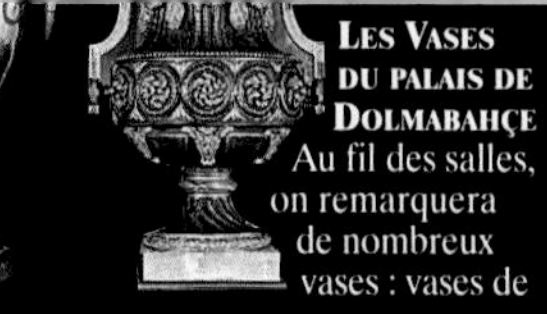

Les Vases du palais de Dolmabahçe
Au fil des salles, on remarquera de nombreux vases : vases de Chine, vases peints, fabriqués à la manufacture des porcelaines de Yıldız (à gauche et au centre), et vases de Sèvres (à droite).

Le grand escalier d'honneur
Les balustres soutenant la rampe sont en cristral incrusté d'or. Des colonnes de marbre s'élèvent de part et d'autre du palier qu'éclaire une vaste verrière.

Mayben ou salle des audiences
Le plafond rehaussé de dorures est décoré de peintures de fleurs. Aux quatre angles, des candélabres à pendeloques et des consoles surmontées de grands miroirs.

Yalı de Yeniköy

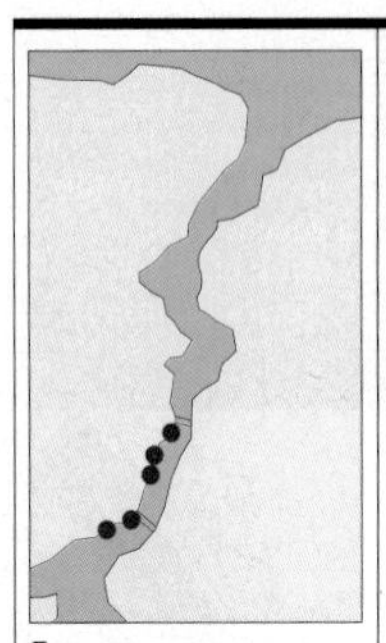

LA NAVIGATION SUR LE BOSPHORE
Les tankers qui naviguent à grande vitesse sur le Bosphore, représentent un danger pour les maisons et les palais. Dans les vingt dernières années, douze *yalı* classés ont été détruits par ces bateaux.
Leur sillage et les vagues qui se forment sont dommageables pour les fondations et les quais des palais.

YENIKÖY
C'est un des villages du Bosphore les moins touchés par l'urbanisation. Les belles maisons ottomanes du XIXe siècle ont subi l'influence de l'Art Nouveau. L'entretien et les réparations de ces maisons au bord de l'eau, assurés par des artisans spécialisés, sont très onéreux.
Une des églises grecque de Yeniköy, Saint-Georges, abrite les tombeaux de trois patriarches et possède une très ancienne icône de la Vierge.

LE PALAIS DE ÇIRAĞAN ● *84.* Environ 500 m après Besiktaş Iskele, le ferry passe devant le Çırağan Sarayı, récemment reconstruit et transformé en un casino rattaché au nouvel hôtel Çırağan. Ce palais fut construit pour Abdül Aziz par l'architecte Sergis Balyan et achevé en 1874, deux ans avant que le sultan ne soit renversé. En 1910, il fut ravagé par un incendie, et seule la façade noircie par les flammes ainsi que l'ossature interne, peu à peu envahie par la végétation, restèrent debout jusqu'aux récents travaux.

LE PARC DE YILDIZ ● *50.* Un peu plus loin, se trouve l'entrée du parc de Yıldız où l'on peut voir les pavillons du Yıldız Sarayı. Sur la droite se dresse une mosquée bâtie en 1848 pour le sultan Abdül Mecit. Le parc était connu jadis sous le nom de «jardins de Çırağan». Quelques mètres après l'entrée, un raidillon mène au charmant petit *külliye* de Yahya Efendi, un des saints les plus célèbres d'Istanbul, né à Trabzon (Trébizonde) le même jour que Süleyman le Magnifique, et dont la mère fut la nourrice de ce dernier. Quand Süleyman monta sur le trône en 1520, Yahya Efendi l'accompagna à Istanbul où il devint l'un des plus célèbres théologiens de son temps.

Le *külliye,* conçu par l'architecte Sinan, fut construit en 1570.

ORTAKÖY. La prochaine station du ferry est Ortaköy, le «village du Milieu», devenu, ces dernières années, un important centre artisanal. Nombre de ses vieilles maisons ont été fort bien restaurées. Les alentours du ponton sont abondamment pourvus en cafés et restaurants ◆ *364* agréables, près desquels, en été, les artisans et les bouquinistes déploient leurs étals.
Sur une petite avancée de terre, au-delà de l'embarcadère, se dresse une charmante mosquée, la Mecidiye Camii, construite en 1854 par Nikogos Balyan pour Abdül Mecit. De part et d'autre de la rue principale de ce village de pêcheurs, trois monuments sont à remarquer : une synagogue du début du XXe siècle, une église grecque orthodoxe du XIXe et un hammam ● *58* construit en 1570 par Sinan pour Hüsrev Kethüda, le régisseur en chef du grand vizir Sokollu Mehmet Paşa.

«Après Dolmabahçe commence une série non interrompue de palais, de maisons et de jardins. Tous dorment sur la mer comme pour en aspirer la fraîcheur.» Lamartine

Le pont du Bosphore. Juste après Ortaköy, le ferry passe sous le Boğaziçi Köprüsü, qui s'élance gracieusement d'Europe jusqu'aux collines du village de Beylerbey, sur la rive asiatique. Ce pont fut inauguré le 27 octobre 1973. Sa portée en fait le sixième plus grand pont suspendu au monde : 1 074 m séparent les deux immenses piliers qui soutiennent l'arc routier culminant à 64 m au-dessus de l'eau.

Arnavutköy. Le prochain arrêt de la côte européenne est Arnavutköy, le «village des Albanais». Il possède l'un des ports les plus hauts en couleur du Bosphore, avec un alignement de ravissants *yalı*, ces villas en bois, anciennes résidences d'été qui bordent la rive au sud de l'*iskele*. Les nombreuses vieilles maisons de bois du village sont festonnées de vignes, et leur image évoque les temps révolus des sultans.

La baie de Bebek. Contournant l'Akinti Burnu, le ferry pénètre dans les eaux calmes de la baie de Bebek. C'est l'une des plus belles du Bosphore, avec les pins parasol et les cyprès qui couvrent encore le flanc de colline au sud de la baie ■ *18*. Avant d'atteindre l'embarcadère, le ferry passe devant l'ancienne ambassade d'Égypte, un palais Modern Style construit en 1912 par Raimondo d'Aronco. Juste à côté se trouve une petite mosquée édifiée en 1913 par l'architecte Kemalettin Bey.

L'université du Bosphore. Quelques centaines de mètres après l'*iskele*, la route littorale passe devant l'une des entrées de l'université du Bosphore, dont le campus occupe un promontoire entre Bebek et Rumeli Hisarı, le prochain village au nord. Cette université turque, fondée en 1971, occupe les bâtiments de l'ancien Robert College, qui durant ses cent-huit années d'existence, compta dans ses rangs nombre de personnages importants dont certains jouèrent un rôle de premier plan dans la vie politique et culturelle du pays.

La forteresse d'Europe. L'entrée de la passe est flanquée des forteresses ottomanes de Rumeli Hisarı et Anadolu Hisarı, les forteresses d'Europe et d'Asie, qui dominent chacune de vieux villages pittoresques. Après la Conquête ● *36*, elles perdirent leur importance stratégique ; Anadolu Hisarı, laissée à l'abandon tomba en ruine tandis que Rumeli Hisarı servit à incarcérer des prisonniers de guerre et des ambassadeurs de puissances rivales ; depuis 1953, la forteresse d'Europe, transformée en musée, est ouverte au public, et certains soirs d'été on y donne des représentations théâtrales, dans le cadre du Festival d'Istanbul.

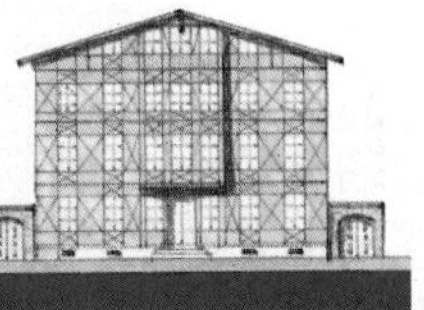

Tarabya
Durant les deux derniers siècles de l'Empire ottoman, Tarabya était le lieu de rendez-vous favori de la haute bourgeoisie grecque du Fener ou de Péra, attirée par la beauté du lieu et son atmosphère raffinée due à la présence des ambassades d'été des puissances européennes.

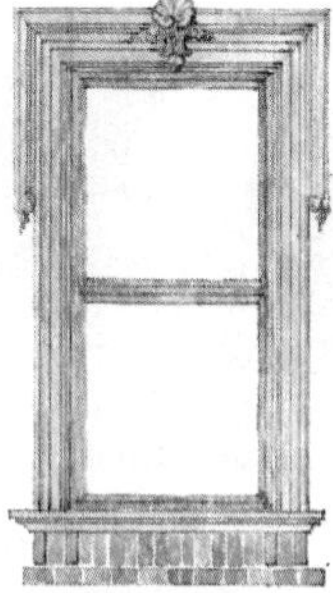

Fenêtres à guillotine de style baroque

Musée Sadberk Hanım

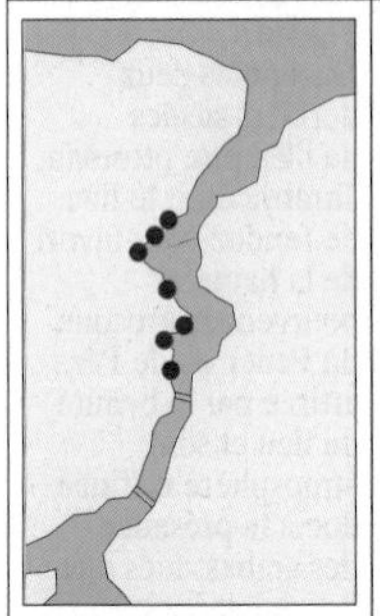

LE PARC DE YILDIZ Dans le parc, le Malta Köşkü et le Pembe Köşkü ont été restaurés et transformés en élégants cafés.

Port de pêche et chalutier à Ortaköy

À Arnavutköy, de nombreux bars dont le *Café Siné*, organisent des concerts de jeunes musiciens.

LE PONT MEHMET FATIH. Le ferry passe sous le nouveau pont sur le Bosphore, le Fatih Sultan Mehmet Köprüsü, de 10 m plus grand que celui qui relie Ortaköy et Belerbey. Il franchit le détroit entre les collines qui surplombent les deux forteresses. Il a été ouvert en 1988, 2500 ans après celui de Mandrocles.

EMIRĞAN. Le village suivant sur la côte européenne s'appelle Emirğan. Sur la place du village, ombragée par des platanes, nombreux sont ceux qui viennent prendre le thé qu'une eau de qualité rend ici particulièrement délicieux. À côté se trouve une mosquée baroque, érigée en 1781-1782 pour Abdül Hamit Ier. Juste au-dessus du village, on peut visiter les célèbres jardins de tulipes d'Emirğan, particulièrement splendides au printemps. Le Touring et Automobile Club de Turquie y a restauré de nombreux pavillons et kiosques ottomans ; le Beyaz Köşk ou kiosque Blanc, a été transformé en salle de concert et les autres, en cafés.

ISTINIYE. Après Emirğan, on parvient au village d'Istiniye établi autour d'une baie profondément échancrée, équipée jusqu'en 1990 de vastes cales sèches. Son port est toujours actif et les pêcheurs vendent leurs prises sur le marché pittoresque installé sur les quais.

YENIKÖY. Ce village était connu à l'époque byzantine sous le nom de *Neapolis*, le «village Nouveau», ce malgré ses origines antiques. Son nom turc a la même signification. Il y a plus d'églises à Yeniköy que partout ailleurs sur les rives du Bosphore ; on y trouve, en effet trois églises grecques orthodoxes, une catholique arménienne et une catholique romaine, mais les congrégations religieuses sont ici comme ailleurs beaucoup plus réduites que par le passé. Le palais de pierre situé au nord du village servait autrefois de résidence d'été à l'ambassadeur d'Autriche-Hongrie ; il abrite aujourd'hui le consulat d'Autriche. Au-delà se trouve le hameau des Kalender, du nom d'un ordre de derviches qui avaient là leur *tekke* ou monastère. Un peu après, l'ambassade d'été d'Allemagne occupe un gigantesque *yalı* ● *88* en bois.

TARABYA. Vient ensuite Tarabya et sa baie en forme de croissant dont on a souvent célébré la beauté, autrefois l'un des lieux favoris de villégiature des Fénériotes. Le village fut baptisé *Therapia*, qui signifie cure ou guérison, par le patriarche grec Atticus en raison de son climat salubre. Son appellation actuelle est la turquisation de ce premier nom.

BÜYÜKDERE. L'arrêt suivant sur la côte européenne est Büyükdere, dont le nom signifie «grande vallée». Au temps de Byzance, le village s'appelait *Kalos Agros*, la «belle prairie». C'est là que les chevaliers de la première Croisade campèrent en 1096, avant de traverser le Bosphore pour une longue marche à travers l'Asie Mineure vers la Terre Sainte.

LE MUSÉE SADBERK HANIM. Ce musée abrite, dans un beau yalı restauré, une riche collection d'antiquités couvrant une période allant de l'âge du bronze ● *28* à l'ère romaine ● *30*, et mélangeant l'art, l'artisanat et les costumes traditionnels, dans une disposition muséographique agréable. Ce musée privé est dédié à la mémoire de Sadberk Hanım, l'épouse de Vehbi Koç, célèbre homme d'affaires turc qui a su investir dans de nombreux secteurs d'activités.

KILYOS. La route traversant la forêt de Belgrade ◆ *356*, mène, depuis Büyükdere ou Sariyer, à Kilyos, un petit village de pêcheurs sur la mer Noire qui possède une très belle plage de sable bordée d'hôtels, pensions et restaurants. La route depuis Büyükdere passe sous une des arches de l'aqueduc Courbe ● *76*, l'*Eğrikemer*, construit sous le sultan Mahmut Ier.

SARIYER. Sariyer est le plus grand village de la côte européenne du haut Bosphore et le principal port de pêche du détroit. Très haut en couleur, ce village approvisionne un marché qui ne l'est pas moins, surtout lorsque les bateaux reviennent au port après des campagnes qui les mènent au-delà de la mer Noire jusqu'à la mer de Marmara, les Dardanelles ● *322* et la mer Egée. Les poissons fraîchement pêchés fournissent les restaurants du port qui, par beau temps, sortent leurs tables sur les quais.

RUMELI KAVAĞI. Rumeli Kavağı est le dernier arrêt sur la côte européenne. La plupart des ferries traversent à cet endroit le détroit pour rejoindre le village d'Anadolu Kavağı, le dernier débarcadère de la côte asiatique. Les deux villages possèdent de nombreux restaurants de poissons et des cafés très populaires.

YALIS À BEBEK
Dès le XVIIIe siècle, Bebek était un village résidentiel où les riches Istanbuliotes faisaient construire des résidences d'été comme ce superbe Yılanlı Yalı aujourd'hui restauré. C'est un village résidentiel doté d'un agréable port de plaisance.

VILLAGE DE RUMELI HISARI
Nichées dans la verdure, les maisons du petit village s'étagent sur le flanc de la colline, sillonné de sentiers pavés, tel celui-ci descendant vers le Bosphore.

RUMELI HISARI
En 1452, Mehmet II, en prévision du siège de Constantinople, fit construire la forteresse de Rumeli Hisarı. L'édification prit moins de quatre mois grâce aux trois mille ouvriers et maîtres d'œuvre qui y travaillèrent. Entre la fin du XIXe et le début du XXe siècle, des maisons de bois furent construites à l'intérieur de l'enceinte de la forteresse en ruines. Elles ont disparu lors de la remise en état de 1953.

LE HAUT BOSPHORE

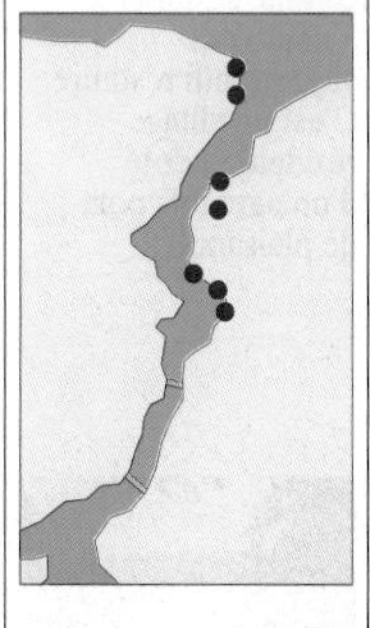

Les routes littorales n'allant pas beaucoup plus loin, il faut disposer d'un bateau si l'on veut poursuivre l'exploration du haut Bosphore. On pénètre alors dans un paysage sauvage, mais non dépourvu de charme. À plusieurs endroits, on découvre des plages de sable, nichées au creux de petites anses ; des hérons cendrés ■ *18* juchés sur des rochers escarpés regardent les cormorans noirs plonger dans les eaux limpides, tandis que des vols de puffins, frôlent la surface du détroit, au milieu duquel des dauphins surgissent parfois, apparition de bonne augure pour les marins.

GARIPÇE. À trois miles nautiques de Rumeli Kavağı, on passe devant un promontoire très escarpé, nommé Garipçe, qui signifie «l'Étrange», probablement à cause de son relief très tourmenté. Les Rochers Bleus furent aussi appelés Rochers Cynéens, et Pierre Gilles les situe à l'embouchure du Bosphore côté européen, à environ une centaine de mètres de Rumeli Feneri. Cet énorme amas rocheux, aujourd'hui relié à la côte par une digue, mesure environ 20 m de hauteur. De profondes fissures le divisent en plusieurs blocs.

RUMELI FENERI. On peut voir à Rumeli Feneri, ou le «phare de l'Europe», les vestiges d'un fort construit en 1769 par un ingénieur militaire grec au service de l'Empire ottoman. Il y avait un bâtiment semblable côté asiatique, mais il a disparu, probablement détruit par les violents assauts des vagues de la mer Noire.

VUE AÉRIENNE DE RUMELI KAVAĞI ET DE SA MOSQUÉE

LA RIVE ASIATIQUE DU BOSPHORE

ANADOLU KAVAĞI. De l'autre côté du détroit, se trouve le monument le plus important de la côte asiatique du haut Bosphore : l'Anadolu Kavağı, grande forteresse dont on aperçoit les impressionnantes ruines sur les hauteurs du village du même nom. L'Anadolu Kavağı, qui signifie «le peuplier d'Anatolie», est connue sous le nom de forteresse gênoise, mais elle a probablement été construite sous l'Empire byzantin et conquise ensuite par les Génois au XIVe siècle. C'est la plus grande des forteresses du Bosphore, deux fois plus grande que celle de Rumeli Hisarı. Après Anadolu Kavağı, le ferry entame son périple de retour.

LA COLLINE DE JOSUÉ. En face de Sarıyer, on passe la Yuşa Tepesi, colline de Josué, culminant à 201 m au-dessus du niveau de la mer. Au sommet, un sanctuaire est dédié à Yuşa Baba, un saint de l'Islam. La tombe de ce dernier, délimitée par des piliers verts au pied et à la tête, mesure 12 m de long. Sa taille peu commune lui a valu le nom de «tombe du Géant» ou, dans l'Antiquité, de «lit d'Hercule».

SELVI BURNU. En face de Büyükdere, des hauts-fonds et une côte accidentée rendent la navigation délicate. À Selvi Burnu, la pointe des Cyprès, le Bosphore oblique vers

Les balcons en encorbellement des maisons de bois étaient soutenus par des corbeaux en fer forgé ouvragé.

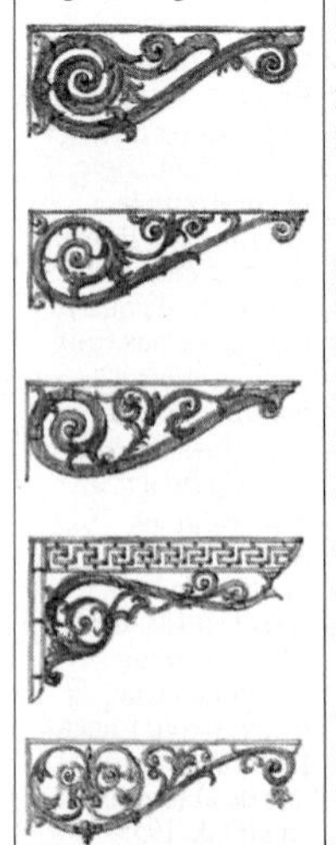

«LE CANAL, DANS TOUTE SON ÉTENDUE [...] OFFRE PARTOUT LE MÊME ASPECT ; IL EST BORDÉ DE PALAIS, DE KIOSQUES, DE MAISONS DE PLAISANCE, DE VILLAGES»

CASTELLAN

l'est traversant la charmante vallée de Tokat Deresi. Mehmet Fatih, et plus tard Süleyman, construisirent un kiosque dans ce lieu que Pierre Gilles décrit comme «une villégiature royale ombragée d'arbres aux diverses essences notamment des platanes», mentionnant au passage les escaliers de la jetée par lesquels le sultan, «franchissant les hauts-fonds de la côte, débarquait dans ses jardins», d'où le nom actuel d'Hünkar Iskelesi, l'échelle Impériale. Le petit palais ● *84* entouré d'un bosquet d'arbres que nous pouvons voir aujourd'hui fut construit au milieu du XIXe siècle par l'architecte Sergis Balyan, le frère de Nikogos Balyan, pour le sultan Abdül Mecit. Le palais sert aujourd'hui d'hôpital.

BEYKOZ. Le ferry nous conduit maintenant à Beykoz, important village de pêcheurs de la côte asiatique au-delà d'Üsküdar. L'été, des restaurants de poissons et des petits cafés sont très fréquentés le week-end. Son monument le plus intéressant est une magnifique fontaine ● *66* qui orne la petite place du village. Elle se compose d'une loggia à dôme supportée par une colonnade qui la distingue des autres fontaines baroques. Elle a été construite en 1746 pour Ishak Ağa, inspecteur des douanes.

ŞILE ET INCIR KÖYÜ. Une route mène de Beykoz au village pittoresque de Şile sur la mer Noire, qui possède une plage de sable, hôtels, pensions et restaurants. Depuis l'antiquité, les femmes y tissent un coton soyeux, fin et très léger que l'on appelle şile bezi et qui est exporté. À l'est du village, le phare, classé monument historique a été construit par des architectes français en 1858. Le Motel Kumbaba, à l'est de la plage, occupe le site de l'ancienne Calpe, comme en témoignent certains vestiges mis au jour par les archéologues. Au sud de Beykoz, à Incir Köyü, le «village du Figuier», la vallée de Sultaniye Deresi offre aux regards ses vastes jardins créés à l'initiative de Beyazıt II.

PAŞABAHÇE. Un peu plus loin, le ferry s'arrête à Paşabahçe, le «jardin du Paşa» ● *50*, qui tient son nom du palais et du jardin fondés par le

PROMENADE AU SIÈCLE DERNIER
L'été, les collines boisées du Bosphore étaient aérées et fraîches. C'était un lieu de promenade pour les jeunes femmes qui venaient de la ville en voiture. Pour ces déjeuners sur l'herbe, elles étaient vêtues de légers *yaşmaks* et voilées de mousseline qui laissait juste entrevoir les yeux.

BAIE DE BEYKOZ
Beykoz est un village important dans l'ancienne baie d'Amycos. Dans la baie, on aperçoit le beau *yalı* de Mehmet Ali Paşa, vice-roi d'Égypte. La vallée qui est derriè!re Beykoz est une des plus belles du Bosphore.

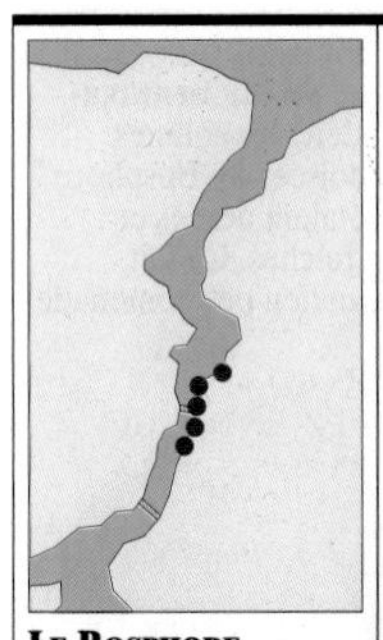

grand vizir de Murat IV, Hezarpara Ahmet Paşa. Le village est réputé pour ses ateliers de verreries qui produisent les plus belles pièces de Turquie. Il possède également une importante fabrique de rakı, l'alcool national à base d'anis, qui ici coule à flots d'une fontaine.

ÇUBUKLU. Le ferry s'arrête ensuite à Çubuklu, dont le nom signifie «avec une canne». Evliya Çelebi conte à ce propos une histoire amusante : «Beyazıt, ramenant son fils Selim, le futur Selim Ier, de Trébizonde à Istanbul, lui infligea à cet

LE BOSPHORE À PAŞABAHÇE
Dans cette aquarelle du début du siècle du peintre Hoca Ali Riza, le yalı en bois est traditionnellement peint en rose très soutenu, les nombreuses baies vitrées, larges et très modernes pour l'époque, permettaient de voir l'intérieur des pièces à partir du jardin. Le jardin qui entoure le *yalı* est planté de pins, de platanes et de plantes grimpantes, glycines et chèvrefeuilles odorants.

endroit huit coups de canne dans un accès de colère. En même temps il lui dit : «Mon enfant, ne sois pas furieux, ces huit coups fructifieront durant les huit années de ton règne». Selim planta alors la canne dans le sol priant le ciel qu'elle prenne racine et porte des fruits. Et la canne commenca à croître et porte encore une espèce particulière de cerises, si légères que cinq d'entre elles pèsent à peine plus de trois grammes». Sur un promontoire entre Çubuklu et Kanlıca, le village suivant, on peut voir le palais des Khédives ou vice-rois d'Égypte avec sa haute tour, construit en 1900 pour Abbas Hilmi Paşa, le dernier d'entre eux. Sa façade ouest, en demi-cercle, regarde le Bosphore. Au rez-de-chaussée, un élégant porche à colonnes de marbre précède un hall, en demi-cercle lui aussi. L'étage supérieur (surtout la chambre de la tour et une charmante loggia sur le toit) offre un magnifique panorama sur le détroit. Le Touring et Automobile Club de Turquie a récemment restauré le bâtiment et l'a redécoré dans son style d'origine, Modern Style ; c'est désormais un hôtel-restaurant de luxe ◆ *364*.

Yalı de Sefik Bey à Kanlıca.

KANLICA. Le ferry s'arrête ensuite à Kanlıca, un village réputé depuis longtemps pour ses délicieux yaourts servis dans les restaurants qui entourent le débarcadère et la petite place qui se trouve derrière. La mosquée au fond de la place a été construite par Sinan en 1559-1560 pour Iskender Paşa, un vizir de Süleyman le Magnifique. Son plan est d'une grande sobriété, avec un porche en bois et une chambre de prières couverte d'un toit plat ; un ajout relativement récent car Evliya Çelebi nous parle à sa place d'un dôme en bois.

AMCAZADE HÜSEYIN PAŞA KÖPRÜLÜ YALI. Entre Kanlıca et Anadolu Hisarı, le prochain arrêt, le ferry passe à nouveau sous le pont Mehmet Fatih. Ce faisant, on aperçoit le plus ancien *yalı* ● *88* de la côte asiatique, une demeure en bois, montée sur des pilotis vermoulus, qui conserve encore sa couleur initiale rose-rouge. Le *yalı* fut construit en 1698 pour Amcazade Hüseyin Paşa Köprülü,

Yalı de Rutiye Sultan.

grand vizir de Mustafa II. C'est là que fut signée le 26 juin 1699 la paix de Carlowitz, mettant fin à une guerre entre la Russie et l'Empire ottoman.

La forteresse d'Asie. L'Anadolu Hisarı, construite en 1394 par Beyazıt Ier, est un peu en aval de l'échelle du même nom. Beyazıt Ier se servit de cette forteresse comme base pour assiéger Constantinople jusqu'en 1402, date à laquelle il fut vaincu par Tamerlan à la bataille d'Ankara, laissant ainsi aux Byzantins un répit jusqu'en 1452. De petite taille, l'Anadolu Hisarı est composée d'un donjon, entouré d'un mur d'enceinte à barbacanes, aujourd'hui partiellement en ruine, et gardé par trois tours. En fait, selon le spécialiste français Gabriel, seuls le donjon et ses murs dateraient de l'époque de Beyazıt Ier, le mur à barbacanes et les trois tours ayant été rajoutés par Mehmet Fatih ● *34* alors qu'il construisait la forteresse de Rumeli Hisarı de l'autre côté du détroit, afin d'avoir la maîtrise du Bosphore et d'isoler Constantinople. Le village d'Anadolu Hisarı, avec ses vieilles maisons en bois groupées autour de la forteresse mériterait encore son ancien nom turc de Güzelçe, «le Joli», traduction du nom grec *aretae* qui, pour les Byzantins, désignait à la fois le village et la rivière ; cette dernière qui porte aujourd'hui le nom de Göksu, ou «ruisseau céleste» rejoint à cet endroit le Bosphore.

Palais et fontaine de Küçüksu. L'élégant petit palais de Küçüksu, construit en 1856-1857 par l'architecte Nikogos Balyan pour le sultan Abdül Mecit, est de style baroque ● *84*. Ses successeurs en firent un pied-à-terre pour leurs séjours aux Eaux-Douces d'Asie ● *97*. Dans les cinquante premières années de la République de Turquie, le palais servit de résidence présidentielle et l'on y accueillait les dignitaires étrangers en visite officielle. Restauré dans les années soixante-dix, c'est aujourd'hui un musée. La Küçük Çeşmesi, attenante à la partie sud du palais, est l'une des plus belles fontaines baroques de la ville. Elle a été construite pour Selim III en 1806.

Le Bosphore l'été
L'absence des marées donne une monotonie douce à cette mer. «Je regarde le va-et-vient de ce détroit, qui tend à devenir, dans le jour, le couloir le plus fréquenté du monde ; au milieu, un peu au loin, se croisent les grands paquebots qui assurent ces incessantes communications entre la mer Noire et la Méditerranée ; plus près ce sont les caïques, les barques de toutes sortes, les vieux petits voiliers peinturlurés qui, les après-midi de forte brise, viennent étourdiment se jeter sur le quai de la maison, démolissant parfois ses frêles balustrades de marbre.»
Pierre Loti.

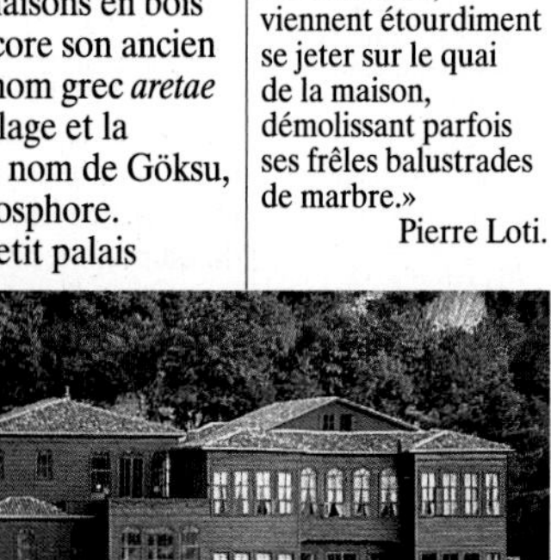

Le *Yalı* des Ostrorog à Küçüksu.

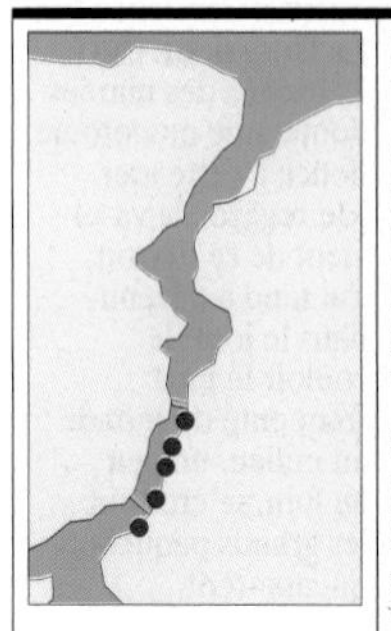

Le petit palais de Küçüksu
La façade en marbre du palais se reflète dans les eaux du détroit. Le parc du palais, soigneusement entretenu, est planté d'arbres rares, de magnolias et de pins. Derrière le palais, des terrasses s'échelonnent au flanc de la colline.

Yalı de Sadullah Paşa.

Le nom du sultan et la date de construction figurent dans un long chronogramme calligraphié, gravé sur les quatre côtés de la fontaine. L'auteur en est le poète Hatif, qui évoque « la fontaine caressant l'âme…une beauté fragile dans la prairie».

Les yali de Küçüksu. Juste après le débarcadère de Küçüksu, on peut voir deux des plus anciens *yalı* du Bosphore. Situé à proximité de la plage le Kibrisli Mustafa Emin Paşa Yalisi fut construit en 1760, puis remanié et redécoré par la suite. Il est encore occupé par les descendants d'Emin Paşa. Un peu en aval se trouve l'Ostrorog Yalisi, une élégante demeure peinte en couleur rouille. Construite en à la fin du XVIIIe siècle, ce *yalı* fut la résidence des comtes Ostrorog, des aristocrates polonais annoblis par les Français, engagés au service de l'armée ottomane à la fin du XVIIIe siècle. Le dernier comte Ostrorog mourut dans les années soixante-dix, mais la maison est toujours occupée par ses héritiers. Pierre Loti ● *97* fut l'hôte des lieux durant un séjour à Istanbul, et sa chambre est demeurée telle qu'elle était à l'époque de l'écrivain.

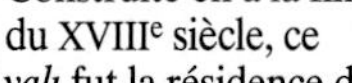

Kandilli. Le ferry s'arrête ensuite à Kandilli, après le promontoire qui fait face à la baie de Bebek. Les eaux, ici appelées les «courants du Diable», sont les plus rapides du détroit : leur vitesse dépasse cinq nœuds quand souffle un vent du nord dominant. À 300 m de là se trouve le point le plus profond du Bosphore qui atteint 110 m.

Vaniköy. L'arrêt suivant est Vaniköy, face à Arnavutköy. On aperçoit, au sommet de la colline du village, la tour et le téléscope de l'Istanbul Rasatname, observatoire d'astronomie et de météorologie. Il abrite les instruments du grand astronome turc Takiuddin, célèbre au XVIe siècle.

Collège naval de Kuleli. Le ferry se dirige ensuite vers Çengelköy. À mi-chemin, on passe devant le collège naval de Kuleli, un grand bâtiment flanqué de tours. La première école d'entraînement et les baraquements furent construits en 1800 par Selim III, dans le cadre de son programme de réforme de l'armée ottomane. Le successeur de Selim III, Abdül Mecit, entreprit

des travaux d'extension qui s'achevèrent en 1860, donnant à l'ensemble sa structure actuelle.

ÇENGELKÖY. Selon Evliya Çelebi, le nom de ce village, Çengelköy, «village des Crochets», viendrait des ancres de navires byzantins trouvées là après la Conquête. L'endroit est ravissant et de nombreux restaurants au bord du Bosphore ajoutent à ses charmes. Non loin de là on peut voir le Sadullah Paşa Yalısı, un élégant hôtel particulier édifié sur la rive en 1790.

BEYLERBEY. Près du débarcadère se trouve la mosquée impériale de Beylerbey ● *84*. Une inscription atteste qu'elle a été construite en 1778 par l'architecte Mehmet Tahir Ağa. C'est un bel exemple de style baroque, avec ses arcs de soutènement du dôme disposés en octogone, son *mirhab* saillant en abside, richement décoré d'un foisonnement de céramiques datant des XVIe, XVIIe et XVIIIe siècles. Le *minbar* et la *kuran kürsu*, chaire de lecture du Coran, sont particulièrement soignés et ouvragés. Tous deux sont en bois sculpté et incrusté d'ivoire.

LE PALAIS DE BEYLERBEY. Un peu plus loin, nous parvenons au Beylerbey Sarayı, dont l'extrêmité est pratiquement sous le pont du Bosphore. Beylerbey signifie le bey des beys, titre donné au gouverneur de la province. Le village et le palais ● *50* reçurent ce nom quand Mehmet Paşa, gouverneur de Rumeli sous le règne de Murat III construisit sa résidence personnelle sur le site dans le dernier quart du XVIe siècle ; elle a aujourd'hui disparu. Le palais actuel fut édifié par l'architecte Sergis Balyan pour le sultan Abdül Aziz. Il fut conçu dans un style néo-classique à l'extérieur, mais sa décoration intérieure reste fidèle au style ottoman.

KUZGUNCUK. Nous passons à nouveau sous le pont du Bosphore, pour accoster à Kuzguncuk, un très joli village qui a conservé son caractère malgré sa proximité avec le quartier d'Üsküdar en pleine croissance. Le ferry s'arrête ensuite à Üsküdar et traverse le détroit pour gagner Eminönü sur la Corne d'Or, point de départ de cette longue croisière le long des rives du Bosphore.

LE PALAIS DE BEYLERBEY
Le palais fut principalement utilisé comme résidence d'été, ou pour recevoir les altesses royales ou impériales étrangères. La première à en bénéficier fut l'impératrice Eugénie. Par ailleurs, Abdül Hamit II y fut assigné à résidence après son retour d'exil en Thessalonique. Il y mourut en 1918. Le palais a été restauré dans les années soixante-dix et transformé en musée.

VILLAGE ET LA BAIE DE BEYLERBEY
L'endroit le plus agréable, comme dans tous les villages du Bosphore est le petit quai devant l'embarcadère où les pêcheurs et les touristes se retrouvent à l'ombre des tonnelles des petits cafés.

TURQUIE DU NORD-OUEST

IZNIK, *292*
BURSA, *298*
EDIRNE, *308*
SINAN, ARCHITECTE IMPÉRIAL, *314*
LES DARDANELLES, *324*
TROIE, *334*

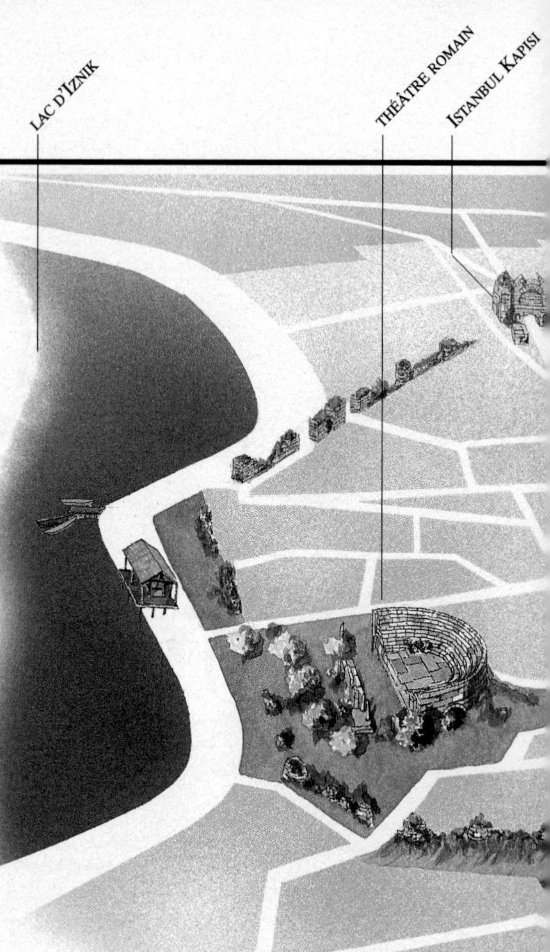

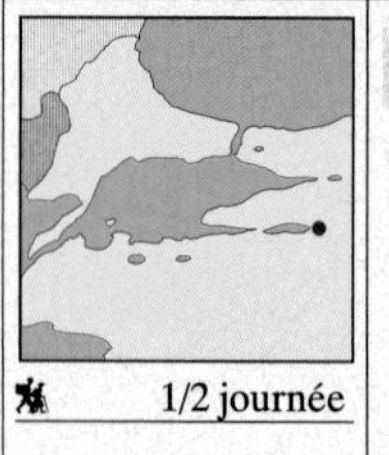

1/2 journée

Les remparts
Bien que partiellement en ruine, ils demeurent particulièrement imposants, ceinturant presque entièrement la ville. De précédentes murailles, d'origine hellénistique, furent remplacées par l'empereur Gallien, après le sac de la cité par les Goths en 256. Claude II le Gothique acheva les travaux en 268-269, ce qu'attestent les inscriptions encore visibles sur les portes de Yenişehir et de Lefke. D'autres inscriptions mentionnent d'importants travaux de reconstruction accomplis

sous le règne de Michel III en 858, après l'un des multiples séismes qui dévastèrent la cité. La dernière restauration date du règne de Jean III Vatatzès (1222-1254), qui fit ajouter une enceinte extérieure et élever la hauteur de l'enceinte intérieure et de ses tours.

Histoire

Les murailles de l'antique Nicée furent construites durant la période hellénistique, lors des guerres qui suivirent la mort d'Alexandre le Grand, en 323 av. J.-C. La première cité, Antigonia, fut conquise vers 300 av. J.-C. par Lysimaque, qui la nomma Nicée en mémoire de sa première femme. Capitale du royaume de Nicomédie puis de Bythinie du IIIe au Ier siècle av. J.-C., elle devint celle de la province romaine de Bithynium organisée par Pompée, puis enfin celle d'une des provinces de l'Empire byzantin. Dioclétien y demeura quelque temps, de même que Constantin le Grand et Justinien. Au Moyen Âge, Nicée

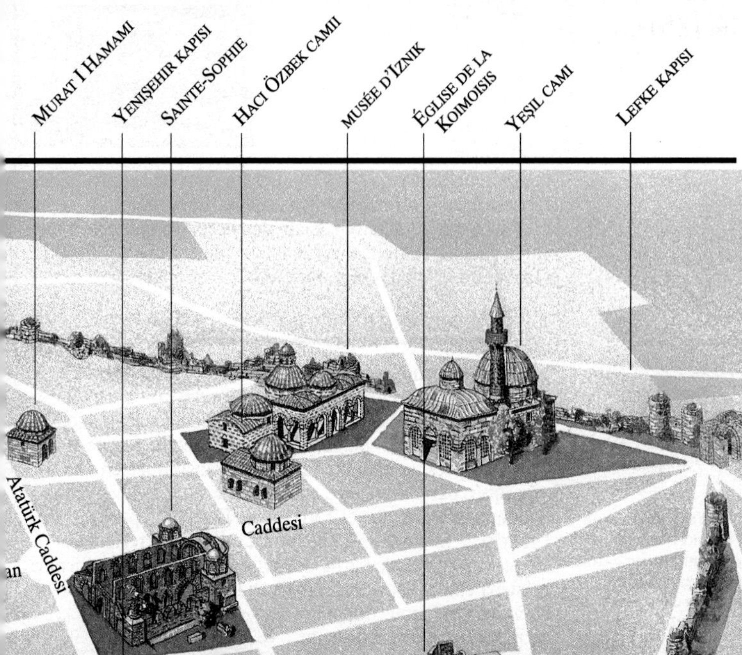

Murat I Hamami
Yenişehir Kapısı
Sainte-Sophie
Hacı Özbek Camii
Musée d'Iznik
Église de la Koimoisis
Yeşil Cami
Lefke Kapısı
Atatürk Caddesi
Caddesi
an

fut tour à tour conquise par les Goths, les Arabes, les Perses, les Seldjoukides, les croisés, les Byzantins, les Ottomans, les Mongols et de nouveau les Ottomans, en 1331. Une nouvelle ère commença alors pour Nicée, à qui le sultan Orhan Gazi donna son nom actuel. Du XVe au XVIIe siècle, elle devint célèbre pour les magnifiques faïences produites dans ses ateliers.

Caravansérail ottoman au XVIIe siècle
La salle à manger réservée aux voyageurs s'ouvrait sur la cour centrale.

La porte d'Istanbul

On pénètre dans la ville par une brèche située près de l'Istanbul Kapı, l'une des quatre portes des remparts. Celle-ci, comme les autres portes, est double, car la ville était entourée de deux enceintes concentriques, chacune gardée par plus de cent tours. Entre les deux portes se dresse un arc de triomphe

l'empereur Hadrien (117-138). Les linteaux de la porte intérieure sont surmontés de masques, provenant certainement du théâtre romain de Nicée. Un peu plus loin, sur la gauche, se trouve un hammam construit pour Murat Ier (1359-1389), l'un des plus anciens bains ottomans.

L'ANCIENNE BASILIQUE SAINTE-SOPHIE

Au centre de la ville, à l'intersection de l'Atatürk Caddesi et de la Kılıçaslan Caddesi, on aperçoit les ruines de l'ancienne basilique Sainte-Sophie, le principal monument de l'époque byzantine ● 74 après les grandes murailles. Transformée en mosquée par Orhan Gazi en 1331, elle fut gravement endommagée aux XVe et XVIe siècle. Restaurée par l'architecte Sinan ● 314, elle tomba peu à peu en ruine les siècles suivants. Une partie de l'édifice a été restaurée depuis, principalement l'abside, les deux chapelles à dôme et les murs latéraux. Une protection de verre recouvre ce qui reste du pavement de mosaïques de la nef. Des fresques de l'église, il ne subsiste qu'une *Deisis* ● 64 située sous un arc, sur le côté nord de la nef. Dans l'abside, qui fait partie de l'église justinienne, se trouve un *synanthron*, rangée semi-circulaire de gradins destinés au clergé.

LA MOSQUÉE D'HACI ÖZBEK

Les principaux monuments ottomans d'Iznik sont situés dans la partie est de la ville, que l'on rejoint à pied par la Kılıçaslan Caddesi en direction de la Lefke Kapı. À 350 m se trouve l'Haci Özbek Camii ● 78, construite en 1333, la plus ancienne des mosquées ottomanes. Le dôme en brique est couvert de tuiles en terre cuite, dont la forme arrondie est conçue pour s'adapter à la surface sphérique. Cette mosquée doit son originalité au fait qu'elle n'a jamais eu de minaret. Le porche d'origine fut détruit en 1939 quand on élargit la chaussée ; il fut remplacé par un vestibule qui gâte l'aspect extérieur de la mosquée. Par bonheur, l'intérieur a, dans son ensemble, conservé son aspect original, excepté une galerie et quelques rénovations mineures faites en 1959. La mosquée, d'un seul tenant, est composée d'une salle de 8 m de côté, couverte d'un dôme hémisphérique reposant sur un bandeau de triangles turcs, en forme de stalactites.

LA MOSQUÉE VERTE ♥

Plus loin à gauche s'ouvre la Müze Sokağı, dans laquelle se trouve la Yeşil Cami, la mosquée Verte. Elle tire son nom de la couleur des carreaux de faïence d'Iznik qui recouvraient à l'origine son minaret ; ils ont été remplacés depuis par des faïences d'une qualité très inférieure, fabriquées

LA YEŞIL CAMI ● 78
La mosquée s'ouvre par un porche à trois travées. Celle du milieu est surmontée d'un petit dôme cannelé à l'extérieur que supporte un tambour octogonal reposant sur un bandeau de triangles turcs. La salle de prière, surmontée d'une grande coupole, est précédée par une antichambre, sorte de narthex à trois travées dont les arcs reposent sur deux colonnes massives. Le dôme principal, de 11 m de diamètre, est hémisphérique et sa couronne, qui s'élève à 17,5 m au-dessus du sol, repose sur un bandeau de triangles turcs très semblables à ceux de l'Haci Özbek Camii.
Le minaret en brique est revêtu d'un décor géométrique et polychrome, rouge, noir et bleu-vert.

«À DEMI CACHÉ PAR LA VERDURE, LE PETIT VILLAGE D'ISNIC, TROP AU LARGE DANS LES MURS DE L'ANTIQUE CITÉ, BLOTTI DANS SES DÉCOMBRES SOLENNELS ET DANS SON TROP ÉNORME PASSÉ.» ANDRÉ GIDE

à Kütaya, capitale de la Phrygie. Cette mosquée fut construite entre 1378 et 1392 pour le grand vizir Çandarli Kara Halil Hayrettin Paşa et conçue par Haci ben Musa, le premier architecte ottoman dont on connaisse les réalisations grâce aux plans qu'il avait dressé.

L'IMARET DE NILÜFER HATUN

En continuant dans la Müze Sokağı, on arrive à l'*imaret* de Nilüfer Hatun. Il fut construit en 1388 par Murat Ier et dédié à sa mère, Nilüfer Hatun, épouse d'Orhan Gazi. L'*imaret* est constitué d'assises de pierres alternant avec quatre appareils de brique ; voûtes et dômes sont recouverts de carreaux de faïence. L'édifice est précédé d'un porche à cinq travées ouvert à ses extrémités, la travée centrale étant surmontée d'une petite coupole. La salle principale est un carré coiffé d'une grande coupole reposant sur un bandeau de triangles turcs. De chaque côté, de grandes salles à coupoles plus basses, possédant chacune un grand *ocak*, ou foyer, servaient de cuisine ou de dortoir. Devant la salle principale, une autre pièce de taille analogue, divisée en deux sections latérales par un grand arc, servait de petite mosquée.

LA PORTE DE LEFKE. Comme l'Istanbul Kapı, la Lefke Kapı possède un arc de triomphe entre les portes intérieure et extérieure, édifié également pour commémorer la visite d'Hadrien en 123 ap. J.-C. Une inscription rapporte qu'il fut érigé par le proconsul Plancius Varus. Deux panneaux de reliefs antiques décorent la façade de la porte intérieure ; ils figurent des centurions romains se battant contre des Barbares.

L'ÉGLISE DE LA KOIMOISIS. On revient par la Kılıçaslan Caddesi, pour prendre la première rue à gauche, l'Istiklal Caddesi. À l'extrémité du quatrième pâté de maisons, à droite, on aperçoit les ruines d'une église byzantine, la Koimoisis, Dormition de la Vierge dont il ne subsiste que quelques pans de mur et des vestiges du dallage en mosaïque, datant du VIIe ou VIIIe siècle. Cette église fut utilisée comme chapelle impériale par le premier empereur byzantin de Nicée, Théodore Ier Lascaris, qui y fut inhumé en 1222. Elle fut détruite pendant les guerres gréco-turques en 1913.

LE MUSÉE D'IZNIK
L'*imaret* de Nilüfer Hatun est aujourd'hui le musée d'Iznik, dont les collections archéologiques et ethnographiques sont composées d'objets des périodes hellénistique, romaine, byzantine, seldjoukide et ottomane. Une exposition de grand intérêt est consacrée aux fours de cuisson des fameuses faïences.

Petite cloche et vase en céramique (musée d'Iznik).

SARCOPHAGE GREC DU MUSÉE D'IZNIK

Du XVe au XVIIe siècle, les faïences d'Iznik acquirent une grande célébrité et furent employées dans la décoration des palais, des mosquées, des tombeaux et autres somptueux édifices

de l'Empire ottoman. Elles constituèrent une contribution majeure de cette ville à l'art islamique. L'art des faïences d'Iznik atteignit son apogée vers la fin du XVIe siècle, période durant laquelle l'architecte Sinan les utilisa dans l'ornementation de tous ses grands ouvrages. Après 1620, la qualité des faïences connut un rapide déclin, les céramistes semblant avoir perdu la maîtrise de leur art. Les fours d'Iznik continuèrent cependant de fonctionner jusqu'au milieu du XVIIIe siècle, mais la production n'approcha jamais plus la perfection d'antan.

L'AYAZMA

À l'est, se trouvent les vestiges d'une fontaine sacrée byzantine (*ayazma*), qui était peut-être le baptistère de l'église de la Dormition. L'une des pierres de la fontaine conserve un léger relief où figure une *menorah* juive, le chandelier à sept branches, et une inscription en hébreu, ce qui donne à penser qu'une ancienne synagogue existait à proximité. Une importante communauté juive vivait à Nicée à la fin de l'époque romaine et à l'époque byzantine.

LE THÉÂTRE ROMAIN

Continuant dans la Yakup Sokağı, on traverse l'Atatürk Caddesi, et poursuit sur environ 300 m dans la même direction. On arrive ainsi sur le site du théâtre romain de Nicée, un immense espace qui fait encore l'objet de fouilles. Celles-ci ont déjà mis au jour une partie de la scène et de ses issues latérales, ainsi que le *proscenium*, l'orchestre, la *cavea* et le *diazome*. On peut maintenant estimer la capacité du théâtre à quelque 15 000 places. Des vestiges d'une église byzantine du XIIIe siècle et un grand cimetière ont été découverts au-dessus de la *cavea*. De nombreux fragments d'architecture et de sculpture antiques ont été exhumés près de la scène, y compris un bas-relief représentant des courses de chars romains. Les archéologues ont également trouvé des poteries romaines, byzantines, seldjoukides et ottomanes. Ce théâtre, autrefois au centre de la cité, fut construit de 111 à 113, à l'initiative de Pline le Jeune, alors gouverneur de Bithynie.

LE LAC D'IZNIK

La Kılıçaslan Caddesi conduit vers l'ouest, jusqu'à la Göl Kapı, la porte du Lac. Elle s'ouvre sur la rive qu'occupent des restaurants et des aires de pique-nique. Il n'est pas d'endroit plus agréable que celui-ci pour terminer la visite de la ville d'Iznik, car il offre une vue grandiose : la superbe campagne bithynienne s'étend autour du lac, que dominent les massives murailles de Nicée, jadis cité puissante.

MURAT I CAMII
ESKI KAPLICA
MURADIYE
VESTIGES DES REMPARTS
ULU CAMI

1 journée

BURSA, LA VILLE TURQUE
Elle fut jusqu'au début du XVe siècle la capitale de l'Empire ottoman ● *28*, alors en pleine expansion. Lorsque le gouvernement central se déplaça alors à Edirne, Bursa conserva la place d'honneur due à son rang d'ancienne capitale et au fait qu'elle abritait les sépultures d'Osman Gazi et des cinq premiers sultans. Leurs mosquées impériales, mausolées et fondations pieuses continuent d'embellir cette cité, que les Turcs appellent «Bursa la Verte», Yeşil Bursa.

HISTOIRE DE BURSA

Bursa, *Prusa* en grec, fut fondée par Prusias Ier en 183 av. J.-C. Son histoire, durant l'Antiquité, ne se distingue guère de celle de Nicée, et les lettres de Pline nous révèlent qu'elle était prospère et possédait d'imposants édifices publics. La ville était dominée par sa citadelle, dont on peut voir quelques vestiges des remparts sur la colline. Il ne reste par ailleurs rien de l'ancienne Prusa, en dehors de quelques antiquités au musée archéologique local. En 1326, la ville tomba aux mains d'Orhan Gazi ● *36*, le premier sultan des Turcs ottomans, fils et successeur d'Osman Gazi, le fondateur éponyme de la lignée impériale des Osmanli.

LE QUARTIER DU VIEUX MARCHÉ

Depuis la Cumhuriyet Meydanı, au centre de Bursa, on emprunte l'Atatürk Caddesi qui conduit à l'ouest à l'Ulu Cami.

ULU CAMI ● *78*. La Grande Mosquée se dresse dans le quartier du vieux marché, au pied de la colline de la citadelle. L'Ulu Cami fut construite dans les années 1396-1399 par Beyazıt Ier (1389-1403), surnommé *Yıldırım* la «Foudre» ● *28* par les Turcs pour la rapidité avec laquelle il déplaçait ses armées entre l'Europe et l'Asie durant ses campagnes. C'est la plus imposante de toutes les grandes mosquées construites en Anatolie au cours des deux siècles précédant la conquête de Constantinople par les Turcs. De l'extérieur, l'Ulu Cami est d'une beauté remarquable, avec sa façade en pierre calcaire couleur de miel provenant de l'Ulu Dağ ■ *24*, à 10 km

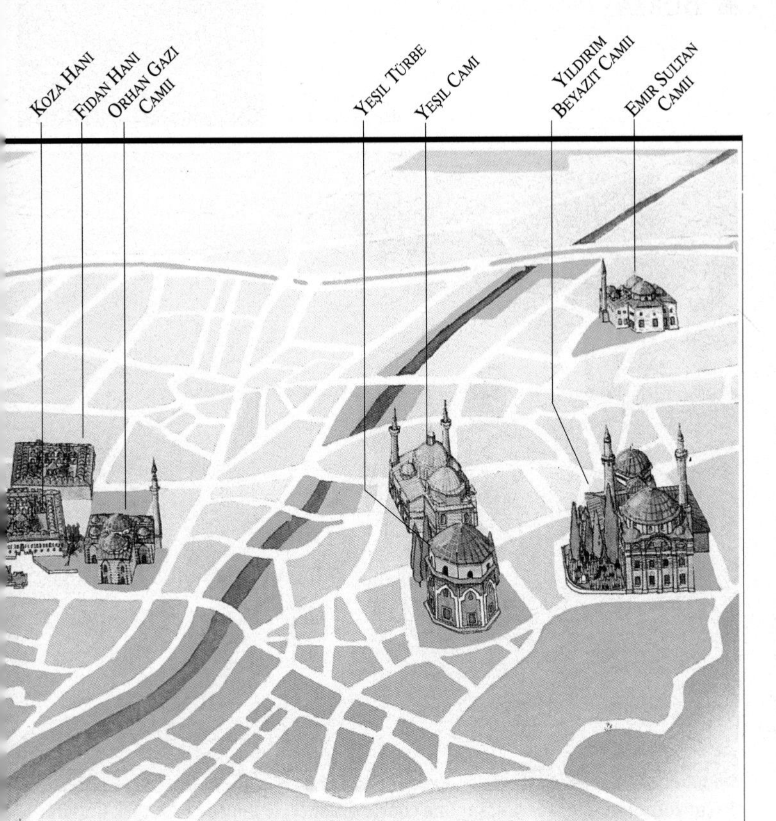

au sud-est de Bursa. L'espace intérieur de la mosquée est délimité par douze grands piliers et divisé en vingt travées coiffées chacune d'un dôme. La deuxième travée à partir de l'entrée principale contient un bassin (*şadırvan*) ● *66* avec au centre une fontaine coulant en cascade, laquelle a remplacé la *sebil* originale et date du XIXe siècle. La couronne du dôme était à l'origine ouverte, ce qui était une caractéristique des premières mosquées ottomanes de Bursa, mais lors d'une restauration récente l'*oculus* (ouverture circulaire) fut vitré. Le *minbar* est un magnifique ouvrage en bois de noyer sculpté, l'un des plus beaux de Turquie. Les vingt dômes reposent sur des trompes, et sont supportés, à l'extérieur, par des tambours octogonaux ● *80*. Les dômes situés sur l'axe longitudinal s'élèvent au-dessus des dômes latéraux, dont la hauteur va décroissant. Majestueuse, l'entrée principale ne semble pas faire partie de la structure originale ; certains pensent qu'elle aurait été construite par Tamerlan lorsqu'il occupa Bursa en 1402-1403.

Orhan Gazi camii. On revient ensuite sur

Brousse la verte
"Et Brousse était devant nous, accrochée au flanc du mont Olympe qui dominait toutes choses de sa cime encore zébrée de neiges ; ville presque enfouie dans les branchages enchevêtrés, et plutôt devinée qu'aperçue ; sorte de grand bois d'une teinte de printemps..."
Pierre Loti (1894)

Vue de Bursa depuis la colline.

BACHI-BOUZOUKS
Soldats irréguliers, ou *Zeibek,* aux environs de Brousse au XIXe siècle.

ses pas, sur une courte distance, le long de l'Atatürk Caddesi afin de visiter la plus ancienne des mosquées impériales de Bursa, l'Orhan Gazi Camii, construite en 1339. Elle fut détruite à deux reprises : la première fois par la tribu turcomane des Karamanides pendant l'interrègne qui suivit la bataille d'Ankara en 1402, et la seconde par un tremblement de terre en 1855 ■ *16.* Elle fut reconstruite à la suite des deux catastrophes, sans doute avec des modifications de structure. Néanmoins, le plan principal de la mosquée reste conforme à l'original, qui fut le premier exemple d'édifice à plan en T renversé ● *78.* Le portail à cinq travées repose en façade sur des piliers, une colonnette séparant les deux arcs à chaque extrémité. Les trois travées centrales sont couvertes d'un dôme et celles des côtés ont des voûtes d'arêtes à toit plat. Le vestibule, en dôme, donne accès à l'espace central : un rectangle divisé en deux par un arc formant, au nord, une base carrée sur laquelle repose le dôme hémisphérique. Au sud, la salle de prières principale est surélevée de trois marches par rapport à la salle centrale ; son plan, rectangulaire aux niveaux inférieur et supérieur, détermine la forme ovale du dôme ; une niche dans le mur sud contient le *mihrab*. L'espace central est flanqué de deux autres salles rectangulaires, avec au nord et au sud deux arcs adossés

LE BAZAR
Le cœur du marché, ici comme à Istanbul, est le *bedesten*, autrefois réservé aux objets de valeur, brocarts, bijoux et objets d'or. Il fut construit sous le règne de Beyazıt Ier. Au nord du *bedesten* se trouve le marché aux chevaux , un bazar couvert bâti sous Mehmet Ier.

«UNE SIMPLE OUVERTURE RONDE, DU CŒUR PROFOND ET FRAIS DU BASSIN, POUSSE UN GONFLEMENT D'EAU QUI PALPITE, SILENCIEUSE ÉCLOSION DE LA SOURCE...»

ANDRÉ GIDE

formant au niveau supérieur une base carrée pour les dômes hémisphériques. La hauteur des dômes de la salle centrale et des trois salles varie, ainsi que la manière dont est assurée la transition entre la base carrée et la corniche circulaire ou elliptique, mais tous reposent à l'extérieur sur des tambours octogonaux.

LE MARCHÉ COUVERT. Le grand marché couvert est situé derrière les deux mosquées que l'on vient de visiter. Complètement détruit par un incendie en 1955, le marché a été presque entièrement rebâti dans sa forme originale. Bien qu'il ait perdu un peu de son atmosphère orientale, l'impression de se trouver dans une vieille ville ottomane demeure, et l'on pourrait aisément passer la journée à flâner dans le labyrinthe de ses galeries marchandes en quête d'une bonne affaire.

CARAVANSÉRAILS ● *80*. Outre ces édifices, il existe quatre caravansérails et deux hammams. Le KOZA HANI (caravansérail du Cocon de ver à soie) fut construit en 1490 par Beyazıt II pour le commerce de la soie, une fonction qu'il conserve aujourd'hui ; au centre de sa cour entourée d'un portique, on remarque un *şadırvan* octogonal surmonté d'un *mescit*, une particularité héritée des caravansérails impériaux seldjoukides du XIIIe siècle. Le FIDAN HANI fut construit vers 1470 par Mahmut Paşa, le grand vizir de Mehmet Fatih. Les deux autres caravansérails, le BEY HANI, construit par Orhan Gazi, et le GEYVE HANI, construit par Haci Ivaz Paşa, architecte impérial de Mehmet Ier, sont bien moins grands.

LA CITADELLE

À l'ouest de l'Ulu Cami, l'Atatürk Caddesi aboutit à deux avenues, l'une longeant la colline et la seconde montant en pente raide le long des remparts de la citadelle, en turc *Hisar*. Ce ne sont en fait que les vestiges de l'ancien mur de défense de la citadelle, dont l'édification remonte à la période hellénistique et qui fut reconstruit aux époques byzantine et ottomane. C'est là tout ce qui reste de l'ancienne cité grecque de Prusa enfouie sous la Bursa ottomane. Au sommet de l'acropole se trouvent les *türbe* ● *78* d'Osman Gazi et d'Orhan Gazi. Le premier mourut dans la ville voisine, Soğut, en 1324, et son corps fut transporté ici deux ans après la prise de Prusa. Il fut enterré d'abord dans le baptistère de l'église byzantine dédiée au saint prophète Élie, qu'Orhan Gazi convertit en mosquée après avoir

HAMMAMS ● *74*

"La sonorité du mot contient toute la sensualité de ce rite de purification. Nimbées d'une brume qui abolit la crudité du réel, des silhouettes spectrales errent d'une pièce à l'autre avec une démarche de pénitents, et s'agenouillent au pied des fontaines de marbre pour trouver le repos auprès de ces cornes d'abondance d'où l'eau brûlante ruissèle. Sous les faisceaux des *oculi*

qui sertissent les coupoles ou à la lueur fantômatique des néons, les corps se pétrissent, les os craquent, les cuisses claquent sur le marbre détrempé, et les esprits s'abandonnent pour de longues heures à la moite langueur."

E.P.

OSMAN GAZI fondateur de la dynastie des Osmanli

pris la ville. À sa mort en 1359, ce dernier fut inhumé dans l'ancienne nef de l'église. De l'édifice d'origine, détruit et reconstruit plusieurs fois, il ne reste que quelques fragments du pavement de mosaïques entourant le catafalque d'Orhan Gazi. Son épouse, Nilüfer Hatun, repose à ses côtés.

Maison traditionnelle en bois à encorbellements, avec au rez-de-chaussée une petite boutique peinte.

LA MURADIYE

Le complexe fut édifié entre 1424 et 1426 par Murat II (1421-1451), le père de Mehmet le Conquérant. C'est le dernier des grands complexes impériaux construits à Bursa. Outre la mosquée, il comprend une *medrese*, un *imaret*, le *türbe* du fondateur et de nombreux autres tombeaux, dont certains furent construits ultérieurement.

MOSQUÉE ET MEDRESE DE MURAT II. Comme l'Orhan Gazi Camii, la Muradiye Camii possède un plan en T renversé ● *78*, avec un porche à cinq travées et une paire de *zaviye* de part et d'autre de la salle principale. Mais, à la différence de celle-ci, ses deux dômes sont de même hauteur et, bien que leur aspect diffère à l'intérieur, il est identique à l'extérieur. La *medrese* de ce complexe est la plus belle de Bursa. La cour forme un carré parfait avec cinq *hücre* sur les côtés est et ouest, des cellules plus larges aux angles et deux pièces de chaque côté de l'entrée ; le petit *dershane* en face de l'entrée est remarquable par sa superbe décoration en faïence. La *medrese* sert aujourd'hui de dispensaire et sa cour a été tranformée en un charmant jardin, avec une fontaine au centre. Il ne reste presque rien de l'*imaret*.

LES MAUSOLÉES. Le *türbe* de Murat II, entouré d'une douzaine d'autres tombeaux, est situé dans le jardin de la mosquée près de la *medrese*. Murat II mourut le 3 février 1451 à Edirne, d'où son corps fut ramené pour être inhumé dans son *külliye*. C'est le dernier des sultans ottomans enterrés à Bursa. Le monument est imposant et sobre, avec son tombeau de marbre rempli de terre reposant,

BURSA, CAPITALE D'UNE PROVINCE
La ville de Bursa est réputée pour ses arbres fruitiers, ses productions agricoles, huile d'olive, vin, miel, tabac et coton.

Depuis l'Antiquité, elle doit sa richesse à la production de cocons de ver à soie. Jusqu'en 1900, le gouvernement ottoman fournissait gratuitement des plants de mûrier aux paysans.

«...QUE MON CORPS REPOSE À MÊME LA TERRE,
AFIN QUE JE REÇOIVE LA PLUIE,
SIGNE DE LA BÉNÉDICTION DE DIEU.»

SULTAN MURAT II

solitaire, sous l'*oculus* de la coupole. Le tambour octogonal est supporté par quatre piliers et quatre colonnes aux chapiteaux byzantins d'où s'élèvent huit arcs brisés. La tombe de Murat II est à ciel ouvert, conformément à ses dernières volontés.Le *türbe* immédiatement à l'ouest du mausolée de Murat II, est celui du prince Mustafa, le fils aîné de Süleyman le Magnifique ● *36*. Mustafa était l'héritier présomptif, mais Süleyman le fit exécuter après que Roxelane l'eut persuadé que celui-ci tentait d'usurper le trône. Le *türbe* suivant, au sud-ouest, contient les tombes de deux fils de Mehmet Fatih, les princes Cem et Mustafa. Cem, qui avait disputé la succession de Mehmet Fatih à son frère Beyazıt II, mourut en 1495 en Italie au terme de quatorze ans d'exil. Mais son corps ne fut ramené à Bursa qu'en 1499, car même mort, il fut l'objet de longues négociations entre Beyazıt II et les puissances européennes qui l'avaient retenu captif. Evliya Çelebi, dans son *Seyahatname*, fait un récit fabuleux du retour de son corps à Bursa : «La dépouille de Cem, et les biens du défunt, parmi lesquels figurait une coupe enchantée (qui se remplissait lorsqu'elle était remise vide entre les mains du buveur), un perroquet blanc et des milliers de splendides ouvrages, furent confiés à Saïd Çelebi et Haydar Çelebi, afin qu'ils les remettent au sultan. Tandis que l'on creusait sa tombe,

UNE FABRIQUE DE SOIE EN 1900
“Nous nous attendions à trouver un de ces intérieurs où règne la machine ; nous entrons dans une salle claire, peuplée de femmes jeunes, belles et rieuses. À droite, les Grecques et les Arméniennes, trempent les cocons dans l'eau tiède et surveillent les dévidoirs. À gauche, les Turques remuent les cocons et renouent la soie.”
Comtesse de Gasparin
À Constantinople

Cruche en céramique brute et bougeoir en bronze du XIIIe siècle.

il y eut un tel coup de tonnerre suivi d'une telle confusion dans la chapelle funéraire que tous ceux qui étaient présents s'enfuirent, et nul ne put en franchir le seuil avant dix jours. Lorsque le sultan apprit ces événements, il donna l'ordre d'enterrer le corps de Cem auprès de son grand-père...»

LE COMPLEXE DE LA MOSQUÉE D'HÜDAVENDIGAR

Le plus ancien des trois autres complexes de Bursa est l'Hüdavendigar Külliye. Hüdavendigar, titre impérial pompeux que Murat Ier (1359-1389) fut le seul à adopter, signifie «Créateur de l'Univers». Ce *külliye* ● *80*, érigé par ce dernier dans les années 1365-1385, est situé dans l'agréable banlieue de Çekirge, sur les hauteurs occidentales de la ville. L'Hüdavendigar Külliye est un édifice à deux niveaux, avec au rez-de-chaussée une mosquée-hospice et une *medrese* à l'étage. La mosquée est précédée d'un porche à cinq travées avec une galerie supérieure à cinq travées également ; on accède à l'étage par deux escaliers de part et d'autre du vestibule. L'intérieur du rez-de-chaussée comprend quatre chambres annexes, entourant une cour avec fontaine, et trois salles de chaque côté. La salle centrale sur deux niveaux est de forme carrée, et surmontée d'un dôme de 11 m de diamètre et de 22 m de hauteur sous la clef, couronné d'un *oculus*. Quelques marches mènent à la salle de prières de plan rectangulaire coiffée d'une voûte en berceau ; le *mihrab* est placé à l'intérieur d'une niche à l'arrière du bâtiment. La *medrese* à l'étage est composée d'une grande salle entre les deux escaliers, de huit cellules de part et d'autre de la salle centrale et de la salle de prières, ainsi que d'une petite chambre au-dessus du *mihrab*. Murat Ier est inhumé dans un *türbe* devant son *külliye*.

LE KONAK
Le *konak* de Murat II, la plus remarquable des vieilles demeures ottomanes de Bursa, est situé à l'angle de la rue, en face de la mosquée de Murat II. Construit au début du XVIIIe siècle, il est maintenant restauré et ouvert au public. Dans certaines pièces l'ameublement, de style ottoman, a été reconstitué.

Les thermes

Bursa est réputée pour ses thermes ● *58* depuis l'époque romaine. Le plus ancien de ses établissements de bains, l'Eski Kaplica Hamam, se dresse au pied de la colline de Çekirge, à une courte distance au-dessous du complexe de l'Hüdavendigar. Selon la chronique, ces bains furent construits par Justinien et Théodora. Dans leur état actuel, ils sont dus à Murat Ier, mais les antiques colonnes et les chapiteaux utilisés dans leur construction attestent que la structure originale date de la fin de l'époque romaine ou du début de l'époque byzantine.

Revenant vers le centre de la ville, on aperçoit dans les champs en contrebas le Yeni Kaplica Hamam, construit dans les années 1550 par Rüstem Paşa.

Le Kültür Parki. On distingue ensuite sur la gauche le Kultür Parkı ■ *26* où, l'été, les habitants de Bursa viennent profiter du parc d'attractions et se détendre à la terrasse des cafés. Là se trouve le Musée archéologique, où sont exposés les vestiges mis au jour à Bursa et dans sa région, notamment un grand nombre de stèles funéraires datant de la fin de l'époque romaine et du début de l'Empire byzantin.

La Mosquée verte

La Yeşil Cami ● *78* fut commandée par Mehmet Ier en 1412, un an avant qu'il devienne sultan. L'architecte en fut Haci Ivaz Paşa. À la mort de Mehmet Ier, en 1421, la mosquée n'était pas achevée ; les travaux se poursuivirent pendant trois ans, mais elle ne fut jamais terminée et il manque le portique d'entrée. Néanmoins, la Yeşil Cami est la plus imposante et la plus belle des mosquées impériales de Bursa, tant par l'harmonie de ses lignes que par la richesse de sa décoration intérieure. Le plan est une autre variante du type en T renversé. Passé le vestibule, on accède par une petite salle voûtée en berceau à la cour centrale dotée d'un bassin, *şadırvan*. À gauche et à droite se trouvent des salles latérales surélevées d'un degré par rapport à la cour centrale, tandis que la salle

Panorama
Cette carte postaledu début du siècle permet d'apprécier la beauté du paysage verdoyant de Bursa, au premier plan une mosquée et son cimetière-jardin.

Ville de villégiature
Bursa est depuis le début de ce siècle un important lieu de villégiature et de tourisme. Les visiteurs peuvent se rendre aux établissements thermaux. Cette miniature du XVIe siècle représente la salle chaude du hammam.

Miniature du XVIIe siècle
Cette danseuse peinte par le miniaturiste Levni porte une élégante robe tissée dans une riche soierie de Bursa.

TOMBEAUX D'OSMAN ET D'ORHAN GAZI
Les mausolées primitifs furent bâtis après la conquête de *Prusa* sur les Byzantins. Détruits à la suite d'un tremblement de terre, ils furent reconstruits au XIXe siècle.

VUE GÉNÉRALE DE BROUSSE AU XIXe SIÈCLE
Derrière la mosquée d'Emir Sultan, fondée au XIVe siècle. On reconnaît la Beyazıt Camii à l'horizon.

LA MOSQUÉE DU KÜLLIYE DE BEYAZIT
Vue du ciel, la *medrese* et le *türbe*, reconstruits au XIXe siècle.

de prières est surélevée de quatre degrés. Chacun des *eyvan* latéraux est flanqué de deux pièces de grandeur comparable, toutes les quatre servant autrefois de *zaviye,* lieu d'accueil pour les derviches itinérants. Le dôme de la cour centrale, légèrement plus élevé que celui de la salle de prières, est surmonté d'une lanterne, qui a remplacé l'*oculus* ouvert. En regardant l'entrée depuis la cour centrale, on remarque au-dessus de son *eyvan* les superbes faïences qui décorent la loge impériale, encadrée des balcons grillagés. C'est assurément l'intérieur le plus remarquable des mosquées de Bursa, avec son magnifique *mihrab* encadré par le grand arc de la salle de prières, et les vitraux brillamment colorés du mur de la Kibla.

YEŞIL TÜRBE ♥

Le Yeşil Türbe ● *78*, mausolée de Mehmet Ier, se dresse en haut de la colline, de l'autre côté de la rue qui longe la mosquée. À l'origine, les murs extérieurs de ces deux édifices étaient revêtus de faïences turquoise, auxquelles ils doivent leurs noms, mais ce revêtement fut détruit par un tremblement de terre en 1855 et remplacé par des faïence modernes de style Kütahya. La décoration intérieure du *türbe* rivalise en beauté avec celle de la mosquée. Le mausolée possède des portes finement sculptées, des murs revêtus de faïences, un *mihrab* magnifiquement décoré et abrite le tombeau du sultan, dont l'épitaphe est rehaussée d'une calligraphie or sur fond bleu.
LE MUSÉE DES ARTS TURCS ET ISLAMIQUES. Le complexe ● *80* de la mosquée de Mehmet Ier comprenait également une *medrese*, un *imaret* et un hammam, mais seul l'*imaret* a survécu. Celui-ci abrite le musée des Arts turcs et islamiques, dont les collections comprennent des armes ottomanes, des ustensiles de cuisine, des bijoux, des calligraphies et des ouvrages anciens rédigés en arabe et en ottoman.

LE COMPLEXE DE LA MOSQUÉE DE BEYAZIT Ier

Le *külliye* de Beyazıt Ier, quatrième complexe impérial de Bursa, est perché au sommet d'une colline située au nord-est et que gravit la Yeşil Caddesi. L'édification de ce complexe, commencée en 1390, fut terminée en 1395. Très endommagé lui aussi par le tremblement de terre de 1855 ■ *16*, il fut restauré à deux reprises, en 1878 et en 1948, mais semble cependant avoir conservé sa forme

et son caractère d'origine. Du *külliye* primitif, il ne reste plus actuellement que la mosquée le *türbe* et une *medrese* transformée en dispensaire.

LA MOSQUÉE DE BEYAZIT Ier. On pénètre dans la mosquée par un porche à cinq travées, suivi d'un vestibule à dôme qui conduit à la salle principale. On retrouve ici le plan classique en T renversé, avec deux paires de *zaviye* encadrant chacune des salles latérales. Ces trois salles sont surélevées de trois degrés par rapport à la salle principale ; toutes sont coiffées d'une coupole, celle de la salle principale étant légèrement plus haute que celle de la salle centrale, tandis que celles des salles latérales sont beaucoup plus basses. Les deux minarets détruits, le premier en 1855 et le second en 1949, ne furent jamais reconstruits. L'extérieur de la mosquée est d'une grande beauté, avec son imposant portique à cinq arches et sa resplendissante façade de marbre et de pierre taillée.

YEŞIL TÜRBE Ce mausolée est décoré à l'intérieur et, à l'extérieur de magnifiques faïences vertes : portail et façades.

LE PARC NATIONAL DE L'ULU DAĞ ♥

La période idéale pour visiter Bursa est le printemps, quand la vaste plaine au pied de l'Ulu Dağ se couvre d'un tapis vert tendre et que les versants des collines s'émaillent de fleurs sauvages et d'arbres en fleurs. La ville est traversée par la rivière du Ciel, le Gok Dere, qui descend de l'Ulu Dağ. La visite de Bursa serait incomplète sans l'ascension de la Grande Montagne, qui devient en hiver une station de ski très fréquentée. On peut y accéder par un téléphérique dont le point de départ est situé sur la colline à l'est de la ville, non loin de la Yeşil Cami. Mais on peut également y parvenir, en voiture ou en taxi, par la route de montagne qui part de Çekirge. Celle-ci mène à la station de ski, d'où l'on peut atteindre à pied et en trois heures le sommet, qui culmine à 2 543 m. De nombreux hôtels, des restaurants et des établissements thermaux sont ouverts toute l'année dans la station. Ce massif est le plus haut sommet de la Turquie du Nord-Ouest ■ *16*. Le parc national de l'Ulu Dağ est constitué de plus de 11 000 ha plantés d'oliviers et de lauriers, de noisetiers, d'ormes, de chênes, de platanes, de bouleaux, de pins, de genévriers et de trembles ■ *24*. On y observe de nombreuse espèces d'oiseaux rares ■ *18*. Depuis le sommet, on a une vue saisissante de toute la Bythinie. Par beau temps, on distingue les dômes et les minarets d'Istanbul qui scintillent au loin vers le nord.

Dans le vaste jardin de la Muradiye attenant à la mosquée , on peut voir plusieurs mausolées : sépulture du Sultan Murat et des princes de la dynastie ottomane.

Torrent de montagne dans le parc de l'Ulu Dağ.

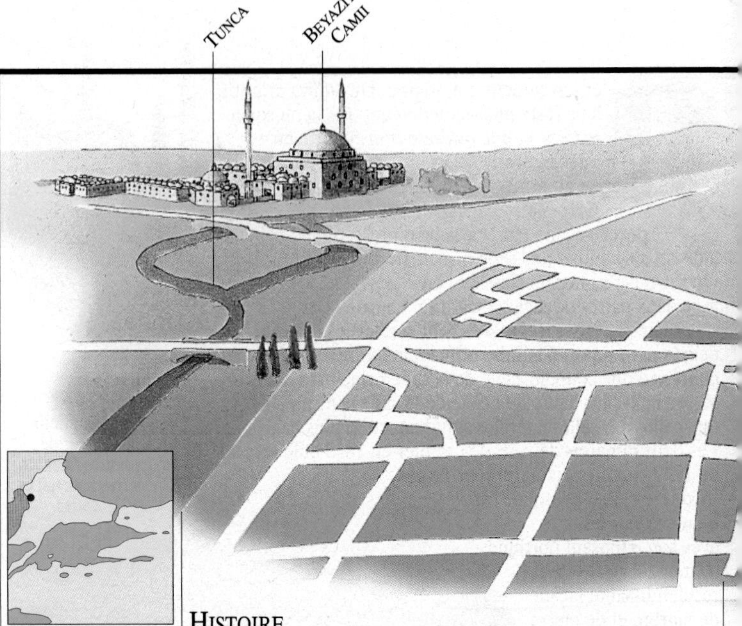

1 journée

LE QUARTIER DE L'ANCIENNE CITADELLE
À l'ouest de la galerie marchande de Semiz Ali Paşa s'étend le vieux quartier de Kale Iç. Son nom signifie «Intérieur de la Citadelle» et remonte à l'époque byzantine, quand les murs de la citadelle l'entouraient.

Les rues de ce quartier qui s'étend à l'ouest de la Sara Lar Caddesi, et au sud de la Talat Paşa Caddesi forment un quadrillage régulier. Au sud-ouest coule la Tunca, près de laquelle des vestiges de murs byzantins sont encore visibles.

HISTOIRE

Edirne, l'ancienne Hadrianopolis, est située près de la confluence des rivières Meriç et Tunca, les anciennes Hebrus et Tonsus. À l'origine, ce site était une place marchande thrace fondée au VIIe siècle av. J.-C. La ville portait alors le nom d'Odrysia, par référence aux Odryses, la tribu thrace qui occupait la région. Par la suite les Orestes, une tribu hellénique d'Épire, s'établirent à proximité et appelèrent leur cité Orestia. En 125 ap. J.-C., Hadrien réunit les deux cités qu'il baptisa Hadrianopolis, ce qui donna en grec Andrianopolis et par la suite en français Andrinople. Sous Dioclétien (284-305), Andrinople devint la capitale de l'une des quatre provinces issues de la division de la Thrace par l'empereur. Lorsque Constantin eut transféré sa capitale dans la nouvelle Constantinople (330), Andrinople se développa rapidement et devint la ville la plus prospère et la plus peuplée de Thrace ; elle le resta durant toute la période byzantine. Au cours des siècles qui suivirent, Andrinople tomba successivement aux mains des Byzantins, des Avars, des Bulgares, des Latins et finalement des Turcs. Murat Ier s'en empara en 1361, date après laquelle elle prit le nom d'Edirne ● *33.* Dans un Empire ottoman en pleine expansion, elle accéda rapidement au rang de capitale, position qu'elle conserva jusqu'à la prise de Constantinople qui, rebaptisée Istanbul, lui ravit ce titre. Edirne garda longtemps encore son prestige, demeurant le lieu de résidence favori de sultans et de vizirs qui continuèrent de la doter de magnifiques édifices. Son rayonnement ne commença à pâlir qu'avec le déclin de l'Empire ottoman. Elle subit alors plusieurs

Üç Şerefeli Camii
Rüstem Paşa Hanı
Eski Cami
Selimiye Camii

invasions ● *42* : occupée par les Russes en 1829 et 1878, par les Bulgares en 1913 et par les Grecs entre 1919 et 1923, année où le traité de Lausanne l'attribua à la Turquie. Aujourd'hui, Edirne est une ville commerçante, active et gaie, qui doit son cachet à de nombreux monuments.

La Vieille Mosquée

L'édification de l'Eski Cami fut commencée au début du XVe siècle par l'émir Süleyman Çelebi, fils de Beyazıt Ier. La construction fut interrompue par la guerre de succession qui opposa Süleyman à ses frères Musa Çelebi et Mehmet Çelebi. Quand ce dernier devint l'unique souverain de l'Empire ottoman sous le nom de Mehmet Ier il fit achever les travaux de l'Eski Cami, ce qu'atteste l'inscription dédicatoire qui nomme également le maître d'œuvre Mer ibn Ibrahim et l'architecte Hadji Alaeddin de Konya. L'édifice, endommagé par un incendie en 1749 et par un tremblement de terre en 1752 ■ *16*, fut restauré sous Mahmut Ier et, plus récemment, entre 1932 et 1944. Le plan de la mosquée est un carré parfait de 49,50 m de côté divisé en neuf sections égales, coiffées chacune d'un dôme, reposant à l'intérieur sur quatre piliers massifs.

Rüstem Paşa Hanı

Au sud-ouest de l'Eski Cami, s'étend le quartier des marchés qui abrite trois vieux édifices ottomans dignes d'intérêt, dont le premier est le caravansérail de Rüstem Paşa, Rüstem Paşa Hanı, construit par Sinan en 1560-1561.

École Sultaniye
Edirne compte plus d'une cinquantaine de monuments historiques comprenant des mosquées ottomanes, des *medrese*, des hammams, des caravansérails, des fontaines et des ponts, ainsi que les vestiges épars des murailles romaines et byzantines, et une vieille synagogue.

Fontaine d'Haci Adil Bey

RUE D'EDIRNE
Aquarelle de Murat Çakan, 1991.

LE MARCHÉ COUVERT. Le *bedesten*, près de l'Eski Cami, fut construit par Mehmet Ier. Ses bénéfices commerciaux servaient à l'entretien de la mosquée et à la rétribution de son personnel. Plus qu'un simple marché, c'était le centre commercial de la ville. On y trouvait de l'or et des bijoux, des pièces d'armurerie, des brocarts et de précieux tapis, marchandises que seuls vendaient les centres de négoce d'importance comme ceux d'Istanbul ou Bursa. Le *bedesten* d'Edirne, construit à la même époque que celui de Bursa , a été récemment restauré et est aujourd'hui en excellent état.

LES MINARETS DE L'ÜÇ ŞEREFELI CAMII
Cette mosquée fut la première à posséder quatre minarets. Ceux de l'est sont décorés de motifs de losanges et de baguettes. Au sud-ouest, le minaret aux trois balcons est décoré de motifs géométriques en zigzag. Celui du nord-ouest est le plus original par sa forme torsadée.

LE MARCHÉ DE SEMIZ ALI PAŞA. Un autre vieux marché ottoman s'étend sur le côté ouest de la Saraçlar Caddesi, la première grande artère à l'ouest de l'Eski Cami. La Semiz Ali Paşa Arasta est une galerie marchande, construite par Sinan en 1568-1569, quatre ans après la mort du grand vizir dont elle porte le nom ; sans doute fut-elle érigée à sa mémoire par un de ses descendants. Cette *arasta* étroite, longue de 300 m, est bordée de chaque côté de boutiques voûtées, 126 au total.

LA MOSQUÉE AUX TROIS BALCONS

L'Üç Şerefeli Camii, la mosquée aux Trois Balcons, se trouve à droite, dans une petite rue transversale de l'Hükümet Caddesi. Cette mosquée impériale construite sous Murat II entre 1437 et 1447 est le plus monumental des édifices de l'Empire ottoman bâtis avant la prise de Constantinople. Les historiens de l'architecture, et notamment l'éminent Aptullah Kuran, considèrent qu'elle marque un tournant dans l'histoire de l'architecture ottomane. C'est la première tentative du plan central qui sera adopté pour les mosquées impériales du XVIIe siècle ● *78*. Comme l'Eski Cami, cette mosquée fut restaurée par Mahmut Ier à la suite de graves dégâts occasionnés par un incendie et un tremblement de terre au

Ancien château d'eau

PREMIER ÉTAGE DU CARAVANSÉRAIL DE RÜSTEM PAŞA
Il est composé de deux sections, ayant chacune une fonction et un plan différents. Celle de gauche - le Büyük Han, ou grand caravansérail - était destinée aux marchands d'Edirne, tandis que celle de droite - le Küçük Han, ou petit caravansérail - accueillait les voyageurs. Toutes deux ont été récemment restaurées et transformées en hôtel de luxe, le Rüstem Paşa Kervansaray. La restauration obtint le prix Agha Khan de l'Architecture en 1980.

milieu du XVIIIe siècle. Elle doit son nom aux trois balcons, en turc *uç şerefeli*, de l'un de ses quatre minarets, celui qui est situé à l'angle sud-ouest. Ce minaret haut de 67,65 m était lors de sa construction le plus élevé de tout l'Empire ottoman, un record que les minarets de la Selimiye d'Edirne lui ont depuis ravi. On n'avait pas non plus jusqu'alors construit de dôme aussi vaste ; le premier à le surpasser fut celui de la première Fatih Camii, dont le diamètre devait atteindre 26 m. Ce grand dôme est supporté au nord et au sud par les murs extérieurs, à l'est et à l'ouest par d'énormes piliers hexagonaux de 6 m de diamètre qui constituent les seuls obstacles visuels à l'intérieur de la mosquée.

MOSQUÉE ET COMPLEXE DE SELIM II

Le point culminant de l'architecture classique fut atteint avec la Selimiye Camii ● *80*, située à quelques centaines de mètres, dans la Mimar Sinan Caddesi, avenue de l'Architecte Sinan. C'est ce dernier, déjà septuagénaire, qui construisit ce splendide ensemble architectural pour Selim II entre 1569 et 1575. Jusqu'à la fin de ses jours, il la revendiqua comme le chef-d'œuvre de sa carrière, surpassant par sa majesté la Süleymaniye elle-même. La Selimiye domine Edirne depuis une éminence située à l'est de la ville. Elle est bâtie sur la Kavak Meydanı, place du Peuplier, où Beyazıt Ier avait érigé un palais dans le dernier quart du XIVe siècle. La mosquée, et son double *avlu* formé de deux rectangles de 66 m sur 44 m, sont situés vers l'extrémité nord de cette place ; la *medrese*

Scène de vendanges dans le village de Soufli près d'Edirne.

du complexe occupe l'angle sud-est de l'enceinte et la *darü'l-hadis*, l'angle sud-ouest. Le côté ouest est entièrement occupé par une galerie marchande, la Kavaflar Arasta, dont les 124 échoppes appartenaient jadis à la guilde des fabricants de chaussures ; une *darü'l-kurra* forme une saillie au centre de son mur extérieur. La Kavaflar Arasta et la *darü'l-kurra* sont supposées être des rajouts de Murat III, construits par l'architecte Davut Ağa. Le nombre d'éléments du *külliye* est étonnamment réduit, compte tenu de la taille et de la majesté de la mosquée. La Selimiye est surmontée d'un vaste dôme entouré de huit contreforts coiffés de tourelles, et encadrée de quatre minarets de près de 70 m de hauteur, les plus élevés de l'Islam. Les contreforts sont la projection des huit piliers octogonaux qui constituent le principal support intérieur du grand dôme, lequel est flanqué aux angles d'exèdres semi-circulaires et au sud d'une abside circulaire abritant le *mihrab*.

La salle de prière de la Selimiye Camii
Le dôme, qui atteint une hauteur de 43,50 m, est soutenu par quatre énormes piliers dont deux flanquent l'entrée principale de l'*avlu* et deux autres encadrent le *mihrab* logé en retrait sous une voûte d'abside. La tribune du müezzin est au centre de la salle de prière, directement sous la clef du dôme ; il s'agit d'une estrade soutenue par des piliers rectangulaires et surmontant un patio en marbre agrémenté d'une ravissante fontaine au centre, une disposition unique dans l'architecture ottomane.

Intérieur de la mosquée. Le *mihrab* est en marbre, de même que le *minbar*, peut-être le plus beau de Turquie, dont les côtés ajourés sont très finement travaillés. Les murs inférieurs de l'abside du *mihrab* sont revêtus de superbes faïences d'Iznik, au-dessus desquelles figure une inscription calligraphique aux élégantes lettres blanches sur fond bleu.

À l'angle sud-ouest, la loge impériale repose sur un portique à quatre arcades qui rejoint la galerie est. Cette pièce est l'une des plus magnifiques par sa décoration de faïences. Le *mihrab* de la loge impériale est lui aussi extraordinaire ; au centre, deux superbes volets en bois s'ouvrent sur une fenêtre donnant sur Edirne et sa campagne.

Les Musées. La *medrese* abrite le Musée archéologique et ethnographique, et la *darü'l-hadis* (école supérieure coranique), celui des Arts turcs et islamiques. La collection ethnographique comprend des broderies turques, des kilims, des objets à usage domestique, des armes antiques, des monnaies ottomanes et de magnifiques costumes traditionnels thraces. La collection archéologique regroupe des bijoux anciens, des poteries, de la céramique, des monnaies, des sculptures et des fragments architecturaux, la plupart provenant de la Thrace et certains d'Anatolie. Dans la *darü'l-hadis* sont exposés des inscriptions de monuments ottomans détruits, des ustensiles de cuisine, des panneaux

Détail d'un minaret de la Selimiye Camii.

de faïences, des copies manuscrites du Coran, des broderies, des armes anciennes et des verreries ottomanes. Elle possède également une collection d'objets ayant appartenu au *tekke* des derviches *mevlevi*, composée de médaillons, coupes de guérison et inscriptions dues à des derviches calligraphes renommés. Dans le jardin, au centre de la cour, on peut voir une série d'anciennes pierres tombales ottomanes.

MOSQUÉE DE SELIM II

LA MOSQUÉE DE MURAT II

La Muradiye Camii s'élève sur une colline au nord-est de la ville, à laquelle conduit la Mimar Sinan Caddesi. Cet édifice fut érigé par Murat II en 1435 pour servir de *zaviye*, ou auberge, aux derviches de l'ordre Mevlevi. Par la suite, Murat II convertit le *zaviye* en mosquée, relogeant les derviches tourneurs dans un *tekke* aménagé dans le jardin. Le plan de la mosquée est en T renversé. L'espace le plus important est celui situé immédiatement à l'intérieur de l'entrée ; son dôme repose sur un bandeau de triangles turcs, et son oculus, ouvert à l'origine, est doté d'une lanterne. L'*eyvan* principal qui abrite le *mihrab* est richement décoré de carreaux de faïence et de fresques. La décoration du *mihrab* constitue l'un des plus beaux exemples que l'on connaisse de faïences de la première période d'Iznik qui se situe au début XVe siècle.

DÉCORS CALLIGRAPHIQUES
La calligraphie occupe une place majeure dans la décoration des mosquées ; Allah ne pouvant être représenté, seul son nom peut être figuré, comme ici.

REDDITION D'EDIRNE AU TSAR FERDINAND DE BULGARIE
La capture par les Bulgares de la place forte turque d'Edirne, est un épisode de la guerre des Balkans de 1912-1913. Celle-ci ne se fit pas sans de lourdes pertes de part et d'autre. La course aux armements, de plus en plus meurtriers, devait encore s'amplifier jusqu'à la Première Guerre mondiale qui suivit.

▲ Sinan, architecte impérial

Calligraphie de Sinan gravée sur le pont de Büyük Çekmece, 1557.

Sinan (1495?- 1588) est né dans une famille de chrétiens turcophones du village d'Aghrianos en Cappadoce, sans doute dans les dernières années du XVe siècle. Sous le règne de Selim Ier (1512-1520), il est enrôlé par les agents impériaux en tant que *devşirme* pour le service du sultan. Dès le début du règne de Süleyman Ier, il rejoint le corps des janissaires et participe en tant qu'ingénieur militaire aux campagnes de Belgrade (1521), Rhodes (1522), Hongrie (1526), Vienne (1529), Bagdad (1534), Corfou (1537) et Moldavie (1538). Nommé architecte impérial en 1539, Sinan travaillera pour les sultans ottomans pendant plus d'un demi-siècle.

Le symbolisme de la coupole
Plan, section et perspective en projection simultanée de la coupole et des minarets : la coupole symbolise l'unité, les minarets, la puissance de la parole. Dessiner le plan et projeter à plat les sections était courant à l'époque de Sinan. Dans ce dessin, P. Carnelutti a employé le même procédé pour représenter la coupole de la mosquée et sa position par rapport à l'espace qu'elle recouvre.

Mosquée Mihrimah à Istanbul (1562-1565)
Sinan édifie la mosquée aux 200 fenêtres : «Dieu est la lumière des cieux et de la terre» (*Coran, Sourate XXI*).

Rüstem Paşa Camii(1561-1562)
Vue de la salle de prières décorée de faïences d'Iznik.

La coupole de la mosquée de la Selimiye à Edirne
Par ses dimensions, sa hauteur et l'élégance de son architecture, cette magnifique coupole semble vouloir célébrer l'unité de l'Empire du sultan Selim II, unité qui se projette dans la direction des points cardinaux symbolisés par les quatre minarets.

La Selimiye d'Edirne (1569-1575)
Située au centre de la mosquée, la salle de prière et sa tribune.

Suleymaniye Les architectes présentent une maquette de la mosquée. *Sûrnâme*, 1582.

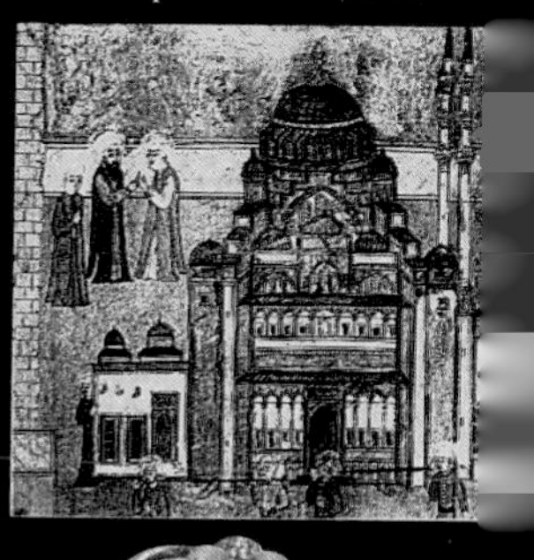

«Les architectes de quelques importance en pays chrétiens se prétendent bien supérieurs aux musulmans, parce que jusqu'ici ceux-ci n'ont jamais rien réalisé qui se puisse comparer à la coupole de Sainte-Sophie. Grâce à l'aide du Tout-Puissant et à la faveur du sultan, j'ai néanmoins réussi à bâtir, pour la mosquée du Sultan Selim, une coupole dépassant celle de Sainte-Sophie de quatre *zira* (aunes) pour le diamètre et de six pour la hauteur.»

Sinan, *Autobiographie*

Sinan hérite de la tradition ottomane et peut s'appuyer sur l'organisation des corporations liées au bâtiment, dont les membres sont répertoriés et tenus de travailler sur les chantiers impériaux. Sinan disait que la Süleymaniye était l'œuvre d'un bon ouvrier, la Şehzade son œuvre d'apprenti et la Selimiye son chef-d'œuvre.

Vitraux polychromes Les vitraux en gypse jouaient un rôle décoratif important dans l'architecture, Les plus remarquables sont les vitraux teintés du mur du *mirhab* de la Süleymaniye, les vitraux de la Mihrimah, de la Rüstem Paşa. Ci- contre, les vitraux de la mosquée Piyale Paşa et du *türbe* de Süleyman à Istanbul

Plan, coupe, façade de la mosquée de Sokollu par Roberto Petruzzi Dans cette mosquée, la couleur joue un rôle important. Elle est utilisée pour distinguer les différentes parties, mettant en valeur les fonctions symboliques, masquant les pendentifs, adoucissant la verticalité des murs libres.

Les deux éléments symboliques de la mosquée, l'entrée et le *mihrab*, sont orientés dans la direction de La Mecque. Les corniches, soulignées de blanc et les arcs obliques accentuent le dynamisme et l'originalité du baldaquin hexagonal.

Mimbar La chaire en marbre de la Selimiye d'Edirne est d'une grande légèreté, elle est composée de motifs géométriques : entrelacs d'hexagones d'étoiles et de cercles, motifs d'inspiration seldjoukide.

L'architecte, sans renoncer à la salle de prières rectangulaire, expérimente tous les espaces à coupoles sur plan carré ou sur plan hexagonal comme à la Selimiye.

Les registres ottomans ne lui attribuent pas moins de 477 édifices, dont 107 mosquées, 52 petites mosquées, 45 mausolées, 74 collèges, 56 hammams, 38 palais, 31 caravansérails. 20 édifices existent toujours, la plupart à Istanbul, faisant de l'œuvre de Sinan, la plus abondante qui puisse être admirée et étudiée.

Les œuvres commandées par la famille impériale et les grands dignitaires sont considérées comme des créations personnelles de Sinan. C'est dans ce domaine qu'éclate son génie : il invente des variations infinies sur le thème de la couverture d'un volume rectangulaire par une coupole, Sainte-Sophie constituant pour lui le modèle à dépasser. Sa volonté de surpasser ses propres réussites sera le prétexte à des variations sur le thème des demi-coupoles, deux à la mosquée de Süleyman, quatre à celle de Şehzade, à l'ajout de galeries dans la mosquée de Kılıç Ali Paşa ou de tympans à mosquée de Mihrimah.

SÜLEYMANIYE
Fontaine d'ablutions en marbre dans la cour centrale (*avlu*) à portique de la mosquée.

Chaque gageure architecturale permet à Sinan d'innover : c'est le cas dans ses tentatives d'édifier une coupole sur plan hexagonal, comme à la mosquée de Sokollu, ou sur plan octogonal (mosquée de Rüstem Paşa) et dans les judicieux agencements de cour-collèges des mosquées de Şemsi Paşa à Üsküdar, de Zal Mahmut Paşa à Eyüp. L'architecte se distingue également par la recherche de formes nouvelles (*medrese* de Rüstem Paşa), et par une certaine exubérance dans la décoration des mausolées de Süleyman et de Selim II ou les effets de façade de la Süleymaniye.

SELIMIYE
Directement situé sous la clef de la coupole, le *müezzin mahfili*, ou tribune pour les chanteurs, marque le centre. Sous la tribune une petite fontaine fait écho à celle de la cour.

PRIMA CHIAVE

MATRONEO

COUPE LONGITUDINALE DU COMPLEXE DE LA SELIMIYE
Le plan souligne, en bleu, le système des arcs, de la coupole appuyée sur huit piliers, et le volume intérieur. Pour la première fois, Sinan introduit des rythmes d'arcades à petits et grands arcs, alternés sur des paires de colonnes. La poussée de la coupole est absorbée par huit contreforts qui assurent le rythme extérieur de la façade. La façade présente une ordonnance fondée sur des paires de fenêtres. Les quatre minarets, d'une hauteur de 70,89 m, sont situés aux quatre angles de la mosquée. Les deux minarets près de la cour (*avlu*) disposent d'un escalier à triple vis, chacun desservant un balcon ou *şerefe*. Dessin de P. Cornelutti, in Burelli, *La Moschea di Sinan*.

Grosse caisse et clarinette rythment les gestes des combattants.

L'ÎLE DE LA TUNCA

La Tunca se divise en deux bras, le premier étant enjambé par le pont Süleyman le Magnifique qui aborde sur l'île de Sarayıçı qui est le théâtre d'un festival de lutte, créé peu d'années après l'avènement de la République. Ces championnats se déroulent à Kırkpınar (Quarante Sources) à la mi-juin. L'origine de ces compétitions remonte au XIVe siècle, quand les Turcs menés par Süleyman Paşa, fils d'Orhan Gazi, pénétrèrent pour la première fois en Thrace. Selon la tradition, Süleyman Paşa organisait des combats de lutte afin de distraire ses compagnons entre les batailles. Selon la légende, chacun des héros tués au combat donna naissance à une source, d'où le nom de Kırkpınar. On quitte l'île de Sarayıçi par le pont Mehmet Fatih, qui traverse le second bras de la Tunca.

LE COMPLEXE DE BEYAZIT II. À gauche, une route longe la rivière et mène au *külliye* de Beyazıt II, le plus important complexe impérial d'Edirne, construit par l'architecte Hayrettin en 1484. L'*imaret* occupe le côté est de l'*avlu*, de même que le magasin où s'approvisionnaient les voyageurs. Les annexes de l'hôpital sont situées sur le côté ouest de la cour. L'hôpital proprement dit, une structure à dôme, jouxte la mosquée. L'asile d'aliénés lui est contigu et l'école de médecine occupe un renfoncement à l'extrémité. La Saraçhane Caddesi ramène à l'Hürriyet Meydanı.

LA MOSQUÉE DE MURAT Ier. La plus ancienne des mosquées impériales de la ville s'élève au sud-ouest du *külliye* de Beyazıt II. Elle fut fondée par Murat Ier Hüdavendigar, probablement peu de temps après la prise d'Andrinople en 1361. Elle fut bâtie sur l'emplacement d'une église grecque et à partir de ses vestiges, ses fondations et l'assise des murs étant manifestement byzantines.

LE PONT DE SÜLEYMAN
Construit en 1554 par Sinan, il conduit à l'île de la Tunca où se dressait jadis le fameux Edirne Sarayı, palais commencé sous Murat II en 1450 et terminé sous Mehmet Fatih. Il fut malheureusement détruit par un incendie en 1878, durant l'occupation russe, et il n'en subsiste aucune trace.

Festival de lutte de Kirkpinar. Tous les ans, cent mille personnes assistent aux compétitions pendant une semaine dans l'île de Sarayıçı, située au nord d'Edirne. La lutte est le sport le plus populaire en Turquie. Le premier jour de la compétition, à 10 heures du matin, l'enceinte est bondée et le spectacle commence. Les participants se donnent la main et se prosternent pour honorer la terre qu'il foulent. Quelques huit cent lutteurs s'avancent lentement, claquent dans leurs mains, étendent un bras. Les corps à corps commencent. Le corps couvert d'huile pour rendre plus difficiles les prises, le lutteur est torse nu, vêtu d'une culotte de cuir. Il lui faut en 30 minutes au maximum déséquilibrer l'adversaire et le coucher à plat sur le sol. Le troisième jour, le vainqueur est acclamé et reçoit le trophée suprême, la Ceinture d'or. Les compétitions sont l'occasion de réjouissances et créent une ambiance de fête populaire, avec des courses de chevaux, des concours pour les enfants, et l'élection de Miss Edirne. Partout des échoppes, des musiciens, des chanteurs sollicitent le festivalier.

Tableau de L-F. Cassat (1756-1827). Le capitan paşa assiste à une séance de lutte à l'huile.

Lutte à l'huile
Les soldats ottomans avaient l'habitude de s'enduire d'huile et de se livrer combat avant le départ en campagne. La tradition ottomane persiste et chaque année le vainqueur est acclamé par toute la Turquie.

SEDDÜLBAHIR

KILITBAHIR

ÇANNAKALE

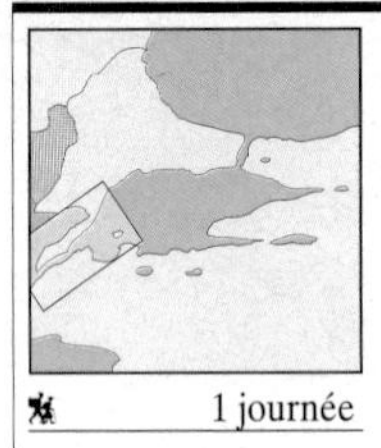

1 journée

TROIE

KUMKALE

Le détroit des Dardanelles, connu des Turcs sous le nom de Çanakkale Boğazı, est long d'environ 62 km pour une largeur variant de 1,25 à 8 km, maximum qu'il atteint à sa jonction avec la mer de Marmara. Gelibolu est le plus important port de la côte européenne, alors que Çanakkale est celui de la côte asiatique.

L'entrée du détroit est bordée de falaises blanches. La pointe ouest est dominée par un phare. La côte de la presqu'île de Gelibolu est assez escarpée. La rive d'Asie est bordée de terres cultivées arrosées de rivières. La côte est entrecoupée de vallons couverts de forêts.

VUE GÉNÉRALE DU PORT DE GELIBOLU

LÂPSEKI

À l'entrée de la mer de Marmara, les petits ports de Gelibolu, sur la rive européenne, et de Lâpseki, sur la rive asiatique, se font face. Un service régulier de ferries assure de fréquentes liaisons entre les deux ports. Lâpseki est l'ancienne Lampsaque fondée en 654 av. J.-C. par des Ioniens de Milet et de Phocée ● *28* qui s'implantaient le long de ce détroit plus riche. Lâpseki n'a gardé aucun vestige de son passé antique. Durant la période gréco-romaine, la ville portuaire contrôlait, avec Abydos, près du cap Nagara, tout le commerce maritime de l'Hellespont, qui correspond aux Dardanelles et à la mer de Marmara. Elle était réputée pour son vin que ses habitants prétendaient béni des dieux. Après avoir été banni d'Athènes en 450 av. J.-C. pour impiété et médéisme (sympathie pro-Perse),

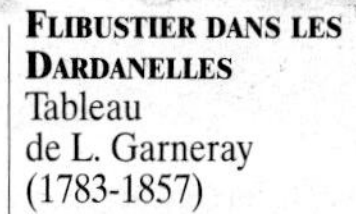

Flibustier dans les Dardanelles
Tableau
de L. Garneray
(1783-1857)

le grand philosophe Anaxagore, maître de Périclès, vint finir ses jours à Lampsaque où il fonda une école de philosophie qu'il dirigea juqu'à la fin de ses jours. À sa mort, en 428 av. J.-C., la population érigea à sa mémoire un autel dédié à l'Esprit et à la Vérité.

Gelibolu

Gelibolu (plus connue en Europe sous le nom de Gallipoli) était la Callipolis des Grecs, la Bonne Ville. Si elle vivait, dans l'Antiquité, à l'ombre de Lampsaque, actuelle Lâpseki, au Moyen-Âge, les positions s'inversèrent et elle devint la place forte de l'Hellespont. Justinien y bâtit une première forteresse qui fut renforcée par l'empereur Philippicus Bardanes (711-713). Dès lors, la liaison Callipolis-Lampsaque devint un point stratégique de première importance. C'est là que l'empereur germanique Frédéric Barberousse fit traverser son armée en 1190 lors de la IIIe croisade.

Le château de Gelibolu. Les ruines d'un château byzantin forment

Héro et Léandre
L'Hellespont est aussi le théâtre de la célèbre légende de Héro et Léandre. Ce dernier, un jeune homme d'Abydos, tomba amoureux de Héro, une prêtresse de Sestos, vouée au culte d'Aphrodite. Il la rejoignait chaque soir à la nage, guidé par un fanal que sa maîtresse plaçait sur la côte européenne. Mais, une nuit, un coup de vent souffla la flamme de la lanterne ; Léandre, privé de son point de repère, se noya. Quand on ramena son corps inerte sur la rive de Sestos, Héro, désespérée, se précipita dans les flots et rejoignit son amant dans la mort.

une partie du port intérieur. C'est le château de Callipolis, celui qui fut la clé de l'accès maritime à Constantinople au Moyen Âge. En 1303, la place fut occupée par la grande armée de Catalogne, formée d'une bande de mercenaires levée par Andronic II pour aider les Byzantins à combattre les Turcs. Mais les Catalans, sous le commandement de Roger de Flor, s'installèrent dans la forteresse, depuis laquelle ils lancèrent des expéditions de razzia à travers la Thrace. Ils essuyèrent pendant sept ans les assauts répétés des Byzantins et de leurs alliés génois, avant de lâcher prise pour aller conquérir Athènes. En 1354, Süleyman Paşa conquit à son tour la place forte, permettant aux Ottomans de prendre pied en Europe. La forteresse fut néanmoins reconquise par les Byzantins à de rares et brèves occasions.

Vente aux enchères des réservoirs d'un voilier naufragé à Gallipoli.

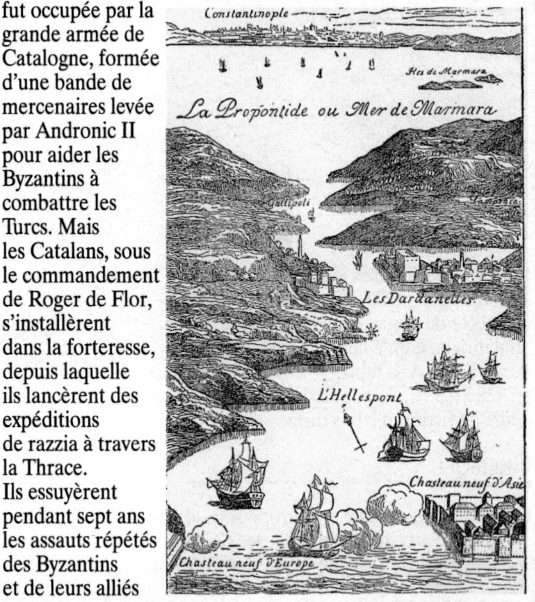

Les forteresses des Dardanelles, gravure de 1711
Quand Mehmet II monta sur le trône en 1451, il fit construire, en prélude à la Conquête, des forts sur les Dardanelles, afin d'isoler Constantinople de l'Occident : le Kalei Sultaniye sur la côte asiatique (près de Çanakkale) et le Kilitbahir sur la côte européenne (près d'Eceabat). Un siècle plus tard, lors d'une guerre entre Venise et l'Empire ottoman, les Turcs en édifièrent deux autres, à l'extrémité égéenne du détroit : le Kumkale et le Seddülbahir.

Le cimetière de Gelibolu. Après la Conquête de 1453, Gelibolu devint un port de relâche de la marine de guerre ottomane. Les navires y jetaient l'ancre entre deux campagnes en Méditerranée et leurs capitaines, après une existence bien aventureuse, y venaient finir leurs jours. Le vieux cimetière musulman des environs de la ville possède plusieurs *türbe* de capitaines-paşa. Le plus célèbre d'entre eux est le navigateur Piri Reis (1465-1554) dont le *Katibe Bahriye*, le Livre de la mer, fut le premier ouvrage de navigation turc. Sa statue regarde encore le large et, dans la ville, un petit musée retrace sa carrière. Mis à part quelques autres tombes de célébrités locales, le monument le plus intéressant du cimetière est une *namazgah*, ou *mesçit* à ciel ouvert, petite mosquée datant de 1407. Construite en marbre et incorporant des éléments ayant appartenu à une structure plus ancienne, elle est unique par son *mirhab* flanqué d'une paire de *minbars*. L'autre principal édifice ottoman de Gelibolu est son *bedesten*, un marché couvert plus modeste que ceux d'Istanbul, de Bursa et d'Edirne, avec six dômes répartis en deux rangées de trois, reposant sur des colonnes.

Préfecture et tribunal de Gallipoli

La rive européenne des Dardanelles

À environ 13 km de Gelibolu, la route longeant la rive européenne des Dardanelles passe près de la petite baie d'Ince Limanı, le port des perles, à la confluence des Dardanelles et de la Cumali Çayi, que les Grecs appelaient Aegospotami, la rivière de la Chèvre.

Sculpture grecque du musée de Çannakale (ci-contre)

Sestos et Abydos. 18 km plus loin, on parvient à une baie, le site de l'ancienne Sestos, une colonie grecque fondée au VIIe siècle av. J.-C. par des Éoliens de la côte égéenne. En face, le cap Nagara est l'emplacement de l'ancienne Abydos, fondée à la même époque par des Ioniens de Milet. Les deux cités occupaient une position stratégique à l'époque classique, à l'endroit même où l'Hellespont pouvait être franchi. Les armées d'Alexandre le Grand le traversèrent en 334 av. J.-C., lorsque celui-ci partit à la conquête de l'Asie. Quand les Macédoniens atteignirent l'Hellespont, Alexandre laissa Parménion conduire ses troupes de Sestos à Abydos et se rendit en pèlerinage à Troie.

Eceabat. En poursuivant le long de la côte européenne des Dardanelles,

Forteresse de Kilitbahir
De nouveaux forts furent édifiés dans la deuxième moitié du XVIIIe siècle, durant la guerre opposant les Ottomans à la Russie. Les forteresses du XIVe et du XVe siècle, comme Kilitbahir, seront modernisées et réarmées, et joueront un rôle décisif lors de la Première Guerre mondiale.

LE GOEBEN ET LE BRESLAU
Istanbul menacée par la flotte russe, reçoit de son alliée deux puissants cuirassés, le *Goeben* et le *Breslau*, qui pénètrent dans les Dardanelles le 10 août 1914.

LA TRIPLE ALLIANCE,
Représentée par Guillaume II (Allemagne), François-Joseph (Autriche) et le président Giolitti (Italie), elle est rejointe par l'Empire ottoman, en la personne de Mehmet V.

on arrive, 6 km plus loin, à Eceabat, reliée par un service de ferries à Çanakkale. Eceabat, la Madytos des Grecs, fut fondée au VIIe siècle av. J.-C. par des colons grecs venant de la côté éolienne de l'Asie Mineure.

KILITBAHIR ET KALEI SULTANIYE. À 5 km d'Eceabat se trouve Kilitbahir, le verrou de la mer. Sa forteresse ottomane à deux tours reliées par une courtine fut, avec celle de Kalei Sultaniye sur la rive opposée, l'une des clés du dispositif de Mehmet II lors de la prise de Constantinople en 1453. Ces deux forteresses joueront un rôle important quand, en 1914-1918, Anglais et Français tenteront de forcer le passage des Dardanelles. Elles constituèrent l'élément majeur de la ligne de défense intérieure turque.

LA CAMPAGNE DE GALLIPOLI

Quand la Première Guerre mondiale éclate, en juillet 1914, la Turquie hésite à se lancer dans le conflit. L'Allemagne, avec qui elle entretient des rapports étroits, va mettre fin à ses atermoiements : le soir du 10 août, le *Goeben*, navire de guerre redouté pour sa célérité et sa puissance de feu, pénètre, suivi du *Breslau*, dans les Dardanelles, bloquant leur accès. Le 29 octobre, il bombarde Odessa, contraignant la Russie à lancer un ultimatum et la Turquie à prendre un parti, celui des Empires centraux. Le 13 novembre, le sultan Mehmet V, lance un appel à la *djihad*, la guerre sainte contre les ennemis de l'Islam. Autour de trois hommes, Mustafa Kemal, Enver Paşa et le général allemand Liman von Sanders, des troupes hétérogènes, sous-équipées, aux uniformes dépenaillés, vont se rassembler pour former en quelque temps une armée de libération qui forcera, au prix de lourdes pertes, les alliés à se retirer. En février 1915, les forces navales franco-britanniques commencent à bombarder les forteresses du détroit. Ces dernières résistent contre toute attente, aussi les alliés décident-ils d'envoyer une armada pilonner la presqu'île de Gallipoli en prélude au débarquement de troupes. Mais, dans la seule journée du 18 mars, les mines dérivantes du Nusret coulent trois des seize cuirassés engagés, et en mettent quatre autres hors d'usage. 2 750 marins français et britanniques périront. Renonçant à une attaque navale, les alliés, par une erreur stratégique inexplicable, rappellent leurs bâtiments et ne parviennent à lancer l'offensive terrestre que tardivement, laissant aux troupes turques le temps de recouvrer des forces et à leurs chefs de réorganiser la défense. Un premier contingent de 8 000 hommes débarque au pied des falaises du cap Hellès le 25 avril. Entre cette date et le 8 janvier 1916, jour où le corps expéditionnaire allié évacuera la presqu'île, plus de 110 000 hommes mourront pour cet étroit couloir maritime qui sépare la mer Égée de la mer de Marmara : 34 000 Britanniques, en comptant les contingents des pays du Commonwealth, 9 000 Français auxquels s'ajoutent les 500 tirailleurs sénégalais tués au cours d'une attaque à Kumkale, et 66 000 Turcs.

Mémoriaux de la bataille de Gallipoli. On peut rejoindre le champ de bataille de Gallipoli par la route côtière, au nord d'Eceabat, et se diriger vers la baie d'Anzac où se trouvent nombre de cimetières et de mémoriaux alliés et turcs. Kabatepe possède un petit musée de la Guerre. On peut également prendre la route qui, partant de Kilitbahir, descend le long de la côte, puis se dirige vers l'intérieur des terres, avant de gravir les collines à travers une forêt de pins pour atteindre Alçıtepe, la Khritia grecque. La route principale tourne alors vers la gauche et rejoint le cap Hellès à l'extrémité de la péninsule où se trouvent le mémorial de la Grande-Bretagne et du Commonwealth ainsi qu'un monument aux morts turcs, le Mehmetcik Aniti, non loin du mémorial français. Le mémorial turc du cap

Le gouvernement ottoman acheta les cuirassés allemands arrivés à Istanbul. L'amiral du navire *Goeben* rebaptisé *Yavuz* devint paşa et porta le fez. Le 29 octobre 1915, il alla bombarder Odessa, entraînant un ultimatum russe et l'entrée en guerre de la Turquie.

Mustafa Kemal Paşa
La campagne des Dardanelles le rend célèbre auprès de ses compatriotes.

La flotte turque attaquant les vaisseaux de la marine russe
La Russie déclara la guerre à l'Empire ottoman le 2 novembre 1914, entraînant celui-ci dans la Première Guerre mondiale.

L'Empire ottoman en 1913 sur une vignette publicitaire

DÉBARQUEMENT À SEDDÜLBAHIR
Pour prendre la place forte de Seddülbahir, les forces alliées utilisèrent un stratagème qui n'est pas sans rappeler le fameux cheval de Troie.

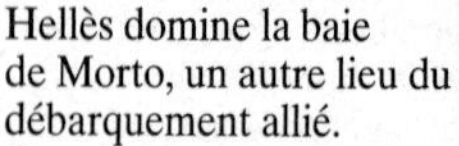

Hellès domine la baie de Morto, un autre lieu du débarquement allié.

SEDDÜLBAHIR ET KUMKALE. Lorsqu'on regarde la baie du haut de ce promontoire, on aperçoit à droite les ruines de la forteresse ottomane de Seddülbahir, l'un des deux châteaux de la ligne extérieure de défense turque dans les Dardanelles, avec Kumkale sur l'autre rive. Tous deux furent érigés en 1659 par Mehmet Köprülü Paşa, grand vizir de Mehmet IV, et reconstruits en 1773-1775 par le baron François de Tott, un ingénieur militaire Hongrois au service d'Abdül Hamit Ier.

LE SITE D'ÉLÉE. La proéminence à gauche de la baie se nomme Eski Hisarlik, vieille forteresse. Ce nom lui vient des ruines éparses de l'ancienne Élée, la cité la plus occidentale de la Chersonèse de Thrace, qui jonchaient le sol avant que la campagne de Gallipoli ne les fasse complètement disparaître. Élée avait été fondée au VIe siècle av. J.-C. par des colons venus d'Athènes. Elle se rangea aux côtés de cette dernière tout au long de la guerre du Péloponnèse. Le site a été étudié par Heinrich Schliemann, l'homme qui a découvert Troie. L'archéologue a notamment mis au jour un tumulus identifié comme étant la tombe de Protesilas, oncle de Jason, roi d'une partie de la Thessalie, première victime achéenne de la guerre de Troie. Homère en parle dans le livre II de l'*Iliade*, où il donne aussi la liste des contingents engagés dans l'armée d'Agamemnon lors du siège de la ville. Hérodote et Thucydide mentionnent également cette tombe qui fut, dans l'Antiquité, un oracle fréquemment visité par les marins grecs qui franchissaient l'Hellespont. Alexandre le Grand lui-même y offrit un sacrifice avant de traverser le détroit pour envahir l'Asie. Son biographe, Arrien, assure qu'il «accomplit cette cérémonie pour s'assurer une plus grande chance

Le transporteur anglais *River Clyde*, chargé de troupes, fut lancé sur la grève, où il s'échoua. Des portes aménagées dans la coque furent ouvertes, et par deux pans inclinés, les soldats s'élancèrent, protégés par des canons placés à l'avant-pont ; ils réussirent ainsi à prendre l'armée turque par surprise.

MÉMORIAL DU CIMETIÈRE TURC DE ÇANNAKALE

que n'en eut Protesilas». De là il s'embarqua à Élée. Alexandre, écrit encore Arrien, fit cette traversée «tenant lui-même la barre du navire amiral et, à mi-chemin, il égorgea un taureau en offrande à Poséidon. Puis il versa dans la mer le vin contenu dans une coupe d'or pour se concilier la faveur des Néréides». Il rejoignit sur la côte asiatique la même plage que celle où, autrefois, Agamemnon avait rassemblé son armée, et se rendit en pèlerinage à Troie.

ÇANAKKALE ŞEHİTLERİ
ABİDESİ

ÇANAKKALE

On rejoint Çanakkale, sur la rive asiatique du détroit, par le ferry d'Eceabat. Cette ville animée est, depuis deux siècles, le principal port des Dardanelles. Au début de l'Empire ottoman, la cité portait le nom de la forteresse, la Kalei Sultaniye, toujours visible au sud du quai. Un nombre considérable de Grecs, d'Arméniens et de juifs y vivaient autrefois, alors que sa population actuelle est presqu'exclusivement turque. Depuis le XVIIIe siècle la ville est célèbre pour ses poteries, en turc : çanak.

LES MUSÉES DE ÇANAKKALE. La forteresse Kalei Sultaniye, rebaptisée Çimenlik Kale, est toujours utilisée par l'armée turque et de ce fait inaccessible au public, sauf la cour intérieure, qui abrite un Musée militaire consacré essentiellement aux souvenirs de la campagne de Gallipoli. Sa pièce maîtresse est le célèbre mouilleur de mines *Nusret*. Le Musée archéologique de Çanakkale, est situé aux abords de la ville, près de la nationale qui mène à Izmir. Il expose une collection de pièces archéologiques trouvées lors des fouilles de plusieurs sites de Troade, la région qui s'étend au sud des Dardanelles, le long de la côte égéenne. Le musée possède également de remarquables vases, statuettes d'argile, bijoux d'obsidienne qui proviennent de la collection de l'archéologue Frank Calvert qui, le premier, guida Schliemann vers le site de Troie. Une salle est consacrée aux pièces exhumées sur le site du tumulus de Dardanos, un cimetière antique situé au sud de Çanakkale, découvert en 1974. Elles sont datées du IVe au Ier siècle av. J.-C. et sont les vestiges qui subsistent de la cité de Dardanos, dont le fondateur éponyme a donné son nom au détroit des Dardanelles.

CIMETIÈRES DE LA BAIE D'ANZAC
Plusieurs cimetières militaires anglais, français et turcs, situés non loin du théâtre de la bataille de Gallipoli, témoignent des lourdes pertes humaines subies de part et d'autre.

Le Time, journal de grande diffusion publie, en 1915, cette incroyable photographie d'un «franc-tireur turc habilement camouflé grâce aux branches qui le masquent.»

MONTREURS D'OURS SUR LA ROUTE DE TROIE
Cette activité en voie de disparition était traditionnellement celle des Tsiganes itinérants.

Au début de la Première Guerre mondiale, le but de l'opération des Dardanelles est d'ouvrir les Détroits à la flotte alliée pour lui permettre de ravitailler en armes et munitions la Russie en difficulté. L'amirauté anglaise décide une attaque navale. En février 1915, une importante flotte anglo-française se rassemble devant l'île de Mondros (90 bâtiments et 22 000 marins).
Du 19 février au 17 mars, les bâtiments alliés canonnent les forts turcs et draguent les champs de mines. L'attaque navale a lieu le 18 mars. À 9 h, une division anglaise de cuirassés se met en place à l'entrée des Détroits et tire à longue portée sur les forts turcs, en particulier sur celui de Çanakkale. À midi, la division française commandée par l'amiral Guépratte entre en action et remonte la première les Détroits. Elle doit être relevée après 13 h par une division anglaise.

Le vice-amiral anglais de Robeck
Commandant de la flotte alliée, il succède le 16 mars au vice-amiral Carden qui a préparé le plan d'attaque.

Le contre-amiral Guépratte
Il commande l'escadre française.

12 h Sur 18 bâtiments de ligne, 3 dont le *Bouvet*, sont coulés par des mines dérivantes ; 3 autres navires, l'*Inflexible*, le *Gaulois* et le *Suffren* sont gravement avariés.

Plan du déploiement de la ligne des cuirassés alliés à l'entrée des Détroits
L'amiral de Robeck se lance à l'assaut des Détroits. La division française - le *Suffren* commandé par l'amiral Guépratte, le *Bouvet*, le *Charlemagne* et le *Gaulois* - a le périlleux honneur d'attaquer la première. Tandis qu'en ligne les bâtiments alliés les plus modernes *HMS Queen Elisabeth*, *Inflexible*, *Agamemnon* et *Lord Nelson* canonnent à distance les forts de Çanakkale. En première ligne le *Suffren*, le *Charlemagne*, le *Bouvet*, et le *Gaulois* passent à l'attaque et tirent sur les forts à 7 000 ou 8 000 mètres. À midi, l'action est générale.

Le *Suffren*, cuirassé de 3 000 tonnes, lancé en 1899, où l'amiral Guépratte avait hissé son pavillon.

Au premier plan une grosse pièce du *Gaulois* et derrière la silhouette du *Charlemagne*.

Durant toute l'après-midi l'échange de tirs est incessant entre la flotte et les défenses turques. Le bilan de la journée est lourd pour les Alliés. Sur 16 cuirassés engagés, 6 sont détruits. L'attaque par mer a échoué. Seule une action combinée des troupes de débarquement à terre et des bâtiments en mer permettrait de forcer les Détroits. Pour effacer l'échec, un nouveau débarquement a lieu le 25 avril 1915. L'attaque principale est dirigée sur Gaba-Tépé, mais un fort courant déporte les bateaux plus au nord. Les troupes australiennes et néo-zélandaises se lancent à l'assaut des collines. Un officier turc, Mustafa Kemal, à la tête de ses troupes, stoppera une deuxième fois l'avance des Alliés. La défaite alliée marque n tournant décisif dans l'histoire turque.

L'*Inflexible* s'échoue sur la plage de Tenedos. L'équipage évacué, l'*Océan*, qui s'était porté à son secours connaît le même sort.

Le HMS *Irrésistible* qui remplace les Français en première ligne, touche une mine vers 16 h et commence à couler ; l'équipage est recueilli par l'HMS *Agamemnon*. L'*Irrésistible* dérive et coule devant les falaises blanches de la rive d'Asie.

11 H En ligne de front, les cuirassés anglais, *HMS Queen Elisabeth*, (ci-dessous), *Lord Nelson*, *Inflexible* et *Agamemnon* ouvrent le feu sur les forts d'arrêts des rives d'Europe et d'Asie. Le *Suffren* commandé par l'amiral Guépratte, le *Bouvet*, le *Charlemagne* et le *Gaulois* se rapprochent pour neutraliser les fortifications.

12 H Le duel s'intensifie, l'*Inflexible* est en feu, l'*Agamemnon*, le *Bouvet* et le *Gaulois* sont touchés. L'amiral Guépratte stoppe le *Suffren* pour concentrer son tir sur Kilit Bahır.

13 h Les tirs turcs faiblissent. L'amiral Guépratte veut exploiter cet avantage et forcer les Détroits. L'amiral de Robeck, lui donne l'ordre de se replier, une division anglaise de 6 cuirassés le relevant.
14 h Au cours de ces manœuvres, le *Bouvet* heurte une mine et coule. Le *Gaulois*, touché sous sa ligne de flottaison, est sauvé par son commandant qui l'échoue sur la plage de Tenedos.
19 h 30 L'amiral de Robeck donne l'ordre de se retirer.
Les Alliés ont perdu 3 cuirassés et 4 sont hors de combat sur 18 unités combattantes.

Lorsque Schliemann découvrit Hisarlık en 1868, il constata : «Le site correspond parfaitement à la description qu'Homère nous donne d'Ilion. La colline semble dessinée par la nature pour porter une grande ville. Aucun autre endroit dans la région n'est comparable à celui-là.»

TROIE

Depuis Çanakkale, on rejoint le site de Troie (en turc, Truva) par la nationale E87 en direction d'Izmir. Après Güzelyalı, la route cesse de longer le détroit et gagne l'intérieur des terres, gravissant la colline à travers une forêt de pins et de chênes pour atteindre Intepe d'où l'on jouit d'une vue panoramique sur la plaine troyenne. Puis la route descend vers le Dümrek Su, le Simoïs d'Homère et parvient au hameau de Gökçali d'où la sortie vers Hisarlık mène à l'ancienne Troie.

À l'entrée du site archéologique se dresse une grande réplique du fameux «cheval de Troie».

HISTOIRE DES FOUILLES

LA DÉCOUVERTE DE FRANK CALVERT. Il ne fait pratiquement plus de doute aujourd'hui qu'Hisarlık est bien le site de la Troie d'Homère. Frank Calvert, consul américain et britannique à Çanakkale dans la seconde moitié du XIXe siècle, a contribué à le démontrer. Ce personnage possédait une ferme en Troade, où se trouvait le tertre d'Hisarlik, depuis longtemps associé au site d'Ilion, que des spécialistes supposaient être la florissante cité hellénistique et romaine bâtie sur les ruines de Troie. Persuadé qu'il s'agissait là de l'emplacement d'une cité ancienne, il entreprit des fouilles en 1865.

LES TRAVAUX DE SCHLIEMANN. Schliemann effectua des excavations préliminaires en 1870 et mena trois campagnes de fouilles de 1871 à 1873, employant en moyenne 150 hommes sur le chantier. Au fur et à mesure, il constata que la terre extraite ne formait pas une masse homogène mais des strates témoignant d'occupations humaines successives. Il désigna la couche la plus profonde sous le nom de Troie I et crut distinguer sept implantations parmi lesquelles la deuxième aurait été celle de la cité homérique : on y trouva en effet des objets précieux en grand nombre dont Schliemann pensa qu'ils provenaient du «trésor de Priam». En 1882, il entreprit de nouvelles fouilles, accompagné cette fois d'un jeune archéologue allemand, Wilhelm Dörpfeld. Huit ans plus tard, les deux hommes firent une découverte déterminante dans le secteur sud du tertre, à un niveau répertorié plus tard sous le nom de Troie VIIa : un palais, ou mégaron, dont la pièce centrale était supportée par deux piliers. Ce mégaron ressemblait si fort aux salles royales qu'il avait découvert à Mycène et Tirynthe, deux cités du Péloponnèse, que Schliemann dut revoir son jugement sur la datation des différentes strates ; il fut convaincu que

On pénètre dans la cité par la porte est, au milieu des remparts de Troie VI. On découvre d'abord les vestiges des deux tours, des maisons mycéniennes et du temple d'Athéna. Plus loin, on arrive aux mégarons

de Troie I et II, où Schliemann découvrit le «trésor de Priam». Le théâtre romain et le bouleutêrion sont situés à l'extérieur de l'enceinte.

la septième couche, et non la deuxième, comme il l'avait cru tout d'abord, était bien la Troie d'Homère. La plupart des archéologues se rangèrent à son avis. Il continua ses travaux jusqu'aux derniers mois précédant sa mort, le 26 décembre 1896. Dörpfeld prit sa succession à la tête des opérations et, en 1893-94, déblaya les fortifications massives de Troie VII, à l'évidence, semblait-il, la cité qu'Homère décrit dans l'Iliade.

Les fouilles du XXe siècle. Les recherches s'interrompirent jusqu'en 1932, année où une équipe d'archéologues de l'université de Cincinnati rouvrit le chantier sous la direction de Carl W. Blegen. Elle poursuivit les investigations jusqu'en 1938. La Seconde Guerre mondiale ajourna la publication de ses conclusions jusqu'en 1950. Les chercheurs avaient relevé 46 niveaux en tout. Ils dégagèrent un mur de défense entourant la ville, doté de plusieurs tours massives et de deux portes d'entrée monumentales, confirmant ainsi l'hypothèse de Schliemann selon laquelle Troie VIIa serait bien la cité de Priam, détruite aux environs de 1200 av. J.-C., à peu près en même temps que Mycène et d'autres grandes villes grecques.

Troie I à V furent répertoriées comme appartenant au premier âge du bronze (3000-1800 av. J.-C. environ) et Troie VI du milieu et à la fin de l'âge du bronze (1800-1300 av. J.-C.). Selon la classification de Blegen, Troie VII aurait été fondée entre 1300 et 1100 av. J.-C. Depuis 1990, l'université de Cincinnati a entrepris un nouveau programme de fouilles et d'aménagement du site, en liaison avec des archéologues allemands et turcs.

Le musée de Troie
Le «trésor de Priam», découvert dans la Troie II par Schliemann, était constitué d'objets en or et de bijoux que l'archéologue envoya à Berlin où ils disparurent durant la Seconde Guerre mondiale. Les objets exposés au musée de Troie sont donc le fruit des fouilles ultérieures. Des récipients ont été trouvés en grand nombre, parmi lesquels on verra des pithoi, jarres en terre cuite, des vases et des gobelets en verre, caractérisés par leurs doubles anses. Hormis ces ustensiles, les objets découverts sont principalement des armes, des bijoux et des outils en or, en argent ou en bronze.

Le cheval de Troie
Les principales sources d'information sur la guerre de Troie sont L'*Iliade et* l'*Odyssée*, poèmes épiques attribués à Homère. Après que Pâris eut enlevé Hélène, Ulysse et ses autres anciens prétendants, se mettent au service de son époux, Ménélas dont ils avaient fait serment de protéger l'honneur. Pendant dix ans les Achéens commandés par Agamemnon assiègent Troie. Les plus fameux guerriers

s'affrontent : Ajax, Achille, Nestor et Ulysse dans le camp grec, Énée et Hector pour les Troyens. Ulysse imagine de prendre la ville par la ruse et fait construire un immense cheval de bois à l'intérieur duquel pourront se cacher les soldats. Les Troyens prenant la machine pour une offrande aux dieux l'introduisent à l'intérieur de la cité.

Le site de Troie

Le palais de Priam et la grande tour d'Ilion. Les archéologues situent la porte principale de Troie côté sud. Elle permettait l'accès à la citadelle par la plaine en contrebas et abritait l'un des monuments les plus impressionnants : la maison dite aux piliers, de proportions gigantesques. Il est à peu près acquis aujourd'hui qu'il s'agissait du palais de Priam. À côté de la porte sud se dresse la grande tour d'Ilion. Pendant les quatre siècles qui suivent la destruction de Troie VIIa, période obscure de l'antiquité grecque, le site ne semble avoir été habité qu'épisodiquement. Il faut attendre les environs de 700 av. J.-C. pour qu'il soit à nouveau occupé par des colons de Tenedos et Lesbos qui donnèrent naissance à celle que Blegen identifie comme la Troie VIII ; Troie IX serait l'*Ilium Novum* de l'époque hellénistique et romaine, vénérée dans le monde gréco-romain comme l'héritière de la Troie homérique.

Le temple d'Athéna. Le monument le plus important d'Ilion est le temple d'Athéna, dont les ruines ont été découvertes dans la partie nord-est du tertre d'Hisarlik. Alexandre le Grand avait juré de reconstruire ce temple mais n'en eut pas le temps. Lysimaque, son successeur en 323 av. J.-C., respecta sa volonté et fit construire un nouveau temple, d'ordre dorique, comme en témoignent des fragments architecturaux découverts par Schliemann au nord-ouest du secteur des fouilles.

Les ajouts romains. Endommagée durant la première des guerres menées par Mithridate le Grand contre Rome, Troie fut reconstruite par les Romains au cours du règne d'Auguste. À cette époque, le sommet du tertre fut surélevé pour agrandir l'enceinte sacrée du temple d'Athéna, à nouveau reconstruit avec de nombreux éléments empruntés au bâtiment antérieur. Les autres édifices qui datent de cette reconstruction sont l'odeion, le théâtre et le bouleutêrion, tous situés au sud-est.

INFORMATIONS PRATIQUES

ALLER À ISTANBUL, *338*
SE DÉPLACER DANS ISTANBUL, *340*
VIVRE À ISTANBUL, *344*
PLAN DU GRAND BAZAR, *349*
ISTANBUL EN DEUX JOURS, *350*
PROMENADE DE BEYOĞLU À ORTAKÖY, *352*
ITINÉRAIRE PIERRE LOTI, *354*
EXCURSION EN FORÊT DE BELGRADE, *356*
UN ENFANT DANS LA VILLE, *358*

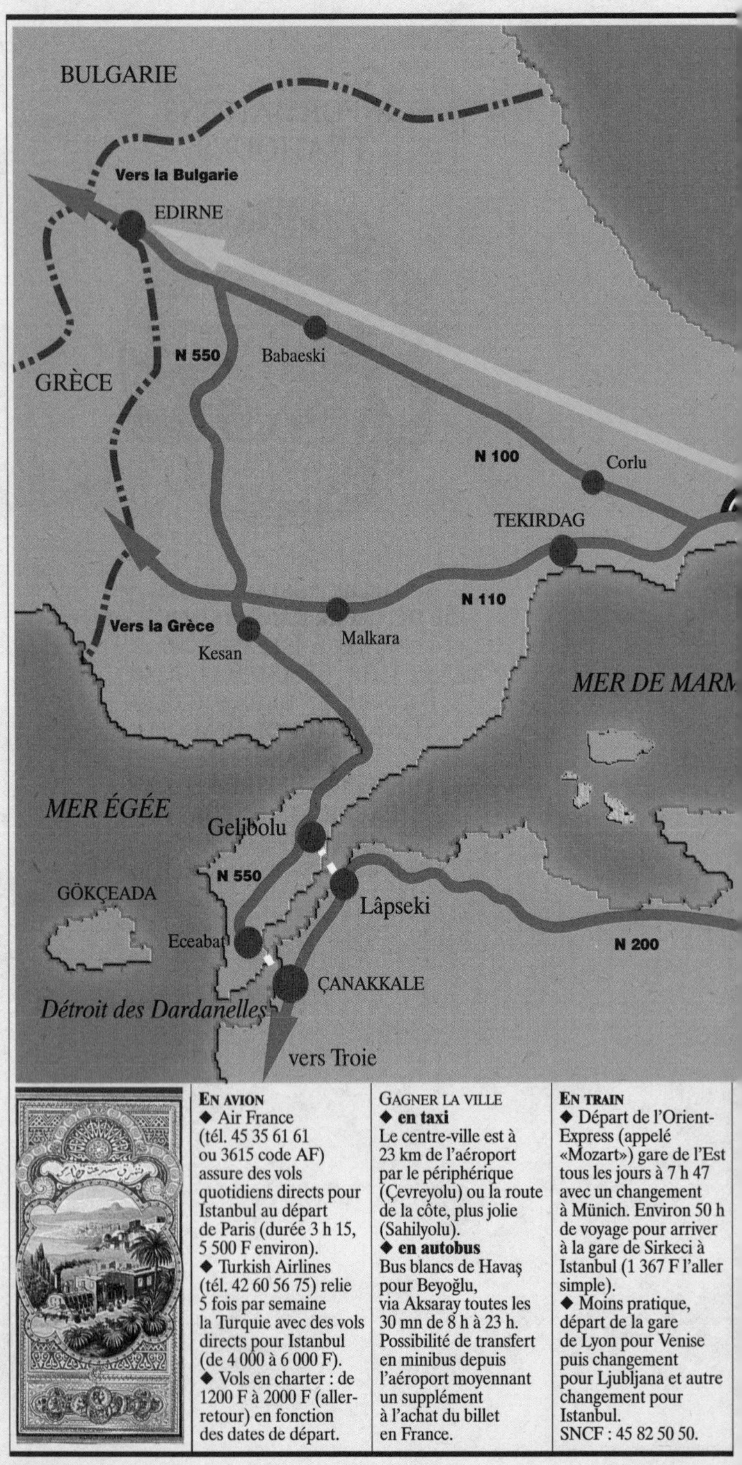

EN AVION
◆ Air France (tél. 45 35 61 61 ou 3615 code AF) assure des vols quotidiens directs pour Istanbul au départ de Paris (durée 3 h 15, 5 500 F environ).
◆ Turkish Airlines (tél. 42 60 56 75) relie 5 fois par semaine la Turquie avec des vols directs pour Istanbul (de 4 000 à 6 000 F).
◆ Vols en charter : de 1200 F à 2000 F (aller-retour) en fonction des dates de départ.

GAGNER LA VILLE
◆ **en taxi**
Le centre-ville est à 23 km de l'aéroport par le périphérique (Çevreyolu) ou la route de la côte, plus jolie (Sahilyolu).
◆ **en autobus**
Bus blancs de Havaş pour Beyoğlu, via Aksaray toutes les 30 mn de 8 h à 23 h. Possibilité de transfert en minibus depuis l'aéroport moyennant un supplément à l'achat du billet en France.

EN TRAIN
◆ Départ de l'Orient-Express (appelé «Mozart») gare de l'Est tous les jours à 7 h 47 avec un changement à Münich. Environ 50 h de voyage pour arriver à la gare de Sirkeci à Istanbul (1 367 F l'aller simple).
◆ Moins pratique, départ de la gare de Lyon pour Venise puis changement pour Ljubljana et autre changement pour Istanbul.
SNCF : 45 82 50 50.

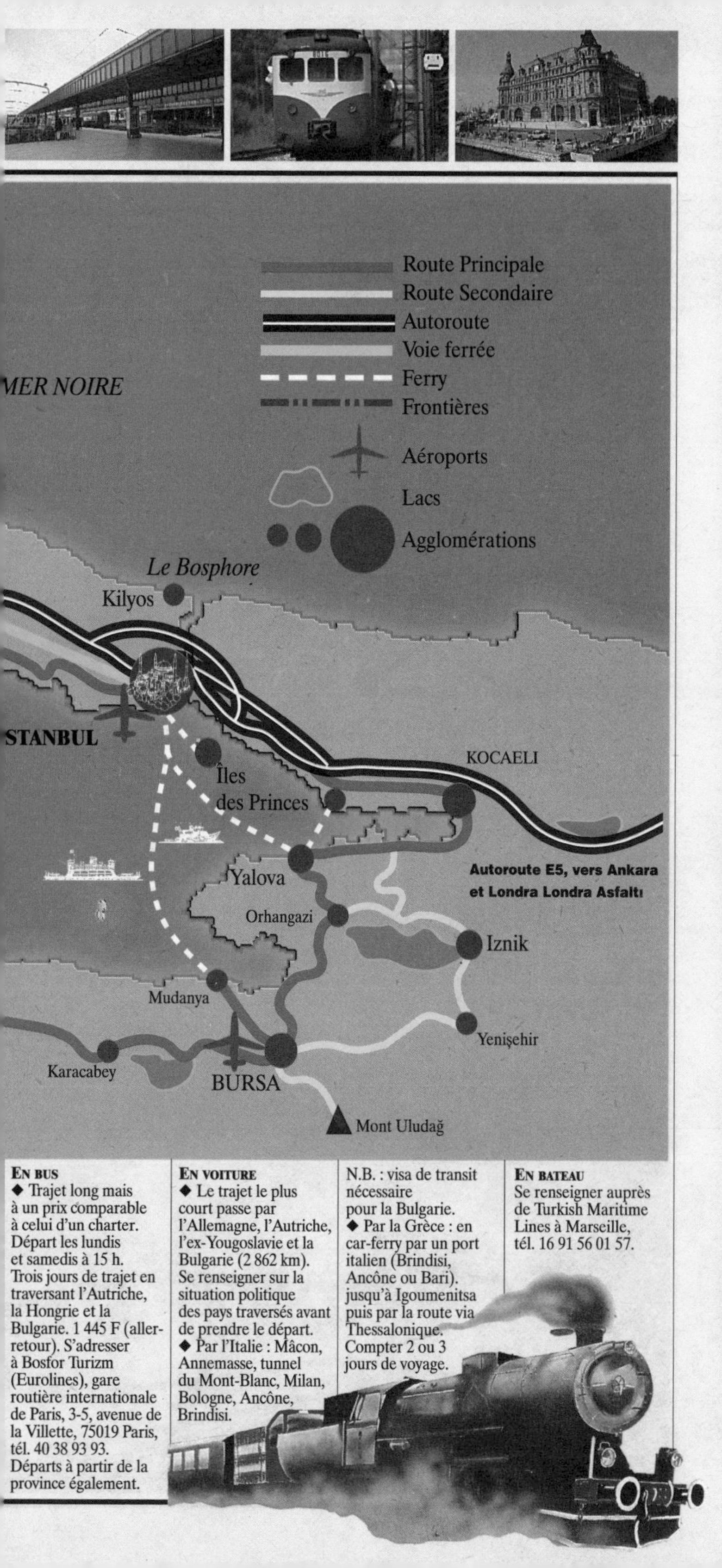

EN BUS

◆ Trajet long mais à un prix comparable à celui d'un charter. Départ les lundis et samedis à 15 h. Trois jours de trajet en traversant l'Autriche, la Hongrie et la Bulgarie. 1 445 F (aller-retour). S'adresser à Bosfor Turizm (Eurolines), gare routière internationale de Paris, 3-5, avenue de la Villette, 75019 Paris, tél. 40 38 93 93. Départs à partir de la province également.

EN VOITURE

◆ Le trajet le plus court passe par l'Allemagne, l'Autriche, l'ex-Yougoslavie et la Bulgarie (2 862 km). Se renseigner sur la situation politique des pays traversés avant de prendre le départ.

◆ Par l'Italie : Mâcon, Annemasse, tunnel du Mont-Blanc, Milan, Bologne, Ancône, Brindisi.

N.B. : visa de transit nécessaire pour la Bulgarie.

◆ Par la Grèce : en car-ferry par un port italien (Brindisi, Ancône ou Bari). jusqu'à Igoumenitsa puis par la route via Thessalonique. Compter 2 ou 3 jours de voyage.

EN BATEAU

Se renseigner auprès de Turkish Maritime Lines à Marseille, tél. 16 91 56 01 57.

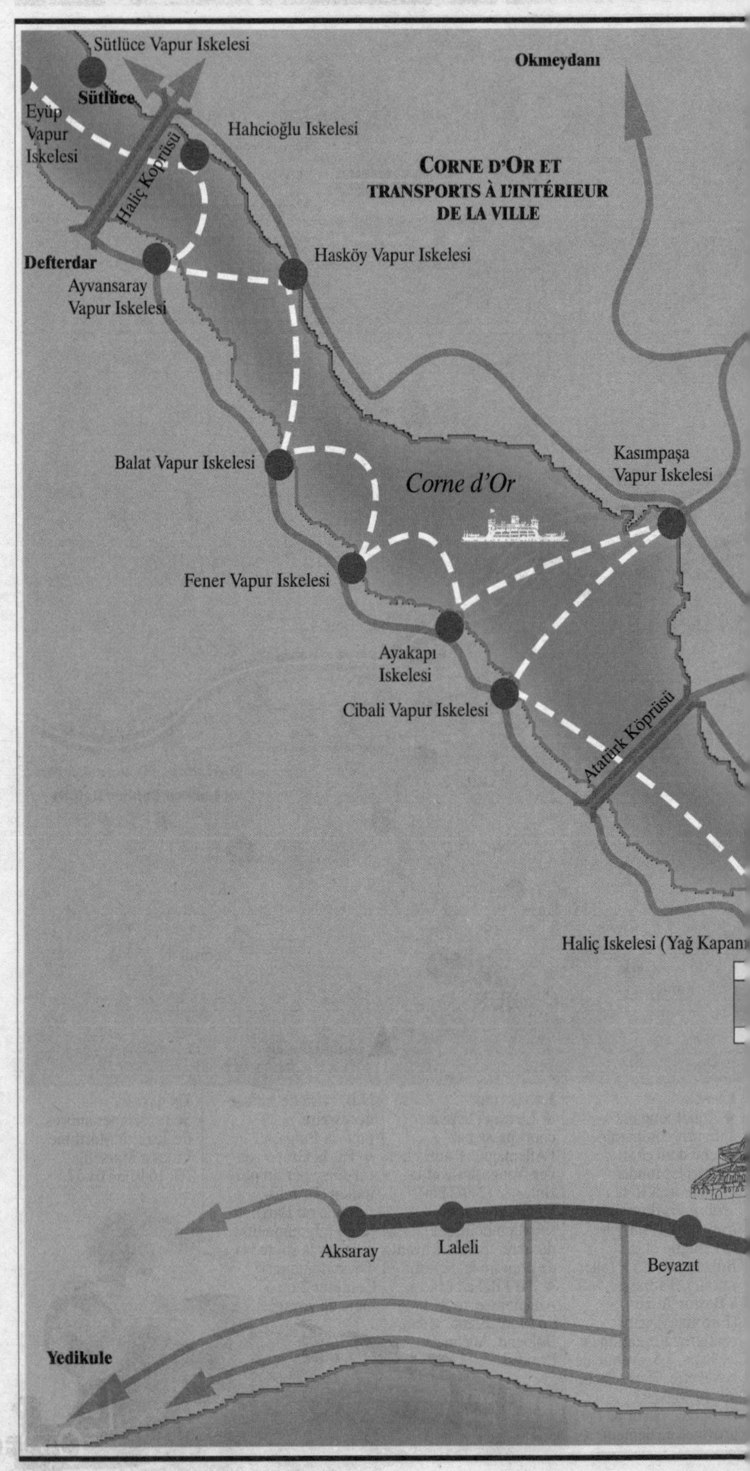

Sütlüce Vapur Iskelesi
Okmeydanı
Sütlüce
Eyüp
Vapur
Iskelesi
Hahcioğlu Iskelesi
Haliç Köprüsü
CORNE D'OR ET
TRANSPORTS À L'INTÉRIEUR
DE LA VILLE
Defterdar
Hasköy Vapur Iskelesi
Ayvansaray
Vapur Iskelesi
Balat Vapur Iskelesi
Kasımpaşa
Vapur Iskelesi
Corne d'Or
Fener Vapur Iskelesi
Ayakapı
Iskelesi
Cibali Vapur Iskelesi
Atatürk Köprüsü
Haliç Iskelesi (Yağ Kapan
Aksaray
Laleli
Beyazıt
Yedikule

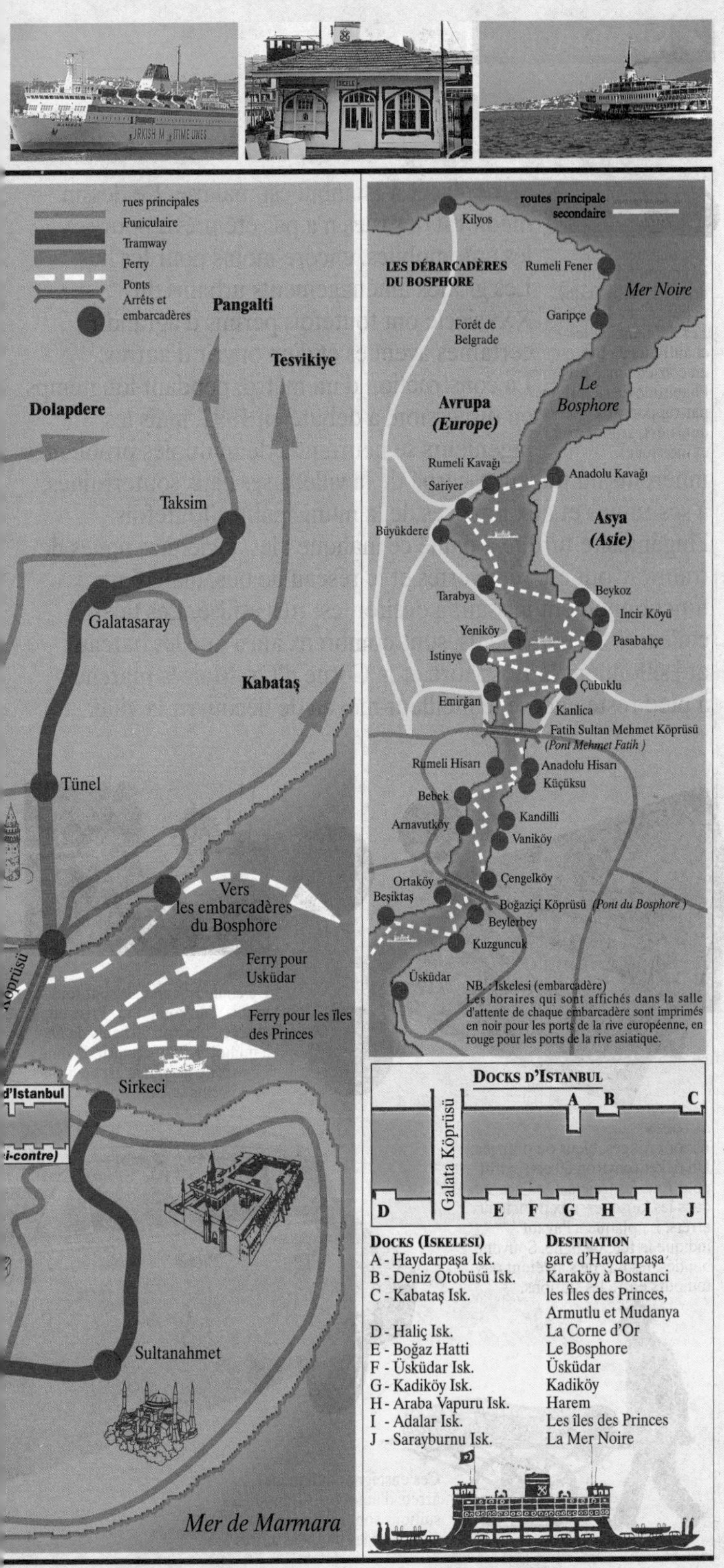
rues principales
Funiculaire
Tramway
Ferry
Ponts
Arrêts et embarcadères
Pangalti
Tesvikiye
Dolapdere
Taksim
Galatasaray
Kabataş
Tünel
Vers les embarcadères du Bosphore
Ferry pour Usküdar
Ferry pour les îles des Princes
Köprüsü
Sirkeci
d'Istanbul
Sultanahmet
Mer de Marmara
routes principale
secondaire
LES DÉBARCADÈRES DU BOSPHORE
Kilyos
Rumeli Fener
Mer Noire
Garipçe
Forêt de Belgrade
Le Bosphore
Avrupa (Europe)
Rumeli Kavağı
Anadolu Kavağı
Sariyer
Asya (Asie)
Büyükdere
Tarabya
Beykoz
Incir Köyü
Yeniköy
Pasabahçe
Istinye
Çubuklu
Emirğan
Kanlica
Fatih Sultan Mehmet Köprüsü (Pont Mehmet Fatih)
Rumeli Hisarı
Anadolu Hisarı
Küçüksu
Bebek
Kandilli
Arnavutköy
Vaniköy
Çengelköy
Ortaköy
Beşiktaş
Boğaziçi Köprüsü (Pont du Bosphore)
Beylerbey
Kuzguncuk
Üsküdar
NB. : Iskelesi (embarcadère)
Les horaires qui sont affichés dans la salle d'attente de chaque embarcadère sont imprimés en noir pour les ports de la rive européenne, en rouge pour les ports de la rive asiatique.
DOCKS D'ISTANBUL
A B C
Galata Köprüsü
D E F G H I J
DOCKS (ISKELESI)
A - Haydarpaşa Isk.
B - Deniz Otobüsü Isk.
C - Kabataş Isk.
D - Haliç Isk.
E - Boğaz Hatti
F - Üsküdar Isk.
G - Kadiköy Isk.
H - Araba Vapuru Isk.
I - Adalar Isk.
J - Sarayburnu Isk.
DESTINATION
gare d'Haydarpaşa
Karaköy à Bostanci
les Îles des Princes, Armutlu et Mudanya
La Corne d'Or
Le Bosphore
Üsküdar
Kadiköy
Harem
Les îles des Princes
La Mer Noire

TURABİ BABA SOKAĞI 1-21

Les plaques bleues indiquant les noms de rue n'existent que depuis peu à Istanbul. Les habitants et les chauffeurs de taxi ont en conséquence pris l'habitude de se diriger par rapport aux quartiers, grands axes et mosquées.

Se déplacer à Istanbul est malaisé. Le dessin médiéval des rues n'a pas été prévu pour les automobiles, encore moins pour les bus. Les grands aménagements urbains du XXe siècle ont toutefois permis d'agrandir certaines avenues et d'en ouvrir d'autres. La construction d'un métro, pendant longtemps en discussion, a débuté en 1992, mais les ingénieurs se heurtent à de multiples problèmes inhérents au terrain escarpé de la ville, à ses eaux souterraines, à ses ruines et aux finances de la municipalité. Toutefois l'ingéniosité turque a pallié ce manque : les anciennes lignes de tramway ont été réouvertes et le réseau de bus, malgré un fonctionnement laissant à désirer, est très utilisé. Les taxis, collectifs ou individuels, sont nombreux ainsi que les bateaux qui sillonnent le Bosphore et la Corne d'Or. Mais la marche à pied reste encore le meilleur moyen de découvrir la ville.

TAXIS
De couleur jaune, ils sont tous munis d'un compteur. Prise en charge : environ 60 cents de 6h à minuit; + 25% en tarif de nuit. Le prix de la course est environ de 35 cents le km.

AUTOBUS
Ils sont rouges, bleus ou oranges. Un ticket (environ 60 cts) suffit pour tous les trajets. On l'achète dans les kiosques, aux principaux arrêts. La plaque à l'avant indique la tête de ligne. Souvent bondés, les bus ne s'arrêtent pas toujours entre les stations.

Ces enseignes indiquent les arrêts d'autobus. Attention les stations sont relativement éloignées les unes des autres !

Les deux ancres croisées sont l'emblème de la Banque maritime, qui gère les lignes publiques.

Le Bosphore et la Corne d'Or sont sillonnés d'embarcations de toutes tailles. Ce moyen de transport connaît ses heures d'affluence. Certaines lignes, privées, fonctionnent suivant le système du taxi collectif : les bateaux ne partent que lorsqu'il y a un nombre suffisant de passagers.

Tramway
Le vieux tramway d'Istiklal Caddesi a été rénové et remis en service en 1991. Moyennant un billet de bus vous pourrez vous rendre de Taksim au Tünel via Galatasaray. Départ tous les quart d'heure. Au Tünel, un funiculaire construit en 1877, descend vers Karaköy. Départ toutes les 5 à 10 mn jusqu'à 22 h.

Îles des Princes
À Büyük Ada on ne se déplace qu'en calèche (*fayton*), à bicyclette, à dos d'âne, ou à pied. Les voitures sont interdites, sauf celles de la police, des pompiers ou les ambulances. Le garage des calèches, géré par une coopérative, fixe les prix de la course en accord avec la municipalité. Environ 20 $ par calèche pour le grand tour, et 15 $ pour le petit.

Dolmuş
Ce sont des taxis collectifs (vieilles voitures américaines des années cinquante ou minibus). Plus pratiques que les bus, ils ont un nombre de places limité. Ils ne partent qu'après avoir fait le plein de passagers (*dolmuş* signifie d'ailleurs "plein") et s'arrêtent à la demande. Le départ et le terminus sont des arrêts fixes (renseignez-vous auprès des habitués pour en connaître l'emplacement). Ces véhicules desservent presque tous les grands axes de la ville selon un trajet déterminé. Un peu plus cher que le bus pour les petites distances, ils sont en revanche plus rapides et plus économiques que le taxi. Si vous êtes perdu, le chauffeur ou les passagers se mettront en quatre pour vous aider.

La Turquie se modernise de jour en jour ; son infrastructure d'accueil aux touristes de même. Les moyens de communication et de paiement sont désormais aussi perfectionnés que dans n'importe quelle grande ville européenne. Les prix, quant à eux, vous réserveront d'agréables surprises surtout ceux pratiqués par les restaurants. Mais ne mettez pas trop d'ostentation à jouir de cet avantage, vous éviterez ainsi de froisser les Turcs que vous rencontrerez, dont le salaire moyen n'est pas élevé.

La monnaie locale est la livre turque (*Türk lirasi*, TL). Le *kuruş*, sa subdivision, n'existe plus depuis longtemps. Il est inutile de changer votre argent en France : les formalités sont longues et les taux désavantageux. De plus des bureaux de change ouverts nuit et jour vous attendent à tous les postes frontières. En raison de la variabilité des taux de la livre turque, ne changez votre argent qu'au fur et à mesure de vos besoins. Ne faites pas attention à l'état de vos billets ; rarement renouvellés, ils sont souvent usés jusqu'au filigrane. Aucun commercant ne s'en formalisera.

BANQUES ET CHANGE
De nombreuses banques et guichets automatiques acceptent votre carte VISA internationale. Vous pourrez changer vos chèques de voyage avec un passeport dans les banques portant la mention *Kambiyo* et dans les bureaux de poste. Les banques sont généralement ouvertes de 8 h 30 à 12 h et de 13 h 30 à 17 h sauf le samedi et le dimanche. Les hôtels pratiquent le change mais gare aux commissions parfois importantes. Les bureaux de change implantés sur les sites touristiques sont ouverts pendant le week-end. Mais le plus simple reste encore l'utilisation des devises que vous pourrez changer n'importe où, dans les bureaux de poste, les hôtels ou chez les commercants, en toute légalité.

Le prix d'un appel téléphonique

Istanbul	3 min	+3 min
Istanbul	350 TL à 380 TL	350 TL à 380 TL
Istanbul	**1 min**	**+1 min**
Bursa (24)	1400 TL	idem TL
Edirne (181)	1400 TL	idem TL
Istanbul	**3 min**	**+3 min**
Europe	10 000 TL	1 378 TL
Usa	20 000 TL	1 378 TL
Japon	20 000 TL	1 524 TL

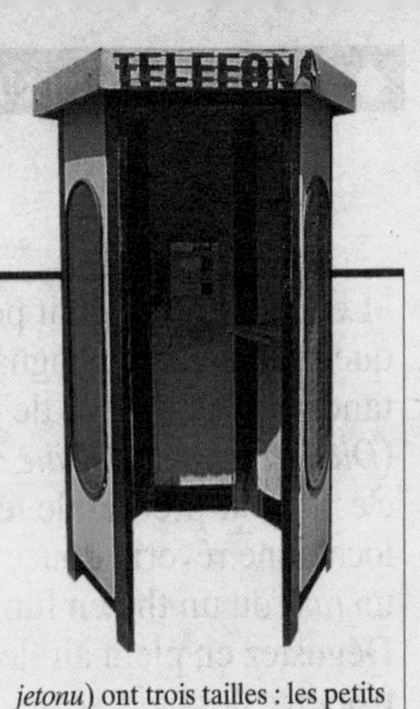

Téléphone
Les cabines téléphoniques fonctionnent avec des jetons (qu'on se procure dans les bureaux de poste) ou parfois avec des cartes téléphoniques. Les jetons de téléphone (*telefon jetonu*) ont trois tailles : les petits (*küçük*) de une unité , les moyens (*orta*) de cinq unités et les grands (*büyük*), de dix unités. De même les cartes (*telekart*) comportent trente (*otuz*), soixante (*altmış*) ou cent (*yüz*) unités.

De Turquie en France, composez le 99 33 (1 pour Paris) et le numéro de votre correspondant De France en Turquie, composez le: 19 90, l'indicatif de la ville et le numéro de votre correspondant

Indicatifs
Istanbul : 1 (si le numéro du correspondant commence par 1 le remplacer par 2) Ankara : 4, Bursa : 24, Izmir : 51.

Police touristique
Ces agents en uniforme bleu sont à votre disposition aux abords de certains grands monuments.

Poste
Les postes turques sont reconnaissables au sigle jaune et noir des PTT. Outre la poste centrale de Sirkeci, les bureaux les plus importants,Taksim, Aksaray, Galatasaray, et Grand Bazar notamment, sont ouverts de 8h à 0 h du lundi au samedi et de 9 h à 19 h le dimanche. La plupart sont équipés de fax.

Vous trouverez des timbres (*pul*) à la poste ou chez les marchands de cartes postales. Renseignez-vous sur les tarifs en vigueur qui changent presque tous les six mois.

«Le goût du café était porté si loin à Constantinople que les imams se plaignaient de la désertion des mosquées tandis que les salons de café étaient toujours pleins» (*Dictionnaire de cuisine d'Alexandre Dumas*). Vivre à Istanbul c'est savoir prendre le temps. Pratiquer le *keyif,* l'art de vivre local, une rêverie douce qui vous envahit quand vous sirotez un *rakı* ou un thé en fumant un narguilé pendant des heures. Dégustez en plein air les excellents *börek* (feuilletés) au fromage, les *pide*, sorte de pâte à pain avec diverses garnitures. Goûtez les sandwichs au poisson ou les petites fritures proposés par les pêcheurs. Achetez pour vous rafraîchir un *ayran* ou un jus de griotte (*vişne suyu*) au marchand ambulant.

KIOSQUES À JOURNAUX
Vous y trouverez des jetons de téléphone, des plans d'Istanbul, des billets de bus et bien entendu la presse locale voire internationale. Principaux titres de la presse quotidienne turque : *Sabah* (Le Matin), *Hürriyet* (la Liberté), *Milliyet* (la Nation), *Cumhuriyet* (la République). Vous trouverez des journaux français notamment à Sultanahmet sur la Divan Yolu, dans les librairies Hachette (*Haşet Kitabevi*) 469, Istiklal Caddesi, et dans les grands hôtels.

LE THÉ
Le thé (*çay*) de la mer Noire est la boisson nationale. Il se boit à toute heure du jour, y compris au bureau où des *çaycı*, («faiseurs de thé») font leur tournée. Mais c'est dans les *çay-evi* et chez les *nargileci*, surtout fréquentés par des hommes, que vous en boirez. Dans les *çay-bahçesi* (salons de thé en plein air), où les femmes ont une partie réservée (*aile salonu*), il est préparé dans des samovars, contenant du thé très infusé dans la théière et de l'eau chaude en-dessous. Vous pourrez donc le demander clair (*açık*) ou foncé (*koyu*).

LE CAFÉ TURC
Le café est aujourd'hui assez peu consommé en Turquie car il est cher. Le *turk kahvesi* est préparé dans de petites casserolles de cuivre, *cezve*, à partir d'une mouture très fine. Chacun le commande à son goût : *sade* (sans sucre), *orta* (assez sucré), *şekerli* (très sucré). Ne pas boire le fond de la tasse.

NARGILECI
Les *nargileci* étaient les lieux de sociabilité par excellence à Istanbul. Ils ont maheureusement aujourd'hui presque tous disparu. On peut encore fumer le narguilé aux alentours du Grand Bazar ou de la mosquée de Rüstem Paşa. Ne vous découragez-pas dès la première tentative si votre tabac s'éteint ou si la tête vous tourne. Fumer le narguilé est un art qui nécessite un peu d'expérience.

En vous promenant dans Istanbul, vous serez sûrement abordé par de jeunes gens bien habillés et parlant votre langue parfaitement. Après avoir sympathisé avec vous, ils vous proposeront de prendre un thé ou un café chez leur «oncle» ou leur «cousin» qui tient un magasin de tapis. Ce sont des «rabatteurs» ; leur métier, très lucratif, est hautement considéré dans la société turque.

Marchands de rue
Ils sont nombreux, tels ce vendeur de *simit* (petit pain rond en forme de couronne), à proposer, sur des étals ou des plateaux, qui des pâtisseries, qui des fruits, qui des concombres en été ou des châtaignes quand vient l'hiver.

Le raki
Le rakı est aux Turcs ce que le pastis est aux Français : un alcool anisé qui accompagne toutes les conversations.

Monopole d'État comme le tabac et les allumettes, l'alcool est commercialisé par la firme *Tekel.*

Les marchés aux poissons
De l'anchois de la mer Noire au mérou de la Méditerranée, les étals colorés d'Eminönü, de Beşiktaş ou de Galatasaray proposent une marchandise variée, artistiquement disposée pour attirer l'attention des chalands.

Le *kebapçı* est une figure de la rue à Istanbul. C'est lui qui cuisine le *döner*, cette pièce de mouton en lamelles, rôtie sur un axe vertical et tranchée avec dextérité pour garnir de volumineux sandwichs.

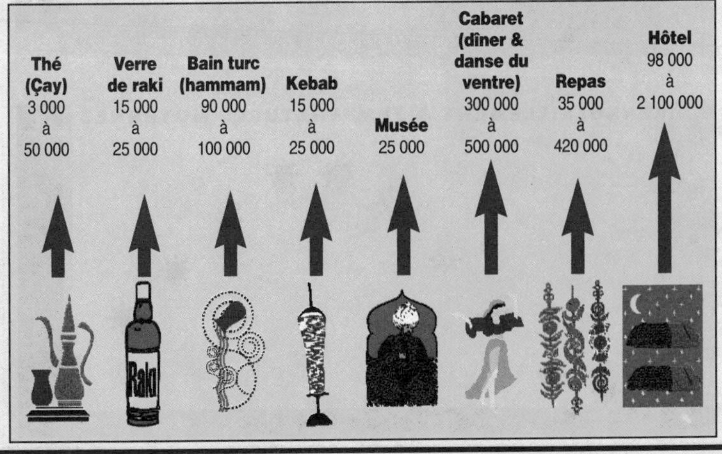

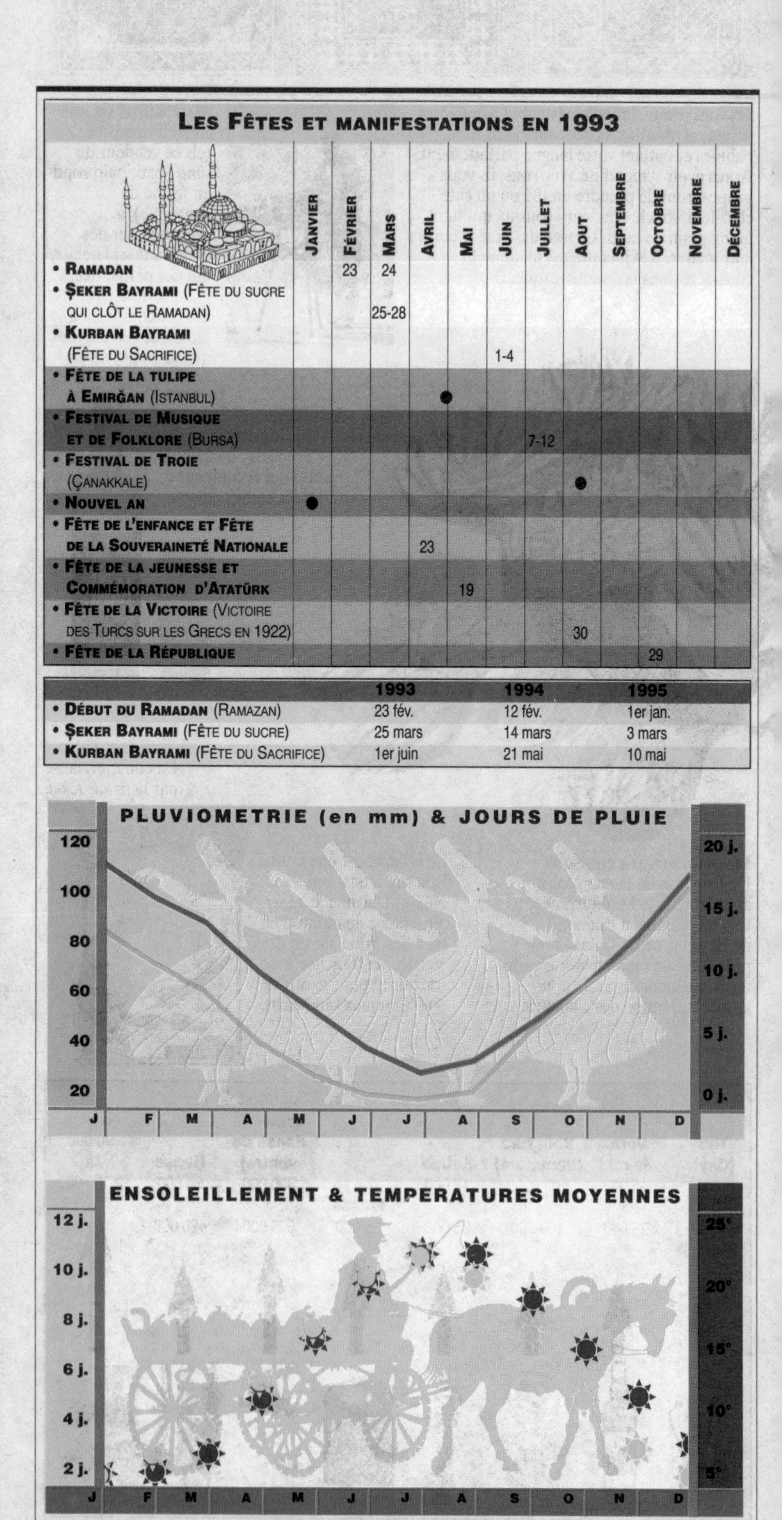

Les Fêtes et manifestations en 1993

	Janvier	Février	Mars	Avril	Mai	Juin	Juillet	Août	Septembre	Octobre	Novembre	Décembre
• **Ramadan**		23	24									
• **Şeker Bayrami** (Fête du sucre qui clôt le Ramadan)			25-28									
• **Kurban Bayrami** (Fête du Sacrifice)						1-4						
• **Fête de la tulipe à Emirğan** (Istanbul)				●								
• **Festival de Musique et de Folklore** (Bursa)							7-12					
• **Festival de Troie** (Çanakkale)								●				
• **Nouvel an**	●											
• **Fête de l'enfance et Fête de la Souveraineté Nationale**				23								
• **Fête de la jeunesse et Commémoration d'Atatürk**					19							
• **Fête de la Victoire** (Victoire des Turcs sur les Grecs en 1922)								30				
• **Fête de la République**										29		

	1993	1994	1995
• **Début du Ramadan** (Ramazan)	23 fév.	12 fév.	1er jan.
• **Şeker Bayrami** (Fête du sucre)	25 mars	14 mars	3 mars
• **Kurban Bayrami** (Fête du Sacrifice)	1er juin	21 mai	10 mai

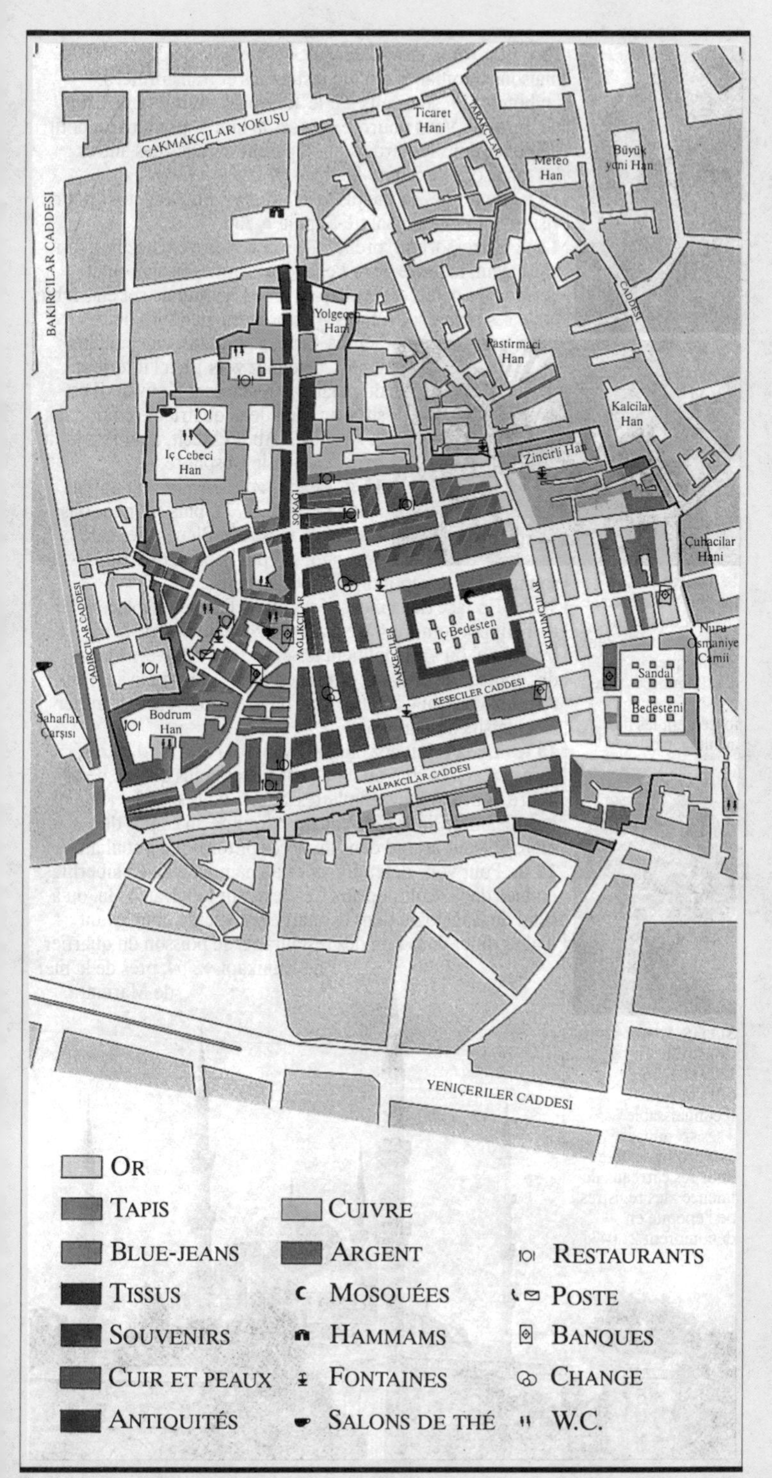
ÇAKMAKÇILAR YOKUŞU
BAKIRCILAR CADDESI
Ticaret Hani
TARAKÇILAR
Meteo Han
Büyük yeni Han
CADDESI
Yolgeçen Han
Pastirmaci Han
Kalcilar Han
Iç Cebeci Han
Zincirli Han
SOKAĞI
Çuhacilar Hani
YAĞLIKÇILAR
KUYUMCULAR
Iç Bedesten
TAKKECILER
Nuru Osmaniye Camii
ÇADIRCILAR CADDESI
Sandal Bedesteni
KESECILER CADDESI
Sahaflar Çarşısı
Bodrum Han
KALPAKCILAR CADDESI
YENIÇERILER CADDESI
OR
TAPIS
BLUE-JEANS
TISSUS
SOUVENIRS
CUIR ET PEAUX
ANTIQUITÉS
CUIVRE
ARGENT
MOSQUÉES
HAMMAMS
FONTAINES
SALONS DE THÉ
RESTAURANTS
POSTE
BANQUES
CHANGE
W.C.

PREMIER JOUR. Dans la Soğuk Çeşme Sokağı, de vieilles maisons ottomanes ont été restaurées et transformées en hôtels et restaurants par le Touring & Automobile Club de Turquie. Vous pourrez y passer la nuit et prendre un petit déjeuner dans les jardins qui séparent les unes des autres les «maisons de Sainte-Sophie» (*Aya Sofya Evleri*).

10 H. Remontez la rue jusqu'à la fontaine d'Ahmet III pour visiter le musée de Sainte-Sophie ▲ *138*.

12 H. En ressortant, prenez à gauche et franchissez la Bab-ı Hümayün, la porte de la Félicité, qui autrefois marquait l'entrée du palais de Topkapı ▲ *150*. La visite de cet ensemble et de ses riches collections vous prendra au moins deux heures. Si vous faites la visite en deux temps, déjeunez vers 1 h à l'intérieur du palais, au restaurant Konyalı. Il est situé au fond de la quatrième cour, dans le kiosque d'Abdül Mecit, d'où l'on jouit d'une vue sur le Bosphore.

LE GRAND BAZAR. Le plus vaste marché couvert du monde, est un des hauts lieux touristiques d'Istanbul. Les prix n'y sont pas forcément les plus avantageux.

15 H. Rendez vous ensuite à la Sultan Ahmet Camii ▲ *174*, plus connue sous le nom de mosquée Bleue . Les cafés ne manquent pas dans ce quartier si vous souhaitez vous reposer quelques instants.

16 H. En face de la mosquée, s'étend l'ancienne place de l'Hippodrome, At Meydanı ▲ *174,* haut lieu de la vie byzantine, où s'affrontaient les «bleus» et les «verts» dans des courses de chevaux effrénées. Remontez la Divan Yolu. Arrêtez-vous au Çorlulu Pasajı où vous pourrez vous initier aux plaisirs du narguilé.

18 H. De là rejoignez par la Divan Yolu le Grand Bazar, Kapalı Çarşı, ▲ *186* où il ne vous restera plus qu'une demi heure pour faire vos emplettes. Si cela vous semble insuffisant, le Şark Kahvesi, un café situé au centre du marché, vous attend dans un décor pittoresque à souhait.

19 H. Pour vous détendre, allez au hammam de Çemberlitaş, en face de la «colonne aux Cercles», sur la Divan Yolu, ou à celui de Cağaloğlu dans le quartier du même nom, avant d'aller dîner dans l'un des restaurants de poisson du quartier de Kumkapı ◆ *364*, près de la mer de Marmara.

SULTAN AHMET CAMII Construite entre 1609 et 1616, cette mosquée, reconnaissable à ses six minarets, est surtout célèbre pour ses carreaux de faïence : les registres de l'époque en dénombrent 21 043.

Deuxième jour. De votre hôtel gagnez la gare de Sirkeci, par l'Alemdar Caddesi. Vous passerez devant la «Sublime Porte» ▲ *128*. Continuez toujours tout droit jusqu'au bazar aux épices. Prenez votre petit déjeuner au premier étage de la pâtisserie Güllüoğlu, un ancien entrepôt qui offre une vue sur le bazar.

Sainte-Sophie et la mosquée de Sultan Ahmet vues du ciel.

10 h. Rendez vous ensuite sur les quais d'Eminönü pour prendre un bateau en direction d'Üsküdar ▲ *264*. Comptez 25 mn de trajet. Dans ce quartier asiatique se dressent les stèles du plus grand cimetière ottoman d'Istanbul.
12 h. Déjeunez dans l'un des petits restaurants populaires (*lokanta*) à proximité de l'échelle (*iskele*) d'Üsküdar.
13 h. Prenez un bateau pour Beşiktaş ▲ *274* afin de visiter le palais de Dolmabahçe ▲ *274* qui ferme ses portes à 16 h.
16 h. De là prenez un taxi pour la place de Taksim ▲ *252*. La pâtisserie Gezi, en haut de la Gümüşsuyu Caddesi, ne vous trompera pas avec son faux air de café viennois mais ses chocolats satisferont les amateurs les plus exigeants. En face de la pâtisserie, une station de *dolmuş* dessert Teşfikiye, un des quartiers chics d'Istanbul. Vous y découvrirez un aspect beaucoup plus occidental de la ville, avec les boutiques de «créateurs» de mode et les magasins d'importation de produits de luxe, où un peu de lèche-vitrine s'impose.

Griotte (*vişne*), pêche (*şeftali*), abricot (*kayısı*) ou citronnade (limonata), les jus de fruit sont le rafraîchissement préféré des Istanbuliotes.

18 h. Retournez à Taksim. Prenez un apéritif au bar panoramique du dernier étage de l'hôtel Etap Marmara. Remontez l'Istiklal Caddesi jusqu'au Çiçek Pasajı ▲ *252*. Contournez par la gauche l'ambassade d'Angleterre et dirigez-vous vers Tepebaşı. En passant, jetez un coup d'œil aux cariatides du Londra Hoteli qui surplombe la Corne d'Or.
20 h. Vous pourrez ensuite dîner dans le grandiose salon de réception du Pera Palas ◆ *364*, non loin de là, mais l'on vous conseille plutôt, pour ses succulents *meze,* le restaurant Yorgos qui se trouve dans la première rue à gauche en sortant du Pera Palas.

Domabahçe Sarayı
Les styles baroque, rococo et Empire, se côtoient à l'intérieur comme à l'extérieur du palais.

22 h. Si vous n'êtes pas encore épuisé, rejoignez l'Istiklal Caddesi, passez le lycée de Galatasaray et poursuivez jusqu'à la Kuloğlu Sokağı. Engagez-vous dans cette rue. Juste à l'angle, sur votre gauche se cache, en sous-sol, un petit bar décoré d'affiches de cinéma : le Papyrus. Il est ouvert jusqu'à 1 h du matin.
0 h. Pour les noctambules invétérés, il reste une dernière étape à franchir : Hayal, un bar très fréquenté par les jeunes d'Istanbul et situé dans la Çukurlu Çeşme Sokağı ; dans un décor dépouillé, il programme régulièrement des concerts de jazz ou de rock. Nous vous déconseillons les autres cabarets alentour : on n'y attend pas toujours le touriste avec les intentions les plus honnêtes.

8 H. Si vous logez dans un des quartiers du centre d'Istanbul, traversez la Corne d'Or ▲ *238* par le nouveau pont de Galata ▲ *128*. L'ancien, avec ses restaurants de poissons et son *nargileci* au raz de l'eau, a brûlé en 1992. Dans la première avenue sur la gauche, vous verrez l'entrée du Tünel ▲ *252*, un funiculaire construit par les Français en 1875, tracté, à l'origine, par des chevaux. Quand vous sortez du Tünel, prenez la première rue à droite ; immédiatement sur votre gauche, se trouve un ancien *tekke* de derviches tourneurs transformé en musée de la Littérature. Vous pourrez y voir d'anciens corans, les costumes ● *52* et les instruments de musique ● *54* utilisés par les derviches mevlevi durant leurs cérémonies. Des spectacles de danse y sont régulièrement donnés ; pour en connaître les dates, s'adresser au gardien ou au Bureau du Tourisme ◆ *364*. Dans le jardin, le comte de Bonneval - cet officier impétueux qui passa au service du Grand Turc et changea son nom chrétien pour celui musulman d'Ahmet Paşa - repose au milieu d'un charmant cimetière ottoman (demandez au gardien où se trouve sa tombe).

Depuis les réformes laïques de Mustafa Kemal Atatürk, les derviches tourneurs ne conservent les traditions de leur ordre soufi que pour le public. Vous pourrez donc assister à une de leur cérémonie : sur des chants cycliques accompagnés par des percussions et des flûtes (ney), les officiants imitent, en des circonvolutions extatiques, le mouvement des astres. Mevlâna Celaludin Rumi, fondateur de l'ordre, est enterré à Konya.

10 H. Retournez vers le funiculaire. Sur votre droite, entrez dans le Tünel Geçidi, le passage du Tünel, où quelques antiquaires tiennent boutique, dont Mustafa Kayabek, au n°10/12, qui vend d'anciens dolmans (robes ottomanes en soie chamarrées), des tableaux, des meubles et des cartes postales. En ressortant vous débouchez sur l'Istiklal Caddesi ▲ *252*, l'avenue de l'Indépendance, bordée d'immeubles de style rococo et victorien, d'églises, de passages, ainsi que d'anciennes ambassades européennes reléguées par Atatürk au rang de consulats généraux. Avant d'arriver au carrefour de Galatasaray ▲ *252*, ne manquez pas le Danışman Pasajı, passage des marchands de boutons. Continuez jusqu'au fameux lycée franco-turc de Galatasaray qui forme l'élite du pays depuis un siècle.

L'Istiklal Caddesi, l'avenue de l'Indépendance, n'a pas tellement changé depuis les années trente, époque où cette photo a été prise. Il y a toujours autant de boutiques et le tramway, retiré de la circulation au début des années cinquante, a repris du service en 1991.

«LES COLLINES DE GALATA, DE PÉRA [...] GLISSENT DE MES PIEDS À LA MER, COUVERTES DE VILLES DE DIFFÉRENTES COULEURS.»

LAMARTINE

À l'entrée, un musée retrace l'histoire de cette institution. En face, le marché aux poissons offre presque tout ce qui peut être pêché le long des côtes turques. Non loin de là, le passage Aslı Han dissimule, au sous-sol, un marché aux livres où vous trouverez des ouvrages turcs et étrangers. Le français y est bien représenté, témoignage de son influence en Turquie. C'est là que les *entel* du quartier (comprenez «intellectuels») s'approvisionnent.

Des institutions chrétiennes, fermées aujourd'hui, ont fourni beaucoup d'ouvrages aux bouquinistes.

12 H. Ressortez par le Çiçek Pasajı, où de nombreux restaurants proposent les classiques *meze.* Près de là se trouve, au fond de l'impasse Olivo, le restaurant Rejans ◆ *364,* un des lieux mythiques d'Istanbul, ouvert par des Russes blancs dans les années vingt.

14 H. Remontez l'avenue jusqu'à la place de Taksim où vous prendrez un *dolmuş* (taxi collectif) ◆ *340* dans l'Inönü Caddesi (plus connue sous le nom de *Gümüşsuyu*) en direction de Beşiktaş ▲ *252.* Promenez-vous dans ce quartier authentique, pavoisé des banderolles noires et blanches de son équipe de football, les *Beşiktaşlı,* grande adversaire de celle des *Galatasaraylı,* qui défend ses couleurs rouge et jaune au cri de *Cim bom bom*. Entre deux rencontres sportives au stade Inönü, le quartier vit autour de son marché, situé sur la gauche du boulevard Barbaros, derrière la mosquée de Koca Sinan Paşa.

L'occidentalisation du pays a relégué chez les antiquaires les costumes et objets traditionnels.

16 H. Longez à pied le Bosphore jusqu'au palais de Çırağan ▲ *274.* Avant de l'atteindre vous passerez sous un pont qui reliait le palais au vaste parc de Yıldız ■ *26*, du nom de la belle favorite du sultan Abdül Mecit Ier. Un des successeurs de ce dernier, Abdül Hamid II, fit construire, au sommet de la colline, un complexe de kiosques et de pavillons auquel on accède par une large allée carrossable. Vous pourrez visiter entre autres le chalet suisse où Mustafa Kemal avait un bureau modeste. Les grands de ce monde, dont le Général de Gaulle et l'impératrice Fara Dibah, y furent reçus officiellement.
Le Çadır Köşkü offre un panorama exceptionnel sur une mer de végétation ■ *26* qui descend jusqu'au Bosphore. Prenez-y un repos bien mérité en buvant un café ou un jus de griotte (*vişne suyu*).

18 H. En redescendant, dirigez-vous vers le Boğazici Köprüsü, ▲ *274*, le pont du Bosphore, au pied duquel se niche le quartier d'Ortaköy. Ce dernier possède encore nombre de vieilles maisons en bois. Des bars ouverts tard le soir en ont fait le nouveau quartier à la mode. Les jeunes Istanbuliotes viennent y écouter des groupes de rock locaux ou des chanteurs populaires. Si vous dînez sur place, vous n'aurez que l'embarras du choix : les restaurants sont nombreux. Un taxi vous ramènera à votre hôtel si la soirée se prolonge, car les bus interrompent leur service vers 23 h.

Non loin des kiosques de Yıldız, Ortaköy et le pont du Bosphore, inauguré en 1973 à l'occasion du cinquantenaire de la République.

Pierre Loti (1850-1893) effectue plusieurs séjours à Istanbul. Si, dans un premier temps, il adopte, comme tous les Européens, le quartier de Péra ▲ *252*, bientôt il lui préfère l'ambiance des mosquées et des petits quartiers secrets du vieux «Stamboul» où il s'imprègne d'une atmosphère orientale plus authentique. En une demi-journée bien remplie vous aurez un bon aperçu des lieux qui fascinèrent l'écrivain.

Le bâtiment de l'ancien Séraskiérat, ou ministère de la Guerre, aujourd'hui occupé par l'université de Beyazıt.

8 H. Partez de la Beyazıt Meydanı, l'ancienne place du Séraskiérat ▲ *200* « pleine de lumières, de monde, de musiques, de costumes». L'écrivain «traverse seulement ce lieu pour pénétrer plus avant dans le cœur de la vieille ville, dans les quartiers exquis et non profanés encore de la Suléimanieh et de Sultan-Sélim. Tantôt l'obscurité des petites rues funèbres, tantôt les lumières et les foules. Dans les cafés, des musiques d'Orient : violons tristes, qui gémissent des mélodies à fendre l'âme ; cornemuses qui chantent de vieux airs à voix aigre et plaintive et des campagnards, des Asiatiques, dansent entre hommes, en longues chaînes se tenant par la main.»

La fontaine aux ablutions (*şadırvan*) de la mosquée de Soliman le Magnifique, conçue par le grand architecte Sinan ▲ *314*.

En remontant par la Bozdoğan Kemeri Caddesi, vous pourrez voir quelques vieilles demeures ottomanes un peu délabrées et des ateliers. Vous débouchez ensuite sur le parvis de la mosquée de Soliman le Magnifique, la Süleymaniye Camii ▲ *200*, où Loti aimait flâner parmi les artisans. «Chacun dans son échoppe ouverte, les patients enlumineurs, le pinceau à la main, sont accroupis au milieu de leurs petites fioles de dorure et d'argenture. Presque tous paraissent âgés, hommes d'une autre époque, pourrait-on dire. De leurs doigts maigres, agiles et précis, ils tracent sur des cartons, d'impeccables caractères, en penchant au-dessus de leur ouvrage leur tête enturbanée.» Vous n'y verrez plus les calligraphes ▲ *206*, mais la mosquée et le tombeau de Soliman avec sa coupole ornée de diamants retiendront pendant au moins une heure toute votre attention.

10 H. Prenez un taxi pour rejoindre la mosquée de Mehmet le Conquérant, Fatih Mehmet Camii ▲ *224*. «Devant sa mosquée vénérable, qui fut jadis une église byzantine, la petite place très ombreuse est toujours pareille, avec son même air intime et si fermé que l'on a presque le sentiment

« Les lointains de Stanbul, derrière nous, aperçus par les brèches des murailles, ont leurs grands airs de ville morte, sous l'épais ciel d'hiver.»

Pierre Loti

de commettre une indiscrétion quand on s'y présente. D'humbles cafés l'entourent, des cafés d'autrefois ornés seulement d'inscriptions coraniques ; elle est très encombrée de canapés en bois, à dossier, recouverts d'éclatants tapis d'Asie pour les fumeurs de narguilé qui viennent s'y asseoir.» La discrétion est de mise dans ce quartier très religieux. A l'occasion de certaines fêtes, Kurban bayram et Şeker bayram ● *62*, le manteau du Prophète, conservé au musée de Topkapı, est exposé dans la mosquée à la dévotion des fidèles. Reprenez le taxi et demandez au chauffeur de vous conduire à Edirne Kapı ▲ *224*, la porte d'Andrinople, «à l'ogive demi-brisée» (dix minutes à un quart d'heure de trajet) où se dressent les anciennes murailles de Byzance. «Tout le long des mornes murailles grises, qui déploient à perte de vue, en pleine solitude, la série de leurs bastions crénelés, les cimetières succèdent aux cimetières ; jusqu'aux derniers lointains, s'en vont les bois de cyprès, les verdures funéraires presque noires.[…] Tout un monde de stèles, penchées, tombées, brisées par leur chute, devenues informes, et puis recouvertes de lichen.» Aujourd'hui, la Savaklar Caddesi, grand boulevard construit dans les années soixante, remplace l'ancien chemin de terre qui séparait les murailles du cimetière où repose la belle Aziyadé, chère au cœur de Pierre Loti.

12 h. En sortant de l'enceinte, prenez un *dolmuş* ◆ *342* en direction du quartier d'Eminönü (comptez vingt minutes de trajet). Derrière le bazar aux épices ▲ *128* se trouve «cette place aux antiques platanes que la mosquée de la Valideh domine d'un côté de sa haute masse grise, de ses minarets et de ses dentelures arabes. Sur les autres faces, il y a des berceaux de vigne, de petits cafés, des boutiques de barbiers». Aujourd'hui vous trouverez encore quelques cafés, mais aussi des grainetiers, des marchands d'animaux domestiques, des vendeurs de sangsues. Ces dernières sont encore utilisées en médecine traditionnelle. Une halte au fameux restaurant Pandeli ◆ *364*, cet ancien corps de garde du bazar aux épices, avec sa décoration de céramiques bleues, prolongera votre rêverie.

Julien Viaud, *alias* Pierre Loti, a fait découvrir aux Français les charmes de la capitale ottomane.

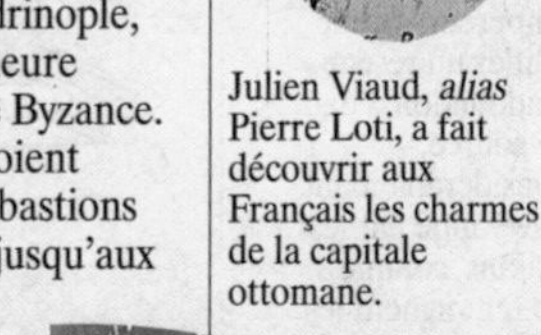

Les stèles funéraires ottomanes hérissent les cimetières ● *250* istanbuliotes de leurs silhouettes hiératiques.

Près du cimetière d'Edirne Kapı, l'ancien chemin courant le long des antiques murailles de Byzance qui sont actuellement en cours de restauration.

◆ EXCURSION EN FORÊT DE BELGRADE

CABECI
GÜZELCEKEMER
ALIBEY BARAJI
MAĞLOVA
KOVUKKEMER (EĞRIKEMER)

VERS ISTANBUL

VERS LE PONT MEHMET FATIH

Pour faire face aux menaces de sièges, Byzance organisa remarquablement son approvisionnement en eau. Chaque habitant de la capitale possédait sa propre citerne pour recueillir les eaux de pluie et les empereurs firent édifier un réseau d'adduction d'eau de source, considérablement développé par les sultans, comme en témoignent les nombreux aqueducs et barrages (*bent*) édifiés en forêt de Belgrade.

AQUEDUC DE MAĞLOVA DIT «DE JUSTINIEN»

Aujourd'hui cet ensemble, relié par des routes carrossables à partir de Büyükdere ou de Kemerburgaz, est devenu un lieu de promenade et de pique-nique champêtre. Les fontaines publiques alimentées par ces réseaux étant taries, les citadins viennent chercher à la source cette eau réputée être la meilleure de la ville.

La forêt abrite deux systèmes de captation d'eau. Le premier, réalisé entre 1554 et 1584 par Sinan, suit partiellement des tracés romains et byzantins. Grâce à 55 km de conduite et plus d'une trentaine d'aqueducs, il alimentait quelque 600 fontaines et hammams d'Istanbul. L'accroissement de la population sur l'autre rive de la Corne d'Or autour de Galata entraîna, à partir de 1730, la mise en place d'un second système relié au réservoir de répartition, *taksim* en turc, situé à l'entrée de la place du même nom. Muni d'une voiture, vous pourrez, en une journée, visiter les ouvrages d'art les plus importants de ce réseau, indiqués par un fléchage orange. En partant de Taksim, rejoignez le Bosphore que vous longerez jusqu'à Büyükdere. De là, prenez la route à gauche jusqu'à Bahçeköy, en forêt de Belgrade. Un kilomètre avant de parvenir au village vous pourrez voir l'aqueduc de Bahçeköy, ou Mahmut I Kemeri, achevé en 1732 sous le règne de Mahmut Ier. Long de 409 m et haut de 27 m, il conduit aux réservoirs de Şişli et de Beyoğlu les eaux provenant des trois *bent* situés en amont.

LE RÉSEAU DE MAHMUT Ier. Le premier, au nord-est de Bahçeköy est le Topuzlubent. Achevé en 1750, il préfigure, avec ses pans coupés arc-boutés contre l'eau, les barrages-voûtes qui ne seront édifiés en Europe qu'au XIXe siècle. Poursuivez jusqu'au bout la route qui traverse Bahçeköy avant de gagner à pieds le Mahmut II Bendi, édifié en 1739 sous Mahmut II. Cette construction de 88 m de long terminée par un éperon, est toute revêtue de marbre blanc. Elle fait face au monumental barrage de la Sultane mère, le Valide Bendi, édifié en 1796 par Mihrisah, mère de Selim III. Reprenez la route vers Büyükdere. À la hauteur du Mahmut II Kemeri, la route bifurque vers Kemerburgaz. Avant de parvenir à ce village vous pourrez voir le Kirazlı Bent («le barrage aux cerises») édifié par Mahmut II sur les ruines

Kemerburgaz
Uzunkemer
Paşakemeri
Kirazli Bent
Büyükbent
Ayvad Bendi
Osmanbendi (Karanlikbent)
Mahmutkemer
Bahçeköykemeri
Mahmut II Bendi
Valide Bendi
Topuzlulbent
Vers Büyükdere
Vers Pinar et Yeniköy

de l'ancien système. De Kemerburgaz, vous visiterez deux des plus impressionnants édifices du réseau, le Kovukkemer et l'Uzunkemer.

Les ouvrages de Sinan. À 1 km et demi du village, l'aqueduc long (Uzunkemer), commencé en 1563 par Sinan et achevé en 1564, déroule sur 711 m sa double ordonnance d'arcs, larges et étroits, ses contreforts et son chemin de ronde, percé dans l'épaisseur des arches. Sa hauteur culmine à 25 m. Le Kovukkemer, appelé également Eğrikemer ou aqueduc coudé, enjambe la rivière de Kağithane. Long de 408 m et haut de 35 m, cet ouvrage monumental est composé de trois étages d'arches. On le doit, dans sa forme actuelle, à Sinan.

Le barrage obscur. En amont de l'Eğrikemer se trouve le Karanlıkbent («barrage obscur») bâti par Osman II (1618-1622). Mur droit de 5,2 m d'épaisseur, haut de 7,6 m et long de 64,5 m, son aspect massif est à peine égayé par les décrochements des contreforts et le double parapet qui sert de banc à ceux qui souhaitent contempler le miroir d'eau au milieu des arbres. De là vous pourrez éventuellement rejoindre, en partie par des chemins de forêt carrossables, l'Ayvad Bendi avec sa digue en marbre blanc de Marmara. L'absence de contreforts confère à ce barrage une ligne très pure. Les deux balcons, soutenus par des consoles, ne sont là que pour l'agrément.

En pleine nature. Ces ouvrages acheminent les deux branches du système vers un bassin d'où l'eau rejoint l'aqueduc de Mağlova. Visitez ce dernier avant de regagner Istanbul. Situé en pleine nature à 5 km au sud-ouest de Kemerburgaz, il n'est accessible que par un mauvais chemin de terre. Il est pourtant le plus important avec ses deux étages percés de quatre grandes arcades au milieu. Haut de 36 m et long de 258 m, il se mire dans le lac artificiel à l'époque des hautes eaux et trône au milieu d'un vallon désertique par temps de sécheresse. Avant d'arriver dans la vieille ville, les eaux empruntent encore un aqueduc monumental, le Güzelcekemer («bel aqueduc»). Mais il vous faudra de la persévérance et une carte détaillée si vous voulez y accéder.

Suivant l'habitude ottomane d'allier l'utile à l'agréable, le haut des contreforts du Topuzlubent (ci-dessous) est traité en kiosque, avec les colonnettes d'angle servant de mâts de tente, le déversoir est surmonté d'un belvédère. Au milieu, face à l'eau, se dresse une plaque de marbre gravée d'une inscription chantant les louanges de Mahmut Ier (1730-1754), fondateur de l'ouvrage.

Le Güzelcekemer ou aqueduc de Çebeçiköy, construit par Sinan en 1563 1564. Haut de 32 m, il comporte deux étages d'arcades pour une longueur de 170 m.

À Istanbul, le spectacle est dans la rue. Les enfants ne pourront manquer d'être fascinés par ce théâtre permanent.

LE MARCHÉ AUX POISSONS. Près du nouveau pont de Galata ▲ *128*, la foule des pêcheurs à la ligne - munis parfois seulement d'un petit bout de fil de fer en guise de canne - partagent la scène avec les marins préparant, dans de grandes barques, des sandwichs de poissons frits. Autour du pont, tout se vend - des produits pour changer le laiton en argent aux petites roulettes pour découper le verre - dans un grand déploiement de discours et de gesticulations. Le monde des marchands ambulants, jeunes garçons à peine plus hauts que la pile de petits pains qu'ils vendent à la criée, cireurs de chaussure, porteurs d'eau, ajoute à l'effervescence de ce quartier haut en couleurs.

Les vendeurs à la criée de Karaköy rapportent presque toutes leurs prises de la mer de Marmara.

Les pigeons de la Beyazıt Camii seraient, si l'on en croit Théophile Gautier, les descendants des deux ramiers achetés par le sultan Beyazıt à une pauvresse avant de les offrir à la mosquée.

LE BAZAR AUX ÉPICES. Sur le chemin qui mène au bazar aux épices, la mosquée de Beyazıt ▲ *200* bruit du va-et-vient incessant des kyrielles de pigeons qui vivent là à demeure, en bonne entente avec les vendeurs de graines. Derrière, sur le marché aux fleurs, des petits chiens, des lapins, des oiseaux

Sur le marché aux fleurs, un lapin tire la bonne aventure d'une boîte à casiers remplie de prédictions.

s'agitent dans leurs cages au milieu des roses et des pétunias. Au bazar, ce sont les odeurs, émanant des grands sacs d'épices colorées, qui vous envahissent.

Les vieux bateaux, qui assurent, depuis Sirkeci Iskelesi, la liaison avec les îles des Princes, vous ramènent, comme les calèches de Büyük Ada, à une autre époque.

LES ÎLES DES PRINCES. Même sur les vieux bateaux, qui voguent vers les îles des Princes ▲ *264*, pleins à craquer chaque week-end, des familles entières d'Istanbuliotes prennent le relai du concert de la rue et chantent en chœur à tue-tête.
À Büyük Ada, déjeunez avec vos enfants dans l'un des restaurants au bord de l'eau avant de prendre une calèche pour gagner le haut de l'île où ils pourront s'ébattre dans les bois, au calme !

Carnet d'adresses

- Panorama
- Centre ville
- Isolé
- Restaurant de luxe
- Restaurant typique
- Restaurant economique
- Hotel de luxe
- Hotel typique
- Hotel economique
- Parking
- Garage surveillé
- Television
- Calme
- Piscine
- Cartes de credit
- Prix enfants
- Animaux interdits
- Musique
- Orchestre

◆ < 6 $
◆◆ 6 à 13 $
◆◆◆ > 13 $

	VUE	JARDIN - TERRASSE	AIR CONDITIONNE	PARKING	CARTES DE CRÉDIT	SPECIALITES	PRIX
EMINONU							
ODA RESTAURANT	■	■	■	■	■	L	◆◆
PANDELI					■	N	◆◆
SIRKECI							
SEPETÇILER KASRI	■	■		■	■	I	◆◆◆
SULTANAHMET							
ALTIN KUPA		■		■	■	N	◆◆
CAFÉ MEDUSA		■				L	◆◆
ÇAMLIK RESTAURANT		■	■			N	◆
KONAK PUB			■	■	■	N	◆
KONYALI	■	■	■		■	N	◆
SARNIÇ				■	■	NI	◆◆◆
SULTAN RESTAURANT		■	■		■	NI	◆◆
SULTANAHMET							
YEŞIL EV RESTAURANT				■	■	N	◆◆◆
AKSARAY							
GAZIANTEPLI CAVUSOĞLU			■			L	◆
GÜNES KEBAP SALONU			■			L	◆
GÜNEY SARAY RESTAURANT						L	◆
RESTAURANT DE L'HOTEL FUAR		■	■	■	■	N	◆◆◆
SAIT RESTAURANT			■			L	◆◆
BEYAZIT							
SUBASI RESTAURANT			■	■	■	N	◆◆
KUMKAPI							
CEMAL BALIK RESTAURANT		■	■	■	■	P	◆◆◆
YENGEÇ		■	■	■	■	P	◆◆
YOSUN		■	■	■	■	P	◆◆
LALELI							
HACI BOZAN OGULLARI			■	■		L	◆
ORIENT HOUSE			■	■	■	N	◆◆◆
OZLALE RESTAURANT			■	■	■	L	◆
CORNE-D'OR							
SAHIL RESTAURANT	■		■	■		N	◆
URFAM RESTAURANT			■			L	◆
BEYOĞLU							
4 SEASONS					■	I	◆◆◆
ÇIÇEK PASAJI		■				L	◆◆
HACI ABDULLAH					■	N	◆◆
HACI BABA RESTAURANT	■	■			■	N	◆◆
ISTANBUL SÜPER RESTAURANT		■	■			N	◆
REJANS					■	I	◆◆
RESTAURANT DE LA TOUR DE GALATA	■		■	■	■	N	◆◆◆
RESTAURANT DU PERA PALAS		■		■	■	I	◆◆
YAKUP 2					■	L	◆◆
TAKSIM							
BORSA RESTAURANT			■			N	◆◆

L : locale (s) **I :** internationales
N: nationale (s) **P :** poisson

	VUE	JARDIN - TERRASSE	AIR CONDITIONNE	PARKING	CARTES DE CRÉDIT	SPECIALITES	PRIX
BRASERO STEAK RESTAURANT			■		■	I	◆◆
CIN LOKANTASI			■		■	I	◆◆
(THE CHINA RESTAURANT)							
FILIBELI RESTAURANT						L	◆
FLAMINGO RESTAURANT			■	■	■	NI	◆◆
PANORAMA RESTAURANT	■		■	■	■	NI	◆◆◆
PARK RESTAURANT		■	■		■	N	◆
POOL RESTAURANT	■	■	■	■	■	I	◆◆◆
RENDEZ-VOUS RESTAURANT		■	■	■	■	I	◆◆
RESTAURANT DU DIVAN HOTEL			■	■	■	N	◆◆◆
RESTAURANT ROSA			■	■	■	I	◆◆
SWISS PUB RESTAURANT	■	■	■	■	■	I	◆◆◆
YUVA PUB-RESTAURANT		■	■	■	■	NI	◆◆
ÜSKÜDAR							
KANAAT			■	■		N	◆
ÎLES-AUX-PRINCES							
KAPTAN RESTAURANT	■		■			-	◆◆◆
YÖRÜK ALI RESTAURANT	■		■			-	◆◆
BOSPHORE RIVE ASIATIQUE							
ALBORAN RESTAURANT		■	■	■	■	L	◆◆
BOĞAZIÇI	■	■	■	■	■	P	◆◆◆
CAMLICA CAFÉ-RESTAURANT	■			■	■	N	◆◆◆
HIDIV RESTAURANT	■	■		■	■	N	◆◆◆
KAVAK DOGANAY RESTAURANT	■	■	■		■	P	◆◆
YOSUN RESTAURANT		■		■	■	P	◆◆
BOSPHORE RIVE EUROPÉENNE							
BEYAZ PARK RESTAURANT	■	■	■	■	■	P	◆
BRASSERIE DU CIRAĞAN PALACE	■	■	■	■	■	I	◆◆◆
CIFTNAL		■	■		■	N	◆◆
DENIZ PARK GAZINOSU	■	■		■		P	◆◆
ECE BAR			■	■	■	N	◆◆◆
FELICITAS		■	■	■	■	L	◆◆
FILIZ RESTAURANT	■	■		■	■	P	◆◆◆
HAN RESTAURANT	■	■		■	■	P	◆◆
HANEDAN	■	■	■	■	■	N	◆◆
PALET 2	■	■	■	■	■	P	◆◆◆
YENI BEBEK	■	■	■	■	■	P	◆◆◆
YILDIZLAR RESTAURANT	■	■	■	■	■	L	◆◆◆
BURSA							
HACI BEY			■	■	■	L	◆
ISKENDER KEBABÇI				■		L	◆
SEHIR LOKANTASI						N	◆
SEZEN RESTAURANT			■	■		L	◆
IZNIK							
BALIKÇI RESTAURANT	■		■	■		-	◆◆
KIRIKÇATAL			■	■		-	◆◆

◆ Choisir un hôtel

♦ < 40 $
♦♦ 40 à 80 $
♦♦♦ > 80 $

	Jardin-terrasse	T.V. chambre	Air conditionné	Calme	Vue	Séminaires	Accueil	Restaurant	Service 24h/24	Nbre de ch.	Prix
Sirkeci											
Askoç	●	●	●		●	●		●	●	114	♦♦
Eris					●			●	●	44	♦
Sultanahmet											
Pierre Loti	●	●	●			●		●	●	34	♦♦♦
Pirlanta										30	♦
Sunshine		●						●	●	28	♦♦
Vezirhan		●							●	9	♦
Sultanahmet											
Alzer			●		●			●	●	21	♦♦
Amber					●			●	●	54	♦♦
Ayasofya						●				21	♦♦
Ayasofya Pensions	●		●	●	●	●		●	●	61	♦♦♦
Barut's Guesthouse	●			●						23	♦
Hali					●	●		●	●	35	♦
Hippodrome	●				●					14	♦
International Youth Hostel Istanbul								●		35	♦
Küçük Ayasofya				●	●				●	15	♦
Topkapi Hostel				●						8	♦
Yeşil Ev	●	●		●	●	●		●	●	20	♦♦♦
Aksaray											
Fuar	●	●	●			●		●	●	61	♦♦♦
Imga	●	●						●	●	25	♦♦
Pelikan		●	●			●		●	●	29	♦♦♦
Beyazit											
Benler						●		●		94	♦
Cantur	●								●	45	♦
Inter	●	●	●						●	30	♦♦
Marmara								●		60	♦
Padova			●			●		●	●	15	♦
President	●	●	●		●	●		●	●	204	♦♦♦
Selenay	●	●	●			●			●	53	♦♦
Selman	●							●		20	♦
Kumkapi											
Kumkapi		●						●		40	♦
Paradise	●	●	●		●	●		●	●	37	♦♦
Laleli											
Astor		●	●					●		114	♦♦
Bazaar								●		36	♦
Klas	●	●	●			●		●		126	♦♦
Midi										29	♦
Oran	●	●	●			●		●		100	♦♦
Prestige	●	●	●			●		●	●	111	♦♦♦

	JARDIN-TERRASSE	T.V. CHAMBRE	AIR CONDITIONNE	CALME	VUE	SÉMINAIRES	ACCUEIL	RESTAURANT	SERVICE 24H/24	NBRE DE CH.	PRIX
RAMADA										427	♦♦♦
RESTERIA										54	♦♦
YUKSEL										81	♦♦
FATIH											
KARIYE										24	♦♦♦
BEYOGLU											
PERA PALAS										145	♦♦♦
RICHMOND										101	♦♦♦
THE MARMARA										390	♦♦♦
TAKSIM											
AVRUPA										20	♦
DILSON										114	♦♦♦
DIVAN										180	♦♦♦
ERESIN										75	♦♦
GOLDEN AGE										121	♦♦♦
HILTON										498	♦♦♦
KERVANSARAY										62	♦♦♦
LAMARTINE										60	♦♦♦
LODGE										41	♦♦
RIVA										71	♦♦♦
SHERATON										427	♦♦♦
STAR										26	♦
USTA										61	♦♦
USKUDAR											
EMEK										19	♦
ILES AUX PRINCES											
PRINCESS											♦♦♦
SPLENDID PALACE											♦♦♦
YORUK ALI											♦
BOSPHORE RIVE ASIATIQUE											
HIDIV										13	♦♦♦
BOSPHORE RIVE EUROPÉENNE											
BEBEK										47	♦♦
BÜYÜK TARABYA										286	♦♦♦
CIRAGAN PALACE										324	♦♦♦
FUAT PAŞA										51	♦♦♦
BURSA											
CELIK PALAS										173	♦♦♦
DIKMEN										50	♦
DILMEN										102	♦♦♦
EDIRNE											
BALTA											♦
YENER											♦

ODA RESTAURANT
ÇAMLIK RESTAURANT
HÔTEL PIRLANTA
SULTAN BAR
KONAK PUB

GALATA KÖPRÜSÜ
AŞIREFENDI CAD.
AŞIREFENDI CAD.
TÜRK OCAĞI CAD.
CEMAL NADIR S.
ANKARA CAD.
EBUSSUUD
YEREBATAN CAD.

EMINÖNÜ

VIE CULTURELLE

MOSQUÉE RÜSTEMPAŞA
Hasırcılar Cad. n° 90
Unkapanı, Eminönü.
En cours de restauration.

RESTAURANTS

ODA RESTAURANT
Zindankapı
Değirmen Sok. n° 15
Eminönü
(bord de la Corne d'Or, à gauche de Galata)
Tél. 5 20 15 30
Ouvert 8 h-0 h
Fermé dim.
Difficile à trouver. Belle salle avec parquet de bois et mobilier en rotin vert. Vue sur la Corne d'Or. Menus avec assortiments de spécialités turques. Spécialité : grillades. 6 $.

PANDELI
Marché égyptien
Tél. 5 27 39 09
Ouvert 11 h 30-16 h
Fermé dim.
9 $.

SIRKECI

RESTAURANTS

SEPETÇILER KASRI
Kennedy Cad.
Sarayburnu
Tél. 5 11 45 03
Ouvert 11 h-0 h 30.
Site classé monument historique. Vue imprenable sur le Bosphore dans le kiosque de Septeçiler. Cuisine internationale. de qualité. Spécialité : filet mignon. 13 $.

HÉBERGEMENT

ASKOÇ
Istasyon Arka Sok. n° 15
Tél. 5 11 80 89
Fax 5 11 70 53.
Hôtel luxueux, ce que ne laisse pas deviner la façade peu attirante. Vue sur le Bosphore depuis certaines chambres. Bar sur le toit. Bruyant (proximité de la gare). 60 $.

ERIS
Istasyon Arkası Sok. n° 9
Tél. 5 27 89 50
Fax 5 11 59 06.
Hôtel situé près de Topkapı et bénéficiant d'une vue sur la rive asiatique. A noter un système de prix dégressifs selon la durée du séjour. Compter 3 $ pour petit-déj. 19 $-25 $.

SULTANAHMET

VIE CULTURELLE

MUSÉE ARCHÉOLOGIQUE
Sarayıcı
Osman Hamdi Yokuşu
Tél. 5 20 77 40
Ouvert 9 h 30-16 h 30
Fermé lun.
Non loin de Topkapı. Renferme une très riche collection d'antiquités.

MUSÉE DES ANTIQUITÉS ORIENTALES FAÏENCES TURQUES
Dans le Musée archéologique
Tél. 5 20 77 40
Ouvert 9 h 30-17 h
Fermé lun.
Objets d'arts des civilisations du Moyen-Orient (Babylonie, Mésopotamie, Assyrie, Phrygie, ancienne Égypte, ancienne Arabie et Hittites).

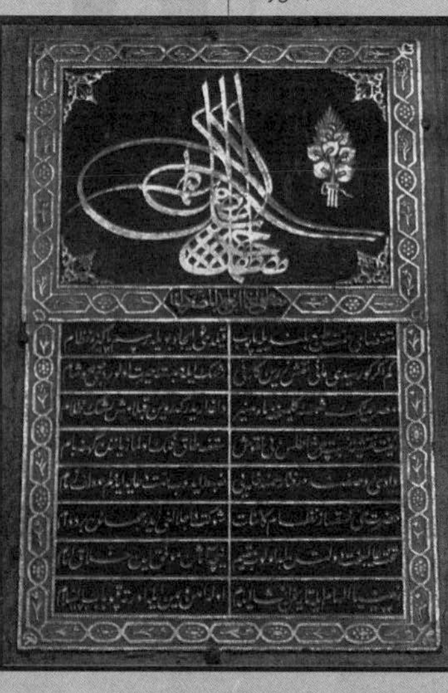

EGLISE SAINTE-IRÈNE
Cours des janissaires à droite de Topkapı.
En cours de restauration. Une autorisation est nécessaire pour les visites.

BIBLIOTHEQUE KÖPRÜLÜ KÜTÜPHANESI
Divan Yolu n° 29.
Ne se visite pas.

CITERNE YEREBATAN SARAYI
Yerebatan Cad. n° 13
Tél. 5 22 12 59
Ouvert 9 h-17 h.
A l'ouest de Sainte-Sophie. Citerne byzantine du VIe siècle qui alimentait en eau Byzantins et Ottomans. Des colonnes de style byzantin soutiennent une belle voûte en pierre.

Altin Kupa, Cafe Medusa
Hôtel Eris
Hôtel Askoç
Hôtel Vezirhan
Ayasofya Pensions
International Youth, Hôtel Istanbul
Restaurant Sepetçiler

Reşadiye Cad.
Alemdar Cad.

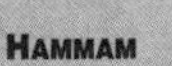

Hammam Cağaloğlu
Cağaloğlu Cad.
Prof. Kazim Gürkan Cad. n° 34
Tél. 5 22 24 24
Ouvert 7 h-22 h
Pour les femmes, ouvert 8 h-20 h.
Très ancien hammam fondé par Mahmut Ier au début du XVIIIe siècle. Fait aussi café et bar.

Hammam Çemberlitaş
Verzirhan Cad. n° 8
Çemberlitaş
Tél. 5 22 79 74
Ouvert 6 h-0 h.
Classé monument historique.

Harem de Topkapi
Palais de Topkapı
Ouvert 10 h-16 h
Fermé mar.

Kiosques (Çinili Köşkü)
Tél. 5 20 77 40
Ouvert 9 h 30-17 h ven. seulement.
Dans le jardin du musée archéologique.

Palais Topkapi
Derrière Sainte-Sophie
Sultanahmet
Tél. 5 12 04 80
Ouvert 9 h-17 h
Fermé mar.
Magnifique palais des sultans ottomans du XVe au XIXe siècle. Fabuleuse collection de porcelaines de Chine, de brocarts et broderies, de joyaux célèbres et de miniatures.

Tombeau de Abdül Hamit
Hamidiye Sok.
En cours de restauration.

Tombeau de Mahmut II
Divan Yolu n° 82
Çemberlitaş
Ouvert 9 h 30-16 h 30
Fermé lun. et mar.

Mosquée Nuruosmaniye
Nuruosmaniye Cad.
Kapalıçarşı Girişi,
Cağaloğlu.
A l'entrée du Grand Bazar, une mosquée du XVIIIe siècle inspirée par l'architecture baroque.

Mosquée Rüstempaşa
Hasırcılar Cad. n° 90
Unkapanı, Eminönü.
En cours de restauration.

Mosquée Yeni camii
Eminönü Meydanı
(en face du pont de Galata).

Mosquée Zeynep Sultan
Alemdar Cad.

Restaurants

Altin Kupa
Yerebatan Cad. n° 6
Tél. 5 19 47 70
Ouvert 8 h-0 h.
Terrasse agréable donnant sur Sainte-Sophie. Patronne et serveurs parlant le français parfaitement. Spécialité : légumes frais en gratin. 6 $.
◑ ▭

Café Medusa
Yerabatan Cad.,
Muhteremefendi Sok. n° 19
Tél. 5 11 41 16
Ouvert 7 h 30-0 h.
Dans une petite maison de quatre étages, joli restaurant lambrissé, très agréable, où vous pourrez déguster, à un prix modéré, un large éventail de la cuisine turque. Spécialité : diliç medusa. 6 $.
◑

Çamlik Restaurant
Divan Yolu Cad. n° 15
Tél. 5 16 84 16
Ouvert 11 h 30-0 h.
Self-service central. Possibilité de consommer de l'alcool. Bon rapport qualité/prix. Spécialité : boulettes à la crème de fromage. 4 $.
○

Konak Pub
Divan Yolu Cad.
n° 66-68
Tél. 5 26 89 33
Ouvert 8 h-0 h.
Une enseigne un peu voyante et racoleuse que rattrapent un cadre agréable et un accueil impeccable. Possibilités infinies d'assiettes composées. Service parfois long. Spécialité : gratins de pâtes. 4 $.
◑ ▭

Konyali
Topkapı Sarayı
Tél. 5 13 96 97
Ouvert 9 h 30-17 h
Fermé mar.
Etape indispensable après les longues visites. Terrasse ensoleillée et beau panorama. Prix parfois élevés et serveurs quelque peu agressifs. Spécialité : kebab koyade. 6 $.

Sarnıç
Soğukçeşme Sok.
Tél. 5 12 42 91
Ouvert 12 h-15 h, 20 h-0 h.
Fermé lun.
Ancienne citerne restaurée. 18 $.

Sultan Restaurant
Divan Yolu Cad. n° 2
Tél. 5 26 63 47
Ouvert 6 h-0 h.
A deux pas de Sainte-Sophie. Ambiance feutrée. Cuisine internationale et turque. Peu copieux. Spécialité : tout type de viandes. 13 $.

Hébergement

Pierre Loti
Piyerloti Cad. n° 5
Çemberlitaş
Tél. 5 18 57 00
Fax 5 16 18 86.
Dans l'artère principale d'Istanbul, un hôtel moderne et luxueux de niveau international. Service impeccable. Petit déj. inclus. Un seul reproche : il est un peu bruyant. 60 $-85 $.

Pirlanta
Divan Yolu Cad.
Tél. 5 27 70 85
Accueil sympathique. Situation très centrale à des prix honnêtes. Les chambres sobres. Compter un supplément pour le petit déj. 7 $-10 $.

Sunshine
Alayköşkü Cad. n° 1
Cağaloğlu
Tél. 5 13 26 73
Fax 5 27 42 66.
Hôtel neuf près de Sainte-Sophie. Chambres agréables et prix raisonnables. Petit déj. inclus. Dommage qu'il n'y ait pas l'air conditionné. 60 $.

Vezirhan
Alemdar Cad. n° 5
Tél. 5 11 24 14
Fax 5 11 17 85.
Nouvel hôtel, confortable, situé à quelques pas de l'entrée de Topkapı. Petit déj. inclus. Très bon rapport qualité/prix. 30 $-40 $.

Bars

Sultan Pub
Divan Cad. n° 2
Tél. 5 26 63 47
Ouvert 19 h-4 h.
Ambiance tamisée de pub anglais. Nombreux cocktails (environ 5 $). Musique internationale.

Sultanahmet

Vie culturelle

Musée des Arts turcs et islamiques
Ibrahim Paşa Sarayı,
Sultanahmet Meydanı (près de l'hippodrome)
Tél. 5 18 18 05
Ouvert 10 h-17 h
Fermé lun.

Musée des Mosaïques
Seyitmacan Sok. Arasta Çarşısı (à gauche de la Mosquée Bleue)
Tél. 5 18 12 05
Ouvert 9 h 30-17 h
Fermé mar.
Expose les mosaïques récemment découvertes au Grand Palais de Byzance.

Musée du Tapis et du Kilim
Sultanahmet Camii
Sultanahmet
Tél. 5 18 13 80
Ouvert 9 h-17 h
Fermé lun.
Collection de tapis et de kilims d'excellente qualité.

Hôtel Hippodrome
Hôtel Hali
Hôtel Restaurant Yeşil Ev
Hôtel Topkapi
Barut's Guest House

Batan
Cad.
Ayasofya Meyd.
Cad.
Kaba Sakal

Hébergement

Alzer
At Meydanı n° 72
Tél. 5 16 62 62
Fax 5 16 00 00.
Décor oriental mais ensemble assez simple. Choisir les chambres avec vue sur l'hippodrome qui disposent d'une TV et d'un mini-bar. Petit déj. inclus. 50 $-80 $.

Amber
Yusuf Aşkın Sok. n° 28
Küçük Ayasofya
Tél. 5 18 48 01
Fax 5 18 81 19.
Hôtel flambant neuf, dans un quartier pauvre de Sultanahmet, proche de la mer. Chambres confortables et spacieuses mais un peu bruyantes. Saunas, hammam et bar. 60 $-85 $.

Ayasofya
Küçükayasofya Cd.
Demirci Reşit Sok. n° 28
Tél. 5 16 94 46
Fax 5 13 76 22.
Installé dans une vieille maison ottomane du XIXe siècle. Chambres confortables avec douche et téléphone. Petit déj. inclus. Un peu cher. 45 $-70 $.

Ayasofya Pensions
Soğukçeşme Sokağı (fermée à la circulation)
Tél. 5 13 36 60
Fax 5 13 36 69.
Neuf maisons, datant du XVIIIe siècle, forment ce bel hôtel insolite. Décoration pleine de charme du XIXe siècle. Grand calme. Petit déj. inclus. 90 $-100 $.

Barut's Guest House
Ishakpaşa Cad. n° 8
Tél. 5 17 68 41
Fax 5 16 29 44.
Chambres simples mais spacieuses avec salles de bains privées. Vue sur le Bosphore depuis la salle à manger installée

Musée Tanzimat
Gülhane Parkı
Sultanahmet
Tél. 5 12 63 84
Ouvert 8 h 30-17 h
Fermé lun.
Petit musée retraçant les réformes de 1839.

Hammam Haseki
Kabasakal Sok. (juste en face de Sainte-Sophie)
Ouvert 9 h 30-17 h
Fermé mar.

Basilique de Sainte-Sophie (Aya Sofya)
Ayasofya Meydanı
Tél. 5 22 17 50
Ouvert 9 h 30-17 h
Fermé lun.

Küçük Aya Sofya
Küçükayasofya Mahallesi
Ouvert 10 h 30-17 h 30.

Mosquée Bleue
Sultanahmet Parkı.

Mosquée Firuz Ağa
Divan Yolu n° 5.

Mosquée Sokollu Mehmet Paça
Şehit Mehmet Paşa Sok.

Restaurants

Yeşil Ev Restaurant
Kabasakal Cad. n° 5
Tél. 5 17 67 80
Ouvert 12 h-15 h, 19 h-22 h 30.
Un jardin splendide. Pour déjeuner l'été au milieu des fontaines et des arbres. Très bonne cuisine internationale et turque. Un peu cher. C'est aussi un hôtel. Spécialité : viandes en sauce. 24 $.

◆ Hôtel Yeşil Ev ◆

Cette ancienne maison ottomane a été redécorée avec goût. Elle est toute proche de Sainte-Sophie, de Topkapı et de la mosquée Bleue. On peut y prendre le thé.

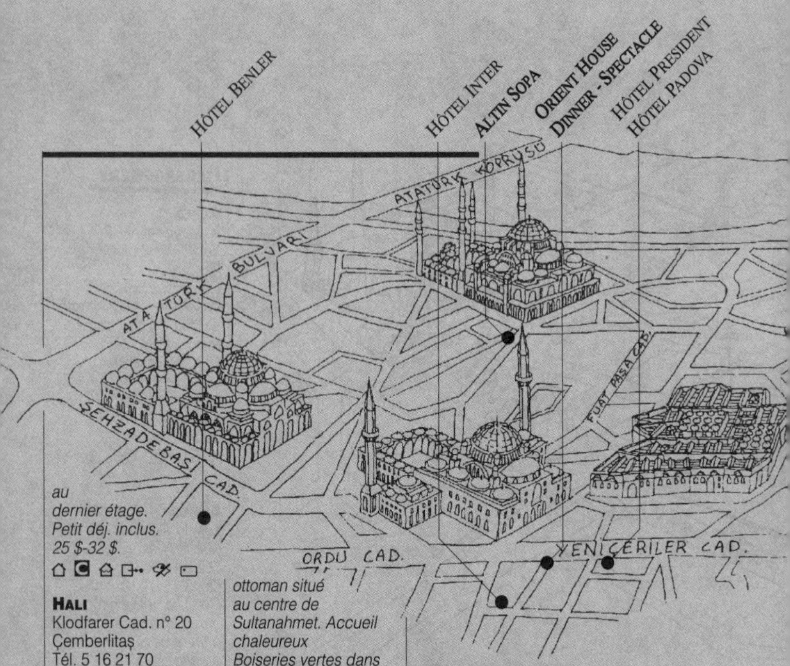

Hôtel Benler
Hôtel Inter
Altin Sopa
Orient House
Dinner - Spectacle
Hôtel President
Hôtel Padova
Atatürk Köprüsü
Atatürk Bulvari
Şehzadebaşi Cad.
Fuat Paşa Cad.
Ordu Cad.
Yeniçeriler Cad.

au dernier étage.
Petit déj. inclus.
25 $-32 $.

HALI
Klodfarer Cad. n° 20
Çemberlitaş
Tél. 5 16 21 70
Fax 5 16 21 72.
Certaines chambres offrent une vue sur la Mosquée Bleue. Très grandes salles de bains avec baignoire. TV sur demande.
Petit déj. inclus.
40 $-65 $.

HIPPODROME
Mimar Mehmet Ağa Cad. n° 17
Tél. 5 17 68 89
Fax 5 16 02 68.
Dans une ancienne maison ottomane (sans ascenseur). Chambres sommairement décorées, sans air conditionné.
En été, petit déj. servi sur le toit. Un peu cher.
40 $-55 $.

INTERNATIONAL YOUTH HOSTEL ISTANBUL
Caferiye Sok. n° 6
Tél. 5 13 61 50
Fax 5 12 76 28.
Auberge de jeunesse, agréablement décorée. Dortoirs et sanitaires. Cafétéria. Compter 5 $ pour le petit déj.
13 $-15 $.

KÜÇÜK AYASOFYA
Şehit Mehmet Paşa Sok. n° 25
Küçük Aya-Sofya
Tél. 5 16 19 88
Fax 5 16 83 56.
Bâtiment typiquement ottoman situé au centre de Sultanahmet. Accueil chaleureux
Boiseries vertes dans les chambres.
Petit déj. inclus.
30 $-65 $.

TOPKAPI HOSTEL
Cankurtaran Mah. Ishak Paşa Cad.
Kutlugün Sok. n° 1
Tél. 5 17 65 58.
Bonne adresse dans cette catégorie. Chambres doubles avec douche. Petit déj en supplément.
8 $-10 $.

YEŞIL EV
Kabasakal Cad. n° 5
Tél. 5 17 67 85
Fax 5 17 67 80.
Splendide hôtel niché dans un grand parc. A conservé un mobilier d'époque. Luxe, calme et cadre verdoyant. Réserver absolument (Seulement 24 chambres).
Une adresse de choix.
125 $.

BARS

ÇALIK
Iskele Meydanı n° 12
Yenikapı
Tél. 5 27 09 25
Ouvert 20 h-0 h 30.
Bar connu, situé dans le vieil Istanbul. Le meilleur marché des bars à spectacle. Show classique (belly dancers, etc.).

AKSARAY

RESTAURANTS

GAZIANTEPLI CAVUŞOĞLU
Şair Fitnat Sokağı 4 / 1
Ordu Cad. Laleli
Tél. 5 18 76 65
Ouvert 12 h-23 h.
Situé dans le périmètre de nombreux hôtels de moyenne gamme. Ambiance conviviale. Cuisine un peu lourde. Spécialité : kebab en sauce. 3 $.

GÜNEÇ KEBAP SALONU
Inkilâp Cad. n° 12
Tél. 5 86 58 57
Ouvert 11 h-23 h.
Proche des grands hôtels de Laleli, un bon restaurant. Plats assez copieux et bien présentés.
Clientèle turque majoritaire.
Spécialités : mix kebab (3 types d'agneau). 3 $.

GÜNEY SARAY RESTAURANT
Atatürk Bulvarı n° 126
Tél. 5 19 30 34
Ouvert 12 h-0 h.
Près de l'aqueduc de Valens, sur un boulevard animé. Joli décor à l'européenne, tout de boiseries. Nourriture honnête. Spécialité : karışık kebab. 4 $.

RESTAURANT DE L'HOTEL FUAR
Hôtel Fuar
Namık Kemal Cad.
Tél. 5 89 14 40
Ouvert 12 h-15 h, 19 h-23 h.
Très grand choix de plats internationaux. Viandes en sauce savoureuses.
Prix raisonnables pour une cuisine de qualité.
Spécialités : filet de bœuf Fuar, cordon bleu. 19 $.

SAIT RESTAURANT
Mustafa Kemal Paşa Bulvarı n° 86
Tél. 5 18 55 45
Ouvert 8 h-23 h.
Un restaurant très populaire à mi-chemin entre le fast-food et le grand établissement. Excellent kebab au yoghourt.
Spécialité : agneau grillé. 6 $.

HÉBERGEMENT

FUAR
Namık Kemal Cad.
Tél. 5 89 14 40
Fax 5 88 60 48
Décoration un peu clinquante mais grand standing. Accueil courtois et vue agréable sur le Bosphore.
Petit déj. inclus.
50 $-90 $.

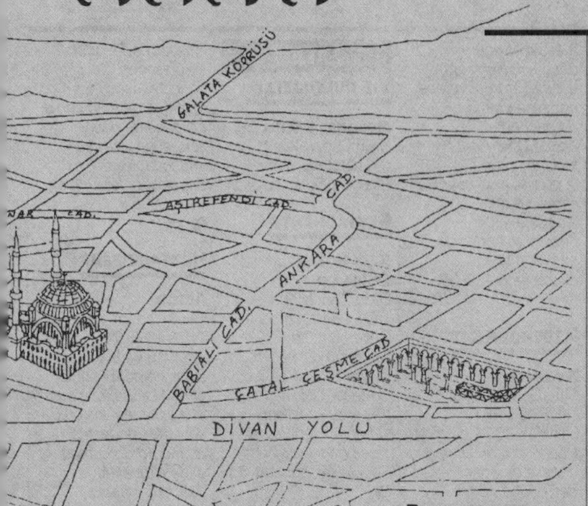

IMGA
M. Kemal Paşa Cad.
n° 41
Tél. 5 87 62 82
Fax 5 89 97 55.
Hôtel de bon standing offrant tous les services indispensables dont, chose rare, un garage. Assez cher cependant et bruyant. Petit déj. inclus. 40 $-65 $.

PELIKAN
Küçük Langa Cad.
Tél. 5 29 55 13
Fax 5 88 10 56.
Des chambres un peu petites avec douches. Petit déj. inclus. Garage. 95 $.

VIE GOURMANDE

PATISSERIE ŞÜTIŞ
Namık Kemal Cad.
n° 14
Tél. 5 29 50 60
Ouvert 6 h-0 h.
Une très bonne adresse pour les gourmets. Grande variété de desserts à un prix très intéressant. L'accueil turc au meilleur sens du terme.

BEYAZIT

VIE CULTURELLE

MUSÉE DE LA CALLIGRAPHIE
Eski Beyazıt Kitaplığı
Tél. 5 27 58 51.
Ouvert tous les jours sauf lun.
Le seul musée de ce genre au monde. Les Ottomans portent une attention particulière à la calligraphie, véritable moyen d'expression artistique.

MUSÉE DE LA PRESSE
Divan Yolu n° 84
Çemberlitaş
Tél. 5 13 84 58
Ouvert 10 h-12 h, 13 h 30-18 h 30
Fermé dim.

MOSQUÉE BEYAZIT
Hürriyet Meydanı.
Datant de 1505, une des plus anciennes mosquées d'Istanbul. Belle cour intérieure avec colonnes. A signaler, la galerie du Sultan, ornée de marbres précieux.

MOSQUÉE ET COMPLEXE DE SOLIMAN LE MAGNIFIQUE
Süleymaniye Cad.
Chef-d'œuvre de Sinan fondé par Soliman.

MOSQUÉE ŞEHZADE
Şehzadebaşı.
Construite en 1544 par Sinan à la mémoire du prince héritier Mehmet, fils de Soliman.

RESTAURANTS

SUBASI RESTAURANT
Tavuk Pazarı Sok.
Kürkçüler Kapısı n° 58/A
Çemberlitaş
Tél. 5 12 78 44
Ouvert 11 h-16 h, 18 h-4 h
Fermé dim.
A deux pas du Grand Bazar. Cuisine savoureuse mais choix limité. Spécialité : aubergines farcies. 9 $.

HÉBERGEMENT

BENLER
Ordu Cad., Ağaçeşme Sok. n° 11
Tél. 5 17 08 51
Fax 5 17 08 55.
Les chambres du dernier étage ont vue sur le Bosphore. Standing classique. Accueil un peu rude. Petit déj. inclus. 35 $.

CANTUR
Balipaşa Yokuşu n° 71
Kumkapı
Tél. 5 16 13 76
Fax 5 17 18 67.
Hôtel de bon standing. Très belle terrasse avec vue sur le Bosphore. Prix intéressants. Petit déj. inclus. 40 $-57 $.

INTER
Mithatpaşa Cad.
Büyük Haydar Efendi Sok.
Tél. 5 18 35 35
Fax 5 18 35 38.
Hôtel au confort standard. Petit déj. buffet compris servi en terrasse. 48 $.

MARMARA
Beyazıt Meydanı
Ordu Cad. 23.
Tél. 5 16 78 83.
Très économique et situation centrale. Mais confort passable et environnement bruyant. Attention : ne pas confondre avec l'hôtel «The Marmara» à Taksim. Supplément pour petit déj. 14 $.

PADOVA
Çarşıkapı, Asma Kandil Sok. n° 9
Tél. 5 16 11 20
Fax 5 18 49 68.
Chambres petites mais avec douche et téléphone. Bon rapport qualité/prix. Restaurant sur la terrasse. Petit déj. inclus. 30 $-40 $.

PRESIDENT
Tiyatro Cad. n° 25
Tél. 5 16 69 80
Fax 5 16 69 99.
Hôtel élégant au cœur du vieil Istanbul. Piscine sur le toit avec vue panoramique sur le Bosphore. Très beau restaurant traditionnel avec paravents et lustres en fer forgé. 135 $.

SELENAY
Soğanağa Mah
Tavşantaş Sok. n° 12
Tél. 6 38 00 45
Fax 5 16 73 21.
Hôtel banal aux chambres un peu sombres. Jolie vue sur la mer et l'île des Princes. Restaurant, bar et discothèque. Petit déj. inclus. 50 $-60 $.

SELMAN
Soğanağa Mah.
Tavşantaş Sok. n° 2
Tél. 5 17 03 52
Fax 5 16 13 08.
Chambres avec douche et téléphone tout à fait convenables.

Accueil chaleureux. Cafétéria sur le toit. Petit déj. inclus. Excellente adresse. 25 $-30 $.

VIE NOCTURNE

ORIENT HOUSE
Tiyatro Cad. n° 27
Tél. 5 71 61 63
Ouvert 20 h-2 h.
Sans doute le meilleur show d'Istanbul (belly dancers, défilé de costumes traditionnels...). Très intéressant. 40 $ la consommation.

THE PUB
Hôtel Président
Tiyatro Cad. n° 25
Tél. 5 16 69 80
Ouvert 11 h-2 h.
«L'unique pub anglais à Istanbul», selon la publicité. Décor assez recherché. Beaucoup de touristes.

KUMKAPI

RESTAURANTS

CEMAL BALIK RESTAURANT
Capari Sok. n° 27
Tél. 5 17 22 78
Ouvert 10 h 30-2 h.
Une adresse recommandée par les Turcs et encore ignorée des touristes (chose rare à Kumkapı). Attention, n'hésitez pas à vérifier l'addition. Spécialité : rouget. 13 $.

YENGEÇ
Telli Odalar Sok. n° 6
Tél. 5 16 32 27
Ouvert tlj. 11 h-0 h.
Au cœur de Kumkapı. Terrasse sur une rue piétonne où jouent des musiciens. Bon accueil. Menu très copieux pour 18 $. Prix négociables. Spécialité : poisson bleu. 10 $.

YOSUN RESTAURANT
Üstat Sok. n° 13
Tél. 5 17 59 05
Ouvert tlj. 10 h-0 h.
A essayer pour découvrir Kumkapı, le quartier très typique des restaurants de pêcheurs. Accueil excellent. Mais cher pour la qualité et la quantité servies dans les assiettes. Spécialité : poisson en gratin avec champignons. 11 $.

HÉBERGEMENT

KUMKAPI
Çifte Gelinler Cad. n° 16
Tél. 5 16 01 31
Fax 5 16 20 71.
Hôtel correct, situé dans le quartier des pêcheurs où vous trouverez de nombreux restaurants. Bon rapport qualité/prix. Petit déj. inclus. 35 $-38 $.

PARADISE
Tiyatro Cad. n° 114
Tél. 5 16 73 23
Fax 5 17 47 94.
Hôtel récent offrant de belles chambres qui donnent sur le Bosphore ou sur le quartier de Kumkapı. Propreté un peu douteuse. Splendide vue panoramique de la terrasse du bar. 36 $-55 $.

LALELI

VIE CULTURELLE

MOSQUÉE LALELI
Ordu Cad. (près de l'hôtel Ramada).
En cours de restauration.

RESTAURANTS

HACI BOZAN OĞULLARI
Ordu Cad. n° 214
Tél. 5 28 51 61
Ouvert 6 h-0 h.
Un cadre calme sur la grande artère, Ordu Cadessi. Cuisine turque très fine. Excellent kebab à l'aubergine. Très bon service. Spécialité : agneau. 4 $.

ORIENT HOUSE
Tiyatro Cad. n° 27
(à côté de l'hôtel President)
Tél. 5 17 61 63
Ouvert 20 h-0 h.
Une belle salle aux voûtes décorées. Très bon dîner au milieu des plantes vertes avec orchestre et spectacle traditionnels. Cher mais vous ne le regretterez pas. Spécialités : pot-au-feu à l'ottomane, brochettes de poulet. 50 $.

ÖZLÂLE RESTAURANT
Fethibey Cad., Zeynep Kamil Sok. n° 64
Tél. 5 11 47 75
Ouvert 11 h-0 h 30.
Très joli cadre, tout en boiseries. Cuisine honnête, sans plus. Musique de fond anglo-saxonne un peu sirupeuse. Service impeccable. Spécialité : foie de veau. 5 $.

◆ HÔTEL RAMADA ◆

Ce grand hôtel, situé dans le quartier de Sultanahmet, se compose de quatre petits immeubles.

HÉBERGEMENT

ASTOR
Laleli Cad. n° 12
Tél. 5 18 64 70
Fax 5 18 64 80.
Dans ce double hôtel offrant sauna, hammam, et massages, les prix sont très modestes au regard du confort et de la qualité. Petit déj. inclus. Une bonne adresse. 40 $-50 $.

BAZAAR
Ordu Cad. n° 245
Tél. 5 18 77 00
Fax 5 18 77 04.
Hôtel non loin du centre historique d'Istanbul. Chambres, très simples et calmes. Petit déj. inclus. 40 $-50 $.

KLAS
Harikzedeler Sok. n° 48
Tél. 5 11 78 74
Fax 5 12 33 54.
Hôtel avec hammam, sauna et air conditionné. TV dans quelques chambres. Petit déj. inclus. 66 $.

MIDI
Zeynep Kamil Sok. n° 52-54
Tél. 5 12 54 83.
Chambres simples, avec douches et toilettes. Petit déj. inclus. Prix très avantageux. 22 $-25 $.

ORAN
Harikzedeler Cad. n° 36-42
Tél. 5 13 82 00
Fax 5 13 82 05.
Chambres spacieuses et très confortables. Air conditionné, baignoire, téléphone et terrasse. Petit déj. inclus. Piscine agréable. 40 $-65 $.

PRESTIGE
Koska Cad. n° 8
Tél. 5 18 82 80
Fax 5 18 82 90.
Luxueux et bien situé. A noter, une très belle décoration. Tout le confort d'un hôtel de bon standing : air conditionné, mini-bar, TV satellite. Petit déj. inclus. 65 $-90 $.

RAMADA
Ordu Cad. n° 226
Tél. 5 13 93 00
Fax 5 12 63 90.
Un des hôtels grand luxe le plus complet. Outre sa situation géographique privilégiée, son décor tout en marbre et en lambris est une merveillle de raffinement. 139 $.

RESTERIA
Laleli Cad. n° 43
Tél. 5 18 78 78
Fax 5 18 78 82.
Etablissement très moderne et tout neuf dans la Laleli caddesi. Des chambres très spacieuses et la qualité du service justifient pleinement le prix. Petit déj. inclus. 60 $-80 $.

YÜKSEL
Mesih Paşa Cad. n° 79-81
Tél. 5 18 79 38
Fax 5 18 79 40.
Un décor intérieur agréable et des chambres assez grandes. Petit déj. inclus. Le bruit de la route peut parfois déranger. 50 $.

VIE NOCTURNE

ASUDE
Ordu Cad. n° 315
Tél. 5 18 61 28
Ouvert 24 h-24 h.
Un bel établissement en bas de l'Ordu Caddesi avec bar, restaurant, discothèque.Ambiance un peu molle. Cocktail pour 35 $.

FATIH

VIE CULTURELLE

FETHIYE CAMII
Fethiye Cad.
Ouvert 9 h 30-16 h
Fermé mar.

MUSÉE DE LA CARICATURE
Saraçhane
Tél. 5 13 60 61
Ouvert 10 h-17 h.

KARIYE CAMII
Kariye Camii Sok. n° 28
Edirnekapı
Tél. 5 23 30 09
Ouvert 9 h 30-17 h
Fermé mar.
Cette église byzantine du XIe siècle, la plus importante après Sainte-Sophie, renferme un musée d'art byzantin remarquable. Superbes fresques murales et mosaïques.

PALAIS TEKFUR
Entre Edirnekapı et Eğrikapı, le long des remparts du côté du musée de la Kariye.
Visite possible seulement sur autorisation spéciale.

BASILIQUE DE POLYEUCTOS
Saraçhane Parkı
Ouvert en permanence.

EGLISE ORTHODOXE GRECQUE SAINT-GEORGES
Sadrazam Alipaşa Cad.
Ouvert 7 h-17 h.

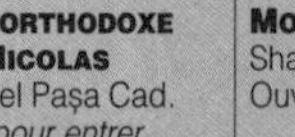

EGLISE ORTHODOXE SAINT-NICOLAS
Abdülezel Paşa Cad.
Sonner pour entrer.

EGLISE SAINT-JEAN-BAPTISTE
Kamış Sokağı
Fermé.

EGLISE SAINT-JEAN-DE-STOUDION
Samatya Cad.
Ouvert 8 h-18 h.

EGLISE SAINTE-MARIE-DES-MONGOLES
Sancaktar Yokuşu Sok.
Sonner pour entrer.

BIBLIOTHÈQUE MEDRESE
Collège de Feyzullah Efendi
Feyzullah Efendi Sok.
Ouvert 9 h-17 h.

EGLISE DU PANTOCRATOR (MOSQUÉE ZEYREK)
Vefa.
Ancienne église byzantine transformée en mosquée.

MOSQUÉE AMCAZADE HÜSEYIN PAŞA
Kardisher Cad.
En cours de restauration.

MOSQUÉE ATIK MUSTAFA PAŞA
Ayvansaray Cad. Fatih.

MOSQUÉE DES ROSES-GÜL CAMII
Vakıf Mektebi Sok.
Ouvert 12 h-14 h.

MOSQUÉE FATIH
Shambol Cad.
Ouvert 10 h-19 h 30.

MOSQUÉE KARA AHMET PAŞA
Millet Cad.

YEDIKULE KAPISI
Yedikule Cad.
Tél. 5 85 89 33
Ouvert 10 h-17 h
Fermé lun.

HÉBERGEMENT

KARIYE
Kariye Camii Sok. n° 18
Edirnekapı
Tél. 5 34 84 14
Fax 5 21 66 31.
Cette maison de bois vert typiquement ottomane encadre le musée Kariye. De grandes chambres au décor recherché donnent sur un jardin verdoyant. Petit déj. possible. 90 $-110 $.

CORNE-D'OR

VIE CULTURELLE

EGLISE SAINT-STÉPHANE-DES-BULGARES
Balat Vapur Iskelesi Cad.
Balat.
En cours de restauration.

FENERIOTE MANSIONS
Vapur Iskelesi Cad.
Fener
Ouvert en permanence.
Curiosité architecturale.

MOSQUÉE EYÜP
Eyüp.
Lieu saint où furent couronnés les sultans.

PALAIS AYNALI KAVAK
Kasimpaşa
Tél. 2 50 40 94
Ouvert 9 h-17 h
Fermé lun. et mar.
Palais du XVIIIe siècle récemment restauré et admirablement orné de verre coloré.

SANCTUAIRE D'EYÜP
Defterdar Cad.
Ouvert 10 h-17 h
Fermé mar.

◆ LA KARIYE CAMII ◆

On peut voir la jolie frise de paons qui décore la corniche de la porte d'entrée de ce véritable musée de l'art byzantin.

RESTAURANTS

SAHIL RESTAURANT
Karabaş Mah.
Dermirhisar Cad. n° 49
Sahil Yolu, Balat
Tél. 5 25 61 85
Ouvert 9 h-22 h 30.
Recommandé par de nombreux «expatriés» français. Au bord de la Corne-d'Or, près des vestiges byzantins. Très bonne cuisine. Spécialités : sas kavurma (veau cuit à la turque). 4 $.
◑ ⁂

URFAM RESTAURANT
Balıkçılar Çarşısı,
Ayan Sok. n° 63
Balat
Tél. 5 23 57 04
Ouvert 9 h-21 h.
Un des seuls restaurants bon marché du quartier pittoresque de Hizircauus, derrière les rives de la Corne-d'Or. Ambiance turque garantie. Bonne cuisine pas trop grasse. Spécialité : brochettes d'agneau. 4 $.
○

BARS

PIERRE LOTI CAFÉ
Sur les collines qui surplombent le sanctuaire d'Eyüp. Sortez de la mosquée et un chemin à droite très bien fléché vous conduira au café
Ouvert 10 h-22 h.
Le café favori de l'écrivain français. Un panorama superbe sur la Corne-d'Or et des petites tables sous une tonnelle fleurie.
⁂

BEYOĞLU

VIE CULTURELLE

MUSÉE ADAM MICKIEWIÇ
Serdar Ömer Cad. Tatlı Badem Sok. n° 29
Tarlabaşı
Tél. 2 53 66 98
Ouvert 9 h 30-17 h
Fermé lun.

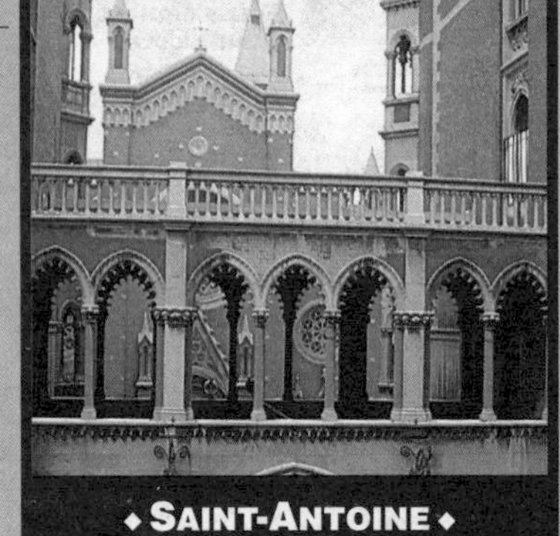

◆ SAINT-ANTOINE ◆

Proche de Galatasaray, Saint-Antoine est la plus grande église catholique de Beyoglu.

MUSÉE DE LA LITTÉRATURE OTTOMANE (GALATA MEVLEVIHANESI)
Galipdede Cad. n° 15
Tünel
Tél. 2 45 41 41
Ouvert 9 h 30-17 h
Fermé lun.

MUSÉE MILITAIRE
Valikonağı Cad.
Harbiye
Tél. 2 47 24 97
Ouvert 9 h-17 h
Fermé lun. et mar.
Une grande collection d'armes datant des Ayyubides aux Ottomans. Intéressant.

CHAPELLE ESPAGNOLE
Tomtom Kaptan Sok. n° 37.
En cours de restauration.

EGLISE AYA TRIADA
Meselik Cad. n° 11
Ouvert 8 h-9 h.

EGLISE SAINT-PIERRE
Galata Kulesı Cad. n° 44a
Ouvert 7 h-8 h.

EGLISE SANTA-MARIA-DRAPERIS
Istiklal Cad. n° 443
Ouvert 9 h-18 h 30.

HAMMAM GALATASARAY
Turnaci Başı Sok. n° 24
Galatasaray
Tél. 2 49 43 42
Ouvert 8 h-20 h.
Pour les hommes.

HAMMAM TARIHI AĞA
Turnaci Basi Sok. n° 66
Kuloğlu Mahallesi
Tél. 2 49 50 27
Ouvert 9 h 30-18 h pour les femmes, 18 h-9 h pour les hommes
Dim. uniquement pour les hommes.
Fondé en 1454 par le sultan ottoman Fatih Sultan Mehmet.

LE TEKKE DES DERVICHES CHANTEURS
Sahkulu Bostanı Cad.
Ouvert 9 h 30-17 h
Fermé lun.

RÜSTEM PAŞA HAN
Kardeşim Sok.
Ouvert 8 h 30-18 h 30
Fermé dim.
Caravansérail.

BEDESTEN
Tersane Cad.
Ouvert 8 h-17 h
Fermé sam., dim. et jours fériés.

MAISON DE FRANCE
Tomtom Kaptan Sok. n° 20.

MOSQUÉE ARAP
Hoca Hanım Sok.

MOSQUÉE AZAPKAPı
Tersane Cad.
Ouvert 8 h-21 h.

MOSQUÉE DOLMABAHÇE
Dolmabahçe Cad.
(à côté du palais de Dolmabahçe).

MOSQUÉE KILIC ALI PAŞA
Necatibey Cad.

PALAIS VÉNITIEN
Ambassade d'Italie
21 Tomtom Kaptan Sok. n° 21
Ouvert 9 h-19 h
Fermé sam., dim. et jours fériés.

TOUR DE GALATA
Galata Kulesi
Tél. 2 41 11 60
Ouvert 9 h-18 h.
Une tour génoise du XIVe siècle.

RESTAURANTS

4 SEASONS
Istiklal Cad. 509
Tünel
Tél. 2 45 89 41
Ouvert 12 h-15 h, 18 h-22 h.
15 $.
▭

ÇIÇEK PASAJI
Istiklal Cad.
Galatasaray
Ouvert 11 h 30-1 h.
6 $.

HACI ABDULLAH
Sakizağacı Cad. n° 19
Beyoğlu
Tél. 2 44 85 61
Ouvert 11 h 30-22 h.
Situé dans une rue perpendiculaire à l'itinéraire du tramway (Istiklal). Décoration intérieure très agréable. Excellente cuisine (remarquables compotes de fruits). Prix très raisonnables. 6 $.
◑ ▭

HACI BABA RESTAURANT
Taksim istiklal Cad. n° 49
(près du consulat français)
Tél. 2 44 18 86
Ouvert 12 h-23 h.
Un restaurant qui fait l'unanimité. Très belle présentation des plats. Choix impressionnant de desserts délicieux. Terrasse agréable. Spécialités : mantarcı sote, tandır kebab. 9 $.
◑ ▭ ⁂

Istanbul Süper Restaurant
Bekâr Sok. n° 3
Tél. 2 43 06 50
Ouvert 9 h 30-15 h, 17 h-2 h.
Possibilité de prendre un menu à 8 $ proposant six spécialités issues de la cuisine traditionnelle turque. Simple, bon marché et correct. 6 $.

Rejans
Emir Nevruz Sok. n° 17
Galatasaray
Tél. 2 44 16 10
Ouvert 12 h-15 h, 19 h-23 h.
Fermé dim.
10 $.

Restaurant de la Tour de Galata
Tour de Galata, 8e étage
Karaköy
Ouvert 12 h-15 h, 20 h-0 h.
Etablissement tout en hauteur (68 m) avec une vue superbe. Une formule originale : le menu unique à 18 $, avec différentes options. Show le soir (supplément 12 $). Spécialité : grillades. 15 $-50 $.

Restaurant du Pera Palas
Hôtel Pera Palas, Meşrutiyet Cad. n° 98-100
Tepebaşı
Tél. 2 51 45 60
Ouvert 12 h-15 h, 19 h-23 h 30.
Sans doute le plus beau restaurant d'Istanbul. Cadre d'époque fantastique, avec décoration luxueuse et gravures. Prix très accessibles. Orchestre. A ne pas manquer. 13 $.

Yakup 2
Asmalımescit Cad. n° 35-37
Galatasaray
Tél. 2 49 29 25
Ouvert 12 h-0 h
Fermé dim.
Non loin de l'hôtel Pera Palas. Cadre chaleureux et rustique. Gratins succulents. Spécialité : gratin champignon-bœuf. 8 $.

◆ Istanbul illuminée ◆

Du restaurant-cabaret de la Tour, on peut apercevoir le panorama illuminé de la vieille ville dominé par la Süleymaniye et ses quatre minarets.

Hébergement

Kervansaray
Şehit Muhtar Cad. n° 61
Tél. 2 35 50 00
Fax 2 53 43 78.
Un beau quatre-étoiles, neuf au centre de Beyoğlu. Un soin particulier a été porté à la décoration et au confort (TV satellite, sèche-cheveux, blanchisserie). 125 $.

Pera Palas
Meşrutiyet Cad. n° 98-100
Tepebaşı
Tél. 2 51 45 60
Fax 2 51 40 89.
Ce lieu splendide et raffiné, ouvert en 1892 pour accueillir les passagers de l'Orient-Express, a reçu des hôtes prestigieux, de Garbo à Tito. Et a inspiré Agatha Christie qui y écrivit «Le Crime de l'Orient-Express». Un monument. 180 $.

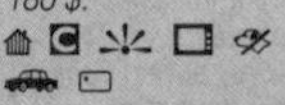

Richmond
Istiklal Cad. n° 45-47
Tél. 2 52 54 60
Fax 2 52 97 07.
Dans une rue fermée à la circulation, cet hôtel récent (ouvert en déc. 1991) jouit d'un grand calme. Quelques chambres donnent sur le Bosphore. Petit déj. inclus. 150 $.

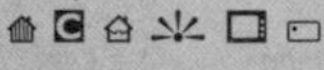

The Marmara
Taksim Meydanı
Tél. 2 51 46 96
Fax 2 44 05 09.
Ce grand hôtel de 18 étages domine la ville moderne de Beyoğlu. Chambres confortables, hammam, sauna, piscine, casino, pâtisserie. Le grand luxe. Petit déj. à 18 $. 220 $-240 $.

Vie nocturne

Discothèque de la Tour de Galata
Tour de Galata, 8e étage
Tél. 1 45 11 60.
A visiter pour la vue unique sur Istanbul illuminé. Forfait spectacle + discothèque 40 $.

Taksim

Restaurants

Borsa Restaurant
Halaskargazi Cad.
Osmanbey
Tél. 2 32 42 00
Ouvert 11 h-23 h.
A deux pas du square Taksim. Un vrai fast-food qui sert de la nourriture turque. Qualité moyenne. Spécialités : poulet frit, sandwich au kebab. 10 $.

Brasero Steak Restaurant
Cumhuriyet Cad. n° 149
Tél. 2 32 72 16
Ouvert 12 h 30-0 h.
Pour les amateurs de viande à l'américaine. Grand choix de steaks de toutes origines et de tous poids. Spécialité : viande au barbecue. 7 $.

Çin Lokantası (The China Restaurant)
Lamartin Cad. n° 17/1
Tél. 2 50 62 63
Ouvert 12 h-15 h, 19 h-22 h 30
Fermé dim.
Sans doute le meilleur chinois d'Istanbul, avec possibilité, aussi, de commander des plats turcs. Salle un peu vétuste mais bon accueil. Une excellente adresse. Spécialités : poulet aux amandes, bœuf au poivre vert. 10 $.

Filibeli Restaurant
Lamartin Cad. n° 30/A
Tél. 2 50 66 57
Ouvert 12 h-21 h 30
Fermé dim.
A équidistance de la plupart des grands hôtels de Taksim. Ce restaurant est tenu par un Espagnol. La nourriture est honnête pour le prix. Spécialité : kofte (boulettes). 3 $.

Flamingo Restaurant
Receppaşa Cad. 15/C
Tél. 2 50 63 22
Ouvert 10 h-2 h.
Une très bonne surprise : le cadre est superbe, la cuisine fine et le service parfait. Un orchestre joue des airs français. Rapport qualité/prix défiant toute concurrence. Spécialité : steak Opéra. 10 $.

Hôtel Restaurant Pera Palas
Hôtel Lodge
Restaurant de la Tour de Galata
Yakup 2

PANORAMA RESTAURANT
Hôtel The Marmara,
19e étage
Taksim Meydanı
Tél. 2 51 46 96
Ouvert 19 h 30-23 h 30.
Vue unique sur Istanbul. La ville est à vos pieds le temps d'un dîner fin. Pianiste tous les soirs. Un restaurant de luxe tout à fait accessible. Spécialités : filet de bœuf aux trois poivres. 38 $.

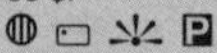

PARK RESTAURANT
Sağlık Sok. n° 27
Tél. 2 45 38 73
Ouvert 12 h-0 h
Fermé dim.
Juste derrière l'hôtel «The Marmara». Terrasse fort agréable donnant dans une petite rue calme. Cuisine parfaite et ambiance unique. Bonne adresse. Spécialité : mantı (raviolis). 5 $.

POOL RESTAURANT
Hôtel Hilton
Cumhuriyet Cad.
Harbiye
Tél. 2 31 46 50
Ouvert 12 h-17 h.
Profitez de la belle piscine et du parc du Hilton avec vue sur le Bosphore. Bon restaurant mais service médiocre. Spécialité : döner kebab. 25 $.

RENDEZ-VOUS RESTAURANT
Lamartin Cad. n° 7
Tél. 2 55 33 62
Ouvert 12 h-0 h 30.
Accueil parfait dans une salle richement décorée. Assiettes soigneusement présentées et plats relativement copieux. Spécialités : poisson bleu, filets. 10 $.

RESTAURANT DU DIVAN HOTEL
Cumhuriyet Cad. n° 2
Harbiye
Tél. 2 31 41 00
Ouvert 11 h-0 h
Fermé dim.
Ambiance coloniale dans ce très beau restaurant réputé être l'un des meilleurs d'Istanbul. Orchestre tous les soirs. Spécialité : kebab au yoghourt. 31 $.

RESTAURANT ROSA
Cumhuriyet Cad.
n° 131/1
Harbiye
Tél. 2 41 28 27
Ouvert 12 h-23 h.
A deux pas du Hilton. Grande notoriété. Les pizzas sont parmi les meilleures de la ville quoique un peu chères. Spécialité : pizza rosa. 6 $.

SWISS PUB RESTAURANT
Cumhuriyet Cad. n° 14
Harbiye
Tél. 2 47 30 35
Ouvert 12 h 30-0 h.
On y mange sous des tonnelles avec vue sur le square de Taksim. Spécialités internationales et turques. Prix très raisonnables.
Spécialités : kebab yoghourt, swiss spécial. 18 $.

YUVA PUB-RESTAURANT
Receppaşa Cad. n° 3/1
Tél. 2 56 16 66
Ouvert 11 h-22 h 30
Fermé dim.
Restaurant fréquenté par les cadres turcs. Bon standing. Agréable tonnelle dans la cour.
Spécialités : ıslım kebab (agneau cuit au feu de bois). 8 $.

HÉBERGEMENT

AVRUPA
Topçu Cad. n° 32
Tél. 2 50 94 20.
Chambres simples mais très propres. Cartes Visa refusées. Petit déj. inclus. Bon rapport qualité-prix. 35 $.

DILSON
Sıraselviler Cad. n° 49
Tél. 2 52 96 00
Fax 2 49 70 77.
Standing classique (air conditionné, TV, mini-bar) et bon confort. Un peu trop cher. Prix plus élevés en avril et en mai qu'en plein été. Petit déj. inclus. 100 $.

DIVAN
Cumhuriyet Cad. n° 2
Tél. 2 31 41 00
Fax 2 48 85 27.
Ici on a privilégié confort : chambres très spacieuses, double-vitrage, fermeture des portes par carte magnétique, salles de bains en marbre, TV satellite. Petit déj. à 14 $. 180 $.

ERESIN
Topçu Cad. n° 34
Tél. 2 56 08 03
Fax 2 53 22 47.
Chambres claires avec air conditionné, mini-bar, et TV satellite. Grande salle de conférences au sous-sol. Petit déj. inclus. 100 $-120 $.

GOLDEN AGE
Topçu Cad. n° 22
Tél. 2 54 49 06
Fax 2 55 13 68.
Cet hôtel offre un circuit de programmation

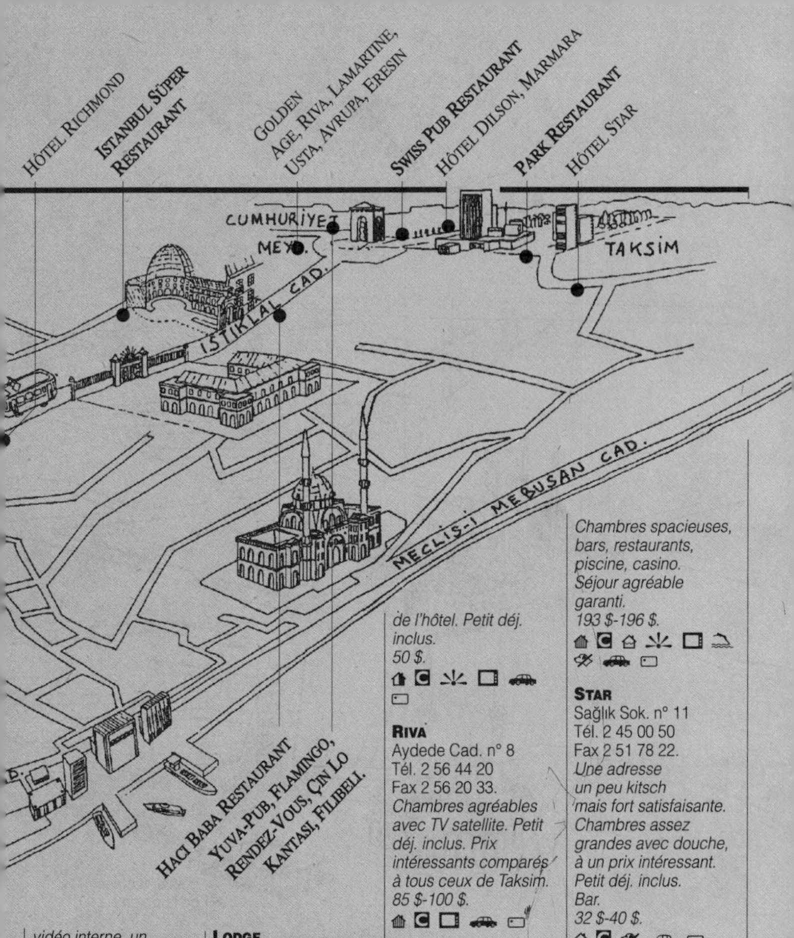

vidéo interne, un hammam, un jakusi, et même un coiffeur. Petit déj. inclus. Service parfois un peu débordé.
100 $.

Hilton
Cumhuriyet Cad. n° 2
Harbiye
Tél. 2 31 46 50
Fax 2 40 41 65.
Complexe hôtelier avec 498 chambres, 4 restaurants, des boutiques, 5 courts de tennis et de squash, un casino, etc. Compter un supplément de 14 $ pour le petit déj.
218 $-264 $.

Lamartine
Lamartin Cad. n° 25
Tél. 2 54 62 70
Fax 2 56 27 76.
Hall tout de marbre. Chambres décorées simplement mais confortables. Bon service de chambre. Petit déj. inclus.
100 $-120 $.

Lodge
Meşrutiyet Cad.
n° 201-203
Tél. 2 44 58 44
Fax 2 43 65 00.
Belles chambres avec téléphone, TV et baignoire.
Vue sur le Bosphore depuis le restaurant de l'hôtel. Petit déj. inclus.
50 $.

Riva
Aydede Cad. n° 8
Tél. 2 56 44 20
Fax 2 56 20 33.
Chambres agréables avec TV satellite. Petit déj. inclus. Prix intéressants comparés à tous ceux de Taksim.
85 $-100 $.

Sheraton
Taksim Park.
Tél. 2 31 21 21
Fax 2 31 21 80.
Cet hôtel bénéficie, qualité rare dans cette ville, de la relative quiétude du square Taksim. Chambres spacieuses, bars, restaurants, piscine, casino. Séjour agréable garanti.
193 $-196 $.

Star
Sağlık Sok. n° 11
Tél. 2 45 00 50
Fax 2 51 78 22.
Une adresse un peu kitsch mais fort satisfaisante. Chambres assez grandes avec douche, à un prix intéressant. Petit déj. inclus. Bar.
32 $-40 $.

Usta
Topçu Cad. n° 19
Tél. 2 35 10 00
Fax 2 54 75 95.
Chambres confortables avec douche, air conditionné, TV satellite. Petit déj. inclus. Garage situé juste en face de l'hôtel.
45 $-75 $.

• La tour de Galata •

Depuis des siècles, la tour est le symbole du quartier européen d'Istanbul.

Vie nocturne

Club 33
Cumhuriyet Cad. n° 18
Tél. 2 47 59 22
Ouvert 22 h 30-3 h.
Une discothèque connue. Faune un peu louche. Assez cher et très touristique.

Despina Min Yeri
Açıkyol Sok. n° 6
Tél. 2 43 33 57
Ouvert 12 h-0 h 30.
Taverne agréable fréquentée par une clientèle mi-turque, mi-touristique.

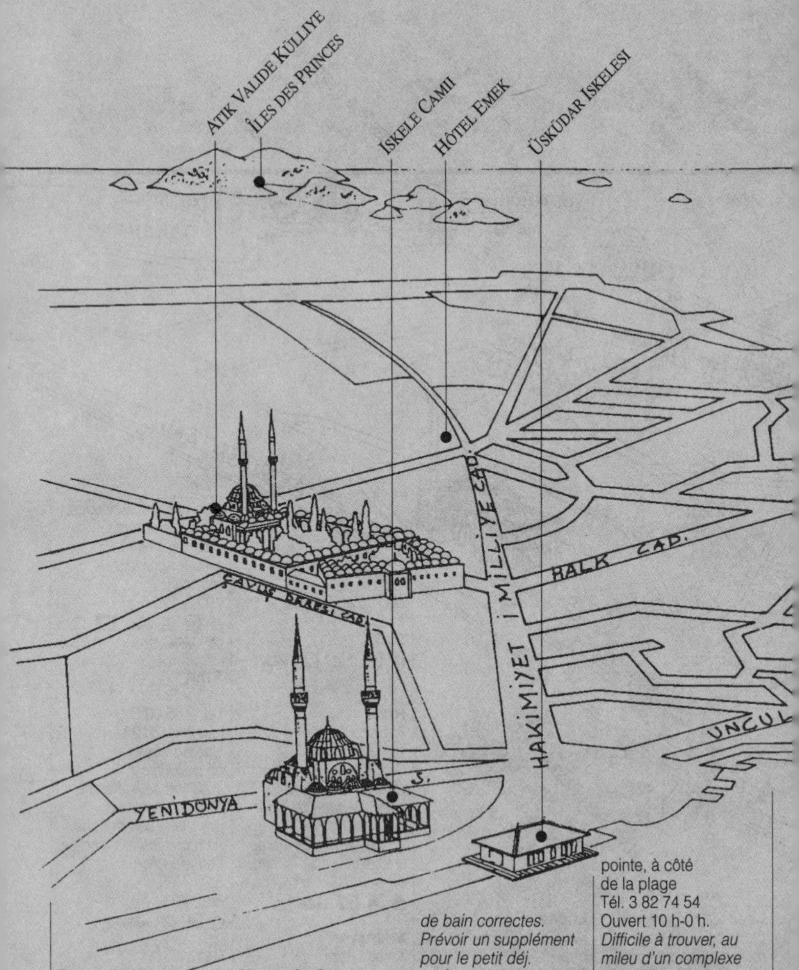

Atik Valide Külliye
Îles des Princes
Iskele Camii
Hôtel Emek
Üsküdar Iskelesi
Çavuş Deresi Cad.
Halk Cad.
Hakimiyet i Milliye Cad.
Yenidünya S.
Uncul

Disco 2000
Hôtel Sheraton
Square de Taksim
Tél. 2 48 90 00
Ouvert 22 h-4 h.
Discothèque internationale.

Kervansaray
Cumhuriyet Cad. n° 30
(non loin du Hilton)
Tél. 2 47 16 30
Ouvert 20 h-0 h 30.
Adresse dépaysante pour adultes. Deux séances de danse du ventre par soirée.

Üsküdar

Vie culturelle

Musée Florence Nightingale
Selimiye Kışla Cad.
Selimiye
Tél. 3 43 73 10.

Mosquée Atikvalide
Valide Imaret Sok.
Üsküdar.

Mosquée Çinili
Valide Imaret Sok.

Mosquée Mihrimah
Üsküdar.
Construite en 1547 par Mimar Sinan. Mausolée derrière la mosquée et belle fontaine à l'entrée.

Mosquée Şemsi Ahmet Paşa
Sahil Yolu Cad.

Mosquée Yenivalide
Hakimiyeti Milliye Cad.

Restaurants

Kanaat
Selmanipak Cad. n° 25
Tél. 3 33 37 91
Ouvert 10 h 30-22 h 30.
5 $.

Hébergement

Emek
Ahmediye, Gündoğumu Cad. n° 7
Tél. 3 34 34 29.
Hôtel convenable pour sa catégorie. Chambres assez grandes et salles de bain correctes. Prévoir un supplément pour le petit déj. 10 $.

Îles des Princes

Restaurants

Kaptan Restaurant
Liman Çıkmazı Sok. n° 11A
Büyükada
Tél. 3 82 34 16
Ouvert 10 h-0 h.
Sur la promenade de l'île principale, près de l'embarcadère. Vue superbe. Accueil chaleureux. Brice, le patron, est un nostalgique de la France où il a vécu. Spécialité : turbot. 14 $.

Yörük Ali Restaurant
Quittez le village principal de Büyükada, longez la route de la côte en suivant les calèches (à droite). Après la première pointe, à côté de la plage
Tél. 3 82 74 54
Ouvert 10 h-0 h.
Difficile à trouver, au milieu d'un complexe balnéaire. A voir surtout pour les couleurs impressionnantes du décor. Cuisine correcte et économique. Spécialités : limande, poulet. 10 $.

Hébergement

Princess
Iskele Meydanı n° 2
Büyükada
Tél. 3 82 16 28
Fax 3 82 19 49
Fermé d'oct. à mai.
Tous les services d'un hôtel grand standing : restaurant, piscine, bar, discothèque, casino, salle de jeu. Dans le cadre enchanteur de l'île des Princes. 110 $.

Splendid Palace
Nisan Cad. n° 71
Büyükada
Tél. 3 82 69 50
Fax 3 82 67 75
Fermé d'oct. à mai.

Cet établissement, majestueux bâtiment blanc surmonté de deux coupoles, a le charme des vieilles bâtisses et le confort des hôtels modernes. Belle piscine et vue agréable.
90 $.

YÖRÜK ALI
Yörük Ali Turistik Tesisleri
Tél. 3 82 73 94
Fermé de sept. à mai.
Modestes chambres dans des bungalows répartis dans un jardin en bord de mer. Elles disposent toutes d'un coin cuisine. Accès gratuit à la plage privée de l'hôtel.
40 $.

BOSPHORE-ASIE

VIE CULTURELLE

PALAIS BEYLERBEYI
Abdullah Ağa Cad.
Beylerbey
Tél. 3 21 93 20
Ouvert 9 h 30-16 h
Fermé lun. et mar.
Palais d'été du sultan Abdülaziz datant de 1865. Décoration somptueuse.

PALAIS KÜÇÜKSU
Küçüksu
Tél. 35 23 03
Ouvert 9 h 30-16 h
Fermé lun. et jeu.
Petit palais de style rococo sur la rive asiatique du Bosphore.

RESTAURANTS

ALBORAN RESTAURANT
Hisar Cad. n° 5 A/1
Kanlıca
Tél. 3 32 03 78
Ouvert 12 h-0 h.
A Kanlıca, capitale turque du yoghourt. Restaurant bien tenu. Patron accueillant et plats bien présentés. Spécialités : agneau rôti, riz cantonnais.
9 $.

BOĞAZIÇI
Fevzi Paşa Cad. n° 3/1
Beykoz
Tél. 3 23 54 37
Ouvert 9 h-0 h.
A Beykoz, charmante petite bourgade de la rive asiatique du Bosphore. Un cadre un peu défraîchi mais belle terrasse et poissons frais.
13 $.

ÇAMLICA CAFÉ-RESTAURANT
Sefa Tepesi
Çamlıca
Tél. 3 29 81 91
Ouvert 9 h-0 h.
13 $.

HIDIV RESTAURANT
Hidiv Kasrı
Çubuklu, petit village sur le Bosphore
Tél. 3 31 26 51
Ouvert 8 h-0 h.
Superbe restaurant classé monument historique. Niché au milieu d'un parc splendide, un cadre unique en Turquie. Superbe vue. C'est aussi un hôtel. Spécialité : steak sauce champignon.
13 $.

KAVAK DOĞANAY RESTAURANT
Yalı Cad. n° 13
Anadolu Kavağı
Tél. 3 20 20 36
Ouvert 9 h-0 h.
La plus belle enseigne de la promenade d'Anadolu Kavağı. Service discret et efficace. Toutes sortes de poissons. Spécialité : crevettes chaudes. 8 $.

YOSUN RESTAURANT
Iskele Meydanı n° 1
Anadolu Kavağı
Tél. 3 20 21 48
Ouvert 12 h-0 h.
A deux pas de l'embarcadère du village, une des perles du Bosphore, rive asiatique. Très grande salle lumineuse et nette avec vue sur l'incessant va-et-vient des ferrys. Spécialités : moules farcies, crevettes farcies. 10 $.

HÉBERGEMENT

HIDIV
Çubuklu (à la sortie du village, prendre le chemin sur la droite)
Tél. 3 31 26 51
Fax 3 22 34 34.
Dans un grand parc, le magnifique palais du dernier khédive d'Egypte vous reçoit dans un cadre splendide et d'époque. Une merveille de décoration et de dépaysement.
143 $.

◆ ÎLE DE BURGAZ ◆

C'est une des îles des Princes.

BEŞIKTAŞ, ÇIFTNAL
HÔTEL RESTAURANT
ÇIRAGAN PALACE

BOSPHORE

EUROPE

VIE CULTURELLE

MUSÉE ASIYAN
Asiyan Yokuşu
Bebek
Tél. 2 63 69 86
Ouvert 9 h 30-12 h,
13 h-17 h
Fermé lun., jeu.
et jours fériés.
Dans la maison de Tevfik Fikret, poète turc célèbre du XIXe siècle.

MUSÉE ATATÜRK
Halaskargazi Cad.
n° 250
Şişli
Tél. 2 40 63 19
Ouvert 10 h-12 h,
14 h-16 h 30.
Fermé dim., jeu. et jours fériés.
Maison où vécut Atatürk avant la guerre d'indépendance. On y trouve des meubles, des photos et d'autres affaires lui ayant appartenu.

MUSÉE DE LA MARINE (DENIZ MÜZESI)
Cezayir Cad.
Tél. 2 61 00 40
Ouvert 9 h 30-17 h
Fermé lun. et mar.

MUSÉE DE PEINTURE ET DE SCULPTURE D'ISTANBUL
Au rez-de-chaussée du palais Dolmabahçe
Beşiktaş
Tél. 2 61 42 98
Ouvert 12 h-16 h
Fermé lun. et mar.
Pièces d'artistes turcs et étrangers, exposition d'œuvres d'inspiration folklorique, quelques céramiques.

MUSÉE RUMELI HISARI
Entre Emirgan et Bebek (Bosphore)
Tél. 2 63 53 05
Ouvert 9 h 30-17 h
Fermé lun.
Le sultan Mehmet le Conquérant construisit cette forteresse en 1452.

MUSÉE SADBERK HANIM
Piyasa Cad. n° 25-29
Büyükdere
Tél. 2 42 38 13
Ouvert 10 h-17 h 30
Fermé mer.
Dans une vieille maison turque donnant sur le Bosphore, collection d'œuvres d'art turques.

PALAIS DOLMABAHÇE
Dolmabahçe Meydanı
Tél. 2 58 55 44
Ouvert 9 h-15 h
Fermé lun. et jeu.
Datant de 1853, il renferme une belle collection de peintures et 36 chandeliers de très grande valeur.

PALAIS IHLAMUR
Ihlamur
Beşiktaş
Tél. 2 61 29 91
Ouvert 9 h 30-17 h.
Un palais impérial au milieu d'un beau jardin.

PALAIS MASLAK
Maslak
Tél. 2 76 10 22
Ouvert 9 h 30-17 h.
Petit pavillon de chasse de sultan.

PALAIS YILDIZ
Çırağan Cad.
Yıldız Parkı, Ortaköy
Tél. 2 60 80 60
Ouvert 9 h-18 h.
Restauration en cours. Ancienne résidence des sultans. Le parc et les dépendances du palais s'étendent sur 16 ha. Près de 10 000 personnes vivaient dans cet ensemble de pavillons.

MOSQUÉE SINAN PAŞA
Beşiktaş Cad.
(en face du musée de la Marine).

RESTAURANTS

BEYAZ PARK RESTAURANT
Çayir Başi Cad. n° 74
Sarıyer
Tél. 2 42 65 51
Ouvert 12 h-17 h,
19 h-2 h.
Menu unique à 18 $ proposant divers types de poissons et de crustacés. Une adresse sympathique. Spécialité : poissons fumés. 6 $-16 $.

BRASSERIE DU ÇIRAĞAN PALACE
Çırağan Cad. n° 84
Beşiktaş
Tél. 2 58 33 77
Ouvert 12 h-15 h,
19 h-22 h 30.
Sur les bords du Bosphore dans le cadre magnifique d'un ancien palais restauré. Un buffet somptueux et varié permettra aux gourmets de goûter les spécialités pour un prix raisonnable. 27 $.

ÇIFTNAL
Yenimahalle, Ihlamur
Yolu n° 6
Beşiktaş
Tél. 2 61 31 29
Ouvert 12 h-0 h.
10 $.

DENIZ PARK GAZINOSU
Daire Sok. n° 9
Yeniköy
Tél. 2 62 04 15
Ouvert 12 h-23 h
Fermé en févr.
Un restaurant-péniche difficile à trouver mais c'est certainement le meilleur restaurant de Yeniköy. Terrasse avec vue imprenable sur le Bosphore. Spécialités : calamars, crevettes. 9 $.

ECE BAR
Kamacı Sok. n° 10
Arnavutköy
Tél. 2 65 96 01
Ouvert 12 h-0 h
Fermé dim.
19 $.

FELICITAS
Cevdet Paşa Cad.
n° 343
Bebek
Tél. 2 63 14 39
Ouvert 12 h-17 h,
18 h-2 h.
Bar-restaurant tenu par une Allemande. Le restaurant offre deux menus à 6 $ comprenant des mélanges de charcuterie, viandes et salades. Prix moyen 13 $.

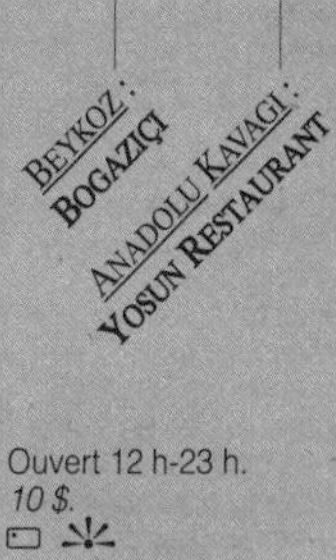

Filiz Restaurant
Port de Tarabya
Tél. 2 62 01 52
Ouvert 7 h-0 h.
Restaurant le plus connu de Tarabya. Belle maison de bois sur le port de plaisance. Excellents poissons. Bien sous tout rapport. Spécialités : filets, calamars, crevettes. 13 $.

Han Restaurant
Yahya Kemal Cad. n° 10
Rumelihisarı
Tél. 2 65 29 68
Ouvert 12 h-0 h.
A deux pas de Rumeli Hisari, le château fortifié de Mehmet II. Très bonne cuisine allégée. A noter : un immense arbre au milieu de la salle de restaurant. Spécialités : boulettes de poisson, soupes. 8 $.

Hanedan
Motor Iskelesi Yanı
Beşiktaş
Tél. 2 61 49 82
Ouvert 12 h-23 h.
10 $.

Palet 2
Yeniköy Cad. n° 80
Tarabya
Tél. 2 62 70 70
Ouvert 12 h-0 h.
Restaurant-péniche très connu. Cadre agréable. Grand choix d'alcools, ce qui est rare. Spécialités : lüfer (poisson bleu), turbot. 13 $.

Yeni Bebek
Cevdet Paşa Cad. n° 123
Bebek
Tél. 2 63 34 47
Ouvert 11 h-0 h.
Service impeccable. Recommandé pour ses turbots. Spécialités : turbot, lüfer (poisson bleu). 19 $.

Yildizlar Restaurant
Kefeliköy Cad. n° 62-64
Tarabya

♦ BÜYÜKADA ♦

C'est un lieu de villégiature très fréquenté l'été.

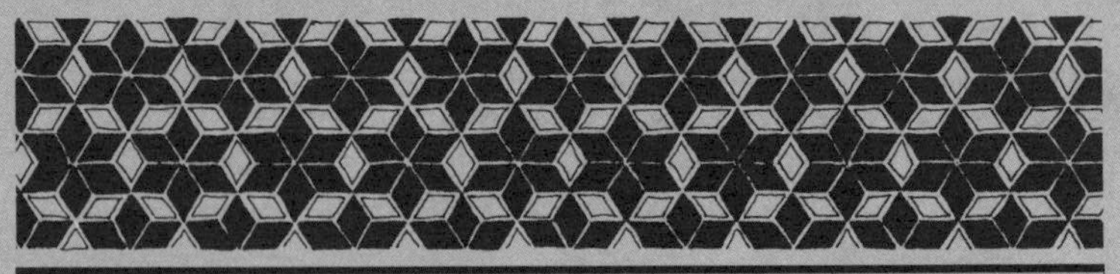

Tél. 2 62 33 98
Ouvert 12 h-0 h.
Les Turcs y fêtent les mariages de leurs enfants. Belle fontaine ottomane et vue splendide sur le port. Salle spacieuse. Spécialités : turbot, lüfer (poisson bleu).
13 $.

Hébergement

Bebek
Cevdetpaşa Cad.
n° 113-115
Bebek
Tél. 2 63 30 00
Fax 2 63 26 36.
Confort modeste et décor simple mais les chambres sont grandes. A choisir pour la vue sur le Bosphore et l'ambiance pittoresque d'un village de pêcheurs. Petit déj. inclus.
50 $-70 $.

Büyük Tarabya
Kefeliköy Cad.
Tarabya
Tél. 2 62 10 00
Situé dans un des villages les plus agréables de la rive, un hôtel de haut standing dont la plupart des chambres offrent une vue splendide sur le Bosphore. Petit déj. inclus.
103 $.

Çırağan Palace
Çırağan Cad. n° 84
Beşiktaş
Tél. 2 58 33 77
Fax 2 59 66 87.
Ancien palais du sultan entièrement restauré, aujourd'hui l'hôtel le plus luxueux d'Istanbul. Il a notamment accueilli les présidents François Mitterrand et George Bush. Superbe jardin sur le Bosphore. Piscine de rêve.
270 $.

Fuat Paşa
Çayirbaşı Cad. n° 238
Büyükdere
Tél. 2 42 98 60
Fax 2 42 95 89.
Belle maison ottomane du XVIIIe siècle, tout de rose et de vert. Grande cour intérieure à laquelle on accède par un imposant escalier. Les chambres sur cour sont plus calmes.
100 $.

Bars

Bar de l'Hôtel Bebek
Cevdet Paşa Cad.
n° 113-115
Bebek
Tél. 1 63 30 00
Ouvert 10 h-22 h.
Ambiance proustienne dans cet endroit très reposant. La terrasse donne sur le port de plaisance et a l'avantage unique d'être loin de la route.

BURSA

Restaurants

Hacı Bey
Ünlü Cad. n° 4/C
Heykel
Tél. 21 64 40
Ouvert 11 h-20 h 30.
7 $.

Iskender Kebabçı
Atatürk Cad. n° 60
Tél. 21 10 76
Ouvert 11 h-17 h.
Comme son nom l'indique, sa spécialité est l'iskender kebab.
5 $.

Şehir Lokantası
İnebey Cad. n° 85
Tél. 22 62 03
Ouvert 7 h-21 h
Fermé dim.
4 $.

Sezen Restaurant
Hamamlar Cad. n° 37
Çekirge
Tél. 36 91 56
Ouvert 11 h-0 h.
4 $.

Hébergement

Çelik Palas
Çekirge Cad. n° 79
Tél. 35 35 00
Fax 36 19 10.
Dans la banlieue ouest de Çekirge, hôtel de très grand standing. Supplément de 30 $ pour le petit déj.
95 $-100 $.

Dikmen
Maksem Cad. 78
Tél. 24 18 40
Fax 24 18 44.
Au centre-ville. Compter un supplément de 7 $ pour la douche et de 2,4 $ pour le petit déj.
40 $.

Dilmen
1 Murat Cad. n° 20
Çekirge
Tél. 36 61 14
Fax 35 25 68.
Dans la banlieue ouest de Çerkige. Compter 11 $ de supplément pour chambre avec vue sur la vallée. Petit déj. inclus.
88 $.

• Ulu Cami •

La fontaine de la grande mosquée de Bursa.

EDIRNE

Hébergement

Balta
Talatpaşa Asfaltı n° 97
Tél. 18 15 52 10
Fax 18 15 35 29.
23 $.

Yener
Demirciler Cad. n° 1
Kesan
Tél. 18 44 36 60
Fax 18 44 57 55.
Petit déj. inclus mais supplément pour la TV 2,5 $.
22 $.

IZNIK

Restaurants

Balıkçı Restaurant
Göl Kıyısı
Tél. 25 27 11 52.
Restaurant de poissons.
10 $-12 $.

Kırıkçatal Restaurant
Göl Kıyısı
Tél. 25 27 15 76.
Près du lac dans un endroit paisible et isolé, un bon restaurant de poissons.
8 $-10 $.

ANNEXES

BIBLIOGRAPHIE, *382*
TABLE DES ILLUSTRATIONS, *384*
LEXIQUE BILINGUE, *394*

◆ GÉNÉRALITÉS ◆

◆ AKAT (Y.) : *Istanbul*, Keskin Color, Istanbul, 1991.
◆ *Anadolu : Préhistoire, Antiquité et Byzance*, Institut français des Etudes anatoliennes d'Istanbul, 1951.
◆ *Anadolu : Turquie médiévale et moderne*, Institut français des Etudes anatoliennes d'Istanbul, 1952.
◆ ATASOY (N.), RABY (J.) : *Iznik*, Chêne, 1990.
◆ BACQUE-GRAMMONT (J.-L.) : *L'Empire ottoman, la république de Turquie et la France*, Isis, 1986.
◆ BAYRAC (O.) : *Panorama de Turquie*, Minyatür, Istanbul.
◆ BELDICEANU (N.) : *En marge d'un livre sur la mer Noire*, Geuthner P., 1972.
◆ *Connaissance des Turcs et de la Turquie*, Hommes et Migrations, 1967.
◆ GABRIEL (A.) : *Une Capitale turque : Brousse*, Institut français des Etudes anatoliennes d'Istanbul, 1959.
◆ *Istanbul : gloires et dérives*, Hors série Autrement n°29, 1988.
◆ *Istanbul avec Nedim Gürsel*, col. L'Europe des Villes Rêvées, Autrement, 1989.
◆ MICHAUD (R.), MICHAUD (S.) : *Turquie*, Chêne, 1986.
◆ NEUMANN-ADRIAN (M.) : *Turquie méditerranéenne*, Nathan F., 1991.
◆ YERASIMOS (S.) : *Istanbul, visite privée*, Chêne, 1991.

◆ NATURE ◆

◆ CAMPBELL (A. C.), NICHOLS (J.) : *Guide de la faune et de la flore littorales des mers d'Europe*, Delachaux et Nietslé, 1986.
◆ HEINZEL (H.), FITTER (R.), PARSLOW (J.). : *Oiseaux d'Europe, d'Afrique du Nord et du Moyen-Orient*, Delachaux et Niestlé, 1992.
◆ QUARTIER (A.), BAUER-BOVET (P.) : *Guide des arbres et arbustes d'Europe*, Delachaux et Niestlé, 1973.
◆ SHILLING (D.), SINGER (D.), DILLER (H.) : *Guide des mammifères d'Europe*, Delachaux et Niestlé, 1986.
◆ TOURNEFORT (Joseph Pitton de), *Voyage d'un botaniste*, tome 2, *La Turquie, la Géorgie, l'Arménie*, Découverte 1982.

◆ HISTOIRE ◆

◆ AKTAR (C.) : *L'Occidentalisation de la Turquie*, Harmattan, 1986.
◆ BACQUE-GRAMMONT (J.-L.), ROUX (J.-P.) : *Mustafa Ataturk et la Turquie Nouvelle*, Maisonneuve et Larose, 1983.
◆ BARBE (D.) : *Irène de Byzance*, Perrin, 1990.
◆ BREHIER (L.) : *La Civilisation byzantine*, Albin Michel, 1970.
◆ BRENIER (L.) : *Les Institutions de l'Empire byzantin*, Albin Michel, 1970.
◆ CIOT (A.) : *Mehmet II : le conquérant de Byzance*, Perrin, 1990.
◆ DRAGON (G.) : *Constantinople imaginaire : études sur le recueil des Patria*, PUF, 1984.
◆ DUCELLIER (A.) : *Les Byzantins : Histoire et culture*, Seuil, 1988.
◆ DUJCEV (I.) : *Crise idéologique 1203-1204 et répercussion sur la civilisation byzantine*, Maisonneuve J., 1976.
◆ DUMONT (P.) : *1919-1924, Mustafa Kemal invente la Turquie moderne*, Complexe, 1989.
◆ FEVRE (F.) : *Théodora, impératrice de Byzance*, Presse Renaissance, 1984.
◆ GÖKALP (A.) : *La Turquie en transition, Disparités, Identités, Pouvoirs*, Maisonneuve et Larose, 1986.
◆ GOUBERT (P.) : *Byzance avant l'Islam sous les successeurs de Justinien* : 1. *Byzance et l'Orient* (L'empereur Maurice) ; 2. *Byzance et l'Occident* (Byzance et les Francs), Picard A. et J., 1956.
◆ GÜRSEL (S.) : *L'Empire ottoman face au capitalisme : l'impasse d'une société bureaucratique*, Harmattan, 1987.
◆ HANCUM (L.) : *Le Harem impérial au XIXe siècle*, Complexe, 1991.
◆ HETHERINGTON (P.), FORMAN (W.) : *Les Byzantins : Histoire d'un empire*, Atlas, 1982.
◆ *Hommes et richesses dans l'Empire byzantin*, Lethielleux, 1989.
◆ JEVAKHOFF (A.) : *Kemal Atatürk : les chemins de l'Occident*, Tallandier, 1989.
◆ KAPLAN (M.) : *Tout l'or de Byzance*, Gallimard, Découvertes, 1991.
◆ LES STRATOS (A. N.), LAMBERT (A.) : *Byzance au 7e siècle* : 1. *L'Empereur Héraclius et l'expansion arabe* ; 2 *Premiers Héraclides et la lutte contre les Arabes*, Payot-Lausanne, 1981.
◆ LEWIS (B.) : *Istanbul et la civilisation ottomane*, Lattès, 1990. Presses-Pocket, 1991.
◆ MANTRAN (R.) : *Histoire de l'Empire ottoman*, Fayard, 1989.
◆ MANTRAN (R.) : *Histoire de la Turquie*, PUF, 1988.
◆ MANTRAN (R.) : *La Vie quotidienne à Istanbul : au siècle de Soliman le Magnifique*, Hachette, 1989.
◆ OSTROGORSY (G.) : *Histoire de l'Etat byzantin*, Payot, 1983.
◆ PANZAC (D.) : *Les Ottomans en Méditerranée : navigation, diplomatie et commerce*, Edisud, 1986.
◆ ROUX (J.-P.) : *Histoire des Turcs : deux mille ans du Pacifique à la Méditerranée*, Fayard, 1984.
◆ SCHNEIDER (M.) : *Le Harem impérial de Topkapi*, Albin Michel, 1977.
◆ SHAW (S.) : *Histoire de l'Empire ottoman et de la Turquie : des origines jusqu'au XIXe siècle*, Horvath, 1984.
◆ TSATSOS (J.) : *Athenais, impératrice de Byzance*, Belles Lettres, 1976.
◆ VALENSI (L.) : *Venise et la Sublime Porte : la naissance du despote*, Hachette, 1987.
◆ YERASIMOS (S.) : *Istanbul 1914-1923 : Capitale d'un monde illusoire ou l'agonie des vieux empires*, hors série Autrement n°14, 1992.
◆ YERASIMOS (S.) : *La Fondation de Constantinople et de Sainte-Sophie dans les traditions turques : légendes d'empire*, Maisonneuve J., 1989.

◆ Cuisine ◆

◆ GÖKALP (E. H.) : *L'art culinaire en Turquie contemporaine*, Publisud, 1990.
◆ SENCIL : *Cuisine turque*, Minyatür, Istanbul.

◆ TRADITIONS ◆

◆ AND (M.) : *Karagöz, théâtre d'ombres turc*, Ankara, 1977.
◆ AND (M.), GÖKALP (A.), PETER-SALOM (G.) : *Théâtre d'ombres, traditions et modernité : Les indigènes de la capitale et le kaléidoscope culturel ottoman*, Paris, 1986.
◆ BECHIRIAN (R.) : *Tapis : Perse, Turquie, Caucase, Asie Centrale, Inde, Chine*, Carbonnel, 1977.
◆ HULF (A.), BARNARD (N.) : *Décors de kilims*, Flammarion, 1989.
◆ ITEN-MARITZ (J.) : *Le Tapis turc, Anatolie, Asie Mineure*, Office du livre, 1976.
◆ PETSOPOULOS (Y.) : *Kilims : Tapis tissés du Proche et Moyen-Orient*, Office du Livre, 1979.
◆ SIYAVUSGIL (S. E.) : *Karagöz : son histoire, ses personnages, son esprit mystique et satyrique*, Istanbul, 1961.
◆ THALASSO (A.) : *Molière en Turquie : étude sur le théâtre de Karagöz*, Paris, 1988.

◆ RELIGION ◆

◆ DÉCARREAUX (J.) : *Byzance ou l'autre Rome*, Cerf, 1982.
◆ DUCELLIER (A.) : *Byzance et le monde orthodoxe*, Armand Collin, 1986.
◆ DUMONT (P.) : *Radicalismes islamiques*, 1 : *Iran, Liban, Turquie*, Harmattan, 1986.
◆ GOUILLARD (J.) : *La Vie religieuse à Byzance*, Variorum, 1981.
◆ KHAWAM (R. R.) : *L'Univers culturel des chrétiens d'Orient*, Cerf, 1987.
◆ KHOURY (A. T.) : *Polémique byzantine contre l'Islam : VIIIe-XIIIe siècle*, Brill E.J., 1972.
◆ *Les Arabes, les Turcs et la Révolution française*, Revue du Monde musulman et de la Méditerranée n°52-53, Edisud, 1990.
◆ LEWIS (B.) : *Islam et laïcité : la naissance de la Turquie moderne*, Fayard, 1988.
◆ NADAUD (A.) : *L'iconoclaste. La querelle des Images Byzance 725-843*, Quai Voltaire, 1989.

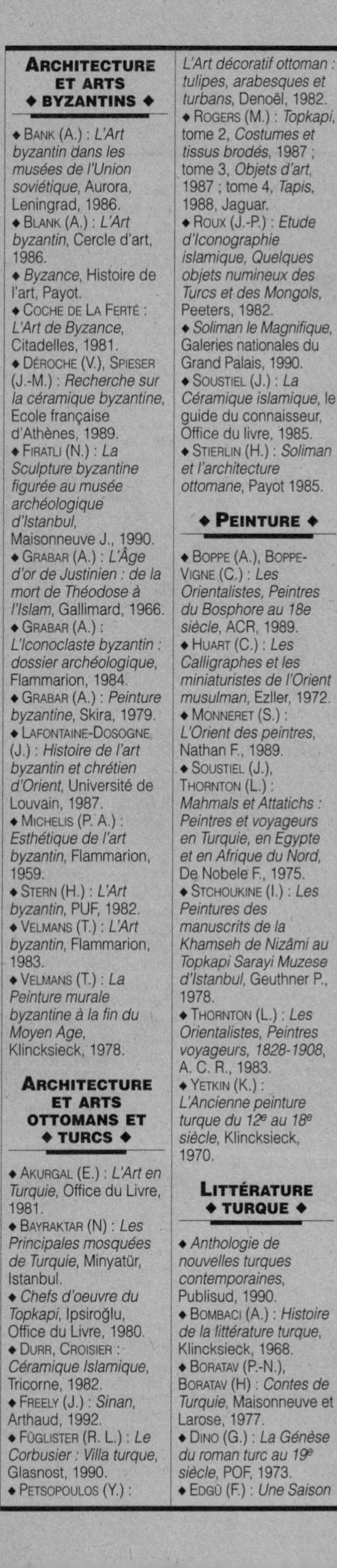

Architecture et arts byzantins

- Bank (A.) : *L'Art byzantin dans les musées de l'Union soviétique*, Aurora, Leningrad, 1986.
- Blank (A.) : *L'Art byzantin*, Cercle d'art, 1986.
- *Byzance*, Histoire de l'art, Payot.
- Coche de La Ferté : *L'Art de Byzance*, Citadelles, 1981.
- Déroche (V.), Spieser (J.-M.) : *Recherche sur la céramique byzantine*, Ecole française d'Athènes, 1989.
- Firatli (N.) : *La Sculpture byzantine figurée au musée archéologique d'Istanbul*, Maisonneuve J., 1990.
- Grabar (A.) : *L'Âge d'or de Justinien : de la mort de Théodose à l'Islam*, Gallimard, 1966.
- Grabar (A.) : *L'Iconoclaste byzantin : dossier archéologique*, Flammarion, 1984.
- Grabar (A.) : *Peinture byzantine*, Skira, 1979.
- Lafontaine-Dosogne (J.) : *Histoire de l'art byzantin et chrétien d'Orient*, Université de Louvain, 1987.
- Michelis (P. A.) : *Esthétique de l'art byzantin*, Flammarion, 1959.
- Stern (H.) : *L'Art byzantin*, PUF, 1982.
- Velmans (T.) : *L'Art byzantin*, Flammarion, 1983.
- Velmans (T.) : *La Peinture murale byzantine à la fin du Moyen Age*, Klincksieck, 1978.

Architecture et arts ottomans et turcs

- Akurgal (E.) : *L'Art en Turquie*, Office du Livre, 1981.
- Bayraktar (N) : *Les Principales mosquées de Turquie*, Minyatür, Istanbul.
- *Chefs d'oeuvre du Topkapi*, Ipsiroğlu, Office du Livre, 1980.
- Durr, Croisier : *Céramique Islamique*, Tricorne, 1982.
- Freely (J.) : *Sinan*, Arthaud, 1992.
- Füglister (R. L.) : *Le Corbusier : Villa turque*, Glasnost, 1990.
- Petsopoulos (Y.) : *L'Art décoratif ottoman : tulipes, arabesques et turbans*, Denoël, 1982.
- Rogers (M.) : *Topkapi*, tome 2, *Costumes et tissus brodés*, 1987 ; tome 3, *Objets d'art*, 1987 ; tome 4, *Tapis*, 1988, Jaguar.
- Roux (J.-P.) : *Etude d'Iconographie islamique, Quelques objets numineux des Turcs et des Mongols*, Peeters, 1982.
- *Soliman le Magnifique*, Galeries nationales du Grand Palais, 1990.
- Soustiel (J.) : *La Céramique islamique*, le guide du connaisseur, Office du livre, 1985.
- Stierlin (H.) : *Soliman et l'architecture ottomane*, Payot 1985.

Peinture

- Boppe (A.), Boppe-Vigne (C.) : *Les Orientalistes, Peintres du Bosphore au 18e siècle*, ACR, 1989.
- Huart (C.) : *Les Calligraphes et les miniaturistes de l'Orient musulman*, Ezller, 1972.
- Monneret (S.) : *L'Orient des peintres*, Nathan F., 1989.
- Soustiel (J.), Thornton (L.) : *Mahmals et Attatichs : Peintres et voyageurs en Turquie, en Egypte et en Afrique du Nord*, De Nobele F., 1975.
- Stchoukine (I.) : *Les Peintures des manuscrits de la Khamseh de Nizâmi au Topkapi Sarayi Muzese d'Istanbul*, Geuthner P., 1978.
- Thornton (L.) : *Les Orientalistes, Peintres voyageurs, 1828-1908*, A. C. R., 1983.
- Yetkin (K.) : *L'Ancienne peinture turque du 12e au 18e siècle*, Klincksieck, 1970.

Littérature turque

- *Anthologie de nouvelles turques contemporaines*, Publisud, 1990.
- Bombaci (A.) : *Histoire de la littérature turque*, Klincksieck, 1968.
- Boratav (P.-N.), Boratav (H) : *Contes de Turquie*, Maisonneuve et Larose, 1977.
- Dino (G.) : *La Génèse du roman turc au 19e siècle*, POF, 1973.
- Edgü (F.) : *Une Saison à Hakkâri*, Gallimard, 1989.
- *Entre les murailles et la mer : 32 poètes turcs contemporains*, Découverte, 1982.
- Faik (S.) : *Un Point sur la carte*, Inter-publications, 1988.
- Gürsel (N.) : *Un Long été à Istanbul*, Gallimard, 1980. *La Première femme*, Seuil, 1986. *Le Dernier Tramway : nouvelles de l'exil et de l'amour*, Seuil, 1991.
- Hachim (A.) : *Les Oiseaux du lac ; Dans un champs de fin d'hiver*, Arfuyen, 1989.
- Hedayat (S.) : *La Chouette aveugle*, J. Corti, 1988.
- Hikmet (N.) : *Les Romantiques*, Messidor-Temps actuels, 1982. *Paysages humains*, Découverte, 1987. *Nostalgie*, Fata Morgana, 1989. *Un Etrange voyage : poèmes épiques, poèmes lyriques*, Découverte, 1990.
- Kemal (O.) : *Sur les terres fertiles*, Gallimard, 1971.
- Kemal (Y.) : *Mémed le Mince*, 1955, Gallimard, 1976. *Meutre au marché des forgerons*, 1973, Gallimard, 1981. *Le Retour de Mémed le Mince*, 1984, Gallimard, 1986. *Salman le solitaire*, 1980, Gallimard, 1984. *Terre de fer, ciel de cuivre*, 1963, Gallimard, 1988. *Le Dernier combat de Mémed le Mince*, Gallimard, 1989.
- *La Geste de Mélik Danismend*, Edition critique, Bibliothèque archéologique et historique de l'Institut français d'archéologie d'Istanbul, Maisonneuve J., 1960.
- Mecmi Gurmen (O.) : *L'Espadon*, Gallimard, 1979.
- Melikoff (I.) : *Abu Muslim, le porte-hache du Khorassan : dans la tradition épique turco-iranienne*, Maisonneuve J., 1962.
- Pamuk (O.) : *La Maison du silence*, Gallimard, 1988.
- Tuncay (Y.) : *Deux cent contes choisis par Nasreddin Hodja*, Minyatür, Istanbul.
- Veli (O.) : *J'écoute Istanbul*, Arfuyen, 1990.
- Yoltas (M.) : *Les Derviches tourneurs et contes de Mevlâna*, Minyatür, Istanbul.

Littérature française

- Fresne-Canaye (Ph. de) : *Le Voyage du Levant : de Venise à Constantinople, l'émerveillement d'un jeune humaniste 1573*, Poliphile, 1986.
- Grece (M. de) : *La Nuit du Sérail*, Gallimard, 1984.
- *Istanbul, le regard de Pierre Loti*, Casterman, 1992.
- Le Corbusier : *Le Voyage d'Orient*, Ed Parenthèses, 1987.
- *Le Voyage en orient, Anthologie des voyageurs français dans le Levant au XIXe siècle* : 4. *Constantinople* ; About, Bertrand, Castellan, De Valon, Du Camp, Forbin, Comtesse de Gasparin, Gautier, Lamartine, Loti, Marcellus, Nerval, Potocki, Reynaud, Bouquins Laffont, 1989.
- Londres (A.) : *Si je t'oublie Constantinople*, 10/18, 1991.
- Loti (P.) : *Constantinople fin de siècle*, Complexe, 1991. Trilogie turque : *Aziyadé, Fantôme d'Orient, Les Désenchantées*, Gallimard.
- Morand (P.) : *La nuit turque*, in *Ouvert la nuit*, Gallimard, L'Imaginaire, 1990.
- Mourad (K.) : *De la part de la princesse morte*, Laffont, 1987.
- Nicolay (N. de) : *Dans l'Empire de Soliman le Magnifique*, Presse du CNRS, 1989.
- Palerne (J.) : *D'Alexandrie à Istanbul*, L'Harmattan, 1991.
- Stevens (A.) : *Flâneries dans Istanbul*, Albin Michel, 1973
- Thévenot (J.) : *L'Empire du Grand turc vu par un sujet de Louis XIV*, Calman-Lévy, 1965.
- *Villehardouin* (G. de) : *La Conquête de Constantinople*, Belles Lettres, 1961.

Revues

- *L'Art Byzantin*, Les dossiers d'archéologie n°176,1992.
- *Sinan, génial architecte de Soliman le Magnifique*, Dossiers histoire et archéologie n°127, 1988.
- *La Turquie ottomane*, in Géo n°123, 1989.
- *Turquoise*, trimestriel en anglais.

Couverture :
Signature de Süleyman le Magnifique.
Affiche des Messageries maritimes. Col. P. de Gigord.
Maison pour oiseaux. Cl. Ara Güler.
Échassier. Dessin S. Lavaux.
Marionnettes. Cl. A. Gokalp.
Trône impérial, Musée du palais de Topkapı
Dos : Bouclier «rondache», Musée du palais de Topkapı. Cl. Ara Güler.
Türbe. Dessin J.-F. Brosse.
Costume ottoman, carte postale, Col. EDM
2e plat : Coupole de Sainte-Sophie. Cl. Ara Güler.
Plan d'Istanbul. P.-X. Grézaud.
Dolmuş. Cl. Ara Güler.
Mosaïque du Grand Palais de Byzance. Musée des Mosaïques.
Haricots. Dessin S. Lavaux.
Assiette du XIXe siècle. Col. P. de Gigord.
Fontaine du Sultan Ahmet III, carte postale. Col. EDM.
1 Beauté turque, carte postale. Col. P. de Gigord.
2-3 Femmes turques, carte postale. Col. idem.
4-5 Hammam de Kükúntlü, Bursa. Cl. Ara Güler.
5 Arrivée de jeunes Bulgares au séminaire orthodoxe, Edirne, carte postale. Col. P. de Gigord.
6-7 Petit palais de Küçüksü. Col. Ara Güler.
6 Cabaret, carte postale. Col. idem.
Bachi-bouzouks, carte postale. Col. idem.
Fumeuse de narguilé, carte postale. Col. idem.
9 Kiz Kulesi, tableau du XIXe s .
15-26 Dessins S. Lavaux.
16 Sigle de l'Institut de Recherche et d'Etudes des Minerais, Maden Tetkik ve Arama (MAT), Ankara.
Défilé dans les Balkans, gravure d'après F. Hervé, XIXe s. Col. EDM.
Carte géologique. Institut de Recherche et d'Etudes des Minerais, Ankara.
Carte tectonique, P.-X. Grézaud.
16-17 Roches. Cl. de l'Institut de Recherche et d'Etudes des Minerais, Ankara.
Travail de la pierre en architecture. Cl. Ara Güler.
19 Carte des migrations d'oiseaux, P.-X. Grézaud.
21 Pélicans. Cl. H. Özözlü.
22-23 Cl. : algues, coquillages, oursin.
24 Cl. : forêt de sapin, buisson de genévrier, écorce de pin pignon.
26 Rose. Cl. A. Thévenart.
Cl. : specimen d'arbres, parc national d'Ulu Dağ.
27 Fête de la circoncision des princes Beyazıt et Cihangir, miniature du *Livre de Süleyman*, 1558. Bibliothèque du Musée de Topkapı.
28 Relief du roi Tuthaliya d'Hattusa, Boğazköy).
Fragment de tablette urartienne recouverte d'écriture cunéiforme.
Hattusili III, roi hittite, offrant sa fille à Ramsès II, pharaon d'Egypte. Croquis d'après un dessin de Pritchard.
29 Représentations de bateaux égéens du XIIe s. av. J.-C.
Statuette d'idole féminine en ivoire. Cl. Ara Güler.
Cruche en or. Musée de la Civilisation anatolienne, Ankara.
30 Tête d'Alexandre le Grand, IIe s. av. J.-C., Musée archéologique, Istanbul. Cl. Ara Güler.
Détail de mosaïque du XIe s. Musée du Louvre, Paris.
31 Plan de Constantinople, gravure.
Vase de verre de l'époque romaine. Musée de Thessalonique.
Exemples de monnaies byzantines.
32 Colonne des Goths, Gotlar Sütunu. Cl. H. Özözlü.
Prise de Constantinople par les croisés (12 avril 1204), tableau d'E. Delacroix. Musée du Louvre, Paris.
33 Les murailles de Constantinople attaquées par les Arabes. Chronique de Sikilitzes, XIIIe s. Bibliothèque Nationale, Madrid.
Coffret byzantin du XIe s. Trésor de la cathédrale de Troyes.
34 Portrait de Mehmet le Conquérant, copie de Feyhaman Duran d'après Bellini. Bibliothèque Atatürk.
Navire turc, dessin naïf. Cl. H. Özözlü.
Rumeli Hisarı, la forteresse d'Europe, carte postale. Col. EDM.
Mehmet II à la conquête de Constantinople, tableau du XIXe s.
35 Prise de la forteresse d'Ip, détail de miniature, 1594. Bibliothèque de l'Université.
Forteresse turque, dessin naïf. Cl. H. Özözlü.
Le siège d'Izmir, miniature du XVe s. Musée de Baltimore.
Le siège de Constantinople, miniature, 1455. Bibliothèque Nationale, Paris.
Timbre turc du 500e anniversaire de la prise de Constantinople, 1953. Col. EDM.
36-37 Les différentes nationalités de l'Empire ottoman, en marge d'une carte de 1626. Cl. Ara Güler.
36 Süleyman, détail de la Fête de la circoncision des princes Beyazıt et Cihangir, Livre de Süleyman, 1558. Bibliothèque du Musée de Topkapı.
36-37 Guerrier mongol, miniature. Cl. Ara Güler.
37 Beyazıt Ier venant au secours de Niğbolu, miniature de Nakkaş Osman, 1584-1585. Musée du palais de Topkapı.
Portrait du sultan Selim II, miniature de Nigâri, 1570. Musée du palais de Topkapı.
38 Le sultan Selim II à la tête de son armée, détail d'une miniature du XVIe s. Musée du palais de Topkapı.
Navire de la flotte ottomane, détail d'une miniature du XVIe s. Musée du palais de Topkapı.
38-39 Ville et port de Lepante, miniature du XVIe s. Bibliothèque du Musée de Topkapı.
39 Ville et port de Lepante, miniature du XVIe s. Bibliothèque du Musée de Topkapı.
Carte de l'Altas d'Ali Macar Reis, aquarelle et or sur parchemin, 1567. Bibliothèque du Musée de Topkapı.
40 Mehmet III recevant les émissaires hongrois, miniature extraite du Livre de Mehmet III, 1596. Musée du palais de Topkapı.
Reception d'un ambassadeur par le grand vizir, tableau du XVIIIe s. Cl. Ara Güler.
40-41 La mort de Süleyman lors de la campagne de Hongrie, miniature. Bibliothèque du Musée de Topkapı.
41 Ambassadeur russe, miniature. Bibliothèque du Musée de Topkapı.
Carte de l'Empire ottoman, en 1626. Cl. Ara Güler.
Istanbul convoitée par les Allemands, caricature du Petit Journal, 31 oct. 1915.
Vignette représentant le sultan Abdül Hamit. Col. P. de Gigord.
42 Pavillon ottoman de l'Exposition universelle de 1900, carte postale. Col. Dr Onger.
Vue de Galata au début du siècle. Col. EDM.
Enver Paşa. Col. P. de Gigord.
Mustafa Kemal Atatürk, carte postale. Col. idem.
43 Rédition de l'armée grecque à Mustafa Kemal (1922). Col. idem.
Hommage de la jeunesse turque à Mustafa Kemal. Dessin du billet de banque turc.
Mehmet VI, le dernier sultan, se rendant au

palais de Dolmabahçe. Col. P. de Gigord.
44 Défilé de l'armée turque à Istanbul, tableau de Ruhi Arel, 1937. Musée Atatürk. Quartier moderne d'Ankara. Cl. Ara Güler.
44-45 Monument dédié à Mustafa Kemal Atatürk, Kuşadaci. Cl. A. Thévenart.
45 Le pont Mehmet Fatih sur le Bosphore. Cl. Ara Güler. Immeubles modernes à Ankara. Cl. idem.
46-48 Dessins de N. Boussot.
46 Carte indiquant des sites occupés par les tribus de langue turque, de Kâşgarlı Mahmut, XIe s.
47 Inscription en turc ancien.
49 Intérieur de hammam, gravure de W. H. Bartlett, XIXe s. Col. EDM.
50 Paysage sur le Bosphore, peinture murale de la sultane mère Merdiveni, 1789-1807. Harem du palais de Topkapı. Maisons au bord de l'eau, Pavillon et jardin, peintures sur laque d'A. Buhari, 1728-1729. Bibliothèque du palais de Topkapı. Scène de chasse, peinture murale. Yalı de Kandilli Edip Efendi. Les îles des Princes, détail, gravure d'après Th. Allom (1804-1872). Col. EDM.
50-51 Pavillon et jardins, peinture murale, 1789-1807. Harem du palais de Topkapı.
51 Le kiosque aux Faïences, tableau de Gedikpaşalı Cemal, 1889. Musée de la Peinture et de la Sculpture, Istanbul. Jardins et palais de Yıldız, tableau de Şevki, 1891. Musée de la Peinture et de la Sculpture, Istanbul. Mosquée Kağıthane, tableau de Mustafa, XIXe s. Pièce d'eau, buisson de roses et pavillon de plaisance, Bosphore. Cl. Ara Güler.
52 Le chef des eunuques noirs, gravure d'après un dessin de J.-B. Van Mour (1671-1737). Coiffures militaires, dessins d'A.-I. Melling (1763-1831). Capitaine des janissaires, aquarelle de D. Botkine.
53 La femme au tambourin, tableau de J.-E. Liotard (1702-1789). Musée d'Art et d'Histoire, Genève. Carte postale du début du siècle. Col. P. de Gigord. Costumes du XIXe s, dessins d'A. Racinet, 1876-1888.
54-55 Détails de miniatures de Nakkaş Osman (XVIe s.), Kandalar Paşa (XVIIe s.) et Levni (XVIIIe s.). Centre de Recherche de la Musique turque. Cl. d'E. Pekin.
55 Intérieur d'un harem, gravure d'après Th. Allom (1804-1872). Col. EDM.
56-57 Marionnettes du théâtre de Karagöz. Cl. A. Gokalp.
58 Hammam. Cl. Ara Güler. Plan de hammam des nouveaux thermes, Yeni Kaplica Hamami, Bursa. Plan de G. Berthoud. Hammam des anciens thermes, Eski Kaplica Hamami, Bursa. Cl. A. Thévenart.
58-59 Le bain turc, tableau d'Ingres, 1862. Musée du Louvre, Paris.
59 Accueil au hammam, vignette XIXe s. Col. EDM. Scène de hammam, détail d'un tableau fin XIXe s. Cl. Ara Güler.
60-61 Tapis et kilims. Documentation du Centre cuturel d'Anatolie, Paris.
60 Marchands de tapis au Grand Bazar, détail d'une gravure d'après Th. Allom (1804-1872). Col. EDM.
60-61 Marchands de tapis du Grand Bazar, carte postale. Col. EDM.
61 Femme devant son métier. Aquarelle de D. Botkine.
62 Détail de panneau de faïence. Cl. Ara Güler. Grande Mosquée, Ulu Cami, Bursa. Cl. idem. Promenade du harem, carte postale. Col. P. de Gigord.
63 Détail de calligraphie. Cl. Ara Güler. Manuscript religieux conservé dans un tabernacle. Cl. idem. Mariage à Eyüp. Cl. A. Thévenart. Ecole coranique. Col. P. de Gigord. Femmes turques. Col. idem. Tapis à motif de mihrab. Cl. Ara Güler.
64 Ange de la fresque de la Vierge à l'enfant, chapelle sud, Kariye Camii. Cl. Ara Güler. Mosaïque de la coupole sud du narthex, Kariye Camii. Cl. Ara Güler.
64-65 Ivoire Constantinopolitain. Musée du Louvre, Paris.
65 Mosaïque du tympan de la porte intérieure, Sainte-Sophie. Cl. Ara Güler. Impératrice Eudoxie, icône du XIe s, Musée archéologique, Istanbul. Cl. idem. Fresque de l'Anastasie, Kariye Camii. Cl. idem.
66 Fontaine du Sultan Ahmet, carte postale. Col. EDM. Marchand d'eau, carte postale. Col. EDM. Porteurs d'eau, carte postale. Col. P. de Gigord.
66-67 Procession en l'honneur d'un mariage turc, tableau d'A.-I. Melling (1763-1831). Col. part.
67 Fontaines d'Istanbul. Cl. A. Thévenart. Porteur d'eau, carte postale. Col. EDM.
68-69 Cl. Gallimard.
69 Tapis d'Ushak, exemple de la production actuelle. Galerie Triff, Paris.
70 Banquet offert par le commandant Lala Mustafa Paşa à ses généraux, miniature de 1584. Bibliothèque du Musée de Topkapı.
70-71 Cl. E. Guillemot.
72 Fumeurs de narguilé à la terrasse d'un café, carte postale. Col. P. de Gigord. Le café Mozart. Cl. H. Özözlü. Réclame au début du siècle. Col. P. de Gigord. Joueurs de tric-trac dans un café turc. Cl. E. de Pazzis. Café au XVIIIe s., gravure d'A. I. Melling. Col. Ara Güler.
73-88 Dessins de F. Brosse.
81 Coupe de l'un des minarets de la mosquée de Selim II, Edirne. Composition de Pietro Carnelutti.
89 Soleil couchant sur la Süleymaniye, tableau d'Hüseyin Avni Lifij (1885-1927). Col. Adnan Çoker, Istanbul.
90 Portrait de Richard Pococke, tableau de J.-E. Liotard (1702-1789). Musée d'Art et d'Histoire, Genève.
91 Vue de la pointe du Sérail depuis Galata, détail, tableau de J.-B. Hilair (1753-ap. 1822). Col. part. Voiliers sur le Bosphore, tableau de F. Brest (1823-1900). Col. Özel, Istanbul.
92 Vue d'Istanbul, tableau de Devrim Erbil, 1986. Tableau contemporain de Cihat Burak (1915).
93 Paysage, tableau de Fikret Muallâ (1903-1967). Fikret Muallâ, portrait d'Abidine Dino (1913). Pleine lune sur Istanbul, tableau de Namık Ismail (1890-1935). Musée de la Peinture et de la Sculpture, Ankara.
94-95 Tableau contemporain de Bedri Rahmi (1913-1975).
95 Tableau contemporain de Mustafa Pilevneli, détail. Tableau contemporain d'Hüseyin Avni Lifij (1885-1927).
96 Aquarelle d'Abidine Dino (1913). Encre d'Abidine Dino. Le poète Nazim Hikmet, dessin d'Abidine Dino.
97 Conteur turc, meddah, gravure d'après Th. Allom (1804-1872). Col. EDM.
98 G. de Nerval, cliché Nadar. Copyright Roger Viollet. Portefaix dans une rue d'Istanbul, carte postale. Col. EDM.
99 La Yeni Valide

Camii, au bord de la Corne d'Or, gravure. Cl. Ara Güler.
F. R. de Chateaubriand, détail d'un portrait de Girodet-Trioson.
Hamal, ou porteur, gravure de W. Miller (1802) d'apès un dessin d'O. Dalvimart (1798).
100 G. Flaubert, cliché de Nadar. Copyright Roger Viollet.
Derviche turc. Cl. G. Berggren.
101 Vue de Constantinople, gravure d'après un dessin de P. Grelot, 1680.
E. de Amicis. Copyright Roger Viollet.
Diseuse de bonne aventure. Cl. G. Berggren.
102 Plaque de la maison qu'occupa P. Loti à Istanbul. Cl. A. Thévenart.
Débarcadère de Tophane, gravure. Cl. Ara Güler.
103 P. Loti. Copyright Roger Viollet.
Terrasse de café du quartier de Beyazıt, carte postale. Cl. Ara Güler.
104 Le Corbusier. Copyright Roger Viollet.
La Sainte-Sophie. Dessin d'Abidine Dino.
105 Maisons à encorbellements en bois. Dessin Le Corbusier. Cl. : Michel Butor.
106 Les Eaux-Douces d'Europe, gravure d'après Th. Allom (1804-1872). Col. EDM.
107 Süleyman le Magnifique, détail d'une miniature du *Livre de Süleyman*, 1558. Bibliothèque du Musée de Topkapı.
108 Vue de Beyoğlu. Dessin N. Boussot.
109 Petites filles turques. Col. P. de Gigord.
110 Rue d'Istanbul. Dessin Ph. Marchand.
111 Pêcheurs sur l'ancien pont de Galata, au fond le nouveau pont en chantier. Cl. idem.
112 Rue du quartier d'Eminönü. Cl. E. de Pazzis.
113 Dessin à l'encre d'Abidine Dino.
114 Dessin à l'encre d'Abidine Dino.
114-115 Pêcheur réparant ses filets à la terrasse d'un café. Cl. Abidine Dino.
115 Bateau sur la mer de Marmara. Aquarelle d'Abidine Dino.
116 Couple dans l'Istiklal Caddesi. Revue *Istanbul*.
117 Palais de Dolmabahçe sur le Bosphore, gravure d'après Th. Allom (1804-1872). Col. EDM.
118 Dessin à l'encre d'Abidine Dino.
119 Ferry sur la Corne d'Or, dessin à l'encre d'Abidine Dino.
120 Süleymaniye. Turhan Doyran, 1992.
121 Hippodrome, mosquée Bleue et obélisques, gravure d'après Th. Allom (1804-1872). Col. EDM.
122-123 Vue générale du quartier de Beyoğlu. Cl. Ara Güler.
Vue générale de la pointe du Sérail au quartier de Beyazıt. Cl. idem.
124-125 Palais de Topkapı. Cl. idem.
124 Mosquée de Süleyman le Magnifique. Cl. G. Rossi.
125 Mosquée du Sultan Ahmet, dite mosquée Bleue. Cl. idem.
126 Vue de Bithynie. Cl. idem.
Jour de moisson, en Thrace. Cl. idem.
Bergères au bord d'un lac. Cl. idem.
127 Pont de Galata et Yeni Cami, carte postale. Col. P. de Gigord.
128 Carte ancienne représentant Stamboul et Galata. Bibliothèque du Musée de Topkapı.
Timbre turc du 500e anniversaire de la prise de Constantinople, 1953. Col. EDM.
129 Pont de Galata, tableau d'Amedeo Preziosi (1816-1882). Col. privée, Birgi House.
Les jardins du Sérail, gravure d'après Th. Allom (1804-1872). Col. EDM.
130 Timbre turc du 500e anniversaire de la prise de Constantinople, 1953. Col. E.D.M.
131 Constantinople, gravure du XIXe s. Bibliothèque Nationale, Paris.
132 Le bazar aux Epices. Cl. Ara Güler.
131-132 Mosquée de Rüstem Paşa, plan en coupe de L. Garbarino et A. Gennaro.
133 Mosaïques d'Iznik, détails. Cl. Ara Güler.
134 Hammam, gravure d'après Th. Allom (1804-1872). Col. EDM.
La Sublime Porte du palais du grand vizir, gravure du XIXe s. Col. EDM.
134-135 Procession des maçons, Fête de la circoncision du prince Ahmet, miniature de Nakkaş Osman, Livre des Talents (*Hünerrname*), 1588. Bibliothèque du Musée de Topkapı.
135 Mer de Marmara et Stamboul, carte postale. Col. EDM.
Süleyman le Magnifique, gravure sur bois vers 1550, oeuvre italienne anonyme. Bristish Museum, Londres.
136 Train à vapeur d'Istanbul au XIXe s., détail d'une gravure représentant la pointe du Sérail. Col. privée, Anhegger House.
Le pont de Galata en 1912, carte postale. Col. EDM.
Le marché aux poissons, tableau de Nedim Günsur. Col. privée de l'artiste.
Marchand de poissons. Cl. Ara Güler.
137 Maisons en bois d'Istanbul. Cl. idem.
La Yeni Cami et l'ancien tramway. Cl. idem.
138 "Byzantium sive Constantinopolis", vue de Constantinople depuis Galata, dessin à l'encre de M. Lorichs, 1559. Bibliothèque de l'Université de Leyde.
Sainte-Sophie vue depuis le hammam de Roxelane, lithographie de L. Haghe, d'après un dessin de G. Fossati, 1852.
139 Plan de Sainte-Sophie, par A. Grabar, *L'Age d'or de Justinien*. Gallimard, Paris.
Christ Pantocrator, détail de la mosaïque de la Déisis, Sainte-Sophie. Cl. Ara Güler.
140 Intérieur de Sainte-Sophie. Cl. idem.
Entrée de la galerie supérieure de Sainte-Sophie, lithographie de L. Haghe, d'après un dessin de G. Fossati, 1852.
140-141 Dôme de Sainte-Sophie. Cl. EDM.
141 Cartouches et disque calligraphiés, Sainte-Sophie. Cl. Ara Güler.
142 Inscriptions en médaillons, détail de mosaïque, Sainte-Sophie. Cl. idem.
Empereur Alexandre, détail de mosaïque, Sainte-Sophie. Cl. idem.
143 La Vierge et l'enfant Jésus entourés de l'empereur Jean II Comnène et de l'impératrice Irène, mosaïque, Sainte-Sophie. Cl. idem.
Le Christ entouré de l'empereur Constantin IX et de l'impératrice Zoé, mosaïque, Sainte-Sophie. Cl. idem.
La Vierge et le Christ enfant, mosaïque, Sainte-Sophie. Cl. idem.
144 La Vierge et le Christ enfant, entourés des empereurs Justinien et Constantin Ier, mosaïque, Sainte-Sophie. Cl. idem.
Mausolée de Selim II. Cl. idem.
145 Motifs de tapis. Cl. de Samih Rifat.
Mausolée de Selim II, détail de l'entrée et vue intérieure. Cl. Ara Güler.
146 Mosaïque de la porte Impériale, détail, Sainte-Sophie. Cl. idem.
Le kiosque impérial, Sainte-Sophie, tableau d'Hüseyin Zekâi Paşa. Col. Özel.
146-147 Eglise Sainte-Sophie transformée en mosquée, aquarelle allemande vers 1600. Bibliothèque Nationale, Paris.
147 Nef centrale de Sainte-Sophie, gravure d'après Th. Allom (1804-1872). Col. EDM.
Panneau de faïences du mausolée de Selim II. Cl. Ara Güler.

148 Fontaine du Sérail et mosquée Sainte-Sophie, gravure d'après Th. Allom (1804-1872). Col. EDM.
Mosquée Sainte-Sophie, tableau de Turgut Atalay, XXe s. Bibliothèque Atatürk.
Port d'Istanbul, tableau de Nazmi Ziya, XXe s. Musée de la Peinture et de la Sculpture.
Fontaine d'Ahmet III, carte postale. Col. EDM.
149 La nef de Sainte-Sophie, lithographie de L. Haghe, d'après un dessin de G. Fossati, 1852.
Chapiteau byzantin. Cl. Ara Güler.
150-151 Plan du palais de Topkapı, P.-X. Grézaud.
152 Janissaires, tableau d'A. I. Melling (1763-1831).
Première cour du palais de Topkapı, miniature de Nakkaş Osman, 1584. Bibliothèque du Musée de Topkapı.
Porte d'Entrée du Sérail et voitures des cadines du sultan, gravure d'après un dessin de M. de L'Espinasse. Bibliothèque Nationale, Paris.
153 Constantinople vers 1590, aquarelle sur papier, détail. Bibliothèque Nationale, Vienne.
Costumes ottomans, grand vizir, officiers de la garde, exécuteurs des hautes oeuvres, détails de carte postale. Col. EDM.
Première cour du palais de Topkapı, miniature de Nakkaş Osman, 1584. Bibliothèque du Musée de Topkapı.
154 Casque ottoman en acier gravé, XVIe s. Musée de l'Armée, Paris.
Poignard dans son fourreau en or incrusté d'émeraudes et de diamants, Musée du palais de Topkapı. Cl. Ara Güler.
Ornement de turban en or ciselé, incrusté de pierres précieuses, XVIe s. Musée du palais de Topkapı.
Elément de ceinture, en nacre gravée et incrustée d'or, XVIe s. Musée du palais de Topkapı.
Bouclier dit Rondache, en osier brodé de soie et de fils d'argent, XVIe s. Musée du palais de Topkapı.
155 Pavillon de Murat III dans les jardins du palais de Topkapı, miniature de Nakkaş Osman, *Livre du Roi des Rois* (*Şehinşehname*), 1581. Bibliothèque de l'Université.
La seconde cour du palais de Topkapı, miniature de Nakkaş Osman, *Livre des Talents* (*Hünername*), 1584. Bibliothèque du Musée de Topkapı.
La seconde cour du palais de Topkapı, artiste grec anonyme, début XIXe s.
156 Assiettes du XVIe s., céramiques d'Iznik, Kiosque aux Faïences, Çinili Köşk. Cl. Ara Güler.
Aiguière en chrysolithe, incrustée de pierres précieuses, XVIe s. Trésor du palais de Topkapı. Cl. idem.
157 Pichet, montre, choppe à couvercle, aiguière, XVIe s. Musée du palais de Topkapı. Cl. idem.
Jardin et cour du palais de Topkapı. Cl. idem.
Spectacle de funambules sur la Corne d'Or, miniature de Daha Levni, 1720-1730. Musée du palais de Topkapı. Cl. idem.
158 La Sultane blanche, La Sultane grecque et L'Eunuque noir, gravures d'après des dessins de J.-M. Vien (1716-1809), *La Caravane du Sultan à la Mecque.* Musée du Petit-Palais, Paris.
Objet d'ornement précieux offert par un maharajah indien et représentant un sultan fumant le narguilé. Trésor du palais de Topkapı. Cl. Ara Güler.
Le Bain du sultan, gravure d'après un dessin de Barbier l'Ainé. Bibliothèque Nationale, Paris.
159 Salle-à-manger d'Ahmet III, dite la chambre des Fruits, harem du palais de Topkapı. Cl. Ara Güler.
160 Portraits de Selim II et Murat III, miniatures de Nakkaş Osman, 1579-1583. Bibliothèque du Musée de Topkapı.
Kiosque de Bagdad, palais de Topkapı. Cl. Ara Güler.
Trône de cérémonie de Murat III en or pur serti d'émeraudes, XVIe s. Trésor du palais de Topkapı, Istanbul.
161 Portraits de Süleyman Ier le Magnifique et de Selim Ier, miniatures de Nakkaş Osman, 1579-1583. Bibliothèque du Musée de Topkapı.
Ağa (chef) des janissaires, gravure d'après un dessin de J.-M. Vien (1716-1809), *La Caravane du Sultan à la Mecque.* Musée du Petit-Palais, Paris.
Les toits du harem et le Divan, palais de Topkapı. Cl. Ara Güler.
162 Le sarcophage dit d'Alexandre, IVe s. av. J.-C., détail. Musée archéologique, Istanbul. Cl. idem.
Le sarcophage d'un grand personnage, détails. Musée archéologique, Istanbul. Cl. idem.
Faïence d'Iznik, détail. Cl. idem.
Kiosque aux Faïences, Çinili Kioşk. Cl. de Robertson. Bibliothèque Nationale, Paris.
163 Sarcophage dit Lycien, détail. Musée archéologique. Cl. Ara Güler.
Sarcophage dit d'Alexandre, détail. Cl. idem.
Têtes romaines, IIe s. ap. J.-C. Musée archéologique, Istanbul. Cl. idem.
Sarcophage dit des Pleureuses, IVe s. av. J.-C., détail. Musée archéologique, Istanbul. Cl. idem.
164 Entrée du Musée archéologique. Cl. A. Thévenart.
Flacon à parfum phrygien, VIIe s. av. J.-C., Musée archéologique. Cl. Ara Güler.
Pichet hittite, XVIe s. av. J.-C. Musée de l'Ancien Orient. Cl. idem.
165 Pendants d'oreilles troyens, IIIe millénaire av. J.-C. Musée archéologique. Cl. idem.
Boucle d'oreille byzantine (IXe-XIIIe s. ap. J.-C.) et médaillon byzantin (VIe s. ap. J.-C.). Musée archéologique. Cl. idem.
Bol byzantin, XIIIe s. ap. J.-C. Musée archéologique. Cl. idem.
166-167 Plan d'Istanbul, miniature de Matrakçi Nasuh, 1537. Bibliothèque du Musée de Topkapı.
167 La flotte ottomane assiégeant le port de Nice, miniature de Matrakçi Nasuh, *Livre de Süleyman*, 1545. Bibliothèque du Musée de Topkapı.
Le port de Gênes, miniature de Matrakçi Nasuh, *Livre de Süleyman*, 1545. Idem.
Galère ottomane. Bibliothèque du Musée de Topkapı. Cl. Ara Güler.
168 Portrait de Mehmet II, miniature de Sinan Bey, vers 1445. idem.
Miniature extraite de La Vie du Prophète, 1594-1595. Idem.
168-169 Bataille de Mohâc, miniature de Nakkaş Osman, 1524. Idem.
170 Jeunes chrétiens livrés en tribut, miniature du *Livre de Süleyman*, 1517. Idem.
171 Astronomes à l'observatoire de Galatasaray, miniatures du *Livre des Rois*, 1581. Idem.
172-173 Nomades du Turkestan, et démons du monde souterrain. Miniatures de Siyah Qalem, XVe s.
174 Vue aérienne de la mosquée Bleue. Cl. G. Rossi.
L'At Meydanı ou Hippodrome, et la mosquée du Sultan Ahmet, gravure d'après Th. Allom (1804-1872). Col. EDM.
175 Courses de chars

sur l'hippodrome, fragment d'un diptyque en ivoire, Ve s. Musée Cristiano, Brescia.
Intérieur de la mosquée Bleue. Cl. Ara Güler.
176 Marchand de melons, carte postale. Col. EDM.
L'empereur Constantin et sa mère Hélène, icône bulgare, XVIe-XVIIe s. Musée de Nesebar.
177 Scènes de l'hippodrome, détails du bas-relief du piédestal de l'obélisque de Théodose. Cl. Ara Güler.
Obélisque de Théodose, carte postale. Col. du Dr Onger.
176-177 Défilé sur l'hippodrome, miniature de Nakkaş Osman, *Livre des Fêtes* (Surname-i Hümayun), 1582. Bibliothèque du Musée de Topkapı.
178-179 Linges de coton brodés, col. privée. Cl. Ara Güler.
178 Ferronniers, procession des guildes, miniature, 1582. Bibliothèque du musée de Topkapı.
Grand vizir Sokollu Mehmet Paşa pleurant la mort de Süleyman le magnifique, miniature de Nakkaş Osman, 1568-1569. Bibliothèque du Musée de Topkapı.
178-179 Palais byzantin, miniature du XIe s. Bibliothèque apostolique vaticane, Rome.
179 Intérieur de la mosquée de Sokollu Mehmet Paşa. Cl. Ara Güler.
180 Plan de coupe de Sainte-Sophie, par A. Grabar, *L'Âge d'or de Justinien*. Gallimard, Paris.
Volet en bois sculpté, époque seldjoukide, musée des Arts turcs et islamiques. Cl. Ara Güler.
Icône de saint Serge et saint Bacchus. Musée des Arts d'Orient et d'Occident, Kiev.
181 Dessin et notes manuscrites de Le Corbusier, *Urbanisme*, Paris, 1966.
Palais de Filibe, détail d'une miniature de Nakkaş Osman, 1582. Bibliothèque du Musée de Topkapı.
Couverture de livre en cuir peint à la laque, 1540. Bibliothèque du Musée de Topkapı.
182 Café turc au début du siècle, carte postale. Col. EDM.
Mosaïques du Grand Palais de Byzance, détails. Musée des Mosaïques.
183 Café turc, aquarelle du XIXe s. Col. EDM.
Mosaïque du Grand Palais de Byzance, détail. Musée des Mosaïques.
Marchands de poissons, aquarelle du XIXe s. Col. EDM.
184 Vendeur de simits et marchand ambulant, dessins N. Boussot. Col. EDM.
184-185 Fontaine de l'empereur Guillaume II, carte postale. Col. EDM.
185 Tapis turcs anciens. Cl. Ara Güler.
186 Articles d'herboristerie au Grand Bazar. Cl. H. Özözlü.
La mosquée de la Nuruosmanıye et une des entrées du Grand Bazar, croquis N. Boussot. Col. EDM.
187 La citerne de Binbirdirek, surnommée citerne des Mille et Une Colonnes, gravure d'après Th. Allom (1804-1872). Col. EDM.
188 Colonnes de la citerne de Binbirdirek. Cl. Ara Güler.
Citerne de Binbirdirek, gravure de W. H. Bartlett, XIXe s. Cl. A. E. Baker.
Tête de méduse, piédestal d'une colonne de la citerne de Yerebatan. Cl. H. Özözlü.
189 Bibliothèque du complexe des Köprülü. Cl. idem.
La colonne de Constantin ou colonne Brûlée, carte postale. Col. EDM.
190 Vue aérienne du Grand Bazar. Cl. Ara Güler.
Citerne de Yerebatan, gravure d'après Th. Allom (1804-1872). Col. EDM.
Vue panoramique du Grand Bazar, carte postale. Col. EDM.
191 Porte de la mosquée Sainte-Sophie, tableau de Şevket Dağ, vers 1911. Musée de la Peinture et de la Sculpture, Istanbul.
Galerie du Grand Bazar. Cl. Ara Güler.
192 Intérieur du Grand Bazar, carte postale. Col. EDM.
Boutique du Grand Bazar. Cl. H. Özözlü.
Kaftan ottoman brodé. Cl. Ara Güler.
193 Vendeur de lunettes de soleil, dessin N. Boussot.
Femmes au Grand Bazar, tableau d'A. Preziosi (1816-1882). Cl. H. Özözlü.
194 Nécessaire d'un cireur de chaussures. Cl. Ara Güler.
Le Grand Bazar : entrée, voûte d'une galerie, vue générale d'une galerie marchande. Cl. H. Özözlü.
195 Magasin de vêtements brodés et épicerie, Grand Bazar. Cl. H. Özözlü.
194-195 Marchand de boisson, dans une allée du Grand Bazar. Cl. Ara Güler.
196-197 Cachets gravés. Cl. idem.
196 Reliure en cuir orné d'or et d'argent de l'*Hünername*. Bibliothèque du palais de Topkapı. Cl. idem.
Porte Coran. Cl. idem.
A l'intérieur du Bazar, tableau de Kemal Zeren, 1950. Bibliothèque Atatürk.
197 Poupées dans le Grand Bazar. Cl. Ara Güler.
Talismans contre le mauvais oeil. Cl. H. Özözlü.
Cordonnier du Grand Bazar, tableau de G. Brindisi (1850-1877).
Boutique du Grand Bazar, aquarelle d'A. Preziosi (1816-1882). Col. part.
198 Le Grand Bazar, gravure d'après Th. Allom (1804-1872). Col. EDM.
Rue marchande près du Grand Bazar. Cl. A. Thévenart.
Fumeur de narguilé dans un café turc, tableau d'A. Preziosi (1816-1882).
199 Grande avenue du Bazar, gravure de W. H. Bartlett, XIXe s. Cl. A. E. Baker.
Marchand de pastèques, vendeur ambulant de jus de fruit, marchand de pickles. Cl. d'A. Thévenart.
Marchand de café, carte postale. Col. P. de Gigord.
200-201 Cour et bâtiments du Saraykierat, et mosquée de Süleymaniye, Cl. de Robertson. Bibliothèque Nationale, Paris.
200 Pont de Galata à l'entrée de la Corne d'Or et Grand Bazar, Cl. de Robertson. Bibliothèque Nationale, Paris.
Mausolée et cimetière. Cl. Ara Güler.
201 Mosquée de Beyazıt. Cl. idem.
Vieilles maisons en bois du quartier de Beyazıt. Cl. A. Thévenart.
202 Vue de Constantinople, gouache de L.-F. Cassas (1756-1827). Col. priv.
Petit cimetière, près de la Süleymaniye. Cl. A. Thévenart.
Marché aux moutons sur la place Beyazıt, carte postale. Col. P. de Gigord.
202-203 Vue de Constantinople depuis Kasımpaşa, gravure d'après Th. Allom (1804-1872). Bibliothèque Nationale, Paris.
203 Ah Min'el Aşk (Ah l'Amour !), encre et aquarelle. Col. A. Dino.
La place Beyazıt et l'université. Cl. H. Özözlü.
Marchands de pastèques. Cl. Ara Güler.
204 Couvercle de boîte de loukoum. Col. P. de Gigord.
Echoppe turque, carte postale. Col. idem.
Etiquette de carton à chapeau. Col. idem.

Portefaix dans une rue d'Istanbul, carte postale. Col. idem
205 Intérieur du mausolée de Rüstem Paşa. Cl. Ara Güler. Coupoles de la mosquée du prince. Cl. idem. Şardivan (fontaine) et façade côté cour de la mosquée du Prince. Cl. idem. Intérieur de la mosquée de Süleyman. Cl. idem.
206 Calligraphie d'Ahmet Karahisari, panneau de faïence, XVIe s. Cl. Ara Güler. Calligraphie à l'encre noir et or, Ahmet Karahisari, XVIe s. Cl. idem.
207 Calligraphie anonyme du XIXe s. Col. A. Dino.
208 Calligraphie du sultan Ahmet III (1673-1736). Bibliothèque du Musée de Topkapı. Calligraphie anonyme du XIXe s. Cl. Ara Güler. Halim Özyazici, calligraphe (1989-1964).
208-209 Calligraphie de Necmeddin Okyay (1883-1976). Col. Derman.
209 Tuğra, monogramme calligraphié de sultan ottoman. Cl. Ara Güler. Calligraphies d'Abidine Dino.
210 Représentation calligraphique d'un dromadaire. Oeuvre anonyme du XIXe s. Cl. Ara Güler. Calligraphie du derviche Hasan Bin Ilyas El-Burusevî, XVIe s. Bibliothèque Süleyman, Aya Sofya. Calligraphe, tableau attribué à Gentile Bellini (v. 1429-1507).
211 Représentation calligraphique anonyme du XIXe s. Cl. Ara Güler. Calligraphie de Necmeddin Okyay (1883-1976). Col. Derman.
212 Représentations de mosquée en motifs calligraphiques. Décors sur verre.
213 Calligraphie en médaillon. Décor mural de mosquée, détail. Calligraphie bektaşi. Cl. Ara Güler. Calligraphie en médaillon. Décor mural de mosquée, détail. Détail d'une calligraphie anonyme du XIXe s. Cl. Ara Güler. Détail d'une calligraphie composée sur les mots *Ah l'Amour !*, encre et aquarelle, XVIIIe s. Cl. Ara Güler.
214 Mosquée de Süleyman, gravure ancienne. Bibliothèque Nationale, Paris. Façade sud-ouest de la mosquée de Süleyman et coupoles et cheminées de la medrese ouest. Cl. Ara Güler.
214-215 Plan de la Süleymaniye, dessin du professeur Kâni Kuzucular, faculté d'Architecture d'Istanbul.
215 Cour à portique (avlu) de la mosquée de Süleyman. Cl. d'Ara Güler. Aqueduc de Valens, dessin Le Corbusier, *Urbanisme*, Paris, 1966.
216 La Corne d'Or vue depuis la Süleymaniye. Cl. A. Thévenart. Intérieur du mausolée de Selim II. Cl. idem.
216-217 Vitraux de la mosquée de Süleyman. Cl. Ara Güler.
217 Portrait de Süleyman le Magnifique, tableau de l'école du Titien, 1535-1540. Musée d'Histoire de l'Art, Innsbruck. Cl. Erich Lessing. Portrait de Roxelane (Haseki Hürrem), Istanbul. Cl. Ara Güler. Mausolée de Sinan, lithographie de Jacques Caillol. Bibliothèque Nationale, Paris.
218 Etiquette de carton à chapeau. Col. P. de Gigord. Marchand de pâtisseries, carte postale. Col. idem.
218-219 Mosquée Süleymaniye et le port, carte postale. Col. P. de Gigord.
219 Enterrement de Süleyman, miniature de Nakkaş Osman, *Histoire du sultan Süleyman*, 1579. Bibliothèque Chester Beatty, Dublin.
220 Vue aérienne de l'aqueduc de Valens. Cl. G. Rossi. Le minaret torsadé de la Burmalı Minare Camii. Dessin N. Boussot.
221 Un imam dans la Fatih Türbesi Sokağı, au fond la mosquée de Mehmet Fatih. Fonds P. P.-Loti-Viaud, Sceaux. Mausolée de Mehmet II, gravure. Col. EDM. Colporteur, carte postale. Col. P. de Gigord.
222 Fumeurs de narguilé à la terrasse d'un café, carte postale. Col. EDM. Médailles à l'effigie de Mehmet le Conquérant, gravures. Col. EDM. Rue d'Istanbul, carte postale. Col. EDM.
222-223 Mosquée de Mehmet Fatih, carte postale. Col. EDM.
223 Bibliothèque d'Abdül Hamit Ier, gravure. Bibliothèque Nationale, Paris. Mosaïque de l'ancienne église Theotokos Pammakaristos (Fetiye Camii). Cl. Ara Güler.
224 Timbres du 500e anniversaire de la prise de Constantinople, représentant Mehmet le Conquérant, 1953. Col. EDM.
225 Le château aux Sept Tours, gravure du XVIe s. Bilbliothèque Nationale, Paris.
226 Le château aux Sept Tours, Yedikule. Cl. de Samih Rifat. La porte du Canon, Top Kapı. Cl. A. Thévenart.
226-227 Entrée du château aux Sept Tours, gravure de W.H. Bartlett. Col. EDM.
227 Les murailles terrestres. Cl. A. Thévenart. Les remparts du château aux Sept Tours. Cl. idem. Grand Palais et murailles byzantines, gravure du XVe s.
228 Timbre du 500e anniversaire de la prise de Constantinople, représentant les murailles. Col. EDM. Les murailles terrestres. Cl. Ara Güler. Maisons en bois appuyées contre les murailles, carte postale. Col. EDM. Plan d'Istanbul, miniature de 1537. Bibliothèque de l'Université.
229 Cimetière d'Istanbul. Cl. Ara Güler. Les remparts du château aux Sept Tours, carte postale. Col. EDM. Etiquette de carton à chapeau. Col. P. de Gigord.
230 Mosquée de Mihrimah. Cl. d'A. Thévenart. Couvercle de boîte de cigarettes. Col. P. de Gigord. Intérieur de la mosquée de Mihrimah. Cl. Ara Güler.
231 Plan et coupe du tambour et de la coupole de la Mihrimah Camii. Composition de L. Doratti. Château aux Sept Tours et murailles terrestres. Cl. A. Thévenart.
232 La Kariye Camii Sokağı, rue menant à l'ancienne église Saint-Sauveur-in-Chora. Cl. idem. La Kariye Camii, ancienne église Saint-Sauveur-in-Chora. Cl. idem. Mosaïque du Christ Pantocrator, Saint-Sauveur-in-Chora. Cl. de G. Degeorge. Mosaïque de la Dormition de la Vierge, Saint-Sauveur-in-Chora. Cl. idem.
233 Fresque du Jugement dernier, Saint-Sauveur-in-Chora. Cl. idem. Mosaïque des Noces de Cana, détail, Saint-Sauveur-in-Chora. Cl. idem. Mosaïque, détail. Cl. idem. Pères de l'Eglise, détail de la fresque de l'abside, Saint-Sauveur-in-Chora. Cl. idem.
234 Boîte de cigarettes. Col. P. de Gigord. Carte de Constantinople, de Cristoforo Buondelmonti, 1422. Porte des murailles terrestres, carte postale. Col. P. de Gigord
235 Porte d'Argent, Silivri Kapı, carte postale. Col. idem. Porte Dorée, Porta

Aurea, carte postale. Col. idem.
Caravane franchissant l'enceinte d'Istanbul, carte postale. Col. idem.
236 Aqueduc de Valens, manuscrit turc du XVIIe s.
Tekfur Sarayı, palais des Porphyrogénète. Cl. Ara Güler.
Façade du Tekfur Sarayı. Cl. A. Thévenart.
Tekfur Sarayı, détail de l'appareillage polychrome. Cl. idem.
237 Femme turque portant le tchador. Cl. Ara Güler.
Autobus d'Istanbul, dessin humoristique de Nehar Tüblek.
Vieilles maisons en bois d'Istanbul. Cl. G. Degeorge.
238 Réclame représentant la Corne d'Or. Col. P. de Gigord.
Panorama de la Corne d'Or, carte postale. Col. Dr Onger.
239 Le port de la Corne d'Or, tableau. Cl. Ara Güler.
Caïque sur la Corne d'Or, carte postale. Col. P. de Gigord.
La Corne d'Or et Istanbul vues de la tour de Galata. Cl. de Sebah Juaye.
240 Mosquée des Roses, Gül Camii, carte postale. Col. Dr Onger.
Réclame pour la Compagnie française des Messageries maritimes. Col. P. de Gigord.
Patriarcat grec orthodoxe, dessin de Ph. Marchand.
241 Vue de la corne d'Or depuis Péra-Galata, carte postale. Col. P. de Gigord.
Eglise Saint-Etienne-des-Bulgares, carte postale. Col. idem.
Quartier du Fener, carte postale. Col. idem.
Patriarcat grec orthodoxe. Cl. A. Thévenart.
Eglise Saint-Etienne-des-Bulgares. Cl. idem.
242 Vue aérienne de la Corne d'Or. Cl. de G. Rossi.
Marchands de parfum sur les marches d'une mosquée. Cl. E. de Pazzis.
Mouchoir brodé. Cl. Ara Güler.
Fontaine et cour de la mosquée d'Eyüp. Cl. A. Thévenart.
Minbar et salle de prière, mosquée d'Eyüp. Cl. idem.
243 Eyüp et la Corne d'Or, gravure d'A. I. Melling (1763-1831). Cl. Ara Güler.
Barques amarrées sur la rive de la Corne d'Or. Cl. H. Özözlü.
244 Rue de la Nuruosmaniye, carte postale. Col. P. de Gigord.
Eyüp et la Corne d'Or, tombeaux des sultans, cartes postales. Col. EDM.
245 Porte de mosquée, carte postale. Col. P. de Gigord.
Mausolée à Eyüp. Cl. A. Thévenart.
Marchands d'articles religieux. Cl. idem.
Jeune garçon en habit de cérémonie, le jour de sa circoncision. Cl. idem.
246 Eyüp et la Corne d'Or, carte postale. Col. EDM.
Cimetière d'Eyüp, carte postale. Col. EDM.
Cimetière ottoman, tableau du XIXe s. Cl. Ara Güler.
246-247 Cimetière d'Eyüp. Cl. idem.
247 Abri pour les oiseaux en forme d'architecture miniature, Eyüp. Cl. H. Özözlü.
Cimetière d'Eyüp. Cl. idem.
Talismans contre le mauvais oeil. Cl. idem.
248 Anciens abattoirs sur la Corne d'Or. Cl. idem.
Café P. Loti. Dessin de N. Boussot.
249 Miniatures représentant divers types d'embarcations. Musée de la Culture et de l'Artisanat.
Les Eaux-Douces d'Europe, carte postale. Col. EDM.
Cour de l'ancien hôpital de la Süleymaniye. Cl. H. Özözlü.
250 Stèles dans le cimetière d'Eyüp. Cl. E. de Pazzis.
Le grand cimetière de Scutari (Üsküdar), gravure d'après Th. Allom (1804-1872). Col. EDM.
Marchand de pâtisseries à l'entrée d'un cimetière d'Istanbul, carte postale. Col. Dr. Onger.
250-251 Cippes dans le cimetière d'Eyüp. Cl. E. de Pazzis.
251 Cimetière d'Eyüp. Cl. idem.
Mosquée d'Eyüp. Cl. idem.
Cimetière d'Eyüp. Dessin N. Boussot.
252 Tour de Galata et, à l'arrière plan, la Süleymaniye. Cl. H. Özözlü.
253 Chrétiens de Péra sortant de l'église et Musulmans de Galata sortant de la mosquée, gravures. Col. P. de Gigord.
Le pont de Galata, carte postale. Col. idem.
Le pont de Galata, aquarelle d'Hawizy Hvanson, 1903. Musée municipal d'Istanbul.
254 Plan de Galata, détail d'une miniature de Matrakçı Nasuh, 1537. Bibliothèque de l'Université. Cl. Ara Güler.
Cour de récréation de l'Etablissement des Frères, Kadıköy, carte postale. Col. P. de Gigord.
Cour du Sacré-Coeur, Notre-Dame-de-Sion, carte postale. Col. idem.
Collège Saint-Joseph, Kadıköy, carte postale. Col. idem.
255 Couvercle de boîte de cigarettes. Col. idem.
Boîte de cigarettes turques. Col. idem.
Magasin français à Kadiköy, carte postale. Col. idem.
Ancienne entrée du "tünel", funiculaire souterrain de Beyoğlu. Archives Gökhan Akçura.
256 L'un des nombreux passages voûtés du quartier de Beyoğlu. Cl. H. Özözlü.
Escalier de la rue de la Vieille-Banque, Eski Banka Sokağı. Cl. idem.
Derviches tourneurs. Cl. Ara Güler.
256-257 Panorama de la Corne d'Or depuis la tour de Galata, le 18 avril 1992. Dessin N. Boussot.
257 Galata et la Corne d'Or, tableaux turcs contemporains. Cl. Abidine Dino.
Rue de Beyoğlu, Cl. Ara Güler.
258 Danseuses de cabarets de Péra, carte postale. Col. P. de Gigord.
Tour de Galata, carte postale. Col. idem.
L'avenue de l'Indépendance, Istiklal Caddesi, la nuit. Cl. H. Özözlü.
Danse orientale. Cl. idem.
259 Réclame pour le Péra Palace Hôtel. Col. P. de Gigord.
Représentation d'un mélodrame au théâtre de Péra. Col. d'Ara Güler.
260 Réclame pour l'hôtel Tokatliyan de Beyoğlu. Col. P. de Gigord.
Grande rue de Péra, actuelle Istiklal Caddesi, carte postale. Col. idem.
Train en gare d'Istanbul, carte postale. Col. idem.
Lycée et place de Galatasaray. Dessin N. Boussot.
261 Restaurant russe de Péra, tableau turc contemporain. Cl. Ara Güler.
Restaurants du passage aux Fleurs, Çiçek Pasajı. Cl. idem.
Rue de Péra, carte postale. Col. P. de Gigord.
262 Collège des jésuites de Galatasaray, dessin d'après photo. Col. P. de Gigord.
Place de Taksim, tableau de Sabri Berkel. Col. privée.
Façade néo-classique d'un immeuble du XIXe s., Beyoğlu. Dessin in *Tarihsel Gelişim Sürecinde Beyoğlu.*
Mémorial à la gloire d'Atatürk et des héros de la nation, place de Taksim. Cl. A. Thévenart.
263 Porteurs d'eau, représentations du XVIe au XIXe s.
264 Üsküdar et l'entrée du Bosphore. Cl. Ara Güler.
264-265 Ferry

à la confluence du Bosphore et de la Corne d'Or. Dessin N. Boussot.
265 Ferry. Cl. Ara Güler. Palais de Dolmabahçe, gravure d'après Th. Allom (1804-1872). Col. EDM. Pêcheurs sur le Bosphore. Cl. Ara Güler.
266 Abri pour les oiseaux en forme d'architecture miniature, Ayazma Camii, Üsküdar. Cl. Ara Güler. La tour de Léandre peinte sur un couvercle de boîte. Col. P. de Gigord. Mosquée de la Princesse Mihrimah, tableau d'Ahmet Ziya Akbulut. Musée de la Peinture et de la Sculpture.
267 Le Bosphore, tableau de Civanyan. Bibliothèque Atatürk. Üsküdar. Dessin Ph. Marchand. Maison d'Üsküdar. Cl. Ara Güler.
268 Mosquée de Şemsi Paşa, Üsküdar. Cl. Ara Güler. Scutari (Üsküdar) à bord du *Maréorama*, carte postale. Col. P. de Gigord. Prinkipo (Büyük Ada), îles des Princes, carte postale. Col. EDM.
268-269 Le grand cimetière de Scutari (Üsküdar), carte postale. Col. Dr Onger.
269 Port d'Üsküdar. Dessin Ph. Marchand. Büyük Ada (îles des Princes), points de vue depuis le sommet de l'île. Cl. A. Thévenart.
270 Anadolu Club. Dessin N. Boussot. Eglise du monastère Saint-George. Cl. A. Thévenart.
270-271 Yali de Büyük Ada (îles des Princes). Dessin N. Boussot.
271 Yali en ruine. Cl. A. Thévenart. Fiacre. Dessin de N. Boussot. Promenade des Cafés, Prinkipo (Büyük Ada), îles des Princes.Carte postale, Col. P. de Gigord.
272 Hôtel Akasya (Acacia), Büyük Ada, îles des Princes. Dessin N. Boussot. Hôtel Giacomo, Prinkipo (Büyük Ada), îles des Princes, carte postale. Col. P. de Gigord. Eglise du monastère Saint-George. Cl. E. de Pazzis.
273 Yalı de Büyük Ada, îles des Princes. Cl. idem. Port d'Heybeli Ada, îles des Princes. Cl. A. Thévenart.
276-277 Corne d'Or à la hauteur du pont Atatürk, au début du siècle. Archive Ara Güler.
276 Ferries au débarcadère de Beşiktaş. Dessin N. Boussot. Mosquée et palais de Dolmabahçe. Dessins Kaya Dinçer.
277 Paysage sur le Bosphore, peinture murale, XIXᵉ s. Palais de Yıldız. Cl. Ara Güler. Mausolée d'Hayrettin Paşa, dit Barberousse. Dessin Kaya Dinçer. Palais de Çırağan, gravure XIXᵉ s. Palais de Çırağan. Cl. Ara Güler.
278 Coupole de la grande salle de reception (Muayede), palais de Dolmabahçe. Cl. Ara Güler. Candélabre, palais de Dolmabahçe. Cl. idem. Mobiler de style rococo turc, palais de Dolmabahçe. Cl. John Falconer.
278-279 Salon Rouge, palais de Dolmabahçe. Cl. Ara Güler. Entrée du palais de Dolmabahçe, côté jardins. Cl. idem.
279 Vases à paysages peints, manufacture des porcelaines de Yıldız. Vase de Sèvres bleu et or. Cl. idem. Grand escalier d'honneur, palais de Dolmabahçe. Cl. idem. Salle du Mabeyn, palais de Dolmabahçe. Cl. idem.
280 Yalı de Yeniköy. Dessin de Kaya Dinçer.
280-281 Tarabya, gravure du XIXᵉ s. Cl. Ara Güler. Vue de Yeniköy, carte postale. Col. EDM.
280 Yeniköy. Dessin Kaya Dinçer.
281 Ancienne ambassade d'Italie, Tarabya. Dessin idem. Fenêtres à guillotine. Dessins idem. Musée Sadberk Hanim. Dessin idem.
282-283 Kiosque de Malte, parc de Yıldız. Cl. Ara Güler.
282 Cl. : mosquée et port d'Ortaköy. Arnatvutköy. Dessin Kaya Dinçer.
283 Yilanli Yalisi et consulat d'Egypte, baie de Bebek. Dessins idem. Village de Rumeli Hisari. Cl. Ara Güler. Forteresse de Rumeli Hisari. Cl. John Falconer.
284 Bateaux sur le Bosphore. Cl. G. Rossi. Vue aérienne de Rumeli Kavağı. Cl. idem. Exemples de ferronnerie. Dessins Kaya Dinçer.
285 Femmes en promenade.Gravure d'A. Preziosi, 1858. Beykoz, carte postale. Col. P. de Gigord.
286 Paşabahçe, tableau d'Hoca Ali Rıza (1864-1930). Col. priv. Yali de Sefik Bey, Kanlıca. Dessin Kaya Dinçer. Yali de Rutiye Sultan. Dessin idem.
287 Yali d'Hekimbası, yali de Zarif Mustafa Paşa, yali d'Amcazade Hüseyin Paşa, Anadolu Hisarı. Dessins idem. Anadolu Hisarı, dessin aquarellé de Murat Çakan, 1989. Yali des Ostrogog, Küçüksu. Cl. Ara Güler. Anadolu Hisarı, forteresse d'Asie, gravure d'après Th. Allom (1804-1872). Col. EDM.
288 Petit Palais de Küçüksu. Cl. Ara Güler. Yali de Sadullah Paşa. Dessin Kaya Dinçer.
288-289 Vue de Belerbeyi et du palais impérial, carte postale. Col. EDM.
289 Palais de Belerbeyi. Dessin Kaya Dinçer. Peinture murale, XIXᵉ s. Cl. Ara Güler: Café de Belerbeyi. Cl. idem. Tour de Léandre, Kiz Kulesi. Cl. idem.
290 Yali et palais du Bosphore. Cl. idem.
291 Mausolée, tableau contemporain de Fikret Âdil.
292 Porte d'Istanbul, Istanbul Kapı, Iznik. Cl. H. Özözlü. Porte de Yenisehir, Yenisehir Kapı, Iznik. Cl. idem. Porte d'Istanbul, Istanbul Kapı, Iznik. Cl. idem. Mausolée seldjoukide, Iznik. Cl. idem.
293 Restaurant ottoman, artiste grec anonyme, début XIXᵉ s.
294 Maison d'Iznik. Cl. H. Özözlü. Panneau d'information devant Sainte-Sophie, Iznik. Cl. Ara Güler. Ancienne basilique Sainte-Sophie, Iznik. Cl. H. Özözlü. Mausolée de Kara Halıl Hayrettin Paşa. Cl. idem. La mosquée Verte, Yesil Cami. Cl. A. E. Baker.
295 Musée d'Iznik, ancien imaret de Nilüfer Hatun, Iznik. Cl. H. Özözlü. Petite cloche et vase en céramique, musée d'Iznik. Cl. idem. Sarcophage grec, musée d'Iznik. Cl. idem.
296 Plat en céramique d'Iznik, XIVᵉ s. Musée du Louvre, Paris. Faïences d'Iznik. Cl. Ara Guler. Four de cuisson et faïencier dans son atelier. Cl. Yoshiko Nakamura.
297 Maisons de Bursa. Cl. Ara Güler.
298 Vue générale de Bursa. Cl. Ara Güler.
299 Mont Olympe et Brousse (Bursa), gravure d'après Th. Allom (1804-1872). Col. EDM.
300 Vue de Bursa depuis la colline. Cl. Ara Güler. Soldats irréguliers de l'armée ottomane, et litière dans les environs de Brousse (Bursa), lithographie du XIXᵉ s. Cl. Ara Güler. Grande Mosquée (Ulu Cami), Bursa. Cl. G. Rossi. Plan de la mosquée d'Orhan Gazi, Bursa.
301 Intérieur de la mosquée de Murat II,

Bursa. Cl. Ara Güler.
Hammam de Bursa. Cl. idem.
Hammam de Bursa, carte postale. Col. EDM.
Osman Gazi, fondateur de la dynastie ottomane, carte postale. Col. EDM.
302 Magasin de Bursa. Cl. Ara Güler.
Marché de Bursa. Cl. idem.
302-303 Filature de soie. Cl. Ara Güler.
303 Scène du meddah (théâtre de conteur) à Brousse (Bursa), lithographie du XIXe s. Cl. idem.
Quartier arménien de Brousse (Bursa), carte postale. Col. Dr Onger.
304 Cruche en céramique brute, XIIIe s. Musée des Arts turcs et islamiques, Bursa.
Bougeoir en bronze, fin XIIIe-début XIVe s. Musée des Arts turcs et islamiques, Bursa.
Maison et fontaine de Bursa. Cl. Samih Rifat.
Intérieur de maison turque, Bursa. Cl. idem.
Mosquée d'Orhan Gazi, Bursa. Cl. Ara Güler.
305 Bursa, carte postale. Col. EDM.
Scène de hammam, miniature de Daha Levni, XVIIIe s. Cl. Ara Güler.
Danseuse, miniature de Daha Levni, XVIIIe s. Cl. idem.
306 Tombeau de Mehmet Ier, Yeşil Türbe, Bursa. Cl. Ara Güler.
Mosquée du Sultan Emir et mosquée de Beyazıt Ier, Bursa, carte postale. Col. EDM.
Medrese et mausolée du complexe de la mosquée de Beyazıt Ier, Bursa. Cl. G. Rossi.
Mihrab et Minbar de la mosquée de Beyazıt Ier, Bursa, carte postale. Col. EDM.
307 Yeşil Türbe, carte postale. Col. EDM.
Mosquée du Sultan Emir, Bursa, détail de carte postale. Col. EDM.
Bursa, aquarelle d'Emile Henry, 1877. Bibliothèque Atatürk.
Parc national de l'Ulu Dağ (la Grande Montagne), aux environs de Bursa. Cl. Ara Güler.
308 Mosquée de Selim II et vue générale d'Edirne, carte postale. Col. EDM.
309 Ecole Sultaniye, Edirne, carte postale. Col. EDM.
Fontaine d'Haci Adil Bey, Edirne, carte postale. Col. EDM.
310 Rue Karanfiloğlu, Edirne. Aquarelle de Murat Çakan, 1991.
Minaret torsadé de l'Üç Şerefeli Camii, Edirne. Cl. H. Özözlü.
Château d'eau pour incendie, Edirne, carte postale. Col. EDM.
311 Premier étage du caravansérail de Rüstem Paşa, Edirne. Cl. Ara Güler.
Rue d'Edirne, carte postale. Col. EDM.
Villageois de Soufli, près d'Edirne, carte postale. Col. EDM.
312 Intérieur et fontaine de la cour de la mosquée de Selim II, Edirne, carte postale. Col. EDM.
Vue d'Edirne, carte postale. Col. EDM.
Balcons (şerefe) d'un minaret de la mosquée de Selim II, Edirne. Cl. Ara Güler.
313 Mosquée de Selim II, Edirne, carte postale. Col. EDM.
Inscriptions calligraphiques à l'intérieur de mosquées. Cl. Ara Güler.
Rédition d'Andrinople (Edirne) au tsar Ferdinand de Bulgarie, illustration du Petit Journal, 13 avril 1913.
314 Signature de l'architecte Sinan. Cl. Ara Güler.
Mosquée de Selim II, Edirne, plan coupe et élévation. Composition de P. Carnelutti.
315 Intérieur de la mosquée de la princesse Mihrimah. Cl. Ara Güler.
Intérieur de la mosquée de Rüstem Paşa. Cl. idem.
Intérieur de la mosquée de Selim II (Selimiye), Edirne. Cl. idem.
L'architecte Sinan, tableau de Sabri Berkel, 1952. Col. priv.
Architectes défilant sur l'hippodrome avec une maquette de la Süleymaniye, miniature du *Livre des Fêtes*, 1582. Musée du palais de Topkapı.
Sculpture représentant l'architecte Sinan, Edirne. Cl. H. Özözlü.
316 Vitrail de la mosquée de Rüstem Paşa. Cl. Ara Güler.
Plan, coupe et élévation de la mosquée de Süleyman Ier (Süleymaniye). Composition de R. Petruzzi.
317 Vitraux du mausolée de Süleyman le Magnifique. Cl. Ara Güler.
Intérieur de la mosquée du Prince, Şehzade Camii. Cl. idem.
Chaire (minbar) de l'Atik Valide Camii. Cl. Ara Güler.
318 Mosquée de Selim II (Selimiye), Edirne, carte postale. Col. EDM.
Fontaine et cour de la mosquée de Selim II (Selimiye), Edirne. Cl. Ara Güler.
Fontaine (şardıvan), de la mosquée de Süleyman Ier (Süleymaniye). Cl. idem.
319 Exemple d'ébénisterie, détail d'une porte. Cl. idem.
318-319 Coupe longitudinale du complexe de Selim II (Selimiye), Edirne. Dessin de P. Carnelutti.
320 Joueur de zurna (sorte de haut-bois). Cl. H. Özözlü.
Fuite des paysans turcs vers Istanbul, illustration du Petit Journal, 1913.
320-321 Meriç (Maritza), rivière près d'Edirne. Col. P. de Gigord.
321 Les lutteurs, tableau de L.-F. Cassas (1756-1827). Col. part.
Festival de Lutte de Kirkpinar, Edirne. Cl. Ara Güler.
322 Vue générale de Gallipoli (Gelibolu), carte postale. Col. EDM.
323 Flibustier dans les Dardanelles, tableau de L. Garneray (1783-1857). Cl. musée de la Marine, Paris.
Hero pleurant la mort de Léandre, gravure.
324-325 Vente aux enchères dans un quartier extérieur de Gallipoli (Gelibolu), carte postale. Col. EDM.
324 Constantinople et les Dardanelles, gravure de 1711. Col. EDM.
Charette transportant des gerbes dans un quartier d'artisans de Gelibolu. Cl. H. Özözlü.
325 Préfecture et tribunal de Gallipoli (Gelibolu), carte postale. Col. EDM.
Figure de divinité, Musée archéologique de Çannakale. Cl. H. Özözlü.
Forteresse de Kilitbahır, détroit des Dardanelles. Cl. idem.
326 Les cuirassés allemands Goeben et Breslau. Cl. Match, 1939.
Viribus Unitis, carte postale. Col. P. de Gigord.
326-327 Caricature, nov. 1914, carte postale. Col. idem.
327 Cuirassé allemand rebaptisé par les Turcs. Dessin N. Boussot.
Mustafa Kemal Paşa, carte postale. Col. P. de Gigord.
Affrontement des flottes turque et russe dans le détroit des Dardanelles, carte postale. Col. EDM.
328 Réclame du début du siècle. Col. P. de Gigord.
Débarquement des Anglais à Seddülbahır. Illustration du *Miroir*, 1914.
Mémorial du cimetière turc de Çannakale. Cl. H. Özözlü.
328-329 Franc-tireur turc fait prisonnier. Cl. du *Times*, 1915.
329 Pancarte aux abords du cimetière militaire de Çannakale. Cl. H. Özözlü.
Cimetière militaire et monument aux morts, Çannakale. Cl. idem.
Montreurs d'ours sur la route de Troie. Cl. idem.
330 Vice-amiral de Robeck. Cl.du *Times*, 1915.
Amiral Guépratte, Cl.idem.
330-331 Les navires anglais et français

sautant sur les mines du détroit.
Dessin N. Boussot.
331 Plan de bataille du 18 mars 1915.
Cuirassé Le Suffren, Musée de la Marine.
332 Couverture de *History of the war*, The Times, oct. 1915.
Survivants de L'Irrésistible, à bord de l'Agamemnon, cliché archives.
Le cuirassé L'Irrésistible sombrant. Archives du *Times*.
332-333 Le Queen Elisabeth, cliché archives.
333 Les drapeaux alliés flottant sur les forts des Dardanelles. Musée de la Marine, Paris.
Cuirassé d'escadre Bouvet, cliché archives.
L'équipage du Gaulois quittant le navire gravement touché, cliché archives.
334 Plan en coupe des occupations successives du site de Troie.
Heinrich Schliemann, archéologue (1822-1890), cliché archive.
Théâtre antique, Troie. Cl. Ara Güler.
Vestiges d'une tour, porte et murailles, Troie. Cl. idem.
335 Combat autour du corps de Patrocle.
Reconstitution du cheval de Troie. Cl. Ara Güler.
La ruse du cheval de Troie, sculpture sur bronze.
Guerrier sur un char. Silhouette, guide de Troie.
336 Haches de pierre, tasse "depas", Troie II.
Ajax et Achille jouant aux dés.
La ruse du cheval de Troie. Dessins de N. Boussot.
338 Etiquette de carton à chapeau. Col. P. de Gigord.
339 Gare d'Haydarpaşa sur la rive asiatique : quai, train et façade extérieure. Cl. H. Özözlü.
L'Orient-Express. Réclame du Péra Palace Hôtel.
341 Ferries et débarcadère d'Istanbul. Cl. A. Thévenart.
Ferry, silhouette Maurice Pommier.
342 Plaque de la Turabi Baba Sokağı. Cl. H. Özözlü.
Jetons de ferry et billetsde trains de banlieue. Cl. A. Thévenart.
Taxi d'Istanbul. Cl. idem.
Panneau d'arrêt d'une ligne d'autobus. Cl. H. Özözlü.
342-343 Dolmuş, voiture des années 40. Cl. H. Özözlü.
343 Ferry. Silhouette M. Pommier.
Ferry bondé. Dessin humoristique de Nehar Teblek.
Tramways. Cl. A.Thévenart.
Calèche sur l'île de Büyük Ada. Cl. idem.
344 Ecrivain public. Silhouette M. Pommier.
Monnaies et billets turcs. Cl. A. Thévenart.
Distributeur de billet. Cl. idem.
345 Cabine téléphonique. Cl. idem.
Agent de la circulation. Cl. H. Özözlü.
Jetons et carte téléphonique. Cl. O.T. Istanbul.
Bureau de Poste. Cl. A. Thévenart.
Timbres turcs. Col. EDM.
346 Kiosque à journaux. Cl. H. Özözlü.
Samovar. Cl. E. de Pazzis.
Café turc. Cl. H. Özözlü.
Cezve, cafetière turque. Cl. E. de Pazzis.
Fumeurs de narguilé. Silhouette M. Pommier.
347 Motifs de tapis. Dessins à l'encre M. Pommier.
Vendeur de simit. Cl. H. Özözlü.
Etal de poissons. Cl. idem.
Bouteilles de raki. Cl. idem.
Döner Kebab. Silhouette M. Pommier.
350 Aya Sofya Evleri. Cl. Ph. Galard.
Grand Bazar. Cl. H. Özözlü.
Scène de Hammam. Cl. Ara Güler.
Mosquée de Sultan Ahmet, carte postale. Col. Ch. Bardèche.
351 Sultan Ahmet Camii et Sainte-Sophie vues du ciel. Cl. G. Rossi.
Jus de fruits. Cl. Ph. Galard.
Salon du palais de Dolmabahçe. Cl. Ara Güler.
Palais de Dolmabahçe. cliché A. Thévenart.
352 Tekke des derviches tourneurs. Cl. Ch. Bardèche.
Spectacle de danse des derviches tourneurs. Cl. Ara Güler.
Entrée du passage aux Fleurs, Çiçek Pasajı. Cl. Ch. Bardèche.
Istiklal Caddesi. Cl. Selahettin Giz.
353 Tramway. Cl. idem.
Librairie de l'Aslı Han. Cl. Ch. Bardèche.
Magasin d'antiquités. Cl. idem.
Pavillon de Yıldız. Cl. Ara Güler.
Pont sur le Bosphore, Ortaköy. Cl. G. Rossi.
354 Ancienne place du Séraskiérat, carte postale. Col. Ch. Bardèche.
La place Beyazıt aujourd'hui. Cl. Ara Güler.
Avlu et şadırvan de la mosquée de la Süleymaniye Camii. Cl. idem.
Enlumineur. Dessin N. Boussot.
355 Pierre Loti. Archives Larousse-Giraudon.
Cimetière. Cl. Ara Güler.
Fontaine aux ablutions (şardıvan) de la Yeni Valide Camii. Cl. E. de Pazzis.
Les murailles terrestres, carte postale. Col. Ch. Bardèche.
356 Maglova Kemer, aqueduc. Cl. P. Pinon.
Barrage dans la forêt de Belgrade, gravure de W. H. Bartlett. Col. EDM.
357 Maglova Kemer, aqueduc. Cl. P. Pinon.
Topuzlu Bent, barrage. Cl. idem.
358 Marchands de poissons. Cl. A. Thévenart.
Marchand de graines pour les pigeons. Cl. E. de Pazzis.
Jeunes cireurs de chaussures. Cl. idem.
Diseur de bonne aventure. Revue *Istanbul*.
Ferry. Cl. A. Thévenart.
Calèche sur l'île de Büyük Ada. Cl. H. Özözlü.
359-380 Motifs et silhouettes, M. Pommier.
364 Palais de Topkapı.Cl. H. Özözlü.
367 La Maison Verte, Yeşil Ev. Cl. idem.
370 Hôtel Ramada. Cl. idem;
371 Marchand de babouches. Cl. idem.
372 Café de Kadirçada, quartier de Fatih. Cl. idem.
373 Süleymaniye Camii la nuit. Cl. Ara Güler.
375 Tour de Galata, carte postale. Col. EDM.
377 Burgaz Ada (île). Cl. H. Özözlü.
379 Büyük Ada (île). Cl. idem.
380 Fontaine de l'Ulu Cami, Bursa. Cl. Ara Güler.

Cartes itinéraires : Pierre-Xavier Grézaud, assisté de Jean-François Binet, Philippe Pradel et Samuel Tranlé.

Illustrateurs :
François Brosse : Dos, 73 à 88.
Kaya Dinçer : 276, 277, 280, 281, 282, 284, 286, 288, 289.
Maurice Pommier : 341, 343, 344, 346, 347, 359 à 380.
Norbert Boussot : 46-48, 108, 184, 186, 220, 248, 251, 256, 260, 264, 270, 271, 272, 276, 327, 328, 336, 354.
Philippe Marchand : 110, 240, 267, 269.
Dimitri Botkine : 52, 61.

Cartes P.A.O. : Samuel Tranlé, Jean-Michel Belmer.

Tableaux : Emmanuel Calami : 340-343, 345, 347

Abréviations utilisées :
Col. : collection
Cl. : cliché

Nous avons par ailleurs recherché en vain, les héritiers ou éditeurs de certains documents. Un compte leur est ouvert à nos éditions.

A

AĞA : maître d'école, seigneur, et titre honorifique dans l'armée turque.
ARASTA : rue couverte sur laquelle s'ouvrent des boutiques, galerie marchande.
AVLU : grande cour ou place ménagée devant la façade d'une mosquée.
AYAZMA : fontaine sacrée.

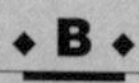

BAYRAM : fête.
BEDESTEN : édifice au centre d'un bazar couvert, où sont entreposés et vendus les objets de valeur.
BENT : retenue d'eau, barrage.
BEY : gouverneur d'une ville ou d'un district (beylicat).
BEYLERBEY : le «bey des bey», gouverneur général d'une province.

C

CAÏQUE : petite embarcation à voile et à rames usitée sur le Bosphore et la Corne d'Or jusqu'au début du siècle.
CAMEKAN : réception et vestiaire (apodyterium) d'un hammam.
CAMI : mosquée avec minbar.
ÇARSI : marché, bazar.
ÇELEBI : gentilhomme turc.
ÇEŞME : fontaine.
CUMHURIYET : République.

D

DARÜL'L-HADIS : école supérieure coranique.
DARÜ'Ş-ŞIFA : hôpital ottoman.
DERSHANE : amphithéâtre, salle de cours d'une medrese.
DERVICHE : membre d'une conférie religieuse, Kalender, Mevlevi, etc...
DEVŞIRME : enfant chrétien cédé en tribut par sa famille et enrôlé au service du sultan.
DIVAN : conseil impérial ottoman ; désigna, par extension, le gouvernement ottoman en général.

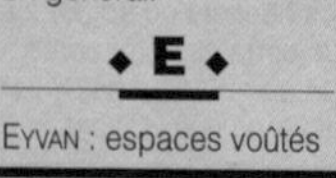

EYVAN : espaces voûtés ou à coupole, autour de la salle centrale d'une mosquée.

FIRMAN : décret édicté par le sultan.

GRAND VIZIR : sorte de premier ministre de l'Empire ottoman.

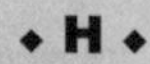

HADIM : eunuque.
HALI : tapis à points noués.
HAMMAM : bains turcs.
HAN : caravansérail, auberge pour les marchands et leurs caravanes.
HARARET : salle de bains d'eau chaude et de vapeurs (caldarium) du hammam.
HAREM : dans les maisons et palais ottomans, quartier réservé aux femmes.
HASEKI : favorite du sultan.
HÉGIRE : calendrier musulman dont l'an I correspond à l'an 622 du calendrier chrétien.
HISAR : forteresse ottomane.
HÜBTE : sermon prononcé le vendredi dans les grandes mosquées.
HÜNKA KASRI : dans une mosquée impériale, loge ou galerie réservée au sultan.
HÜCRE : dans une medrese, cellule d'étudiant.

I

IMAM : chef de prière attaché à une mosquée.
IMARET : fondation où sont servis des repas gratuits aux pauvres, ou aux voyageurs.

J

JANISSAIRE : membre du corps d'élite de l'infanterie attaché au service du sultan.

K

KADIN : épouse légitime du sultan.
KALENDER : ordre mendiant des derviches errants.
KAPI : porte.
KEMER : aqueduc.
KETHÜDA : régisseur, intendant.
KIBLA : au fond de la salle de prière d'une mosquée, mur orienté perpendiculairement à la direction de La Mecque.
KILIM : tapis tissé.
KILISE : église.
KONAK : hôtel particulier ottoman.
KÖPRU : pont.
KÖŞK : kiosque ou pavillon turc.
KÖY : village, hameau.
KULE : tour.
KÜLLIYE : complexe socio-religieux d'une mosquée, comprenant divers établissements d'utilité publique.
KURAN KÜRSÜ : chaire de lecture du Coran.

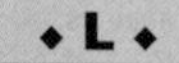

LALE DEVRI : époque des Tulipes, règne d'Ahmet III (XVIIIe siècle).

MEDRESE : établissement d'enseignement supérieur d'un külliye.
MEKTEP : école primaire.
MESCIT : petite mosquée sans minbar.
MEVLEVI : confrérie des derviches tourneurs.
MIHRAB : dans une mosquée, niche aménagée dans le mur de la Kibla.
MIMAR : architecte.
MIMARBAŞI : architecte en chef.
MINBAR : chaire où se tient le prédicateur lors du sermon du vendredi.
MINARET : tour depuis laquelle le müezzin lance l'appel à la prière.
MÜEZZIN : fonctionnaire attaché à une mosquée qui appelle les fidèles à la prière.

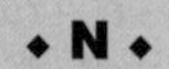

NARGUILÉ : pipe à long tuyeau communiquant avec un flacon où la fumée se refroidit au contact d'une eau aromatisée, ce dernier surmonté d'un petit fourneau où se consume le tabac.

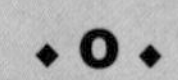

ODA : pièce, salle, chambre.
OSMANLI : dynastie ottomane fondée par Osman (XIIIe siècle) et qui régna jusqu'en 1923.

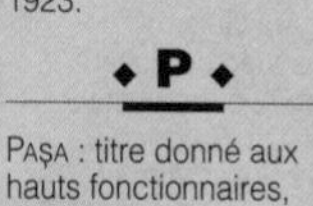

PAŞA : titre donné aux hauts fonctionnaires, gouverneurs et généraux turcs.

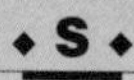

ŞARDIVAN : fontaine aux ablutions située généralement dans la cour de la mosquée.
SARAY : palais ottoman, sérail.
SARNIÇ : citerne.
SEBIL : fontaine publique.
SELAMLIK : dans les maisons et palais ottomans, quartier réservé aux hommes.
ŞEREFE : balcon du minaret.
ŞEHZADE : prince, fils du sultan.
SOFA : plate-forme surélevée, estrade de cérémonie.
SOĞUKLUK : salle de bains à température intermédiaire (tepidarium) du hammam.
SUBLIME PORTE : entrée du palais du grand vizir, puis, par extension, le gouvernement ottoman en général.
SULTAN : souverain de l'Empire ottoman.
SULTANE : épouse ou fille du sultan.
SUTERAZI : château d'eau turc.
SÜTUN : colonne.

TABHANE : hospice pour derviches errants.
TEKKE : monastères de derviches.
TUĞRA : signature calligraphiée des sultans, apposée à tous les documents officiels.
TÜRBE : mausolée ottoman.

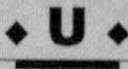

ULU CAMI : Grande Mosquée, dite également mosquée du Vendredi.

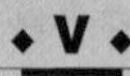

VALIDE SULTANE : sultane mère, mère du sultan régnant.

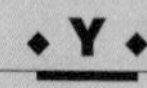

YALI : hôtel particulier en bois et construit au bord de l'eau.

ZAVIYE : fondation pieuse destinée à accueillir les pèlerins et les derviches.

◆ Locutions ◆

A quelle heure ? : saat kaçta ?
A votre santé : şerefinize
Bon appétit : afiyet olsun
Bonjour (le matin) : günaydın
Bonjour : merhaba
Bonne journée, au revoir : iyi günler
Bonsoir : iyi akşamlar
Bonne nuit : iyi geceler
Combien ? : kaç ?
Comment ? : nasıl ?
Comment allez-vous ? : nasılsınız ?
D'accord : tamam, peki
D'où ? : nereden ?
Enchanté de vous voir : hoş bulduk
Est-ce loin ? : uzak mı ?
Excusez-moi : özür dilerim
Il y a : var
Il n'y a pas : yok
Je cherche : arıyorum
Je dois partir : gitmeliyim
Je ne comprends pas : anlamıyorum
Je vous en prie : rica ederim, birşey değil
Je suis français : Fransızım
Lequel ? : hangi ?
Merci : teşekkür ederim
Merci beaucoup : teşekkürler
Non : hayır
Où (mouvement) ? : nereye ?
Où est-ce ? : nerede ?
Oui : evet
Parlez-vous français ? : Fransızca konuşuyor musunuz ?
Pourquoi ? : niçin, neden ?
Pourriez-vous répéter ? : lüften tekrar eder misiniz ?
Quand ? : ne zaman ?
Quel, que, quoi ? : ne ?
S'il vous plaît : lütfen
Soyez le bien venu : hoş geldiniz
Très bien, merci : çok iyiyim, teşekkür ederim
Y a-t-il ? : var mı

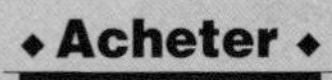

◆ Acheter ◆

Je veux acheter ceci : bunu almak istiyorum
Combien cela coûte-t-il ? : bu ne kadar ?, bu kaç lira ?
C'est trop cher : çok pahalı
Pouvez-vous baisser le prix ? : fiyatı indirebilir misiniz ?
Avez-vous quelque chose de moins cher ? : daha ucuz bir şey yok mu ?
Je prends ceci : bunu alıyorum

◆ Compter ◆

Un : bir
Deux : iki
Trois : üç
Quatre : dört
Cinq : beş
Six : altı
Sept : yedi
Huit : sekiz
Neuf : dokuz
Dix : on
Onze : on bir
Vingt : yirmi
Trente : otuz
Quarante : kirk
Cinquante : elli
Soixante : altmış
Soixante-dix : yetmiş
Quatre-vingt : seksen
Quatre-vingt-dix : doksan
Cent : yüz
Cent un : yüz bir
Deux cent : iki yüz
Mille : bin
Deux mille : iki bin

◆ Heures ◆

Demie : buçuk
Heure : saat
Midi : öğle, güney
Minuit : gece yarısı
Minute : dakika, müsvedde
Quart : çeyrek
Quelle heure est-il ? : saat kaç ?
Sept heure : saat yedi
Sept heure et demie : saat yedi buçuk
Sept heure et quart : saat yedi çeyrek geçiyor
Sept heure moins le quart : saat yedi çeyrek var

◆ Jours ◆

Jour : gün
Matin : sabah
Midi : öglede
Après-midi : ögleden sonra
Soir : aksam
Nuit : gece
Lundi : pazartesi
Mardi : salı
Mercredi : çarsamba
Jeudi : persembe
Vendredi : cuma
Samedi : cumartesi
Dimanche : pazar

◆ Mois ◆

Mois : ay
Janvier : ocak
Février : subat
Mars : mart
Avril : nisan
Mai : mayis
Juin : haziran
Juillet : temmuz
Août : agostos
Septembre : eylül
Octobre : ekim
Novembre : kasim
Décembre : aralik

◆ A ◆

Accepter : kabul etmek
Accident : kaza
Acheter : almak
Addition, note : hesap
Aéroport : havaalanı
Agneau : kuzu
Alentours (aux) : çevrede, etrafta, cıvarda
Aller : gitmek
Allumette : kibrit
Ancien : eski
Année : yil, sene
Annuler : iptal etmek
Antiquaire : antikacı
Appartement : daire
Aqueduc : kemer
Architecture : mimarî, mimarlık
Argent (monnaie): para
Argent (en) : gümüs
Arrêt (d'autobus) : durak
Arrivée (train) : varış
Art : sanat
Artisanat : zanaat
Assiette : tabak
Aujourd'hui : bugün
Autobus : otobüs
Automne : sonbahar
Autoroute : otoban
Avion : uçak
Arrêter, s' : durmak
Aller-retour : gidiş dönüş
Avenue : caddesi
Avoir : sahip olmak, -i var olmak

◆ B ◆

Bagage : bagaj
Banque : banka
Bateau : gemi
Beau, belle : güzel
Beignet : kızarmış
Beurre : tereyağ
Bien : iyi
Bijou : mücevher
Billet : bilet
Blanc : beyaz
Bleu : mavi
Boire : içmek
Boisson : içecek
Boisson alcoolisée : içki
Bon : iyi
Bon marché : ucuz
Boucherie : kasap (dükkânı)
Boulangerie : ekmekçi (dükkânı)
Boulette : köfte
Briquet : çakmak
Buffet : büfe
Bureau de tabac : tütüncü (dükkânı)
Bureau de tourisme : turizm bürosu

◆ C ◆

Café : kahve
Cafetière : cevze
Carte d'identité : nüfus kağıdı
Cannelle : tarçın
Centre ville : şehir merkezi
Chambre, pièce : oda
Chambre pour deux : iki oda
Chambre avec bains : banyolu oda
Change : kambiyo
Changer (argent) : bozdurmak
Chèque : çek
Chaud : sıcak
Cher : pahalı
Chercher : aramak
Cigarette : sigara
Clair (couleur) : açık
Clef : anahtar
Comprendre : anlamak
Confiture : reçel
Couleur : renk
Couteau : bıçak
Couturier : terzi
Crayon : kalem
Cuiller : kaşık
Cuir : deri
Cuivre : bakır

◆ D ◆

Date : tarih
Déjeuner : öğle yemeği
Demain : yarın
Demi : yarım
Dentifrice : diş macunu
Départ (train) kalkış
Dessert : tatlı
Difficile : zor
Diner : akşam yemegi
Dire : demek, söylemek
Docteur : doktor
Douane : gümrük
Douche : duş

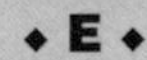

◆ E ◆

Eau : su
verre d'eau : bardak su
Ecume (en) : köpük
Embarcadère : iskele
Employé : memur
Entendre : işitmek
Entrée : giriş
Entrer : girmek
Entretenir avec , s' : -le görüşmek
Envoyer : göndermek
Epices : baharat
Epicerie : bakkal (dükkânı)
Essence (pompe à) : benzin (istasyonu)
Eté : yaz

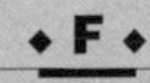

◆ F ◆

Faim (avoir) : acımak
Faire : etmek, yapmak
Fatigué : yorgun
Femme : kadın
Fermé : kapalı
Ferry : vapur
Fête : beyram
Figue : incir
Fille (jeune) : genç kız
Fleur : çiçek
Foncé (couleur) : koyu
Fontaine : çesme
Forêt : orman
Fourchette : çatal
Frais : taze
Froid : soğuk
Fromage : peynir
Frontière : peynir
Fruit : meyva
Fruits secs : kuru yemiş
Fumer : içmek

G

Garage : garaj
Garçon (de restaurant) : garson
Gare (train) : istasyon
Gâteau : pasta
Glaçons : buz
Grand : büyük
Gratuit : ücretsiz, bedava
Grillade : ızgara
Guichet : gişe
Guide : rehber, kılavuz

H

Habiter : oturmak
Hammam : hamam
Heure : saat
Hier : dün
Hiver : kış
Homard : ıstakoz
Homme : erkek, adam
Hôpital : hastane
Hors-d'oeuvre : meze
Hôtel : otel

I

Ici : burası, buraya, burada
Immeuble : apartman
Interprète : tercüman
Invité : misafir, davetli
Inviter : davet etmek
Ivoire : fildişi

J

Jade : yeşim taşı
Jardin : bahçe
Jasmin : yasemin
Jaune : sari
Jeton : jeton
 de téléphone : telefon jetonu
 de ferry : vapur jetonu
Jeune : genç
Journal : gazete
Jus de fruit : meyva suyu
Jus d'orange : portakal suyu

L

Lac : göl
Lait : süt (café au lait : sütlü kahve)
Lettre : mektup
Librairie : kitabevi
Libre : boş
Lignes aériennes : hatları
Lit : yatak
Livre : kitap
Location : kiralama, kira
Loin : uzak
Long : uzun
Lumière : ışık

M

Madame : bayan
Magasin : magaza, dükkân
Maintenant : şimdi, şu anda.
Malade : hasta
Malentendu : anlaşmazlık
Manger : yemek
Marbre : mermer
Marché : çarsı, pazar yeri
Marchandage : pazarlık
Marron (couleur) : kahve rengi
Massage : uvuşturma
Mauvais : kötü
Médicament : ilaç
Menu : menü, yemek listesi
Mer : deniz
Meuble : mobilya
Miel : bal
Miniature : minyatür
Mode (à la) : moda olan gözde, çok tutulan
Monnaie : para
Monnaie (petite) : bozuk para
Monsieur : beyefendi
Montagne : dağ
Montre : saat
Monument : anıt
Monuments anciens : eski eseler
Morceau : parça
Mosquée : cami, mescit
Mouchoir : mendil
Musée : Müze

N

Narguilé : nargile
Nécessaire : lazım
Neuf, nouveau : yeni
Noir : siyah
Nom : isim, ad
Nom de famille : soğadı
Non : hayır
Note, facture : hesap, fatura
Nourriture : besin, yiyecek

O

Occupé : meşgul
Oeuf : yumurta
Oeuvre (d'art) : sanat eseri
Oignon : soğan
Olive : zeytin
Or : altın
Orange (couleur) : turuncu
Orchestre : orkestra
Ordonnance : reçete
Ottoman : osmanlı
Oui : evet

P

Paiement : ödeme
Pain : ekmek
Palais : saray
Pâle (couleur) : solgun, soluk
Panne (en) : arızalı
Panorama (paysage) : manzara, görüntü
Papier : kağıt
Parfum : parfüm, koku
Parler : konuşmak
Partir : gitmek
Passeport : pasaport
Pâté : ezme
Pâtisserie : pastacı (dükkânı)
Pastèque : karpuz
Payer : ödemek
Pays : ülke
Peinture (galerie de) : resim (galerisi)
Pension : pansiyon
 demi-pension : yarım pansiyon
 pension complète : tam pansiyon
Perdre : kaybetmek
Périphérique : çevreyolu
Personne (une) : (bir) kişi
Petit : küçük
Petit déjeuner : kahvaltı
Pharmacie : eczacılık
Photographie : fotoğraf
Pignon : çam fıstığı
Pipe : pipo
Pistaches : şam fıstığı, antep fıstığı
Place : meydan
Plage : kumsal, plâj
Plan (de ville) : şehir planı
Plein : dolu
Poisson : balık
Poissonnerie : balık pazarı
Poivre : kara biber
Poivron : biber
Pont : köpru
Porcelaine : çini, porselen
Port : liman
Porte : kapı
Porter : taşımak
Possible : mümkün
Poste (bureau de) : postanen (büro)
Poulet : piliç
Prendre : almak
Précieux : değerli
Près, proche : yakın
Pressé, urgent : acele
Prière : namaz
Printemps : bahar
Prix : fiyat
Promenade : gezinti
Promener (se) : gezmek
Propriétaire : sahip

Q

Quartier : mahalle, semt
Question (poser une) : soru (sormak)

R

Ramadan : ramazan
Raisin : üzüm
Raisin sec : kuru üzüm
Réception (d'hôtel) : resepsiyon
Recevoir : kabul etmek, almak
Regarder : bakmak (-e)
Religion : din
Rendez-vous : sözleşme, randevu
Réparation : tamir
Réparer : tamir etmek
Reposer (se) : dinlenmek
Réservation : rezervasyon
Restaurant : restoran, lokanta
Rester : kalmak
Retourner : dönmek
Rivière : nehir, çay
Rose (couleur) : pembe
Rose (fleur) : gül
Rouge : kırmızı
Route : yol
Rue : sokak
Rue en pente : yokuş

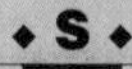

S

Sac : çanta
Saison : mevsim
Salade : salata
Salle de bain : banyo
Sel : tuz
Semaine hafta
 fin de semaine : hafta sonu
 en semaine : hafta içinde
Serviette de table : peçete
Serviette de toilette : havlu
Siècle : yüzyıl
Signature : imza
Signer : imzalamak
Sortie : çıkış
Sortir : çıkmak
Station : durak
Stop : dur
Sucre : şeker

T

Tapis : halı
Taxi : taksi
Taxi collectif : dolmuş
Télégramme : tel yazısı
Téléphone : telefon
Téléphoner : telefon etmek
Temps (qu'il fait) : hava
Temps (qui passe) : zaman
Thé : çay
Timbre : pul
Toilettes : tuvalet
Tourisme : turizm
Travailler : çalışmak
Trouver : bulmak
Train : tren

U

Urgent : acele

V

Vacances : tatil
Vaccin : aşı
Valise : valiz
Vendeur : satıcı
Vendre : satmak
Venir de : gelmek (-den)
Verre : bardak, cam
Vert : yesil
Vêtement : elbise
Viande : et
Vide : boş
Vif (couleur) : canlı
Vieux, ancien : eski
Village : köy
Ville : şehir
Vin : şarap
Vinaigre : sirke
Violet : menekşe rengi
Visite : gezi
Visiter : gezmek
Voiture : araba

INDEX

A

Abdül Aziz Ier, sultan 50, 260, 280, 289
Abdül Hamit Ier Camii, mosquée (Emirğan) 282
Abdül Hamit Ier Külliyesi, complexe 133
Abdül Hamit Ier Türbesi, mausolée 133
Abdül Hamit II, sultan 50, 353
Abdül Mecit Ier, sultan 50, 277, 280, 287
Abdül Mecit II, calife 43
Abdül Mecit Türbesi, mausolée 222
Abydos, ancienne (Dardanelles) 325
Adrianople, voir Edirne
Agamemnon 332, 333
Ahır Kapı, porte 183
Ahmet de Bursa, miniaturiste 169
Ahmet Ier, sultan 175
Ahmet Ier Türbesi, mausolée 177
Ahmet III, fontaine d' 67, 77, 148
Ahmet III, fontaine d' (Üsküdar) 265, 266
Ahmet III, sultan (dit le roi Tulipe) 157, 204, 210
Ahmet Paşa, tombe d' 352
Ak Bıyık Çeşmesı, fontaine 184
Ak Bıyık, quartier d' 184
Alay Köşkü, pavillon 135
Alçıtepe (Dardanelles) 327
Alexandre le Grand, empereur 29, 30, 325, 332-333, 336
Alexandre, empereur byzantin 142, 147
Alexis IV Ange, empereur 32
Ali Paşa, général 38
Ambassade d'été d'Allemagne, ancienne (Yeniköy) 282
Ambassade d'Égypte, ancienne (Bosphore) 281
Ambassade de France, ancienne 259
Ambassade de Grande-Bretagne, ancienne 260, 351
Ambassade de Hollande, ancienne 259
Ambassade de Russie, ancienne 258
Ambassade de Suède, ancienne 258
Amcazade Hüseyin Paşa, Yalı d' (Bosphore) 88, 286
Anadolu Club (Büyük Ada) 273
Anadolu Hisarı, forteresse (Bosphore) 281, 287
Anadolu Hisarı (Bosphore) 283, 287
Anadolu Kavağı (Bosphore) 284
Anaxagore, philosophe 323
Ancienne mosquée de la Sultane mère, voir Atik Valide Camii
Ancienne Mosquée, voir Eski Cami (Edirne)
Andronic II, empereur 324
Andronic III, empereur 235
Antiochus et Lausus, palais d' 188
Anzac, baie d' (Dardanelles) 327, 333
Aqueducs, les 76-77, 356-357
Aqueduc Courbe, voir Eğrikemer
Arap Camii, mosquée 254
Architecture 73 à 88
Architecture byzantine 74-75
Architecture de l'eau 76-77
Architecture ottomane 78-79
Architecture baroque 84-85
Arnavutköy (Bosphore) 84, 281, 282
Aronco, Raimondo d', architecte 287
Arsenal, l' (Tershane) 254
Art byzantin 64-65
Atatürk, Mustafa Kemal 42 à 44, 46, 60, 129, 140, 152, 326, 327, 330, 352, 353
Atik Ali Paşa Camii, mosquée 79, 191
Atik Mustafa Paşa Camii, mosquée 246
Atik Sinan, architecte 221
Atik Valide Camii, mosquée (Üsküdar) 268-269
Atik Valide Külliyesi, complexe (Üsküdar) 269
At Meydanı, place 176, 177 à 179, 350
Attila le Hun 224
Augustéon, forum 174
Aya Kapı, porte 241
Aya Sofya Camii, mosquée, voir Sainte-Sophie
Aya Sofya Külliyesi, complexe 148
Aya Sofya Meydanı, place 174
Aya Sofya Türbesi, mausolées 148
Ayasofya Evleri, maisons 350
Ayasofya Pansiyonları, hôtel 136
Ayaspaşa, restaurant 261
Ayazma, fontaine (Iznik) 296
Ayazma Camii, mosquée (Üsküdar) 268
Aynalıkavak Kasrı, palais 241
Ayvad Bendi, barrage 357
Ayvansaray Kapı, porte 246
Ayvansaray, quartier d' 246

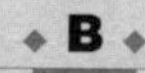

B

Baba Mustafa, miniaturiste 169
Bab-i Ali (Sublime Porte) 134, 351
Bahçeköy Kemeri, aqueduc 356
Balat Kapı, porte 245
Balat, quartier de 245
Balkans, guerre des 313
Balyan, Nikogos, architecte 277, 280, 287
Balyan, Sergis, architecte 280, 285, 289
Barbe Hirsute, rue de la (voir Kaba Sakal Sokağı)
Barberousse, amiral, voir Hayrettin Paşa
Barberousse, Frédéric, empereur 323
Barrages, les 356-357
Barry, Sir Charles, architecte 261
Baudoin de Flandre, empereur 32
Bazar aux Épices, voir Mısır Çarşısı
Bazar des Artisanats ottomans, voir Soğuk Çeşme Medresesi
Bazar Égyptien, voir Mısır Çarşısı
Bebek, baie de (Bosphore) 281, 283
Bektaşı, derviches 208
Belgrade, forêt de 356-357
Belgrat Kapı, porte 229
Bellini, Gentile, peintre 145
Berkel, Sabri, peintre 262
Beşiktaş, quartier de (Bosphore) 277, 351, 353
Beşir Ağa Külliyesi, complexe 134
Bey Hanı, caravansérail (Bursa) 301
Beyaz Köşk, pavillon (Emirğan) 282
Beyazıt Hürriyet Meydanı, place 199, 202, 354
Beyazıt Ier Camii, mosquée (Bursa) 78, 307
Beyazıt Ier Külliyesi, complexe (Bursa) 306-307
Beyazıt Ier, dit Yıldırım, la Foudre, sultan 287, 298
Beyazıt II Camii, mosquée (Istanbul) 79, 200-201, 358
Beyazıt II Külliyesi, complexe (Edirne) 79, 320
Beyazıt II Külliyesi, complexe (Istanbul) 199, 201-202
Beyazıt II Türbesi, mausolée (Istanbul) 201
Beyazıt II, sultan 206, 286
Beyazıt, quartier de 201
Beykoz (Bosphore) 285
Beylerbey (Bosphore) 289
Beylerbey Sarayı, palais (Bosphore) 50, 289
Beyoğlu Bendi, barrage 356
Beyoğlu, quartier de 257 à 262
Bibliothèque de la Fondation Çelik Gülersöy 137
Bibliothèque municipale 202
Bibliothèque Nationale (Beyazıdiye) 202
Bijoux 195
Binbirdirek

Sarnıcı, citerne 188, 189
Blachernes, ayazma des (fontaine sacrée) 246
Blachernes, palais des 237
Blegen, Carl W., archéologue 335-336
Boğaziçi (Bosphore) 18-19, 50-51, 88, 276 à 289
Boğaziçi Köprüsü, pont 129, 281, 353
Bonneval, comte de, voir Ahmet Paşa
Bosphore, le (Boğaziçi) 18-19, 50-51, 88, 276 à 289
Bosphore, université du 281
Boucoléon, palais du 183
Bozdoğan Kemeri, aqueduc 220
Bozdoğan Kemeri Caddesi, avenue 354
Brest, Fabius, peintre 91
Burak, Cihat, peintre 93
Burgaz Ada, île (Kızıl Adalar) 271
Burmali Minare Camii, mosquée 220
Bursa 33, 86, 68, 298 à 307
Bursa, citadelle de 301
Bursa, Kultür Parkı de 305
Bursa, marché couvert de 300, 301
Bursa, thermes de 305
Butor, Michel 105
Büyük Ada, île 269, 358
Büyük Yeni Han, caravansérail 197
Büyük Çamlıca, colline (Bosphore) 265, 270
Büyük Çekmece Köprüsü, pont 77
Büyükdere (Bosphore) 283
Byzas le Mégarien 29, 128

◆ **C** ◆

Cafés, les 72
Café Pub, le 262
Cafer Baba, saint 239
Cağaloğlu Hamamı, hammam 133-134, 350
Cağaloğlu, quartier de 133 à 136
Calligraphie, la 206 à 213
Calvert, Frank 333, 334
Caravansérail des Tréfileurs d'Argent, voir Şimkeş Hanı
Cedid Mehmet Efendi, medrese de 185
Cem, mausolée du prince (Bursa) 303
Cem, prince 303
Centre culturel Atatürk 262
Centre culturel des turcs de la Thrace 134
Chakle, maison 174
Château aux Sept Tours, voir Yedikule
Chateaubriand, François-René 99
Christ-Pantocrator, ancienne église du 240-241
Cıbalı Kapı, porte 241
Cimetières, les 229, 246, 250-251
Citadelle, quartier de (Edirne) voir Kale Iç
Citerne d'Aspar, ancienne 222
Citerne de la Basilique, voir Yerebatan Sarayı
Citerne des Mille et Une Colonnes, voir Bınbirdirek Sarnıcı
Claude II, dit le Gothique, empereur 129, 292
Colline de Josué, voir Yuşa Tepesi
Colonne aux Cercles, voir Çemberlitaş
Colonne Brûlée, voir Çemberlitaş
Colonne de Constantin, voir Örme Sütun
Colonne de la Jeune-Fille, voir Kız Taşı
Colonne des Goths, voir Gotlar Sütunu
Colonne Serpentine, voir Yılanlı Sütun
Constantin Ier, dit le Grand, empereur 30-31, 129, 177, 183, 292, 308
Constantin II, empereur 138
Constantin IX, empereur 230
Constantin XI, empereur 34-35
Constantinople 30 à 35
Consulat d'Autriche (Yeniköy) 282
Consulat de France, ancien 262
Corlulu Ali Paşa Külliyesi, complexe 192
Corlulu Ali Paşa, grand vizir 192
Corne d'Or, la (Haliç) 238 à 249
Costumes ottomans 68-69, 192
Croisade, quatrième 32
Cuirs 195

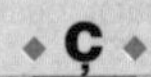

Çadır Köşkü, pavillon 353
Çannakale (Dardannelles) 333
Çannakale Boğazı, voir Dardanelles, détroit des
Çannakale, Musée archéologique de (Dardanelles) 333
Çatladi Kapı, porte 183
Çay Bahçesi, café-salon de thé 198
Çemberlitaş Hamamı, hammam 189, 350
Çemberlitaş, colonne 189, 350
Çengelköy (Bosphore) 289
Çiçek Pasaj, passage 261, 351, 353
Çimenlik Kale, Musée militaire (Dardanelles) 333
Çinili Camii, mosquée (Üsküdar) 270
Çinili Külliyesi, complexe (Üsküdar) 270
Çinili Köşku, musée 162, 164
Çirağan Sarayı, palais (Bosphore) 280, 353
Çirağan, hôtel (Bosphore) 280
Çorlulu Pasjı, passage 350
Çubuklu (Bosphore) 286
Çuhacılar Hanı, caravansérail 197

◆ **D** ◆

Dağ, Şevret, peintre 191
Dalgıç Ahmet Ağa, architecte 148, 204
Damat Ibrahim Paşa, medrese de 205
Dandolo, doge 145
Danışman Pasajı, passage 352
Dardanelles, bataille des 42, 328 à 331
Dardanelles, détroit des (Çannakale Boğazi) 322 à 333
Dardanos, tumulus de (Dardanelles) 333
Davut Ağa, architecte 148, 175, 191, 312
De Amicis, Edmondo 101-102
De Robeck, vice-amiral 328, 331
Derviches tourneurs, monastère des 256, 257, 352
Dikilitaş, obélisque 177, 178
Dino, Abidine, peintre 96
Dino, Guzine 117
Dioclétien, empereur 292, 308
Divan, conseil impérial 154
Divan Yolu, avenue 186 à 190, 350
Dolmabahçe Camii, mosquée (Bosphore) 277
Dolmabahçe Sarayı, palais (Bosphore) 50, 84-85, 276, 278-279, 351
Don Juan d'Autriche 38
Dörpfeld, Wilhelm, archéologue 334, 335

◆ **E** ◆

Eaux-Douces d'Europe, les 249
Eceabat (Dardanelles) 325-326
Edirne 33, 308 à 321
Edirne Kapı, porte 232, 355
Edirne, bazar d' 310
Eğri Kapı, porte 237
Eğrikemer, aqueduc 283, 357
Élée, ancienne (Dardanelles) 332
Elisabeth Ie d'Angleterre 260
Eminönü, quartier d' 130 à 133, 355
Eminönu Meydanı, place 130
Emirğan (Bosphore) 282
Empire byzantin 31 à 35
Empire ottoman 36 à 42
Enderun, place (Topkapı Sarayı) 156-157
Enver Paşa, général 42, 326
Eski Cami, mosquée (Edirne) 309
Eski Hisarlik (Dardanelles) 332

Eski Kaplıca Hamamı, hammam (Bursa) 58, 305
Etap Marmara, hôtel 351
Eudoxia, impératrice 138
Evliya Çelebi, écrivain 106-107, 135, 144, 216, 219, 239
Eyüp Camii, mosquée 244, 245, 249
Eyüp Ensari Türbesi, mausolée 249
Eyüp Ensari, saint 247
Eyüp Külliyesi, complexe 248
Eyüp, grand cimetière d' 246, 249
Eyüp, quartier d' 247 à 249

F

Faik, Sait 111-112
Faune maritime 23
Faune sylvestre et monticole 24-24
Fener Kapı, porte 243
Fener, quartier du 242 à 245
Ferhat Paşa Türbesi, mausolée 247
Ferruh Ağa, mosquée de 245
Festival d'Été (Istanbul) 262, 281
Festival de Lutte (Edirne) 320, 321
Fethiye Camii, mosquée 223
Fidan Hanı, caravansérail (Bursa) 301
Firuz Ağa Camii, mosquée 188
Firuz Ağa, tombeau de 188
Flaubert, Gustave 100-101
Fontaines, les 66-67
Forteresse d'Asie, voir Anadolu Hisarı
Forteresse d'Europe, voir Rumeli Hisarı
Forums antiques, les 174
Fossati, Gaspare, architecte 140, 141, 256, 258
François Ier de France 259

G

Galata Köprüsü, pont 129, 130, 252, 352
Galata Kulesi, tour 252, 256, 257
Galata, arsenal de 254
Galata, quartier de 252, 257
Galatasaray Balık Pazar, marché 136, 261, 353, 358
Galatasaray Lisesi, lycée 260, 351, 352
Galatasaray Meydanı, place 260
Galatasaray, quartier de 260-262
Galip Dede, poète mystique 257
Gallien, empereur 292
Gallipoli, mémoriaux de (Dardanelles) 327-328
Gallipoli, campagne de 326-327
Gallipoli, voir Gelibolu
Garipçe (Bosphore) 284
Gastronomie 68-69, 70-71
Gedik Ahmet Paşa Hamamı, hammam 199
Gelibolu (Dardanelles) 323 à 325
Gelibolu, bedesten de 325
Gelibolu, château de (Dardanelles) 323-324
Gelibolu, cimetière de (Dardanelles) 324-325
Gelibolu, mescit de 325
Génois, les 252-253
Géologie 16-17
Geyve Hanı, caravansérail (Bursa) 301
Gezi, pâtisserie 351
Gilles, Pierre 174
Göl Kapı, porte (Iznik) 296
Gotlar Sütunu, colonne 129
Grand Bazar, le 68, 186, 190, 193 à 197, 199, 350
Vieux bedesten 194
Nouveau bedesten 194-195
Porte des Orfèvres 194
Grand Palais de Byzance, le 182-183
Grand Rue de Péra, ancienne 257
Grande École, la 241
Grande Île, voir Büyük Ada
Grande Montagne des Pins, voir Büyük Çamlıca (Bosphore)
Grande Montagne, voir Ulu Dağ
Grande Mosquée, voir Ulu Cami (Bursa)
Grégoire le Thaumaturge, saint 143
Grelot, G. J., peintre 148
Guépratte, amiral 328, 331
Guillaume II, fontaine de 185
Gül Camii, mosquée 240, 241, 242
Gülbahar Valide Türbesi, mausolée 221
Gülersoy, Çelik 136, 137
Gülhane Parkı, parc 129
Güllüoğlu, pâtisserie 351
Gülnus Emetullah Türbesi, mausolée 267
Günsur, Nedim, peintre 136
Gürsel, Nedim 116
Güzelcekemer, aqueduc 357

H

Habsbourg, les 40-41
Haci Alaettin de Konya, architecte 309
Haci ben Musa, architecte 295
Haci Ivaz Paşa, architecte 301, 305
Haci Özbek Camii, mosquée (Iznik) 294
Hadrien, empereur 30, 308
Hakimiyeti Milliye Meydanı, place (Üsküdar) 265
Haliç (Corne d'Or) 238 à 249
Hamdi Bey, archéologue 164
Hamdullah, calligraphe 206
Hammams, les 58-59, 76
Harbiye, quartier d' 262
Haroun el-Rachid, calife 239
Hatti, les 28-29
Havuzlu Lokanta, restaurant 193
Hayal, bar 351
Hayrettin, architecte 320
Hayrettin Paşa dit Barberousse, statue d' 277
Hellès, cap (Dardanelles) 327-328
Hellespont, voir Dardanelles
Hero et Léandre, mythe de 267, 323
Heybeli Ada, île (Kızıl Adalar) 271
Hezarfen Ahmet Çelebi 257
Hilair, Jean-Baptiste, peintre 91
Hippodrome, voir At Meydanı
Hippodrome, factions de l' 176
Hisarlik, tertre d' (Troie) 334
Histoire 28 à 45
Hittite, civilisation 29, 165
Homère 332
Hücum Kapı, porte 230
Hüdavendigar Camii, mosquée (Bursa) 304
Hüdavendigar Külliyesi, comples (Bursa) 304
Hünkar Iskelesi (Bosphore) 289
Hüseyin Ağa Türbesi, mausolée 181

I

Ibn Bervah, calligraphe 206
Ibn Mukle, calligraphe 206
Ibrahim Ier, dit le Fou, sultan 148, 158
Ibrahim Paşa Sarayı, palais 179-180
Ibrahim Paşa Türbesi, mausolée 204
Imrahor Camii, mosquée 228
Ince Limani, baie d' (Dardanelles) 325
Incir Köyü (Bosphore) 285
Intepe (Dardanelles) 334
Irène, impératrice 240
Irène, tombeau de l'impératrice 273
Isidore de Milet, architecte 139
Isidore le Jeune, architecte 139
Iskele Camii, mosquée, voir Mihrimah Camii (Üsküdar)
Iskender Paşa Camii, mosquée (Kanlıca) 286
Ismail, Namik, peintre 93
Istanbul Kapı, porte (Iznik) 293
Istiklal Caddesi, avenue 257-262, 351, 352
Istiniye (Bosphore) 282

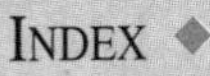

Iznik 32-33, 292 à 296
Iznik, faïences d' 296
Iznik, lac d' 20-21
Iznik, remparts d' 292
Iznik, théâtre romain d' 296
Izzet Efendi, Mustafa, calligraphe 141
Izzet Paşa, yalı de (Büyük Ada) 272

J

Janissaires, corps des 153, 199
Jardin des Tulipes (Emirğan) 282
Jardins, les 26
Jean Chrysostome, saint, patriarche 138
Jean II Comnène, dit le Bon, empereur 147, 241
Jean III Vatatzès, empereur 292
Jean VIII Paléologue, empereur 33
Jeunes Turcs, les 42
Jésus-Christ, monastère de (Büyük Ada) 273
Justinien, empereur 32, 138-139, 183, 187, 292, 323

K

Kaba Sakal Sokağı, rue 185
Kabatepe, musée de la Guerre de (Dardanelles) 327
Kalcilar Hanı, caravansérail 197
Kale Iç, quartier de (Edirne) 308
Kalei Sultaniye, forteresse (Dardanelles) 324, 326, 333
Kalender, hameau des (Bosphore) 282
Kalender, ordre des derviches errants 205
Kalenderhane Camii, mosquée 75, 205
Kandilli (Bosphore) 288
Kanlı Kilise, voir église Notre-Dame-des-Mongols
Kanlıca 286
Kantarcılar Mescidi, mosquée 238
Kapalı Çarşı (Grand Bazar) 186, 190, 193 à 197, 199, 350
Iç Bedesten 194
Sandal Bedesteni 194-195
Kuyumcular Kapı 194
Karacaahmet, cimetière de (Üsküdar) 264, 351
Kara Davut Paşa Camii, mosquée (Üsküdar) 266
Karahisarı, Ahmet, calligraphe 206, 215
Karagöz 56-57
Karaköy 358
Kara Mustafa Paşa de Merzifon, grand vizir 192
Kara Mustafa Paşa Külliyesi, complexe 192
Karanlıkbent, barrage 357
Karisma Sen, restaurant 183
Kariye Camii, mosquée 232
Kavaflar Arasta, galerie marchande (Edirne) 312
Kazancılar Camii, mosquée 239
Kemal, Yachar 114-115
Kemal, Yahya, poète 192
Kemalettin Bey, architecte 281
Khédives, palais des (Bosphore), hôtel-restaurant 286
Kıbrıslı Mustafa Emin Paşa, yalı de (Küçüksu) 288
Kilims 60, 69, 195
Kilitbahir, forteresse (Dardanelles) 324, 325, 326
Kilyos (Bosphore) 283
Kınalı Ada, île (Kızıl Adalar) 271
Kiosque Blanc, voir Beyaz Köşk (Emirğan)
Kiosque des Faïences, voir Çinili Köşkü
Kiosque des Vanniers, voir Sepetçiler Köşkü
Kirazlibent, barrage 356
Kirkpinar, stade de (Edirne) 320
Kız Kulesi, tour 267
Kız Taşı, colonne 220
Kızıl Adalar, îles 50, 269, 271 à 273, 358
Koca Kasim, architecte 270
Koca Mustafa Reşit Paşa, grand vizir 201
Koca Sinan Paşa Camii, mosquée 353
Koca Sinan Paşa Külliyesi, complexe 191
Koca Sinan Paşa Türbesi, mausolée 191
Koimoisis, église de la (Iznik) 295
Konyali, restaurant 159, 350
Köprülü Külliyesi, complexe 189
Kovukkemer, aqueduc 357
Koza Hanı, caravansérail (Bursa) 301
Küçük Aya Sofya Camii, mosquée 181-182
Küçüksu (Bosphore) 287-288
Küçüksu, fontaine de 287-288
Küçüksu, palais de (musée) 84, 287, 288
Kuleli, collège naval de (Bosphore) 288
Kulis, café 262
Kumkale, forteresse (Dardanelles) 324, 332
Kumkapı, quartier 350
Kurban bayram, fête 355
Kuzguncuk (Bosphore) 289

L

Lâleli Camii, mosquée 203
Langue turque, la 46 à 48
Lâpseki (Dardanelles) 322-323
Le Corbusier (Charles-Édouard Jeanneret dit) 104-105
Lefke Kapı, porte (Iznik) 295
Léon V, empereur 237
Léon V, muraille de 237
Lifij, Hüseyin Avni, peintre 95
Liotard, J.-E., peintre 91
Londra Oteli, hôtel 351
Loti, Pierre 103-104, 248, 249, 354-355
Lysimaque, général 292, 336

M

Mağlova Kemeri, aqueduc 76, 357
Mahmut I Kemeri, aqueduc 356
Mahmut II Bendi, barrage 356
Mahmut II Kemeri, aqueduc 356
Mahmut II Türbesi, mausolée 189
Mahmut II, sultan 199
Mahmut Paşa Camii, mosquée 190
Mahmut Paşa Hamamı, hammam 197
Mahmut Paşa, grand vizir 190
Mahmut Paşa Türbesi, mausolée 190
Maison d'Airain, voir Chalke
Maison de France 259-260
Maisons traditionnelles 84, 86-87
Maison Verte, voir Yeşil Ev
Malta Köşkü, pavillon (Yıldız) 282
Manuel Ier Comnène, empereur 236, 270
Manuel Ier Comnène, muraille de 236-237
Marché aux Fleurs 358
Marché aux Livres de Beyoğlu 353
Marché aux Livres, voir Sahaflar Çarşısı
Marché aux Poissons de Galatasaray, voir Galatasaray Balık Pazar
Marché des Métiers d'Art, voir Cedid Mehmet Efendi Medresesi
Marché-du-Jeudi, rue du (voir Perşembe Pazarı Sokağı)
Maria Comnène de Trébizonde, impératrice 241
Maria Paléologue, princesse 244
Mâtraki, miniaturiste 166
Mecidiye Camii, mosquée (Ortaköy) 280
Megali Scholea, voir Grande École
Mehmet Fatih Camii, mosquée 221, 354
Mehmet Fatih Köprüsü, pont (Istanbul) 282
Mehmet Fatih Külliyesi, complexe 221
Mehmet Fatih Türbesi, mausolée 221
Mehmet Ier Camii, mosquée (Bursa) 305-306
Mehmet Ier Türbesi,

mausolée (Bursa) 306, 307
Mehmet Ier, sultan 305, 309
Mehmet II, dit Fatih, le Conquérant, sultan 34-35, 140, 152, 154, 164, 171, 183, 193, 221, 232, 247, 324
Mehmet Köprülü Paşa, grand vizir 332
Mehmet Köprülü Paşa Türbesi, mausolée 189
Mehmet Tahir Ağa, architecte 136, 203, 289
Mehmet Türbesi, mausolée (du prince) 204
Mehmet V, sultan 326
Mehmet VI, sultan 43
Mehmet, prince 204
Melling, Antoine-Ignace 67
Mémorial de la Guerre de Crimée, église du 258
Mermer Kule, tour 225
Mesoteichion, le 230
Mevlâna Celaludin Rumi, fondateur de l'ordre des derviches tourneurs, 257
Mevlâna Kapı, porte 229
Mevlevi, ordre des derviches tourneurs 352
Michel III, empereur 292
Michel VIII Paléologue, empereur 252-253
Mihal Gazi Camii, mosquée (Edirne) 321
Mihal Gazi Hamamı, hammam (Edirne) 321
Mihrimah Camii, mosquée 230, 231-232
Mihrimah Camii, mosquée (Üsküdar) 265, 266
Mihrimah Külliyesi, complexe 231
Mihrimah Külliyesi, complexe (Üsküdar) 265-266
Mihrimah, princesse 231
Milliaire d'Or, le 186
Miniatures ottomanes 166 à 173
Mısır Çarşısı, bazar 68, 132, 351, 355, 358
Mission franciscaine d'Ancône (Büyük Ada) 273
Monastères byzantins 270
Monnaies ottomanes 222
Morto, baie de (Dardanelles) 332
Mosaïques byzantines 64-65, 232 à 234, 142 à 147
Mosquée au Minaret Torsadé , voir Burmali Minare Camii
Mosquée aux Faïences, voir Çinili Camii
Mosquée aux Trois Balcons, voir Üç Şerefeli Camii (Edirne)
Mosquée aux Trois Mihrab, voir Üç Mirablı Camii
Mosquée Bleue, voir Sultan Ahmet Camii
Mosquée de la Conquête, voir Fethiye Camii
Mosquée de la Fontaine Sacrée, voir Ayazma Camii
Mosquée des Arabes, voir Arap Camii
Mosquée des Chaudronniers, voir Kazancılar Camii
Mosquée des Fabricants de balances, voir Kantarcılar Mescidi
Mosquée des Roses, voir Gül Camii
Mosquée des Tanneurs, voir Sagricılar Camii
Mosquée des Tulipes, voir Lâleli Camii
Mosquée du Débarcadère, voir Iskele Camii
Mosquée du Prince, voir Şehzade Camii
Mosquée Petite Sainte-Sophie, voir Küçük Aya Sofya Camii
Mosquée Sainte-Sophie, voir Aya Sofya Camii
Mosquée Verte, voir Yeşil Cami (Bursa)
Mosquée Verte, voir Yeşil Cami (Iznik)
Moustache-Blanche, fontaine de la (voir Ak Bıyık Çeşmesı)
Moustache-Blanche, quartier de la (voir Ak Bıyık)
Muallâ, Fikret, peintre 93
Murailles maritimes, les 182, 238
Murailles terrestres, les 224 à 237, 355
Murat Ier Camii, mosquée (Bursa) 304
Murat Ier Camii, mosquée (Edirne) 320
Murat Ier Hamamı, hammam (Iznik) 294
Murat Ier Külliyesi, complexe (Bursa) 304
Murat Ier Türbesi, mausolée (Bursa) 304
Murat Ier, dit Hüdavendigar, sultan 33, 304, 308
Murat II Camii, dit Muradiye Camii, mosquée (Bursa) 302
Murat II Camii, dit Muradiye Camii, mosquée (Edirne) 313
Murat II Hamamı, hammam (Iznik) 294
Murat II Türbesi, mausolée (Bursa) 302-303
Murat II, konak de (Bursa) 304
Murat II, medrese de (Bursa) 302
Murat II, sultan 33
Murat III, sultan 144
Murat III Türbesi, mausolée 148
Murat IV, sultan 135, 145
Musée archéologique (Bursa) 305
Musée archéologique 164, 188
Musée archéologique et ethnographique (Edirne) 312
Musée archéologique et ethnographique (Iznik) 295
Musée de la Calligraphie (Beyazıdiye Medresesi) 202
Musée de la Littérature du Divan 257
Musée de la Marine (Bosphore) 277
Musée de l'Ancien Orient 165
Musée des Arts turcs et islamiques 179-180
Musée des Arts turcs et islamiques (Bursa) 306
Musée des Arts turcs et islamiques (Edirne) 312-313
Musée des Mosaïques 182, 184
Musée des Tapis et Kilims 176, 185
Musée militaire 262
Musée Mustafa Kemal Atatürk 262
Musée Sadberk Hanim (Büyükdere) 68, 283
Musique 54-55
Mustafa Ağa, architecte 130,
Mustafa Ier Türbesi, mausolée 148
Mustafa II, sultan 221
Mustafa IV, sultan 133
Mustafa Türbesi, mausolée (Bursa) 303

◆ N ◆

Nagilecie, fumerie 196
Nakkaş Osman, miniaturiste 160
Nakşidil Türbesi, mausolée 221
Nature 16 à 26
Nedîm, poète 108
Nerval, Gérard de 98
Nicée, voir Iznik
Nicéphore Grégoras, historien 129
Nika, révolte de 177-178
Nilüfer Hatun, imaret de (Iznik) 295
Nilüfer Hatun, tombeau de 302
Nointel, marquis de 134
Noire, mer 22-23, 283
Notre-Dame-des-Mongols, église 244
Nouvelle mosquée de la Sultane mère, voir Yeni Valide Sultan Camii
Nouvelle Porte Sainte, voir Yeni Aya Kapı
Nur Banu, sultane 189
Nuruosmaniye Camii, mosquée 190

◆ O ◆

Obélisque de Théodose, voir Dikilitaş
Observatoire astronomique (Bosphore) 288
Oiseaux, les 20-21
Oiseaux migrateurs, les 18-19
Okrida, synagogue 245
Okyay, Necmeddin, calligraphe 208
Orhan Gazi Camii, mosquée (Bursa) 299-301
Orhan Gazi Türbesi, tombeau (Bursa) 301, 306
Orhan Gazi, sultan 33,

36, 293, 298, 302
Orient-Express, l' 129, 260
Örme Sütun, colonne 179
Ortaköy (Bosphore) 280, 353
Ortaköy, mosquée d' 85
Orthodoks Patrikhanesi, voir Patriarcat grec orthoxe
Osman, miniaturiste 169
Osman Gazi, bey 36, 301
Osman Gazi,Türbesi, tombeau (Bursa) 301, 306
Osman III Camii, mosquée 190
Osmanli, voir Ottomans
Ostrorog, comtes 288
Ostrorog, yalı des (Küçüksu) 288
Ottomans, les 33 à 41
Özbel, Kenan, collection de 135

◆ P ◆

Palais de Justice de France, ancien 259
Palais de l'Arsenal, voir Aynalıkavak Kasrı
Palais de Venise, ancienne ambassade 259
Palais des Sports et des Expositions, voir Spor ve Sergi Sarayı
Pamuk, Orhan 118-119
Pandeli, restaurant le 132, 355
Paşabahçe (Bosphore) 285
Papyrus, café 262, 351
Passage des Fleurs, voir Çiçek Pasajı
Patriarcat grec orthodoxe 242-243
Pavillon de Porphyre 183
Pavillon des Revues, voir Alay Köşkü
Peinture murale, la 50-51
Pera Palas, hôtel 259, 261, 351
Péra, ancien quartier de 254, 257 à 262, 354
Persembe Pazarı Sokağı 254
Petrion, château du 242
Phare de l'Europe, voir Rumeli Feneri
Philippicus Bardanus, empereur 323
Pierre Loti 103-104
Pierre Loti, café 248, 249
Pilevneli, Mustafa, peintre 95
Pipes et narguilés 69, 196
Piri Reis, navigateur 277, 324
Pline le Jeune, gouverneur de Bithynie 296
Podestat, ancien 255
Porphyrogénète, palais des, voir Tekfur Sarayı
Porte d'Argent, voir Silivri Kapı
Porte de Belgrade, voir Belgrat Kapı
Porte de l'Assaut, voir Hücum Kapı
Porte des Écuries, voir Ahır Kapı
Porte Dorée 227-228
Porte du Canon, voir Top Kapı
Porte du Christ 225
Porte du Lac, voir Göl Kapı (Iznik)
Porte du Petrion, voir Petri Kapı
Porte du Phare, voir Fener Kapı
Porte Fendue, voir Çatladi Kapı
Porte Oblique, voir Eğri Kapı
Porte Sainte, voir Aya Kapı
Première Guerre mondiale 41-42, 328 à 331
Princes, îles des (voir Kızıl Adalar)
Princes, tombeau des 222
Prusias Ier, roi de Bithynie 298

◆ R ◆

Ragip Paşa Külliyesi, complexe 203
Rahmi, Bedri, peintre 95
Rejans, restaurant 353
Religion, la 62-63
République de Turquie 43 à 45
Rifat, Oktay 107
Rochers Bleus, les (Bosphore) 284
Roxelane Hamamı, hammam 174
Roxelane Türbesi, mausolée 216
Roxelane, sultane 217
Rum Mehmet Paşa Camii, mosquée (Üsküdar) 268
Rum Mehmet Paşa Türbesi, mausolée 268
Rumeli Feneri (Bosphore) 284
Rumeli Hisarı, forteresse (Bosphore) 281
Rumeli Hisarı, village (Bosphore) 283
Rumeli Kavağı (Bosphore) 283
Rüstem Paşa Camii, mosquée 132 à 133
Rüstem Paşa Hanı, caravansérail (Edirne) 309
Rüstem Paşa Kervansaray, hôtel (Edirne) 311
Rüstem Paşa Türbesi, mausolée 204
Rüstem Paşa, grand vizir 132, 133

Sa'i, Mustafa, poète 218
Sadullah Paşa, yalı de (Bosphore) 289
Safiye, sultane 130
Sagricılar Camii, mosquée 239
Sahaflar Çarşısı, marché 198-199
Sahmelek Paşa Camii, mosquée (Edirne) 321
Saint-Antoine-de-Padoue, église 260
Saint-Étienne-des-Bulgares, église 241, 244-245
Saint-Georges, église patriarcale 242
Saint-Georges, église (Yeniköy) 280
Saint-Georges, monastère (Büyük Ada) 273
Saint-Jean-Baptiste, église 245
Saint-Jean-de-Stoudion, ancienne église 74, 228-229
Saint-Louis-des-Français, église 260
Saint-Nicolas, église 241
Saint-Pierre, caravansérail 255
Saint-Pierre-et-Saint-Marc, ancienne église 246
Saint-Pierre-et-Saint-Paul, église 255
Saint-Sauveur-in-Chora, ancienne église 232 à 235
Saint-Serge-et-Saint-Bacchus, ancienne église 74, 181-182
Sainte-Catherine-du-Mont-Sinaï, ancien monastère 245
Sainte-Irène, église 152, 153
Sainte-Marie-Draperis, église 258
Sainte-Sophie, ancienne basilique 74-75, 138 à 148, 350
  Bibliothèque ottomane 145
  Chapiteaux 149
  Déisis 146
  Gynécée 146
  Kiosque Impérial 146
  Marbres 144
  Mosaïques de la Nef 145
  Mosaïques des galeries 143, 147
  Mosaïques du narthex 142
  Nef 142 à 146
  Porte Impériale 142
  Tribunes 146
Sainte-Sophie, ancienne basilique (Iznik) 294
Sainte-Sophie, place de, voir Aya Sofya Meydanı
Sainte-Sophie, trésor de la basilique 149
Sainte-Théodosie, ancienne église 240, 241, 242
Sainte-Trinité, église de la 262
Sainte-Trinité, monastère de la (Heybeli Ada) 271
Salle des Concerts 262
San Pacifico, église (Büyük Ada) 273
San Pietro, église 255
Saray Burnu (pointe du Sérail) 128, 129
Sarayıçi, île (Edirne) 320
Sarhos, Ibrahim, maître verrier 215
Sarıyer (Bosphore) 283
Sarnıç Lokantasi, restaurant 136
Schliemann, Heinrich, archéologue 28, 332, 334, 335, 336
Schneider, Alfons Maria, archéologue 140

Scutari, voir Üsküdar
Seddülbahir, forteresse (Dardanelles) 324, 332
Sedef Adası, plages de (Kizil Adalar) 269
Seljoukide, art 180
Seldjoukide, royaume 36
Selim Ier Camii, mosquée 222
Selim Ier Türbesi, mausolée 222
Selim Ier, sultan 56, 157, 286
Selim II Camii, dit Selimiye Camii, mosquée (Edirne) 80-81, 311, 312, 315, 318-319
Selim II Külliyesi (Edirne) 312
Selim II, sultan 38
Selim II Türbesi, mausolée 144, 148
Selim III, sultan
Sel ul Hatun Türbesi, mausolée (de la princesse) 201
Selvi Burnu (Bosphore) 284
Semiz Ali Paşa Arasta, galerie marchande (Edirne) 310
Semiz Ali Paşa Türbesi, mausolée 231
Sepetçiler Köşkü, kiosque 129
Septime Sévère, empereur 177
Sérail, pointe du 128, 129
Sestos, ancienne (Dardanelles) 325
Seyyid Loqman 128, 160
Seyyit Hasan Paşa Hanı, caravansérail 202
Silivri Kapı, porte 229
Sinan de Bursa, miniaturiste 166
Sinan Türbesi, mausolée 216, 218
Sinan, architecte 80, 132, 137, 144, 148, 162, 174, 180, 214, 216, 218, 231, 245, 247, 264, 265, 268, 269, 280, 286, 294, 311, 314 à 319, 354, 357
Sirkeci Istasyon, gare 129, 351
Siyah Qalem, miniaturiste 172
Siyavus Paşa Türbesi, mausolée 247
Smith, W. J., architecte 261
Soğuk Çeşme, medrese de 137
Soğuk Çeşme Sokağı, rue 136, 137, 350
Sokollu Mehmet Paşa Camii, mosquée 179, 180, 317
Sokollu Mehmet Paşa Camii, mosquée (Galata) 254
Sokollu Mehmet Paşa Türbesi, mausolée 247
Sokollu Mehmet Paşa, grand vizir 38, 178
Source-Froide, medrese de la (voir Soğuk Çeşme, medrese de)
Source-Froide, rue de la (voir Soğuk Çeşme Sokağı)
Splendid, hôtel 273
Spor ve Sergi Sarayı 262
Stoa Basilica 174, 187
Stratford, Lord 258
Street, C. E., architecte 258
Stricker, C. Lee 205
Sublime Porte, la (Bab-i Ali) 134, 351
Süleyman Ier Köprüsü, pont (Edirne) 320
Süleyman Ier Türbesi, mausolée 79, 215, 354
Süleyman Ier, dit le Magnifique, sultan 160, 204, 216, 218
Süleyman Paşa 320, 323
Süleyman Çelebi, émir 309
Süleymaniye Camii, mosquée 214-215, 354
Süleymaniye Hanı, caravansérail 219
Süleymaniye Külliyesi, complexe 216 à 218
Sultan Ahmet Camii, mosquée 175-176, 350
Sultan Ahmet Külliyesi, complexe 177

◆ Ş ◆

Şark Kahvesi, café 350
Şehzade Camii, mosquée 204
Şeker bayram, fête 355
Şemsi Ahmet Paşa Camii, mosquée (Üsküdar) 267
Şemsi Ahmet Paşa Külliyesi, complexe (Üsküdar) 267
Şemsi Ahmet Paşa Türbesi, mausolée (Üsküdar) 267
Şeyh Muhammed Semai Sultan Divani 257
Şimkeş Hanı, caravansérail 202
Şişli Bendi, barrage 356

Taksim Meydanı, place 262, 351, 353
Taksim, ancien réservoir 262
Taksim, quartier de 262
Tamerlan 299
Tanpinar, Ahmet Hamdi 109 à 111
Tapis 60-61, 195
Tarabya (Bosphore) 281, 283
Tekfur Sarayı, palais 75, 236
Tekin, Latife 113-114
Tepebaşı, quartier 351
Teşfikiye, quartier 351
Théâtre d'ombres 56-57
Théodore Ier Lascaris, empereur 295
Théodore le Studite 228
Théodore Métochite 233, 235
Théodose Ier, dit le Grand, empereur 31
Théodose II, empereur 31, 138
Théodose, forum de 202
Théodose, murailles de 224 à 236
Théophile, empereur182
Theotokos Kyriotissa, ancienne église 75, 205, 214
Theotokos Pammakaristos, ancienne église 223
Tiryaki Çarşısı, rue du 214
Tokat Deresi, vallée de (Bosphore) 285
Tombeau des Irascibles, voir Huysuzlar Türbesi (Iznik)
Top Kapı, porte 226, 230
Topkapı Sarayı, palais 82-83, 152 à 165, 350
Appartement de la Félicité (Hirka-ı Saadet Dairesi) 157
Appartements de la sultane mère 161
Appartements des princes 83, 163
Armes ottomanes, collection d' 154, 155
Ağalar Camii, mosquée 156, 157
Bagdad Köşku, pavillon 83, 158
Bibliothèque d'Ahmet Ier 162
Chambre à la Fontaine (Çesmeli Oda) 161
Chambre de l'Atre (Ocakli Oda) 161
Chambre des Fruits (Yemi Odası), salle à manger d'Ahmet III 83, 159, 163
Chambre Impériale (Hünkar Odası) 161
Chemin de l'Or (Altin Yolu) 160
Costumes ottomans, collection de 68, 153, 157
Cuisines 155
Divan, salles du 154-155
École du palais 156
Écuries impériales 155
Harem, le 158, 160 à 164
Jardin des Tulipes 158
Mecidiye Köşku, pavillon 159
Miniatures ottomanes, collection de 155, 160
Nouvelle Bibliothèque 157
Place des Cérémonies 152, 153
Place du Divan, 154
Place privée (Enderun) 156
Porte de l'Auguste (Bab-i Hümayün) 152
Porte de la Félicité (Bab-üs Saadet) 83, 155, 156

Porte de la mort (Meyyit Kapısı) 155
Porte du Milieu (Orta Kapı) 153
Porte du Salut (Bab-üs Selam), voir porte du Milieu
Portique des Colonnes 158
Quartier des eunuques160
Quartier des femmes 161
Rivan Köşku, pavillon 158
Salle de la Circonsition (Sünnet Odası) 158
Salle des audiences (Arz Odası) 156
Salle du Trône 156
Salon de Murat III 162
Sofa Köşku, pavillon 159
Terrasse des Favorites (Gözdeler Taşliği) 164
Trésor impérial 157, 161
Trésor public 155
Vaisselle ottomane, collection de 155
Topuzlubent, barrage 356, 357
Tott, François de 332
Tour de Léandre, voir Kız Kulesi
Tour de Marbre, voir Mermer Kule
Tour du Bagne 239
Touring & Automobile Club de Turquie (TTOK) 136, 350
Troie 28, 334 à 336
Bouleutérion 334, 336
Grande tour d'Ilion 336
Maison aux piliers 336
Mégaron 334
Musée 336
Odéion 336
Palais de Priam 336
Temple d'Athena 334, 336
Théâtre romain 334, 336
Trésor de Priam 334, 336
Troie, cheval de 335
Troie, guerre de 336
Truva, voir Troie
Tünel, funiculaire 254, 257, 352
Tünel Geçidi, passage 352
Turhan Hadice, sultane 130

◆ U ◆

Üç Mirablı Camii, mosquée 239
Üç Şerefeli Camii, mosquée (Edirne) 310-311
Ulu Cami, mosquée (Bursa) 298-299
Ulu Dağ, massif de l' 17
Ulu Dağ, parc national 24-25, 307
Underwood, P. A. 233
Université 354
Üsküdar, quartier d' 264 à 270, 351
Uzunkemer, aqueduc 357
Üsküdar échelle d' 265

◆ V ◆

Valens, aqueduc de, voir Bozdoğan Kemeri
Valide Bendi, barrage 356
Valide Hanı, caravansérail 197
Valide Naksidil Türbesi, mausolée 221
Vaniköy (Bosphore) 288
Végétation, la 26
Végétation maritime, la 22
Végétation monticole, la 24
Veli, Orhan 120
Vilayet, le 133, 134
Villehardouin, chevalier 242
Vladimir de Kiev, prince 149

◆ W ◆

Whittemore, Thomas 141, 233

◆ Y ◆

Yahya Efendi Külliyesi, complexe (Yıldız) 280
Yahya Efendi, saint 280
Yakub-sah bin Sultansah, architecte 200
Yakut, calligraphe 206
Yalı, les 88
Yavuz Ersinan 239
Yedikule Kapı, porte 227
Yedikule, château 225, 226, 227
Yeni Aya Kapı, porte 242
Yeni Çeriler Caddesi, avenue 191-192, 199
Yeni Kaplıca Hamamı, hammam (Bursa) 58, 305
Yeni Valide Camii, mosquée 130, 131, 355
Yeni Valide Camii, mosquée (Üsküdar) 267
Yeni Valide Külliyesi, complexe 131
Yeni Valide Külliyesi, complexe (Üsküdar) 267
Yeniköy (Bosphore) 280, 282
Yerebatan Sarayı, citerne 76, 187-188
Yeşil Cami, mosquée (Bursa) 78, 305
Yeşil Cami, mosquée (Iznik) 78, 294-295
Yeşil Ev, hôtel 185
Yeşil Türbe (Bursa) 79, 306, 307
Yılanlı Sütun, colonne 178
Yıldız Sarayı, palais (Bosphore) 50-51, 280
Yıldız, parc de (Bosphore) 280, 282, 353
Yorgos, restaurant 351
Yuşa Baba, tombeau de (Yuşa Tepesi) 284
Yuşa Tepesi, colline (Bosphore) 284

◆ Z ◆

Zeynep Sultan Camii, mosquée 136
Zeyrek Camii, mosquée 240
Zincirli Han, caravansérail 197
Zoé, impératrice 143, 147

◆ Bazars ◆

Bazar aux Épices, voir Mısır Çarşısı
Bazar des Artisanats ottomans, voir Soğuk Çeşme Medresesi
Bazar Égyptien, voir Mısır Çarşısı
Edirne, bazar d' 310
Grand Bazar, le 68, 186, 190, 193 à 197, 199, 350
Mısır Çarşısı 68, 132, 351, 355, 358
Bursa, marché couvert de 300, 301
Marché aux Livres, voir Sahaflar Çarşısı
Marché des Métiers d'Art, voir Cedid Mehmet Efendi Medresesi
Sahaflar Çarşısı, marché 198-199

◆ Hanı ◆

Bey Hanı (Bursa) 301
Büyük Yeni Han 197
Caravansérail des Tréfileurs d'Argent, voir Şimkeş Hanı
Çuhacıılar Hanı 197
Fidan Hanı (Bursa) 301
Geyve Hanıl (Bursa) 301
Kalcilar Hanı 197
Koza Hanı (Bursa) 301
Rüstem Paşa Hanı (Edirne) 309
Saint-Pierre, caravansérail 255
Seyyit Hasan Paşa Hanı 202
Simkes Hanı 202
Süleymaniye Hanı 219
Valide Hanı 197
Zincirli Han 197

◆ Châteaux ◆

Anadolu Hisarı, forteresse (Bosphore) 281, 287
Château aux Sept Tours, voir Yedikule
Forteresse d'Asie, voir Anadolu Hisarı
Forteresse d'Europe, voir Rumeli Hisarı
Gelibolu, château de (Dardanelles) 323-324
Kalei Sultaniye, (Dardanelles) 324, 326, 333
Kilitbahir (Dardanelles) 324, 325, 326
Kumkale (Dardanelles) 324, 332
Petrion, château du 242
Rumeli Hisarı (Bosphore) 281
Seddülbahir (Dardanelles) 324, 332
Yedikule 225, 226, 227

◆ Colonnes ◆

Colonne aux Cercles, voir Çemberlitaş
Colonne Brûlée, voir Çemberlitaş
Colonne de Constantin, voir Örme Sütun
Colonne de la Jeune-Fille, voir Kız Taşı
Colonne des Goths, voir Gotlar Sütunu
Colonne Serpentine, voir Yılanlı Sütun
Çemberlitaş 189, 350
Dikilitaş 177, 178
Gotlar Sütunu 129
Kız Taşı 220
Obélisque de Théodose, voir Dikilitaş
Örme Sütun 179
Yılanlı Sütun 178

Christ-Pantocrator, ancienne église du 240-241
Koimoisis, église de la (Iznik) 295
Mémorial de la Guerre de Crimée, église du 258
Notre-Dame-des-Mongols 244
Saint-Antoine-de-Padoue 260
Saint-Étienne-des-Bulgares 241, 244-245
Saint-Georges, église patriarcale 242
Saint-Georges (Yeniköy) 280
Saint-Jean-Baptiste 245
Saint-Jean-de-Stoudion, ancienne église 74, 228-229
Saint-Louis-des-Français 260
Saint-Nicolas 241
Saint-Pierre-et-Saint-Marc, ancienne église 246
Saint-Pierre-et-Saint-Paul 255
Saint-Sauveur-in-Chora, ancienne église 232 à 235
Saint-Serge-et-Saint-Bacchus, ancienne église 74, 181-182
Sainte-Irène 152, 153
Sainte-Marie-Draperis 258
Sainte-Sophie, ancienne basilique 74-75, 138 à 148, 350
Sainte-Sophie, ancienne basilique (Iznik) 294
Sainte-Théodosie, ancienne église 240, 241, 242
Sainte-Trinité, église de la 262
San Pacifico (Büyük Ada) 273
San Pietro 255
Theotokos Kyriotissa, anciene église 75, 205, 214
Theotokos Pammakaristos, ancienne église 223

◆ Fontaines ◆

Ahmet III, fontaine d' 67, 77, 148
Ahmet III, fontaine d' (Üsküdar) 265, 266
Ak Bıyık Çeşmesı 184
Ayazma, fontaine sacrée (Iznik) 296
Blachernes, ayazma des (fontaine sacrée) 246
Fontaines, les 66-67
Guillaume II, fontaine de 185
Küçüksu, fontaine de 287-288
Moustache-Blanche, fontaine de la (voir Ak Bıyık Çeşmesı)

◆ Hammams ◆

Cağaloğlu Hamamı 133-134, 350
Çemberlitaş Hamamı 189, 350
Eski Kaplıca Hamamı (Bursa) 58, 305
Gedik Ahmet Paşa Hamamı 199
Hammams, les 58-59, 76
Mahmut Paşa Hamamı 197
Mihal Gazi Hamamı (Edirne) 321
Murat Ier Hamamı (Iznik) 294
Murat II Hamamı (Iznik) 294
Roxelane Hamamı 174
Yeni Kaplıca Hamamı (Bursa) 58, 305

◆ Mausolées ◆

Abdül Hamit Ier Türbesi 133
Abdül Mecit Türbesi 222
Ahmet Ier Türbesi 177
Ahmet Paşa, tombe d' 352
Aya Sofya Türbesi, mausolées 148
Beyazıt II Türbesi (Istanbul) 201
Cem, mausolée du prince (Bursa) 303
Eyüp Ensari Türbesi 249
Ferhat Paşa Türbesi 247
Firuz Ağa, tombeau de 188
Gülbahar Valide Türbesi 221
Gülnus Emetullah Türbesi 267
Hüseyin Ağa Türbesi 181
Ibrahim Paşa Türbesi 204
Koca Sinan Paşa Türbesi 191
Mahmut II Türbesi 189
Mahmut Paşa Türbesi 190
Mehmet Fatih Türbesi 221
Mehmet Ier Türbesi (Bursa) 306, 307
Mehmet Köprülü Paşa Türbesi 189
Mehmet (prince) Türbesi 204
Murat Ier Türbesi (Bursa) 304
Murat II Türbesi (Bursa) 302-303
Murat III Türbesi 148
Mustafa Ier Türbesi 148
Mustafa Türbesi (Bursa) 303
Nakşidil Türbesi 221
Nilüfer Hatun, tombeau de 302
Orhan Gazi Türbesi (Bursa) 301, 306
Osman Gazi,Türbesi (Bursa) 301, 306
Princes, tombeau des 222
Roxelane Türbesi 216
Rum Mehmet Paşa Türbesi 268
Rüstem Paşa Türbesi 204
Selim Ier Türbesi 222
Selim II Türbesi 144, 148
Sel ul Hatun (princesse) Türbesi 201
Semiz Ali Paşa Türbesi 231
Sinan Türbesi 216, 218
Siyavus Paşa Türbesi 247
Sokollu Mehmet Paşa Türbesi 247
Süleyman Ier Türbesi 79, 215, 354
Şemsi Ahmet Paşa Türbesi (Üsküdar) 267
Valide Naksidil Türbesi 221
Yeşil Türbe (Bursa) 79, 306, 307
Yuşa Baba, tombeau de (Yuşa Tepesi) 284

Abdül Hamit Ier Camii (Emirğan) 282
Ancienne mosquée de la Sultane mère, voir Atik Valide Camii
Ancienne Mosquée, voir Eski Cami (Edirne)
Arap Camii 254
Atik Ali Paşa Camii 79, 191
Atik Mustafa Paşa Camii 246
Atik Valide Camii (Üsküdar) 268-269
Aya Sofya Camii, voir Sainte-Sophie
Ayazma Camii (Üsküdar) 268
Beyazıt Ier Camii (Bursa) 78, 307
Beyazıt II Camii (Istanbul) 79, 200-201, 358
Burmali Minare Camii 220

Çinili Camii (Üsküdar) 270
Dolmabahçe Camii (Bosphore) 277
Eski Cami (Edirne) 309
Eyüp Camii 244, 245, 249
Ferruh Ağa, mosquée de 245
Fethiye Camii 223
Firuz Ağa Camii 188
Gelibolu, mescit de 325
Grande Mosquée, voir Ulu Cami (Bursa)
Gül Camii 240, 241, 242
Haci Özbek Camii (Iznik) 294
Hüdavendigar Camii (Bursa) 304
Imrahor Camii 228
Iskele Camii, voir Mihrimah Camii (Üsküdar)
Iskender Paşa Camii (Kanlıca) 286
Kalenderhane Camii 75, 205
Kantarcılar Mescidi 238
Kara Davut Paşa Camii (Üsküdar) 266
Kariye Camii 232
Kazancılar Camii 239
Koca Sinan Paşa Camii 353
Küçük Aya Sofya Camii 181-182
Lâleli Camii 203
Mahmut Paşa Camii 190
Mecidiye Camii (Ortaköy) 280
Mehmet Fatih Camii 221, 354
Mehmet Ier Camii (Bursa) 305-306
Mihal Gazi Camii (Edirne) 321
Mihrimah Camii 230, 231-232
Mihrimah Camii (Üsküdar) 265, 266
Mosquée au Minaret Torsadé , voir Burmali Minare Camii
Mosquée aux Faïences, voir Çinili Camii
Mosquée aux Trois Balcons, voir Üç Şerefeli Camii (Edirne)
Mosquée aux Trois Mihrab, voir Üç Mirablı Camii
Mosquée Bleue, voir Sultan Ahmet Camii
Mosquée de la Conquête, voir Fethiye Camii
Mosquée de la Fontaine Sacrée, voir Ayazma Camii
Mosquée des Arabes, voir Arap Camii
Mosquée des Chaudronniers, voir Kazancılar Camii
Mosquée des Fabricants de balances, voir Kantarcılar Mescidi
Mosquée des Roses, voir Gül Camii
Mosquée des Tanneurs, voir Sagricılar Camii
Mosqueé des Tulipes, voir Lâleli Camii
Mosquée du Débarcadère, voir Iskele Camii
Mosquée du Prince, voir Şehzade Camii
Mosquée Petite Sainte-Sophie, voir Küçük Aya Sofya Camii
Mosquée Sainte-Sophie, voir Aya Sofya Camii
Mosquée Verte, voir Yeşil Cami (Bursa)
Mosquée Verte, voir Yeşil Cami (Iznik)
Murat Ier Camii (Bursa) 304
Murat Ier Camii (Edirne) 320
Murat II Camii, dit Muradiye Camii (Bursa) 302
Murat II Camii, dit Muradiye Camii (Edirne) 313
Nouvelle mosquée de la Sultane mère, voir Yeni Valide Sultan Camii
Nuruosmaniye Camii 190
Orhan Gazi Camii (Bursa) 299-301
Ortaköy, mosquée d' 85
Osman III Camii 190
Rum Mehmet Paşa Camii (Üsküdar) 268
Rüstem Paşa Camii 132 à 133
Sagricılar Camii 239
Selim Ier Camii 222
Selim II Camii, dit Selimiye Camii (Edirne) 80-81, 311, 312, 315, 318-319
Sokollu Mehmet Paşa Camii 179, 180, 317
Sokollu Mehmet Paşa Camii (Galata) 254
Süleymaniye Camii 214-215, 354
Sultan Ahmet Camii 175-176, 350
Şehzade Camii 204
Şemsi Ahmet Paşa Camii (Üsküdar) 267
Üç Mirablı Camii 239
Üç Şerefeli Camii (Edirne) 310-311
Ulu Cami (Bursa) 298-299
Yeni Valide Camii 130, 131, 355
Yeni Valide Camii (Üsküdar) 267
Yeşil Cami (Bursa) 78, 305
Yeşil Cami (Iznik) 78, 294-295
Zeynep Sultan Camii 136
Zeyrek Camii 240

◆ Musées ◆

Çinili Köşku, musée 162, 164
Küçüksu, palais de (musée) 287, 288 (Bosphore)
Musée archéologique de Bursa) 305
Musée archéologique 164, 188
Musée archéologique de Çannakale, (Dardanelles) 333
Musée archéologique et ethnographique d'Edirne 312
Musée archéologique et ethnographique d'Iznik 295
Musée de la Calligraphie (Beyazıdiye Medresesi) 202
Musée de la Guerre de Kabatepe (Dardanelles) 327
Musée de la Littérature du Divan 257
Musée de la Marine (Bosphore) 277
Musée de l'Ancien Orient 165
Musée des Arts turcs et islamiques 179-180
Musée des Arts turcs et islamiques de Bursa 306
Musée des Arts turcs et islamiques d'Edirne 312-313
Musée des Mosaïques 182, 184
Musée des Tapis et Kilims 176, 185
Musée militaire 262
Musée militaire de Çimenlik Kale (Dardanelles) 333
Musée Mustafa Kemal Atatürk 262
Musée Sadberk Hanim (Büyükdere) 68, 283
Musée de Troie 336
Sainte-Sophie, musée de la basilique 138 à 148
Topkapı, musée du palais de 152 à 165

◆ Palais ◆

Antiochus et Lausus, palais d' 188
Aynalıkavak Kasrı 241
Beylerbey Sarayı (Bosphore) 50, 289
Blachernes, palais des 237
Boucoléon, palais du 183
Çirağan Sarayı (Bosphore) 280, 353
Dolmabahçe Sarayı (Bosphore) 50, 84-85, 276, 278-279, 351
Grand Palais de Byzance, le 182-183
Ibrahim Paşa Sarayı 179-180
Khédives, palais des (Bosphore) 286
Küçüksu, palais de (musée) 84, 287, 288
Palais de l'Arsenal, voir Aynalıkavak Kasrı
Palais de Venise, ancienne ambassade 259
Porphyrogénète, palais des, voir Tekfur Sarayı
Tekfur Sarayı 75, 236
Topkapı Sarayı 82-83, 152 à 165, 350
Yıldız Sarayı (Bosphore) 50-51, 280

◆ Pavillons ◆

Alay Köşkü, pavillon 135
Baghdad Köşku, (Topkapı Sarayı) 83, 158
Beyaz Köşk (Emirğan) 282
Çadır Köşkü 353
Çinili Köşku, musée 162, 164
Kiosque Blanc, voir Beyaz Köşk (Emirğan)
Kiosque des Faïences, voir Çinili Köşkü
Kiosque des Vanniers, voir Sepetçiler Köşkü
Malta Köşkü (Yıldız) 282
Mecidiye Köşku (Topkapı Sarayı) 159
Pavillon des Revues, voir Alay Köşkü
Rivan Köşku (Topkapı Sarayı) 158
Sepetçiler Köşkü 129
Sofa Köşkü (Topkapı Sarayı) 159

◆ Tours ◆

Galata Kulesi 252, 256, 257
Kız Kulesi 267
Mermer Kule 225
Tour de la Porte, voir Kapı Kule (Edirne)
Tour de Léandre, voir Kız Kulesi
Tour de Marbre, voir Mermer Kule
Tour du Bagne 239

◆ Yalı ◆

Amcazade Hüseyin Paşa Yalısı (Bosphore) 88, 286
Izzet Paşa Yalısı (Büyük Ada) 272
Kıbrıslı Mustafa Emin Paşa Yalısı (Küçüksu) 288
Ostrorog Yalısı (Küçüksu) 288
Sadullah Paşa Yalısı (Bosphore) 289
Yalı, les 88